28 00

CROIRE

Vivre la foi dans les sacrements

5e édition

DU MÊME AUTEUR

Le grand jeu du Pain et du Sang, Mouscron 1955 (épuisé).

Saint Gérard, le petit frère qui jouait avec Dieu, E.I.S.E. Lyon 1961. Actuellement chez Téqui, Paris.

Carnet de route de Jean Ploussard, Seuil 1964 ; « Livre de Vie » 1970 (traduit en espagnol, en italien et en allemand).

Laissez-vous réconcilier... La confession aujourd'hui? Centurion 1972 (trad. en portugais et en italien). Septième édition.

Ce que Dieu a uni... Le mariage chrétien hier et aujourd'hui, Centurion 1974. Deuxième édition.

Vos filles prophétiseront, Anne-Marie Rivier, Bourg-Saint-Andéol 1976 (trad. en portugais, en espagnol, en américain, en japonais). Troisième édition.

Croire... Pour une redécouverte de la foi, Droguet et Ardant 1976. Quarantième mille.

Croire... Vivre la foi avec le Concile Vatican II.

En collaboration

avec le C.N.E.R. : **La foi, rencontre de Jésus Christ,** Centurion 1967.

avec Jean Puyo : **Aujourd'hui l'Évangile,** Fleurus 1970 (trad. en espagnol et en portugais). Épuisé.

DANS LA MÊME COLLECTION

Croire en dialogue : Chrétien devant les Religions, les Églises, les Sectes, par René Girault et Jean Vernette.

Th. REY-MERMET, C. SS. R.

CROIRE

Vivre la foi dans les sacrements

✳ ✳

DROGUET & ARDANT

NIHIL OBSTAT
Paris, 3 mai 1977
François BOURDEAU, c.ss.r.

IMPRIMI POTEST
Lyon, le 20 mai 1977
Jean PEYRARD, c.ss.r., supérieur provincial

IMPRIMATUR
Paris, le 27 juin 1977
Émile BERRAR, vicaire épiscopal

A mes frères Jean-Maurice († 1939) et Ernest,
à mon neveu Bernard Rey-Mermet,
« serviteurs du Christ
et dispensateurs des mystères de Dieu » (1 Cor 4, 1)

Th. R.-M.

PROLOGUE :
AUJOURD'HUI, LES SACREMENTS?

Le Symbole des Apôtres ne mentionne pas les sacrements...
Comme une lettre d'amour qui ne parlerait pas de mariage.
Et pourtant, les sacrements sont tous objets de foi. Ils sont
définis dans les dogmes de l'Église. C'est même leur pratique
qui fait les chrétiens, qui fait l'Église. Une chrétienté sans
baptême, ou sans Eucharistie, ou sans ordination de prêtres
ne serait plus qu'une société philosophique ou philanthro-
pique. Alors, comment se fait-il que notre vieux « Je crois
en Dieu » semble ignorer les sacrements?

Sans doute, ils sont tous contenus, comme dans leur
source, dans l'incarnation, la vie, la mort et la résurrection
de Jésus Christ. Ils jaillissent avec le sang et l'eau de son
côté ouvert sur la croix. Nous avons eu ainsi l'occasion d'y
faire plus que des allusions dans nos chapitres sur le Credo.
Mais encore?

Mais notre Credo est **un Credo baptismal :** dans l'Église
ancienne, il conduisait les catéchumènes jusqu'au baptême.
Pas plus loin. Au-delà du baptême qui les « initiait », il restait
à leur « dévoiler les mystères », c'est-à-dire, précisément,
les sacrements. On n'avait pu les leur apprendre avant, parce
qu'on estimait que **les sacrements ne sont pas des notions,
mais des événements :** ils s'apprennent en se vivant.
Comme d'ailleurs la prière « chrétienne ».

Un recyclage de la foi exige donc, pour des baptisés de
vieille date, après la catéchèse initiale du Credo, une catéchèse
des sacrements et du *Pater.*

Trois raisons, en outre, la rendent plus nécessaire que
jamais :

1) Beaucoup de soi-disant chrétiens abandonnent ou
refusent maintenant le chemin des sacrements. Récemment
encore ils tenaient à un certain nombre de démarches :
baptême, première communion, mariage à l'église, messe
dominicale, Pâques. Maintenant, la « pratique religieuse »

Que tes sacre-
ments, Seigneur,
achèvent de pro-
duire en nous ce
qu'ils signifient,
afin que nous
entrions un jour
dans la pleine
possession du
mystère que nous
célébrons dans
ces rites... Amen.
*(Prière après la
communion du 30e
dimanche ordi-
naire.)*

*Une crise
des
sacrements*

Une certaine façon de conférer les sacrements, sans un solide appui de la catéchèse de ces mêmes sacrements et d'une catéchèse globale, finirait par les priver en grande partie de leur efficacité. Le rôle de l'évangélisation est précisément d'éduquer tellement dans la foi qu'elle conduise chaque chrétien à vivre — et non à recevoir passivement, ou à subir — les sacrements comme de véritables sacrements de la foi. (Paul VI).

accuse une brutale chute de tension : les sacrements s'en vont. Où s'arrêtera la désertion des fonts baptismaux, des assemblées dominicales, des confessionnaux, des séminaires ? On prend massivement ses distances par rapport aux rites chrétiens, on se méfie de l'Église visible, tout en prétendant souvent rester en lien vital avec Jésus Christ.

C'est que l'on ne comprend rien aux sacrements et pas grand-chose à Jésus Christ...

Cette crise est loin d'être toute négative, d'ailleurs : les baptêmes, les mariages se préparent mieux, dans des communautés de foi ; les confessions deviennent des événements, souvent des événements d'Église ; les Eucharisties de groupe retrouvent la chaleur et la vérité de la jeune chrétienté...

Mais il ne faut pas que ce renouvellement reste l'affaire de petits cénacles, tandis que la masse fondante des pratiquants continuerait à couler. Il ne faut pas jeter des chaloupes à la mer en laissant le navire s'en aller par le fond. C'est l'Église pratiquante qui est la première responsable de l'effondrement de la pratique. C'est nous... Faute de la bien comprendre pour en rayonner.

La routine des pratiquants

2) Les pratiquants savent beaucoup de choses sur les sacrements : les formules de nos catéchismes jouent aux quatre coins dans nos mémoires. Nous savons trop de choses... qui ne sont peut-être pas les plus essentielles. Il faut trier notre bric-à-brac, réviser notre pratique... qui donne si peu envie aux jeunes de rester avec nous, aux non-pratiquants de venir avec nous.

Les sacrements, nous sommes tellement plongés dedans que nous ne nous posons plus de questions... Il nous faudrait oublier ce que nous en savons. Prendre du recul. Pour redécouvrir à nouveaux frais, redémarrer à neuf. Voulez-vous ?

Les sacrements sont les sacrements de la foi. Ils ne sont plus compris quand la foi « se rouille »...

Ceux-là disent : « Je suis croyant, mais non pratiquant. » Croyant à quoi ? de quelle foi ?...

Ceux-ci, au contraire, sont pratiquants. Mais sont-ils croyants ? et de quelle foi ? La vérité des sacrements

tient à la lumière de foi de celui qui les approche.
Voulez-vous que nous renouvelions notre vision de foi ?

3) Conscient de la routine des habitués et de l'inadaptation de certains rites, Vatican II a mis en route une réforme de tout le rituel sacramentaire. Sommes-nous entrés dans la profonde révolution décidée ainsi par l'Esprit Saint ? Relisons les textes de la *Constitution pour la Sainte Liturgie*, nos 59 et ss :

Vatican II et les sacrements

« Les sacrements ont pour fin de sanctifier les hommes, d'édifier le Corps du Christ, enfin de rendre le culte à Dieu ; mais, à titre de signes, ils ont aussi un rôle d'enseignement. Non seulement ils supposent la foi, mais encore, par les paroles et par les choses, ils la nourrissent, ils la fortifient, ils l'expriment ; c'est pourquoi ils sont dits sacrements de la foi. Certes, ils confèrent la grâce, mais, en outre, leur célébration dispose au mieux les fidèles à recevoir fructueusement cette grâce, à rendre à Dieu le culte voulu et à exercer la charité.

« Il est donc de la plus haute importance que les fidèles comprennent facilement les signes des sacrements et fréquentent de la façon la plus assidue les sacrements qui nourrissent la vie chrétienne...

« Mais au cours des âges sont entrés dans les rites des sacrements... des éléments qui, à notre époque, ne permettent pas d'en voir assez clairement la nature et la fin ; il est donc besoin d'y opérer certaines adaptations aux nécessités de notre temps, et le saint Concile décrète ce qui suit au sujet de leur révision :

« On donnera une plus large place à la langue du pays...

« On restaurera le catéchuménat des adultes, distribué en plusieurs étapes...

« On révisera le rite du baptême... de la confirmation... de la pénitence... de l'extrême-onction, qu'on peut appeler aussi et mieux l'onction des malades, des ordinations..., du mariage...

Tout un chapitre montre en quel sens « le rituel de la messe sera révisé « (nos 47-58).

L'idée qui revient sans cesse dans ces décisions conciliaires, c'est de rendre chaque sacrement plus parlant, plus « signi-

Il faut prendre tout plus calmement ; s'habituer par exemple à cette nouvelle liberté dans l'Église qui donne un peu d'effervescence à la recherche. Le chrétien actuel doit rester tranquillement fidèle à l'essentiel et suivre avec intérêt les recherches et les évolutions, sans croire toujours tout perdre. Et sans se laisser trop prendre aussi dans cet autre groupe d'agités qui veulent déjà vivre demain parce qu'ils n'arrivent pas à bien vivre aujourd'hui.
(Cardinal Feltin).

fiant ». Et pas uniquement pour les fidèles. Si les sacrements sont signes du Salut universel de Jésus Christ, ils appartiennent à toute l'humanité : ils doivent être parlants aussi pour les non-baptisés. **Les sacrements doivent « dire quelque chose » à l'homme aujourd'hui, « dire quelque chose » à l'homme de partout. Aussi le Concile prescrit que l'on n'hésite pas à adopter les usages des pays où l'on célèbre, s'ils ne sont pas contraires à la foi.** La volonté de l'Esprit et de l'Église est claire : limer la rouille, revitaliser la foi des pratiquants, faire éclater les sacrements en plein cœur de la vie des hommes... Entrons avec joie dans cette grâce de renouvellement conciliaire.

Qu'est-ce qu'un « sacrement »?

Vous vous rappelez les questions de nos vieux catéchismes : « Qu'est-ce qu'un sacrement? — Combien y a-t-il de sacrements? » Vous rappelez-vous aussi les réponses?... Non?... Ne pleurez pas : la première chose à oublier, c'est peut-être cette étiquette précise de « sacrement » que l'on collait alors sur les sept rites majeurs de la pratique religieuse catholique. Le mot « sacrement » n'a pris ce sens précis qu'au XIIe siècle ; et il est en train de le perdre pour retrouver la signification plus large que l'Église lui a longtemps donnée.

Sachez d'abord que le mot « sacrement » ne figure pas dans l'Écriture. Il est la transcription du latin *sacramentum*. Il n'a pas d'équivalent en grec. Il n'a donc pas d'équivalent dans le Nouveau Testament, puisque le Nouveau Testament est écrit en grec.

Que signifiait donc ce latin *sacramentum?* C'était un terme juridique. Quand deux Romains entraient en procès l'un contre l'autre, ils se rendaient dans un temple païen pour y déposer chacun, devant les dieux, une caution, comme garantie de leur bonne foi, et là, ils « juraient », tout comme les témoins dans nos cours d'assises, « de dire toute la vérité, rien que la vérité ». Ce « jurement » *sacré* était appelé *sacramentum*. On a transcrit cela par « serment », qui est « sacrement » en plus court... Le procès terminé, celui qui l'avait gagné récupérait sa caution, tandis que le perdant devait l'abandonner au temple : cette caution était ainsi *sacrée*, — consacrée — aux dieux et devenait aussi *sacramentum*, « sacrement ». Ainsi donc,

« sacrement » et « serment » étaient le même nom, parce qu'ils touchaient au *sacré*, au culte des dieux.

Faute de mieux, c'est ce mot de « sacrement » qu'on employa pour traduire en latin le mot grec *mysterion* des textes originaux du Nouveau Testament. Pendant mille ans et plus, l'Église emploiera ce terme dans des significations très « éparpillées » ; il désignera les réalités les plus diverses de la foi et du culte chrétiens : « mystère » au sens où nous parlons du mystère de l'Incarnation, de la Rédemption, — mais aussi : paroles de l'Écriture, événements, faits et gestes sacrés, rites chrétiens, symboles religieux... Toutes les réalités chrétiennes, intérieures ou extérieures, étaient des « sacrements ». Ce n'est qu'au XIIe siècle qu'on en vint progressivement à réserver ce mot à sept « signes sacrés majeurs institués par le Christ pour signifier et produire la grâce ».

Pendant douze cents ans, dans l'Église, on ne précisait pas ce qu'était un sacrement ; on ne savait donc pas combien il y en avait. Et après !... On en vivait la réalité tout aussi bien, et sans doute mieux que maintenant, où on les a étiquetés et comptés ! Une fois que vous avez compté vos orteils, dit avec humour le père Ganne, vous ne courez pas plus vite qu'avant...

Sans doute faut-il même regretter que l'Église du XIIe siècle ait compté ses sacrements. Auparavant, tout était de quelque façon sacrement, c'est-à-dire signe de Dieu : le monde, l'Église, l'Écriture, le frère, spécialement le pauvre... Ce ne fut pas tout bénéfice de restreindre ce mot à tels signes privilégiés de la présence et de l'action divines : on isola quelques signes « sacrés » et on laissa couler la vie du chrétien « hors du Christ », si je puis dire, dans le « profane ».

Il nous faut, voulez-vous, revenir en arrière. Saisir d'abord l'homme à la source de ses démarches naturelles à la rencontre des hommes et de Dieu : dans des signes, rites et symboles. Saisir d'abord Dieu à la source du Salut qu'il nous apporte : dans la réalité et les signes de ses Alliances. Ce sont les sources des sacrements, car les sacrements ne sont rien d'autre que les signes de l'Alliance que Dieu vit avec nous en Jésus Christ.

Combien de sacrements ?

Nous sommes heureux de constater que maintenant une nouvelle façon de défendre la foi est en train de s'affirmer avec de nouvelles études, de nouveaux livres, de nouvelles méthodes. Nous encourageons et nous bénissons tous ceux qui apportent à cette nouvelle pastorale de la foi la contribution de leur pensée et de leur travail. (Paul VI).

Il nous faut donc commencer par explorer ces sources si nous voulons comprendre les sacrements en profondeur et les situer dans l'ensemble de la Révélation. C'est là une découverte qui en vaut la peine ; elle est « payante », comme on dit. Mais il faut d'abord y mettre le prix : la théologie des sacrements vous réserve des lumières et des joies neuves : les catéchismes anciens ne nous y ont guère préparés.

Ne nous étonnons donc pas si nos deux premiers chapitres sont, par endroits, un peu insolites, et peut-être trop denses. Ils sont à découvrir par petites étapes. Et vous pouvez, à la rigueur, remettre cette ascension à plus tard et commencer ce livre par le sacrement qui, dans l'immédiat, vous intéresse davantage, quitte à travailler ensuite ces chapitres généraux dont l'importance est primordiale : les sacrements signes de l'Alliance ; et d'abord le Christ signe du Père, l'Église signe du Christ : ce sont là les premiers « sacrements » de la rencontre de Dieu qui se vit concrètement dans le baptême, l'Eucharistie, la réconciliation, etc.

1

LES SOURCES
DES SACREMENTS

SIGNES, RITES ET SYMBOLES

Deux fiancés se préparent au mariage. Le prêtre qui les a en charge leur glisse cette réflexion :
— Je remarque que, depuis le début, vous vous tenez par la main. C'est beau, cela.

Elle : Oui, on en a besoin... Vous comprenez, on ne peut pas s'aimer sans se le montrer ; il faut bien que cela se voie... Pour nous d'abord ; mais aussi un peu pour les autres : il faut bien qu'ils sachent qu'on est fiancés, qu'on est heureux...

Lui : Oui, pour nous surtout... Il y a des jours où, comme un fou, je lui répète trente fois de suite : « Je t'aime, je t'aime, je t'aime. » Parce que je ne peux pas l'aimer sans le lui dire : il faut que ça sorte. Il faut se le dire, il faut s'embrasser... Il faut bien qu'on se tienne par la main...

Voilà deux êtres jeunes et forts. Tout l'avenir devant eux... « Dans la vie », ils ont, chacun, une compétence professionnelle : il est ajusteur, elle est infirmière. Ils exercent une activité efficace dans notre monde de la production et de la consommation. C'est une chose. Et d'incontestable importance...

Cependant, hors de ce niveau opératoire, leur être le plus profond ou, si vous voulez, le plus haut, même dans notre monde industriel et technique, c'est leur amour.

Or, quand on aime quelqu'un, on ne peut pas ne pas lui **signifier** son amour : on lui fait **signe,** on lui donne des **signes.**

Le premier signe, bien sûr, c'est la parole. « Je t'aime, je t'aime. » « Je ne puis pas l'aimer sans le lui dire : il faut que ça sorte. Il faut se le dire. » Les mots sont un **signe.** Parce qu'ils ont une **signification.**

Mais dire ne suffit pas. Notre amour n'est pas « une idée ». Aussi, la parole a besoin d'appui, d'orchestration, de rites : « On ne peut pas s'aimer sans se le montrer » — « Il faut s'embrasser... Il faut bien qu'on se tienne par la main. »

Ces rites — s'embrasser, se tenir par la main — **sont naturels. Mais ils sont aussi culturels,** c'est-à-dire qu'ils

Je te prêtai serment, je fis alliance avec toi — oracle du Seigneur Yahvé — et tu fus à moi. Je te baignai dans l'eau, j'essuyai ton sang de dessus toi, et je t'oignis d'huile. Je te vêtis de tissus diaprés, je te mis des chaussures en peau de dauphin, je te ceignis de lin fin et te couvris de soie. Je te parai d'une parure, je mis des bracelets à tes mains et un collier à ton cou. Je mis un anneau à ton nez, des boucles à tes oreilles et une couronne de gloire sur ta tête. Tu te paras d'or et d'argent ; ton vêtement était de lin fin, de soie et de tissus diaprés. Tu te nourris de fleur de farine, de miel et d'huile. Tu devins extrêmement belle et tu parvins à la royauté. Ton nom se répandit parmi les nations à cause de ta beauté ; car elle était parfaite, à cause de ma splendeur que j'avais mise sur toi — oracle du Seigneur Yahvé (à son peuple Israël). (Ez 16, 8-14).

sont programmés dans les habitudes de chez-nous ; les Chinois, par exemple, s'exprimeront autrement. Mais chez nous, tous les amoureux répètent le même jeu social : s'embrasser, se tenir par la main.

J'ai dit : « **jeu social** ». **Car il y a les autres.** On n'est pas « nous deux » seuls au monde. Il y a la famille, les amis, la société... Alors, « vous comprenez, notre amour, il faut bien que ça se voie... Il faut bien qu'ils sachent qu'on est fiancés, qu'on est heureux... »

Et je t'embrasse... Et je te tiens par la main... **Ce geste répétitif est compris par tous :** « Ils savent qu'on est fiancés », — et pour nous, **il est significatif** — il montre à l'autre que je l'aime — **et efficace :** il entretient, augmente et affermit notre amour. Comme du bois dans la cheminée. Comme de l'huile sur le feu.

Le rite et l'homme

Jésus, dès l'aurore, parut à nouveau dans le Temple. Tout le monde venait à lui et, s'étant assis, il les enseignait. Les scribes et les Pharisiens lui amènent alors une femme surprise en adultère et, la plaçant au milieu du groupe, ils lui disent : « Maître, cette femme a été surprise en flagrant délit d'adultère. Or, dans la Loi, Moïse nous a prescrit de lapider ces femmes-

Cet exemple quotidien des rites de l'amour nous met sur le chemin des sacrements, puisque les sacrements ne sont autres que des signes efficaces, des « rites » efficaces, de l'amour de Dieu pour nous... Mais n'allons pas trop vite. Réfléchissons d'abord sur cette dimension de l'homme qu'est le rite.

Le rite n'est pas « dans la vie » ; il est, au contraire, en marge de la page où s'inscrit la vie quotidienne. Il n'est pas « au niveau du vécu », mais bien au-dessus ou, si vous préférez, à une tout autre profondeur. Lisez Jean 8, 1-8.

Le Président de la République inaugure un pont sur la Seine. Il prononce un discours et coupe un ruban « symbolique ». Le ruban est « symbolique » parce qu'il évoque tout autre chose que ce qu'il est : il évoque la barrière que le fleuve opposait au passage des hommes. Le geste du Président n'apporte au pont ni une pierre, ni un boulon : il « signifie » solennellement que désormais, par l'ingénieux travail de la technique et de l'effort humains, une voie est ouverte d'une rive à l'autre pour la rencontre des personnes. **Son geste rituel est symbolique.** Mais il est aussi nécessaire, au plan humain, que ceux des ingénieurs et des maçons : il faut « donner le sens » de l'ouvrage et célébrer son achèvement. Le pont, sans la fête, c'est un travail de bêtes. Or on est des hommes.

Monsieur le Maire pose une première pierre. Ce n'est pas un travail d'ouvrier, pas « dans la vie ». « Dans la vie », il faut miner la carrière, tailler la pierre, en préparer la place, gâcher le ciment, sceller le moellon... Monsieur le Maire, endimanché et en écharpe, ne « pose la pierre » que symboliquement ; en vérité, il ouvre la fête où l'on célébrera au champagne — c'est le rite social de chez nous — la mise en œuvre du futur édifice. Le ciment soude les pierres, les rites soudent les hommes.

Vous le voyez, **le rite est gratuit, inutile, au niveau de la vie immédiate. Mais il lui donne sens et valeur.** Tels, la danse, le baiser, la poignée de main, le vase de fleurs sur la table, le « pot » que l'on boit même sans soif avec le vieux copain rencontré par hasard, la torche olympique portée à bout de bras par le coureur, les bougies du gâteau d'anniversaire, le drapeau que l'on salue et que l'on défend, le muguet du 1er mai, le chrysanthème du 2 novembre, la rose de toute l'année « pour changer la vie » (l'important, c'est la rose!)...

Les rites ne sont donc pas « dans la vie » courante, ils ne sont pas journaliers, comme le bleu de travail, la soupe, le " métro-boulot-dodo ". Mais ils sont **profondément humains,** enracinés dans les aspirations, les mœurs, les cultures des hommes et des sociétés. Le costume de fête est plus humain que le bleu de travail. La danse est plus humaine que le travail à la chaîne. Le rite est un moyen d'expression par lequel l'homme existe plus que dans la vie quotidienne.

A condition, bien sûr, que le rite ne soit pas survivance mécanique d'une époque révolue ou importation grotesque d'une culture tout autre, tels ces soldats africains qui font le pas de l'oie à l'allemande! (Qu'en pensent nos amis africains eux-mêmes? Nous les voyons tellement plus souples!) Le rite doit être bien accordé à la culture et à la société qui le pratiquent.

Quand le rite est bon, il n'y a pas à l'expliquer — du moins presque pas — et il ne sert à rien de l'expliquer. Il faut le faire, le bien faire, et le laisser faire.

Un exemple? Autrefois, à la messe, le « baiser de paix » était figé et empesé de la formule « La paix du Christ ». Maintenant, toute formule officielle supprimée, on a compris que le geste, adapté, bien fait, dit tout et plus, et qu'il est efficace :

là. Et toi, qu'en dis-tu ? » Ils parlaient ainsi pour l'éprouver, afin de pouvoir l'accuser. Mais Jésus, se baissant, écrivait du doigt sur le sol. Et, comme ils persistaient à l'interroger, il se redressa et leur dit : « Que celui de vous qui est sans péché lui jette la première pierre. » Puis, se baissant de nouveau, il écrivait sur le sol. Jn 8, 1-8).

Six jours avant la Pâque, Jésus vint à Béthanie où habitait Lazare, celui qu'il avait ressuscité d'entre les morts. On donna un repas en l'honneur de Jésus. Marthe faisait le service, Lazare était avec Jésus parmi les convives. Or, Marie avait pris une livre d'un parfum très pur et de très grande valeur ; elle versa le parfum sur les

pieds de Jésus,
qu'elle essuya
avec ses che-
veux ; la maison
fut remplie par
l'odeur du par-
fum...
(Jn 12, 1-11).

vers mon voisin un seuil est franchi, une fleur d'amitié est
éclose, le mot jaillit spontané, la situation est transfigurée.

Il ne convient donc pas de perpétuer dans le présent un rite
« qui ne dit plus rien », — ni d'exporter d'un pays latin vers
l'Asie ou l'Afrique un rite « qui ne leur parle pas ». Quand il
devient étranger, « étrange », impénétrable, un rite doit être
révisé, ou abandonné comme une écorce vide. C'est cette révision qu'a ordonnée Vatican II pour chacun des sacrements.
Les rites du xxᵉ siècle ne peuvent être exactement ceux du xᵉ.
Les rites de chez moi ne peuvent être significatifs aux anti-
podes. Il n'est pas question de supprimer les réalités humaines
ou religieuses fondamentales, mais de les vivre dans des rites
« parlants ». Ainsi, on se salue partout, entre humains, sur la
planète ; mais les Japonais le font en s'inclinant, les Indiens en
joignant les mains devant la poitrine, les Occidentaux en se
les serrant mutuellement, les Russes en s'embrassant...

Rites parlants, rites parlés

Dire que le sacre-
ment est enra-
ciné, c'est dire
que le sacrement
pousse dans un
terreau humain,
mais qu'il fait
apparaître une
nouvelle figure,
qu'il fait surgir
une fleur. La
fleur n'est pas le
terreau, mais
sans lui elle ne
pousserait pas.
Tels les sacre-
ments chrétiens.
Ils naissent dans
la vie des hom-
mes..., mais c'est

Des rites « parlants », avons-nous dit, c'est-à-dire significatifs pour ceux qui les vivent. Voilà pourquoi nous ajoutons que
les rites doivent être aussi parlés — « Je t'aime, je t'aime » —,
qu'ils sont même d'abord parole... Vous allez comprendre.

Les rites sont des symboles de nature sociale. Ils sont une
manifestation solennelle, rayonnante, explosive, une célébration, où des actes viennent au secours de paroles usées. « Je
t'aime, d'accord ; mais il faut bien se le montrer... Il faut aussi
que les autres le voient. » Bon. Mais à l'inverse, des gestes, des
rites non expliqués peuvent être ambigus. **La parole reste
irremplaçable, elle est même première, pour donner
le sens au signe.**

Des milliers d'étudiants défilent : c'est la « manif ». Mais
la « manif » pourquoi ? Pour contrer la réforme X ou Y ? Pour
réclamer le sursis militaire ? Ou la réduction... des vacances ?...
A la manifestation, il faut donc ajouter la proclamation : des
slogans soigneusement préparés sont scandés puissamment,
des pancartes expressives sont brandies, qui donnent le sens.

La ritualité religieuse ou profane, ancienne ou moderne,
use largement des éléments de l'univers comme le Ciel, la
Terre, l'Eau, le Feu, la Lumière, la Vie, le Pain, le Sel, le Vin
— ou des démarches humaines comme le défilé ou la pro-

cession, — ou des postures comme l'agenouillement, la pros-
tration, — ou d'actes comme ranimer une flamme, plonger
dans l'eau, rompre le pain, manger et boire, oindre avec de
l'huile, imposer les mains... Mais ces éléments, gestes ou
démarches se prêtent à des significations multiples, et même
opposées. L'eau, par exemple, peut être source, ou irrigation
fécondante, ou mer qui engloutit et tue, ou torrent dévasta-
teur, ou fontaine qui abreuve, ou lavoir qui nettoie, ou bain
qui purifie et repose... Le feu peut évoquer la destruction, la
lumière, la torture, la joie, la fête, l'amour... Le sel est savou-
reux dans les aliments, cuisant sur les plaies, stérilisant sur les
terrains, agent de conservation pour le « petit salé »... C'est la
parole qui, dans un rite donné, lèvera l'ambiguïté en inter-
prétant le symbole.

La parole est première.

pour que jaillisse la fleur étonnante de la présence du Christ vivant. (Henri Denis).

On répète volontiers, après Max Weber : « Le monde est
désenchanté... Il n'est plus une parole de Dieu que l'homme
tend à déchiffrer. Il est un chantier qu'il exploite. » La révolution industrielle et technique aurait tué les symbolismes fon-
damentaux : l'eau, le pain, le vin, le repas, la lumière... Et du
coup, tout le symbolisme sacramentel, si proche de la nature,
serait menacé, voire périmé...

Le monde est-il « désen-chanté » ?

C'est chercher trop facilement un alibi à la pauvreté de nos
célébrations, au manque de ferveur et d'ambiance de nos
assemblées.

Le souci de l'environnement, les exodes de fins de semaines,
les classes de neige, les résidences secondaires, la fuite massive
des vacances vers la campagne, la mer ou la montagne, la
canne à pêche des années de retraite montrent assez que
l'homme ne se déshumanise pas si facilement que cela. « Il
semble bien que les symboles élémentaires résistent » (Henri
Denis). L'homme reste le frère de la Nature, et, à travers elle,
plus ou moins consciemment, le fils de Dieu.

Et Dieu reste le Père des hommes. C'est son Esprit qui a
inspiré Vatican II. Il nous demande de ne pas désespérer des
sacrements, mais de quitter les habitudes qui nous ont étriqué
l'esprit, pour donner toutes leurs chances aux rites sacramentels rénovés.

QUAND DIEU FAIT SIGNE

Nous avons parlé des rites symboliques à partir d'un amour. C'est le chemin pour comprendre Dieu et ses sacrements. Car Dieu est Amour.

Poursuivons dans cette voie et nous saisirons que ces signes gratuits, tout inutiles qu'ils paraissent, sont plus nécessaires que le boire et le manger. Plus nécessaires, donc plus efficaces.

Prenez le petit enfant... Il a besoin de lait, de chaleur, de propreté. Il a besoin plus encore que ces services vitaux soient ponctués de baisers et de mots tendres : de signes d'amour, de « sacrements » d'amour... Et ne les croyez pas inefficaces : il est prouvé que, sans eux, le bébé dépérit, aussi gavé, climatisé et aseptisé qu'il soit.

L'enfant, l'homme, a, comme premier besoin, d'être aimé, d'aimer, de rencontrer les autres, de nouer des liens, de « faire alliance ». C'est pour lui une question de santé et de bonheur, de vie et de mort : une question de salut. **Le salut humain de l'homme est lié à ses alliances :** alliance d'amour de l'enfant et de ses parents, alliance d'amour de l'homme et de la femme. Alliances vécues dans des témoignages réciproques, c'est-à-dire dans des signes, des rites, des symboles, des mots.

Dieu
avec nous

Mais l'homme ne vit pas seulement d'amour humain. Parce qu'il est aussi fils de Dieu... Son cœur cherche, s'affole et s'angoisse jusqu'à ce qu'il se repose en un Dieu dont il se sache aimé.

De ce Dieu, bien sûr, il repère les traces merveilleuses dans la création. A chaque pas, il détecte son action, sa présence invisible. Aussi tente-t-il déjà de lui rendre un culte. Mais ce ne peut être là qu'une « religion » imparfaite et hypothétique, puisqu'elle ne le « relie » pas vraiment au Créateur : Dieu ne répond pas, il n'y a pas dialogue.

En effet, ce désir — notre grand désir secret sans l'accomplissement duquel nous dépérissons — ne peut être mené par nous à son épanouissement : **la communion de l'homme avec Dieu n'est possible que si Dieu veut bien**

prendre l'initiative amoureuse de s'approcher de lui.
Ce ne peut être qu'une grâce. C'est la Grâce.

Alors, pour l'homme, ce serait le Salut. Ce serait la « grâce
sanctifiante », divinisante : rencontre de l'amour personnel de
Dieu et de la réponse humaine à cette avance divine. Ce ne
serait plus la simple présence, dans la création, d'un Dieu
éclatant mais muet et caché ; ce serait, comme dit l'Écriture,
« l'inhabitation de Dieu » — « on se met en ménage » —, l'alliance, le mariage, la communion de vie, « Dieu avec nous ».

Eh bien, c'est là précisément la merveilleuse vérité des
sacrements : un mystère d'Alliance. Nous voici au point central qui va nous permettre de commencer à les comprendre.

Toute alliance est comme la jonction de deux rivières : elles
ne feront plus désormais qu'un seul fleuve pour une aventure
commune. C'est donc **un événement,** et pas une simple idée
ni un rite creux : ça change tout.

C'est **un événement historique,** à plus ou moins grande
échelle, parce que l'histoire des parties concernées va en être
modifiée du tout au tout : l'enfant, dès sa conception, entre
dans la vie des parents, et vice versa ; le fiancé entre dans la vie
de sa fiancée, et réciproquement ; tel peuple entre dans la vie
de ses alliés, et inversement... Quelque chose d'important est
changé, pour toujours, de part et d'autre.

Eh bien, **entre Dieu et nous, l'alliance fondamentale,
c'est, déjà, la Création.** Comme la première alliance des
parents et de chacun de leurs fils et filles, c'est « la mise en
route » de cet enfant désiré, aimé d'avance, inconditionnel-
lement. Les onze premiers chapitres de la Genèse ne sont pas
une « histoire naturelle » du monde : ils révèlent ce premier
témoignage de l'amour de Dieu pour l'homme, son premier
acte de paternité terrestre : « Faisons l'homme à notre image »,
sa première œuvre de Salut où il arrache sa création à cette
mort qu'est le néant.

Aussi, dans le psaume 89 par exemple, l'Alliance et la
Création sont étroitement mêlés. Dans le Grand Hallel
— psaume 136 — Création et Exode sont sur le même plan.
L'Alliance première, c'est la Création.

Or, cette alliance « adamique » dure toujours : la

*L'alliance
fondamen-
tale :
la Création*

Célébrez Yahvé,
car il est bon ;
Célébrez le Dieu
des dieux ;
Célébrez le Sei-
gneur des sei-
gneurs ;
Lui qui seul fait
des merveilles ;
Lui qui a fait les
cieux avec intelli-
gence ;
Lui qui a étalé la
terre sur les
eaux ;

Lui qui a fait les grands luminaires ;
Le soleil pour présider au jour ;
La lune et les étoiles pour la nuit ;
— éternelle, sa fidélité !
Lui qui frappa l'Égypte dans ses premiers-nés ;
Lui qui fit sortir Israël du milieu d'eux ;
D'une main forte et d'un bras étendu ;
— éternelle, sa fidélité !
(Ps. 136, 1-12).

Création est de chaque instant. Et les « sacrements », les signes sensibles et efficaces de cette alliance sont encore, pour nous, le ciel et la terre, le soleil et la lune, le sol et ses fruits, la faune comestible, la fidèle succession des jours et des nuits... Y pensons-nous ?

Ces signes sont don ininterrompu de Dieu, **initiative toute gratuite de Dieu.**

Et ils s'adressent, comme toute alliance, **à des hommes libres et responsables :** « Remplissez la terre et dominez-la. Soumettez poissons, oiseaux et animaux terrestres. Cueillez légumes et fruits... » (Gen 1, 28-30). Désormais, je ferai pleuvoir sur la terre et vous cultiverez le sol (2, 5). Nous travaillerons ensemble.

L'alliance créatrice, c'est donc un pacte d'amitié ; il y a engagement réciproque : « Tu ne mangeras pas de l'arbre de la connaissance du bien et du mal, sinon tu mourras » (2, 17).

Hélas ! l'homme pèche et meurt : c'est l'humanité du Déluge : une humanité à purifier, une humanité à refaire...

Dieu ne se dédit pas. L'alliance première n'est pas dénoncée. Elle est, au contraire, ressoudée au temps de Noé :

— avec les mêmes dons et signes : « Semailles et moissons, froid et chaleur, été et hiver, jour et nuit jamais ne cesseront pas » (8, 22),

— avec les mêmes responsabilités : « Remplissez la terre... A vous légumes, fruits, poissons, oiseaux... Vous pouvez tuer les animaux... Mais pas l'homme, votre frère, mon image ! » (9, 1-7),

— avec un signe supplémentaire de la paix retrouvée et désormais perpétuelle : « Il n'y aura plus de Déluge pour ravager la terre. En même temps que la pluie qui vous fait peur, vous savez que l'arc-en-ciel diapre les nuées. Eh bien, il sera désormais signe entre moi et la terre » (9, 9-17).

Voilà la révélation théologique, la déclaration d'amour que Dieu met en scènes dans ces premiers chapitres de la Bible. Ces scènes — vous le savez — ne sont pas elles-mêmes historiques ; Adam, Noé ne sont pas des personnages réels. Mais cette présentation imagée nous aide à comprendre **l'Alliance primordiale, la Création, qui, elle, est**

un événement : l'événement premier de l'histoire humaine, l'événement continu de notre existence d'aujourd'hui et la promesse de demain et de toujours.
Faisons un premier inventaire et disons :
— l'Alliance créatrice est un événement, l'événement fondamental de l'histoire humaine et cosmique, de l'Histoire du Salut, une « pré-rencontre » de Dieu ;
— bien évidemment, elle est due à la seule initiative de Dieu ; elle est, déjà, une grâce ;
— une grâce signifiée par des « gracieusetés », des gestes, des rites, de part et d'autre : Dieu donne le cosmos, ses richesses, l'arc-en-ciel, — l'homme est engagé à donner son dynamisme, son obéissance, son culte ;
— ces échanges sont expliqués dans une parole de Dieu : le texte biblique exprime en clair ce que tout homme attentif perçoit d'informulé mais d'inscrit dans son cœur et dans la nature ;
— ces gestes et paroles du Créateur engagent notre responsabilité : la vie, le monde sont mis entre nos libres mains ;
— enfin, les promesses de Dieu ouvrent sur un avenir, une espérance, — pas simplement un espoir : « j'espère que... », mais la certitude que la création ne cessera jamais, que la vie est pour toujours, que Dieu ne se repentira pas d'être notre Père...

Parce qu'il l'aime à la folie, Dieu veut se rapprocher davantage de l'homme sa créature, se révéler à lui mieux que par sa création, rechercher son intimité, marcher avec lui, habiter avec lui, le diviniser, en un mot : réaliser son Salut en plénitude.
Il va prendre, si l'on peut dire, la chose par un bout. Comme, dans un sauvetage, on saisit le noyé par un membre — une main, le pied, les cheveux — pour ensuite le sauver tout entier. Dieu saisit donc l'humanité par un homme, Abram, dont il fera son ami. De cet ami descendra un peuple, dont il fera son peuple, et qui va recevoir sa Révélation, la garder, pour la « passer » à l'Église et au monde. Car elle est pour tout le monde.
Il s'agit bien, cette fois, d'un personnage historique

L'alliance avec Abram

Voici la descendance de Tèrah : Tèrah engendra Abram, Nahor et Harân. Harân engendra Lot. Harân mourut en présence de Tèrah, son père, en son pays natal, Our des Chaldéens. Abram et

Nahor prirent pour eux des femmes ; le nom de la femme d'Abram était Saraï... Saraï était stérile et n'avait pas d'enfant. Tèrah prit Abram, son fils, Lot, fils de Harân, son petit-fils, Saraï, sa bru, femme d'Abram son fils, et il les fit sortir d'Our des Chaldéens, pour aller au pays de Canaan ; mais, arrivés à Harân, ils s'y établirent... Yahvé dit à Abram : « Va-t'en de ton pays, de ta parenté et de la maison de ton père, vers le pays que je te montrerai... » Abram était âgé de soixante-quinze ans quand il sortit de Harân. (Gen 11, 17 à 12, 4).

— Abram a existé —, d'un événement historique, localisé au Proche-Orient, daté à environ 1 800 ans avant Jésus Christ.

Lisez la Genèse à partir du chapitre 12, cette longue aventure ponctuée de dialogues et de sacrifices... Abram (vous avez bien lu : c'était son nom au départ), Abram donc est tiré de son moelleux « chez soi », conduit en Chanan. C'est un long « sacrement » qui commence... « Je te donnerai tout ce pays... Ton nom ne sera plus Abram, — « père élevé » —, mais Abraham — « père des multitudes » —, car je te ferai père d'une multitude de peuples... Et toi, marche en ma présence et sois parfait. » L'alliance est scellée dans le sang d'un sacrifice et Dieu, sous le symbole d'un feu, passe entre les victimes partagées. C'est le rite solennel des alliances dans la culture de ces pays. Une pratique de ce peuple est assumée comme signe permanent et marquera la chair des fils d'Abraham : la circoncision.

De nouveau donc : **un événement**, historique, temporel, — dû à **une initiative divine**, une intervention personnelle de Dieu, — d'un Dieu qui **parle**, — et qui provoque **la foi libre** d'Abraham ; — leur rencontre est célébrée dans **des rites**, — elle laisse un signe qui rappellera les **promesses divines, lesquelles ouvrent sur un avenir grandiose — l'A-venir —, Celui qui doit venir : le processus mis en marche ne s'arrêtera plus, à travers Jésus ressuscité, qu'au Jour du Fils de l'Homme, lors de son Avènement, où il sera tout en tous.**

Vous découvrirez les mêmes constantes dans la Grande Alliance du Sinaï, conclue, non plus avec un homme — Abraham —, mais avec un peuple, le peuple de Dieu.

L'alliance mosaïque

Je la châtierai pour les jours des Baals, auxquels elle faisait fumer

Les descendants d'Abraham sont devenus multitude. Mais ils sont esclaves en Égypte.

« J'ai vu, dit Dieu à Moïse, la misère de mon peuple en Égypte. J'ai prêté l'oreille à la clameur que lui arrachent ses surveillants. Je suis résolu à le délivrer de la main des Égyptiens » (Ex 3, 7-8).

Il l'emmène au désert du Sinaï et les événements qui ponctuent ce long exode sont les « sacrements » de la Grande Alliance : le repas pascal, la Mer Rouge, la nuée, la manne,

l'eau du rocher, le serpent d'airain... et surtout cette extraordinaire célébration de l'Horeb, dans le massif du Sinaï.

Là, Dieu s'engage : « Vous avez vu vous-mêmes ce que j'ai
fait à l'Égypte. Comment je vous ai portés sur des ailes d'aigle
et vous ai fait arriver jusqu'à moi. Et maintenant, si vous entendez ma voix et gardez mon alliance, vous serez ma part personnelle parmi tous les peuples — puisque c'est à moi qu'appartient toute la terre — et vous serez pour moi un royaume de
prêtres et une nation sainte... » (Ex 19, 4 ss).

Le peuple s'engage à son tour : « Tout ce que le Seigneur
a dit, nous le mettrons en pratique » (19, 8 ; Jos. 24, 16 ss).

On immole alors des taurillons. Moïse prend la moitié du
sang et en asperge l'autel, c'est-à-dire le Seigneur, — l'autre
moitié et en asperge le peuple : « Voici le sang de l'alliance que
le Seigneur a conclue avec vous sur la base de toutes ses
paroles » (24, 5 ss).

**En somme, une rencontre solennelle, dans l'éclat des
signes et des rites, et les promesses échangées — comme
l'est excellemment un mariage —, mais pour inaugurer, comme dans le mariage, une vie ensemble, au
jour le jour, dans l'amour quotidien, dans les actes les
plus humbles. « Tu seras mon peuple et je serai ton
Dieu... » « Tu seras ma femme et je serai ton mari. »**

Les prophètes, en effet — Isaïe, Osée, Jérémie, Ézéchiel —
donneront la juste note quand ils insisteront pour faire percevoir l'alliance sinaïtique, sans cesse violée par un peuple adultère, toujours renouée par l'amour fou de Dieu, comme une
tragique histoire d'amour.

Vous connaissez, dans Ézéchiel 16, l'audacieuse allégorie
de la fillette abandonnée. Page réaliste, triviale et sublime.
Page vraie où transparaît l'histoire du Salut d'Israël et de
l'humanité, dans une vision prophétique des sacrements :

« A ta naissance, nul œil ne s'est apitoyé sur toi... Tu as
été jetée dans les champs... Passant près de toi, je t'ai vu te
débattre dans ton sang ; et je t'ai dit : « Vis ! »

« Alors, je t'ai rendue vigoureuse ; tu t'es mise à croître ;
mais tu étais sans vêtements, nue. En passant près de toi, je t'ai
vue... J'ai couvert ta nudité ; je t'ai fait un serment et suis entré
en alliance avec toi... Alors tu fus à moi. Je t'ai lavée dans l'eau,
j'ai nettoyé le sang qui te couvrait, puis je t'ai parfumée

l'encens,
quand elle se pa-
rait de son an-
neau et de son
collier
et qu'elle allait à
la suite de ses
amants ;
et moi, elle m'ou-
bliait !
— oracle de
Yahvé.
C'est pourquoi,
voici que je vais
la séduire ; je
l'emmènerai au
désert et je par-
lerai à son cœur...
Là, elle répondra
comme aux jours
de sa jeunesse,
comme au jour où
elle montait du
pays d'Égypte.
Il adviendra, en
ce jour-là —
oracle de Yahvé
— que tu m'ap-
pelleras : « Mon
mari », et tu
ne m'appelleras
plus : « Mon
baal. »
J'ôterai de sa
bouche les noms
des Baals,
et ils ne seront
plus mentionnés
par leur nom...
« Je te fiancerai à
moi pour tou-
jours,
je te fiancerai
dans la justice et
dans le droit,
dans la fidélité et
dans la miséri-
corde,
je te fiancerai à

moi dans la sincérité,
et tu connaîtras
Yahvé. »
(Os 2, 15-23).

d'huile... Je t'ai couverte d'étoffes précieuses. Je t'ai parée de bijoux... J'ai mis un diadème splendide sur ta tête... Tu te nourrissais de fine farine, de miel et d'huile. Tu es parvenue à la royauté. »

Alliances à accomplir en Jésus Christ

Maris, aimez vos femmes comme le Christ a aimé l'Église et s'est livré pour elle, afin de la sanctifier en la purifiant par le bain d'eau qu'une parole accompagne. Ainsi entendait-il se la présenter, cette Église, toute glorieuse, sans tache ni ride ni rien de tel, mais sainte et immaculée.
(Eph 5, 25-27).

« Le mystère », comme dit saint Paul, le dessein d'amour éternellement conçu dans le cœur de Dieu, se réalise donc à travers une longue histoire d'amour. Cette histoire commence avec la Création, s'enrichit dans l'appel d'Abraham, puis d'un peuple, en attendant de culminer dans l'Événement définitif que sera l'appel de l'univers dans la Mort et la Résurrection de Jésus Christ, fils de David, fils d'Abraham.

Ces événements ont une structure identique. Sous des dehors sensibles, absolument requis parce que l'homme est chair, la bouleversante puissance de Dieu fait irruption, saisit l'homme par la main et lui fait franchir une nouvelle étape vers la communion divine. Brusque entrée de Dieu dans la vie bourgeoise d'Abram, pour le conduire au sommet de la foi ; fracassante intervention pour libérer un peuple de ses mauvais maîtres — son égoïsme plus encore que les Égyptiens — et l'amener, en épurations successives, à donner au monde sa fleur — Marie — et son fruit : Jésus.

C'est en lui que « s'accompliront » les premières alliances. Le Dieu de tout l'univers a conclu alliance avec un homme, puis avec un petit peuple. Mais ces étapes d'alliances particulières étaient le chemin vers une fin de portée universelle : l'union de Dieu avec toute l'humanité dans le Fils de Dieu fait homme.

LE CHRIST, SACREMENT DE LA RENCONTRE DE DIEU

Ainsi parle le Seigneur : « Voici mon serviteur que je soutiens,

« Un homme descendait de Jérusalem à Jéricho, et il tomba au milieu de brigands qui, après l'avoir dépouillé et roué de coups, s'en allèrent, le laissant à demi mort. Un prêtre, par hasard, descendait par ce chemin ; il le vit, prit l'autre côté de la route, et passa. Pareillement un lévite, survenant en ce lieu, le vit, prit l'autre côté de la route, et passa... » (Luc, 10, 29 ss).

Cet homme, c'est l'humanité tout entière, blessée de péchés, exsangue, assoiffée de pardon, de vie, de Dieu...

Le prêtre judaïque, le lévite de l'Ancienne Loi, passent... Ils voient... Mais ces Juifs ne peuvent rien pour ce Juif, l'homme ne peut rien pour l'homme... Pas assez de cœur, pas assez d'argent... Pour parler clair : l'Alliance mosaïque peut annoncer le Salut, elle peut le préparer ; elle ne peut l' « accomplir ». Il faut quelqu'un d'Autre, qui vienne d'Ailleurs.

Mais voici que surgit Celui qui vient d'Ailleurs : « Un Samaritain, qui était en voyage, arriva près du malheureux, le vit et **fut touché** de compassion. Il **s'approcha**, banda ses plaies, y versant de l'huile et du vin, puis... le conduisit à l'hôtellerie et prit soin de lui... »

Cela ne vous rappelle rien ?... Les auditeurs de Jésus, peuple biblique qui passait trois heures par semaine à entendre l'Écriture dans sa synagogue, ne pouvaient pas ne pas penser à Ézéchiel 16 : l'allégorie de la fillette abandonnée, du peuple pécheur, du monde perdu, dont Dieu prend pitié : « Passant près de toi, je t'ai vu te débattre dans ton sang ; et je t'ai dit « Vis! »... Je t'ai lavée dans l'eau, j'ai nettoyé le sang qui te couvrait, puis je t'ai parfumée d'huile... »

L'eau, l'huile, le vin, voilà les sacrements. Mais il y faut d'abord la présence, l'arrivée de Celui qui vient de loin, et qui les apporte. « Touché de compassion, Dieu passe près de nous, il s'approche », c'est Jésus, Dieu incarné.

Le Sacrement, le Signe que Dieu nous sauve, l' « apparition visible » de Dieu en personne, c'est lui, Jésus. « Quand vint donc l'accomplissement du temps, Dieu envoya son Fils, né d'une femme » (Gal 4, 4).

mon élu en qui j'ai mis toute ma joie. J'ai fait reposer sur lui mon esprit, devant les nations, il fera paraître le jugement que j'ai prononcé. Il ne criera pas, il ne haussera pas le ton, on n'entendra pas sa voix sur la place publique. Il n'écrasera pas le roseau froissé, il n'éteindra pas la mèche qui faiblit, il fera paraître le jugement en toute fidélité. Lui ne faiblira pas, lui ne sera pas écrasé, jusqu'à ce qu'il impose mon jugement dans le pays, et que les îles lointaines aspirent à recevoir ses instructions. » Ainsi parle le Dieu, le Seigneur, qui crée les cieux et les déploie : il dispose la terre avec sa végétation, il donne la vie au peuple qui l'habite et le souffle à

« L'ange Gabriel fut donc envoyé par Dieu dans une ville de Galilée du nom de Nazareth, à une jeune fille accordée en mariage à un homme nommé Joseph, de la famille de David ; cette jeune fille s'appelait Marie. L'ange lui dit : « Sois joyeuse, Marie!... L'Esprit Saint viendra sur toi et la

Le Christ, sacrement primordial

ceux qui la parcourent : « Moi, le Seigneur, je t'ai appelé selon la justice, je t'ai pris par la main, je t'ai mis à part, j'ai fait de toi mon alliance avec le peuple et la lumière des nations ; tu ouvriras les yeux des aveugles, tu feras sortir les captifs de leur prison, et de leur cachot ceux qui habitent les ténèbres. » (Is 42, 1-7).

Jésus disait à Nicodème : « Nul n'est monté au ciel, sinon celui qui est descendu du ciel, le Fils de l'homme. Et de même que Moïse éleva le serpent au désert, ainsi faut-il que soit élevé le Fils de l'homme, afin que tout homme qui croit en lui possède la vie éternelle. « Dieu en effet a tant aimé le monde qu'Il a donné son Fils unique, afin que

puissance du Très Haut te couvrira de son ombre ; c'est pourquoi celui qui va naître de toi sera appelé Fils de Dieu » (Luc 1, 26-36).

« Or, le jour où elle devait accoucher arriva ; elle mit au monde son fils premier-né, l'emmaillota et le déposa dans une mangeoire » (2, 6 s).

Vous saisissez le renversement ? Les rites, les « sacrements » des religions naturelles, et même les rites des alliances juives, dans la mesure où ils n'attendaient pas leur effet de la foi (cf. Rom 9), sont des efforts de l'homme pour atteindre le surnaturel, pour rejoindre Dieu. **Or voici que Dieu se révèle comme celui qui cherche l'homme. C'est Dieu qui descend rejoindre l'homme. C'est le Samaritain qui vient s'agenouiller auprès du blessé. C'est le Bon Berger qui cherche la brebis égarée jusqu'à ce qu'il la retrouve, et qui, ensuite, la ramènera sur ses épaules.**

Tel est le premier aspect du mystère de l'Incarnation : l'homme n'a pas à rejoindre Dieu — et comment ferait-il ? —, c'est Dieu qui le rejoint.

Les sacrements seront des gestes de Dieu, et non pas de nous.

Le grand geste sacramentel de Dieu, c'est de se faire homme.

Et voici l'efficacité de ce Sacrement : « Quand vînt l'accomplissement du temps, Dieu envoya son Fils, né d'une femme, pour que nous soyons faits fils de Dieu » (Gal 4, 4).

Le Christ est donc le premier, le vrai Sacrement, parce qu'il est l'instrument et le signe efficace de la divinisation de l'humanité. Dans l'Incarnation, en Jésus de Nazareth, une nature humaine est élevée à la dignité divine. Non pas pour Jésus seul — qu'en aurait-il fait, lui qui est le Verbe de Dieu depuis toujours et pour toujours ? — mais pour nous tous.

Il est le signe, le type, le modèle de l'adoption filiale à laquelle Dieu veut élever tous les hommes.

Il en est le signe efficace, puisqu'il vient « rassembler les enfants de Dieu dispersés » (Jean 11, 52), se les unir en un seul Corps, le Corps du Christ. Il devient ainsi « l'aîné d'une multitude de frères » (Rom 8, 29), qu'il va entraîner, par sa

Mort-Résurrection, à partager tout ce qu'il a et tout ce qu'il est. A la veille de sa mort il déclarera : « C'est pour cette Heure que je suis venu... Pour moi, quand j'aurai été élevé de terre, j'attirerai à moi tous les hommes » (Jean 12, 27-32). **C'est le mystère de son « passage » vers le Père, et de tous les hommes avec lui, grâce à lui : le Mystère pascal.**

Tous les sacrements ne seront que le Mystère pascal se réalisant dans la vie des hommes.

Toute la vie de Jésus n'est que la préparation du Mystère pascal et de sa réalisation dans l'Église sacramentelle. Voyons plutôt :

tout homme qui croit en lui ne périsse pas, mais possède la vie éternelle. Car Dieu n'a pas envoyé son Fils dans le monde pour juger le monde, mais pour que le monde soit sauvé par lui. »
(Jn 3, 13-17).

Le Christ est Dieu. Tout ce qu'il fait comme homme est donc acte de Fils de Dieu, acte de Dieu.

Mais n'allez pas vous imaginer que la divinité de Jésus transparaissait à travers son corps. Les peintres le nimbent de lumière et l'entourent de rayons. Mais non! Sans la foi, ses contemporains ne voyaient en lui qu'un homme. La foi ne leur était pas plus facile qu'à nous. Pour le « reconnaître » pour ce qu'il était, il fallait des yeux intérieurs et un cœur ouvert à Dieu, capables de lire comme des signes ses gestes humains. Dans ses paroles et son comportement, on ne lisait pas Dieu directement : ce n'est que peu à peu que se révélait le mystère de la personne, de la présence et de la tendresse de Dieu.

Jésus tentait de le faire comprendre à ce brave Philippe qui lui demandait naïvement :

— Seigneur, montre-nous le Père et cela nous suffit.

— Voilà si longtemps que je suis avec vous, Philippe, et tu ne me connais pas! Qui me voit, voit le Père. Comment peux-tu dire : Montre-nous le Père? Ne crois-tu pas que je suis dans le Père et que le Père est en moi? » (Jean 14, 8 ss).

C'est l'expérience de foi qui éclate dans 1 Jean, 1, 1 s :

« Ce qui était dès le commencement, ce que nous avons entendu, ce que nous avons vu de nos yeux, ce que nous avons contemplé, ce que nos mains ont touché du Verbe de vie, nous vous l'annonçons. Car la Vie s'est manifestée, et nous avons vu, et nous rendons témoignage, et nous vous

Actes du Christ, actes sacramentels

Au bout de trois jours, les parents de Jésus le trouvèrent dans le Temple... A sa vue, ils furent saisis d'émotion, et sa mère lui dit : « Mon enfant, pourquoi nous as-tu fait cela? Vois! ton père et moi, nous te cherchons, angoissés. » Il leur répondit : « Et que me cherchiez-vous ? Ne saviez-vous pas que je me dois aux affaires de mon Père ? » Mais eux ne comprirent pas la pa-

role qu'il venait de leur dire.
Il redescendit alors avec eux et revint à Nazareth ; et il leur était soumis. Et sa mère gardait fidèlement tous ces souvenirs en son cœur. Quant à Jésus, il croissait en sagesse, en taille et en grâce, devant Dieu et devant les hommes.
(Lc 2, 46-52).

annonçons la Vie éternelle, qui était cachée dans le Père et qui s'est manifestée à nous. »

De fait, les disciples, puis l'Église, découvrent que « l'amour de l'homme Jésus est en effet l'incarnation humaine de l'amour rédempteur de Dieu, une venue de l'amour de Dieu en visibilité. Et parce que les actes humains de Jésus sont actes de Dieu — actes de Dieu dans une forme de manifestation humaine —, ils possèdent essentiellement une force divine de salut, ils sont salutaires, « cause de grâce »... Mais comme cette forme divine nous apparaît sous une forme terrestre, visible, les actes salutaires de Jésus sont sacramentels. « Sacrement » en effet signifie don divin de salut dans et par une forme extérieurement saisissable, constatable, qui concrétise ce don » (E.-H. Schillebeeckx).

« Bien que cela soit vrai pour tout acte spécifiquement humain du Christ, cela est surtout vrai pour ces actes qui, bien que posés en une forme humaine, sont cependant de leur nature exclusivement des actes de Dieu : les miracles et la rédemption » *(ibid.).*

Les sacrements dans la vie du Christ

● Jésus quitte Nazareth et descend sur les rives du Jourdain. Avec les publicains, les prostituées et les malfamés de toute délinquance. Il se plonge dans ce peuple — c'est le sien — et dans les mêmes eaux que lui. Ce premier acte de sa vie publique est le « manifeste » de l'Incarnation de Dieu : « Je ne suis pas venu pour les justes, mais pour les pécheurs » (Marc 2, 17). Avec eux il reçoit **le baptême** de pénitence, promettant ainsi à toutes les eaux du monde le pouvoir de laver, par l'Esprit, le péché du monde.

Les publicains et les pécheurs s'approchaient tous de Jésus pour l'entendre. Et les Pharisiens et les scribes de murmurer : « Cet homme fait bon accueil aux pécheurs et mange avec eux ! » Il leur dit alors cette parabole :

Car, en même temps qu'il assume en ce baptême la fraternité des pécheurs, l'Esprit est sur lui en un signe symbolique : l'Esprit de vie qui planait sur les eaux primitives et les fécondait. Il dira à Nicodème : « A moins de naître de l'eau et de l'Esprit, nul ne peut voir le Royaume de Dieu » (Jean 3, 5). C'est le baptême dans l'Esprit : baptême et **confirmation** (du baptême).

● Les gestes de Jésus pour les pécheurs, l'Évangile en est plein.

Un rabbin dira : « Si quelqu'un pèche une fois, deux fois, trois fois, le pardon lui sera donné. Mais s'il pèche quatre fois ? Non. » — Dieu nous dit en Jésus : « Pardonne sept fois ? Non. Mais soixante-dix fois sept fois », c'est-à-dire toujours (Mat 18, 22). Il nous le demande, parce qu'il le fait.

Il dit à tous équivalemment, comme à la pécheresse de chez Simon : **« Tes péchés te sont remis »** (Luc 7, 48). A l'adultère : « Je ne te condamne pas ; va, et à l'avenir ne pèche plus » (Jean 8, 11). Au publicain Lévi : « Viens, suis-moi » (Mat 9, 9). Au super-publicain Zachée : « Je m'invite chez toi » (Luc 19). Au larron : « Aujourd'hui tu seras avec moi en paradis » (23, 43). Telles sont les paroles « sacramentelles » de Jésus.

Et les rites ? Accueillir les pécheurs et manger avec eux. Les bien-pensants en étouffent de scandale (cf. Mat 9, 11 ; 21, 31 ; Marc 2, 16 ; Luc 7, 34 ss ; 15, 1-2 ; Jean 8, 3). Alors, il leur explique : « Un homme avait deux fils... » (Luc 15). L'amour paternel !

● Autre rite : guérir les pécheurs. Au paralytique de Capharnaüm il dit : « Tes péchés te sont remis... Prends ta civière et marche » (Marc 2, 9). Au sourd-muet il touche l'oreille et la langue : « Ouvre-toi » (7, 31 ss). A l'aveugle de Bathsaïda il met un peu de salive sur les paupières et lui impose les mains (8, 23). Il prend la main de l'épileptique (9, 27). En son nom, les Douze « faisaient des **onctions d'huile** à beaucoup de malades et ils les guérissaient » (Marc 6, 13). Gestes « sacramentels ».

● Ce Dieu ami des hommes multiplie le vin à Cana, parce qu'il est du **mariage**, et qu'il ne veut pas laisser les mariés à la peine et la noce à la soif, — il multiplie le pain sur la montagne pour ne pas renvoyer la foule avec sa faim. « Prenez et buvez... Prenez et mangez. »

● **La multiplication des pains** se fera par le **ministère des Apôtres** : « Jésus prit les pains, et levant son regard vers le ciel, il prononça la bénédiction, rompit les pains, et il les donnait aux disciples pour qu'ils les offrent aux gens » (Marc 6, 41). Il a soin que, de ce pain, on recueille les restes :

« Lequel d'entre vous, s'il a cent brebis et vient à en perdre une, n'abandonne les quatre-vingt-dix-neuf autres dans le désert pour s'en aller après celle qui est perdue, jusqu'à ce qu'il l'ait retrouvée ? Et, quand il l'a retrouvée, il la met, tout joyeux, sur ses épaules et, de retour chez lui, il assemble amis et voisins et leur dit : Réjouissez-vous avec moi, car je l'ai retrouvée, ma brebis qui était perdue ! Je vous dis qu'ainsi il y aura plus de joie dans le ciel pour un seul pécheur qui se repent que pour quatre-vingt-dix-neuf justes, qui n'ont pas besoin de repentir.
(Lc 15, 1-7).

Marthe dit à Jésus : « Seigneur, si tu avais été là, mon frère ne serait pas mort! Mais maintenant encore, je sais que tout ce que tu demanderas à Dieu, Dieu te l'accordera. » — « Ton frère ressuscitera », lui dit Jésus. — « Je sais, reprend Marthe, qu'il ressuscitera, lors de la résurrection, au dernier jour. » Jésus lui dit : « Je suis la Résurrection et la Vie ; qui croit en moi, fût-il mort, vivra, et quiconque vit et croit en moi ne mourra jamais. Le crois-tu ? » — « Oui, Seigneur, répondit-elle, j'ai toujours cru que tu es le Christ, le Fils de Dieu, qui doit venir dans le monde. » (Jn 11, 21-27).

douze corbeilles pleines... Pourquoi ne restait-il rien des poissons ? Et qui donc avait apporté ces corbeilles ? Et pour qui les remplissait-on ? Et pourquoi douze ?... Douze tribus, c'est la totalité de l'ancien peuple de Dieu ; douze Apôtres, c'est la totalité du nouveau peuple de Dieu : de ces douze corbeilles, nous en mangeons encore. C'est le Pain de Vie sur lequel Jésus s'explique aussitôt après (Jean 6, 22 ss) et qu'il nous donnera le Jeudi Saint.

● Le Jeudi Saint aussi, « sachant que son Heure est venue de passer de ce monde à son Père..., sachant que le Père a remis toutes choses entre ses mains, qu'il est sorti de Dieu et qu'il retourne à Dieu... » (Jean 13), que va-t-il faire de ses mains ? De ses mains à qui le Père a remis toutes choses, il prend un linge, verse de l'eau dans un bassin, et se met à **laver les pieds** des disciples. Serviteur de ses frères, serviteur des pauvres. Le Serviteur... C'est sa dernière leçon, c'est toute sa vie et sa mort en un geste symbolique : servir par amour, c'est la Vie de Dieu... C'est notre chemin de Vie.

● Vivre! Tous les gestes de Jésus vont, finalement, à faire vivre éternellement. C'est le message des **résurrections** qu'il opère : « Je suis la Résurrection et la Vie! »

Jean termine son évangile sur ces mots : « Jésus a opéré sous les yeux de ses disciples bien d'autres signes qui ne sont pas écrits dans ce livre. Ceux-ci l'ont été pour que vous croyiez que Jésus est le Christ, le Fils de Dieu, et pour que, en croyant, vous ayez la vie en son nom » (20, 30-31).

Car ces gestes ne sont pas périmés. Le Christ, Sacrement de la rencontre de Dieu, est avec nous jusqu'à la consommation des siècles, pour les refaire sur nous à travers les sacrements de son Église.

2

L'ÉGLISE
ET SES
SACREMENTS

L'ÉGLISE, SACREMENT
DE LA RENCONTRE DU CHRIST

L'Écriture répète qu'en Dieu il n'y a pas de partialité. Dieu n'aime pas les chrétiens plus que les autres. Dieu ne sauve pas les chrétiens seuls, en laissant les autres tomber. « Dieu veut que tous les hommes soient sauvés » (1 Tim 2, 4).

Aussi est-ce « pour le monde », pour tout le monde, et non pour un cénacle de privilégiés, que « le Père a donné son Fils, l'Unique » (Jean 3, 16). Et le Fils, partageant ce même amour universel, a donné son sang « pour la multitude », c'est-à-dire pour tous les hommes sans exception. « La grâce accordée en Jésus Christ s'est répandue en abondance sur la multitude... L'œuvre de justice du Christ est, pour tous les hommes, la justification qui donne la vie... Par l'obéissance du seul Jésus Christ, c'est, pour tous les hommes, la justification qui donne la vie... » (Rom 5, 15 ss). Il est mort, il est ressuscité pour tous ; pour tous il est monté vers le Père ; et sa volonté déterminée et efficace est d'y « attirer tous les hommes » (Jean 12, 32).

Tel est le Mystère du salut, le mystère « pascal » (« pascal » voulant dire « passage » : passage de Dieu vers nous, passage du Christ vers le Père par sa mort et sa Résurrection, dans lesquelles il nous entraîne puisque nous ne faisons qu'un seul Corps avec lui).

Vous pouvez, en me lisant, vous rendre compte de l'intelligence que j'ai du mystère du Christ : les païens sont admis au même héritage, membres du même corps, bénéficiaires de la même promesse dans le Christ Jésus, par le moyen de l'Évangile. (Eph 3, 4-6).

Reprenons l'un des thèmes de notre premier chapitre : Israël, peuple-témoin des alliances divines, avait été choisi pour être « un signal dressé pour les nations » païennes (Is 11, 12), un signe, un « sacrement » de l'approche de Dieu. Son élection n'était donc pas un privilège : dans un monde d'amour, il n'y a pas de privilèges ; tout est pour tous. Son élection était le fondement d'une mission. D'une mission universelle. Annoncer au monde les merveilles de Dieu ; crier aux nations que Dieu est bon, qu'éternel est son amour ; préparer et accueillir la venue du Fils de Dieu pour ses épousailles avec l'humanité tout entière.

Israël, sacrement du salut universel

Un homme, partant en voyage, appela ses serviteurs et leur confia ses biens.

A l'un il donna cinq talents, à un autre deux, à un autre un seul... Celui qui n'en avait reçu qu'un s'en alla faire un trou dans la terre et y enfouit l'argent de son maître... (Mat 25, 14-18).

Si les Juifs sont infidèles à leur mission universelle, ils seront rejetés, leur dit Jésus, pour avoir enfoui, c'est-à-dire gardé pour eux, le « talent » — le message universel du Salut — qui ne leur avait été mis entre les mains que pour fructifier chez les païens (Mat 25, 26). Telle est aussi la parabole des vignerons égoïstes (21, 33 ss) qui ont prétendu accaparer pour eux les fruits de la vigne. « C'est pourquoi, leur déclare Jésus, le Royaume de Dieu vous sera enlevé pour être confié à une nation qui en apportera les fruits. »

Le nouveau peuple de Dieu

Vous êtes le sel de la terre. Or, si le sel vient à s'affadir, avec quoi le salerat-on ? Il n'est plus bon qu'à être jeté dehors et foulé aux pieds par les gens. Vous êtes la lumière du monde. Une ville ne peut être cachée, quand elle est située sur une montagne. On n'allume pas non plus une lampe pour la mettre sous le boisseau, mais sur le lampadaire ; et elle brille pour tous ceux qui sont dans la maison. Qu'ainsi brille votre lumière aux yeux des hommes, afin qu'ils

Cette « nation sainte » n'aura rien de nationaliste, cette « race élue » n'aura rien de raciste, puisqu'il s'agit d'une race « spirituelle », celle des chrétiens, et d'une nation « universelle », l'Église.

Ce nouveau peuple de Dieu naît, par l'Esprit Saint, de la foi et des sacrements. Mais il est lui-même le sacrement global et permanent de son Seigneur Jésus Christ. Jésus Christ nous l'avons dit, est le sacrement de la rencontre de Dieu. **Ressuscité et monté au Ciel, il continue de « faire signe » à tous les hommes, par son Église :**

« Une fois qu'il eut, par sa mort et sa résurrection, accompli en lui les mystères de notre salut et de la restauration du monde, le Seigneur, qui avait reçu tout pouvoir au ciel et sur la terre, fonda son Église comme le sacrement du Salut, avant d'être enlevé au ciel ; tout comme il avait été lui-même envoyé par le Père, il envoya ses apôtres dans le monde entier en leur donnant cet ordre : « Allez donc, de toutes les nations faites des disciples, les baptisant au nom du Père et du Fils et du Saint Esprit, et leur apprenant à observer tout ce que je vous ai prescrit » (Vatican II).

L'Église, « sacrement du Salut »... Nous voilà donc avec un huitième sacrement ?... Et c'est le Concile Vatican II qui parle ainsi, alors que celui de Trente frappe d'anathème celui qui n'admettrait pas qu'il y a « sept sacrements, ni plus ni moins »!

Excellent exemple où l'on voit que le langage du xxe siècle n'est plus forcément celui du xvie.

Au xvie siècle, avec le goût exagéré des idées claires, on découpait les sept sacrements un peu comme sept « choses » qui, correctement constituées, produisaient automatiquement, *ex opere operato,* cette autre « chose » qu'était « la grâce sacramentelle » du baptême, du mariage, de la communion, etc... Un peu comme un emboutissoir débite, par exemple, des chapeaux de roues. On ne voyait guère les sacrements comme des rencontres personnelles avec le Christ vivant, avec la communauté-Église.

voient vos bonnes œuvres et glorifient votre Père qui est dans les cieux. (Mat 5, 13-16).

Au xxᵉ siècle, les théologiens, puis Vatican II, redonnent au mot « sacrement » une signification plus large, plus souple, plus traditionnelle, englobant **toutes les réalités de l'histoire et du monde où se révèle le mystère du Salut, parce qu'il s'y vit.** « Signe — efficace — de la grâce », c'était la définition du sacrement. Eh bien, pourquoi restreindre le terme à sept gestes privilégiés du Christ ritualisés dans l'Église?

Église-Sacrement

Il y a danger de ne pas apercevoir tant et tant de personnes, d'événements, de gestes à travers lesquels le Christ nous rencontre, nous sauve et nous crie : « Je vous aime! Dieu vous aime! »

Il y a surtout danger, pour l'Église, à tourner en rond sur elle-même, à s'hypnotiser sur sa vie interne, comme un chien pelotonné dans sa niche où il ne peut se battre qu'avec ses puces... Alors que **l'Église est d'abord un peuple pour le monde ;** alors que son être même, c'est sa mission universelle : « Comme mon Père m'a envoyé, je vous envoie, lui a dit Jésus... Allez, enseignez... Vous serez mes témoins à Jérusalem, en Judée et jusqu'au bout du monde. »

Parler d'une Église-Sacrement, c'est donc renoncer à penser à une communauté de croyants chaudement repliée sur elle-même, pour souligner au contraire sa mission : manifester au monde le Salut de Dieu en Jésus Christ ; être pour tous les hommes le signe de la rencontre de Jésus Sauveur.

Lisons Vatican II :

« Le Christ est la lumière des peuples : réuni dans l'Esprit Saint, le saint Concile souhaite donc ardemment, en annonçant à toutes les créatures la bonne nouvelle de l'Évangile, répandre sur tous les hommes la clarté du Christ qui resplendit sur le visage de l'Église. **L'Église est, dans le Christ,**

en quelque sorte sacrement, c'est-à-dire à la fois signe
et moyen de l'union intime avec Dieu et de l'unité
de tout le genre humain. »

Pesons chacun de ces termes :

L'Église, sacrement du Christ

L'Église, c'est
Jésus Christ ré-
pandu et com-
muniqué...
Comment l'É-
glise est-elle son
corps et en
même temps son
Épouse ?... Le
nom de corps
nous fait voir
combien l'Église
est à Jésus
Christ ; le titre
d'Épouse nous
fait voir qu'elle
lui a été étran-
gère... Jésus
Christ a aimé
l'Église et il l'a
faite son Épouse ;
Jésus Christ a
accompli son ma-
riage avec l'Église
et il l'a faite son
corps. « Deux
dans une seule
chair »... Le nom
d'Épouse distin-
gue pour réunir ;
le nom de corps
unit sans confon-
dre. (Bossuet).

Ne nous hâtons pas d'affirmer : l'Église, c'est le Christ.
Si le Christ est la Tête de l'Église, ce sont les chrétiens qui
en sont les membres, et ces membres sont souvent misérables. Il est vrai que Jeanne d'Arc disait : « Du Christ et de
l'Église, il me semble que c'est tout un. » Soit, mais dans
le sens que précisait saint Paul : « Comme l'époux et l'épouse,
ils seront deux en un seul être ; tel est le grand mystère du
Christ et de l'Église » (Éph 5, 31-32). Le Christ et l'Église
sont un seul Corps... tout en restant deux ; **l'Église renvoie
au Christ comme l'épouse renvoie à son époux ; elle
n'est pas le Christ, mais bien le signe, le sacrement
du Christ : elle le proclame, et l'on doit pouvoir, en
elle, le rencontrer.**

Cette qualité de sacrement du Christ est d'ailleurs pour
elle — pour nous chrétiens — un appel et une contestation continuels. Les gens qui disent : « Le Christ, oui ;
l'Église, non », ces gens expriment brutalement cette contestation. « Le Christ a aimé l'Église et s'est livré pour elle afin
de la sanctifier..., afin de se la présenter à lui-même, cette
Église, magnifique, sans tache ni ride, ni rien de tel, mais
afin qu'elle soit sainte et sans reproche » (26-28)...

Or, il faut le dire humblement, elle n'est pas sans tache
ni ride, cette Église ; nous ne sommes pas sans reproche.
Néanmoins, il faut le dire encore plus fort, l'Église est liée,
depuis deux mille ans, à l'Événement Jésus Christ. Elle est
née de l'Incarnation rédemptrice ; elle proclame la mort
et la Résurrection de Jésus Christ. « Tant que dure l'histoire
humaine, l'Église demeure cette part de l'humanité qui
confesse que Dieu est intervenu dans l'histoire en son Fils
Jésus de Nazareth, mort et ressuscité. Tant que dure l'histoire humaine, l'Église est dans le monde pour lui annoncer
« la mort du Christ jusqu'à ce qu'il revienne » (Mgr Robert
Coffy).

L'Église n'est pas le Christ. Elle n'est pas non plus le Royaume. Pas encore. Mais elle en est aussi le « sacrement ». Le Royaume de Dieu, c'est cette « union intime avec Dieu » dont le Concile nous parle et qui fait de nous des fils et des filles du Père. Ce Règne, il est là, dans tous les cœurs et dans tous les groupes qui s'ouvrent à l'action et à l'amour du Seigneur — « Le Royaume de Dieu est parmi vous », disait Jésus —; il est là... et il n'est pas encore là : « Père, que ton Règne vienne », prie l'Église. Il ne sera là que quand le monde sera transformé, au terme des réalisations humaines et du dessein de Dieu, par la puissance de Jésus ressuscité.

L'Église reconnaît le Royaume déjà présent dans le monde. Elle l'accueille dans la joie et l'action de grâces. Elle travaille à étendre ce Royaume encore à l'état d'ébauche. Elle le détecte et aide à le lire chez les hommes de bonne volonté. Car il ne cesse de venir dans l'univers entier.

Elle l'accueille et le fait grandir dans la célébration des sacrements. Bien célébrés, les sacrements crient au monde l'espérance de l'Église ; ils sont signes avant-coureurs de la réussite du monde en Jésus Christ. C'est en eux qu'elle puise l'amour qui émane d'elle et qui est l'amour même de « Jésus répandu et communiqué » (Bossuet).

Car, s'il n'y a pas lieu de se glorifier, il reste que l'Église « sacrement du Salut » éclate merveilleusement pour quiconque refuse de se boucher les yeux. Ce Salut, sa parole l'annonce, son Credo le chante, ses consacrés en témoignent par leur choix de vie et tant de ses baptisés par leur rayonnement... Et c'est l'immense chantier des sœurs soignantes ou éducatrices, des prêtres-ouvriers, des chiffonniers d'Emmaüs, des missions en pays sous-développés, de l'alphabétisation des migrants, de l'Action catholique, de tous les combats pour la dignité et la libération des hommes voués à la gêne, à l'exploitation, au mépris, aux discriminations, au manque d'amour et de respect... On ne peut nier que l'Église essaie d'être le sacrement de la fraternité humaine universelle.

L'Église, sacrement de l'union intime avec Dieu

Un Samaritain, qui était en voyage, arriva près du blessé, le vit et fut pris de pitié. Il s'approcha, banda ses plaies, y versant de l'huile et du vin ; puis il le chargea sur sa propre monture, le conduisit à l'hôtellerie et prit soin de lui. Le lendemain, il tira deux deniers, les donna à l'hôtelier et dit : « Aie soin de lui, et tout ce que tu auras dépensé en plus, c'est moi qui te le paierai lors de mon retour. » (Lc 10, 33-35).

L'Église,
sacrement
de l'unité
humaine

Aussi, dit le Concile, « l'Église est, dans le Christ, le sacrement, c'est-à-dire à la fois signe et moyen, de l'unité de tout le genre humain ».

Elle n'est d'aucune nation, d'aucune race, parce qu'elle est effectivement de toutes. A elle le ministère de la réconciliation avec Dieu, mais aussi avec les hommes, car l'un ne va pas sans l'autre... « Ce que vous faites au moindre des miens... Aimez vos ennemis... »

Certes, il ne suffit pas de le lire dans l'Évangile et de le proclamer le dimanche. Mais qui peut nier qu'il y ait, dans l'Église, plus d'amour que de haine ? Qui connaît dans le monde un ferment d'unité plus efficace que l'Église ?

« Ce peuple messianique, bien qu'il ne comprenne pas encore effectivement l'universalité des hommes, et qu'il garde souvent les apparences d'un petit troupeau, constitue cependant pour tout l'ensemble du genre humain le germe le plus fort d'unité, d'espérance et de salut. Établi par le Christ pour communier à la vie, à la charité et à la vérité, il est entre ses mains l'instrument de la rédemption de tous les hommes ; au monde entier il est envoyé comme lumière du monde et sel de la terre » (Vatican II).

Que l'on nous pardonne ces pages abstraites ; mais l'essentiel du Concile est là... **Le Christ incarné fut le visage du Père ; l'Église doit être pour les hommes le visage du Christ monté aux cieux, le signe efficace qui le rende visiblement présent au monde, son « sacrement ».** C'est ce qu'elle réalise dans ses saints, c'est le mystère qu'elle nous appelle à vivre : être signe d'un Amour qui nous dépasse.

LE MYSTÈRE PASCAL
DANS LES SACREMENTS

Étant amour, Dieu est tendresse et pitié : il va à la rencontre de toute misère... Rappelez-vous la parabole du

Samaritain et le malheureux laissé pour mort sur le chemin de Jéricho. Le Samaritain — et nous savons que c'est d'abord Dieu — vient de loin, s'approche, se fait « prochain » du mourant, applique avec compassion le vin et l'huile, fait l'ambulancier, et prend sur lui tous les frais de la guérison, — entendez : du Salut de l'humanité.

Mais il y a sauver et sauver.... Il y a l'inconnu que l'on soigne par charité jusqu'à santé refaite et que l'on quitte alors définitivement sur une poignée de main : « On s'écrira... » Et il y a le grand blessé, le malade condamné qu'on arrache à la mort, pour qui l'on se prend d'amour, et dont on ne pourra plus se séparer : « On va se marier... » Et c'est l'alliance. C'est le « passage » définitif de chacun vers l'autre.

Précisément, Dieu est Amour jusqu'à la folie. Dieu est rencontre jusqu'aux épousailles. Dieu est Alliance... Rappelez-vous la « parabole » d'Ézéchiel : la fillette abandonnée à sa naissance, — c'est-à-dire l'humanité perdue : « Passant près de toi, je t'ai vue, dit Dieu..., et je suis entré en alliance avec toi. »

Mystère pascal et Nouvelle Alliance

Dans un premier temps, « Dieu envoya son Fils naître d'une femme ». Dieu a donc « passé » réellement à l'homme — comme on « passe » à l'ennemi, si je puis dire — en devenant, ô folie! un homme parmi les hommes. Ainsi, nous l'avons dit, Jésus de Nazareth devient pour les hommes le Sacrement de la rencontre de Dieu. « Le Verbe s'est fait chair et il a habité parmi nous. »

Dans ce premier pas de l'Alliance nouvelle, où Dieu se fait homme, Dieu a déjà épousé d'amour l'humanité entière, c'est-à-dire chaque homme en son être le plus profond, que cet homme le sache ou pas. Ce « passage à l'homme », ce mystère pascal en son premier temps, c'est déjà un Salut pour l'humanité. Être aimé, c'est être à moitié sauvé. Dire à l'humanité « Je t'épouse », c'est lui dire « Nous nous aimerons éternellement ».

La suite, nous la connaissons. Nous savons où l'amour fou mène Dieu : « Dieu envoya son Fils naître d'une femme, pour que nous naissions fils et filles de Dieu » (Gal 4, 4).

Dans un deuxième temps, donc, l'homme « passe »

Mes amis, rendons grâce au Seigneur, tous ensemble, bénissons-le. Ce qu'il a fait est tellement beau, on n'en finit pas de le découvrir. Magnifique est sa création, éternelle est sa justice.

Faisons mémoire de ses merveilles, c'est un Seigneur de tendresse et de pitié. Seule sa justice est juste et sa vérité vraie. Qu'ils ont raison tous ceux qui t'aiment, Dieu si grand, Dieu si bon! (Ps. iii).

à Dieu. **Ce Fils de Dieu qui, pour épouser l'humanité, a « passé » du Ciel sur la terre par son Incarnation, « passe » de la terre au Ciel, en son être d'homme, en mourant et en ressuscitant ;** il est alors saisi par la puissance glorifiante de Dieu et, comme homme, « il est établi dans sa pleine puissance de Fils de Dieu par sa Résurrection d'entre les morts » (Rom 1, 4). Le Fils de Dieu épouse l'humanité dans son sang et l'entraîne dans sa Vie divine...

C'est la parabole d'Ézéchiel : « Je t'ai couverte d'étoffes précieuses. Je t'ai parée de bijoux... J'ai mis sur ta tête un diadème splendide... Et tu fus reine. » C'est, plus belle que toutes les images, la réalité rappelée par Éph. 5, 25 ss, ce texte auquel il faut toujours revenir :

« Le Christ a aimé l'Église et s'est livré pour elle ; il a voulu ainsi la rendre sainte en la purifiant avec l'eau qui lave, et cela par la Parole : il a voulu se la présenter à lui-même splendide... la nourrir, la combler d'attentions comme sa propre chair... »

C'est la Nouvelle et Éternelle Alliance, le mystère pascal : en Jésus, Dieu « passe » en l'homme pour que l'homme « passe » en Dieu ; le Fils de Dieu « quitte son Père et s'attache à l'Humanité et tous deux ne seront qu'une seule chair » : le Corps du Christ mort et ressuscité. « Ce mystère (de mariage) est grand, ajoute saint Paul : je déclare qu'il concerne le Christ et l'Église. »

Les signes de l'Alliance

« Purifier l'Humanité avec l'eau qui lave, et cela par la Parole », c'est le sacrement du baptême. La nourrir divinement, c'est le sacrement de l'eucharistie. « L'entourer d'attention, la rendre splendide, sans tache ni ride, ni aucun défaut », c'est tout l'amoureux « travail » sans cesse repris en ces rencontres de tendresse efficace que sont les sacrements. Le Christ, par touches successives, sanctifie, consacre, divinise de plus en plus l'Humanité son épouse, c'est-à-dire chaque homme, chaque communauté qui s'expose au soleil de son amour dans la réception des sacrements. Sanctifie, consacre, divinise... trois mots pour dire la même réalité : transforme en d'autres Christ, jusqu'à ne faire qu'un avec lui.

Les sacrements en effet sont les signes efficaces de l'Alliance, c'est-à-dire qu'ils la révèlent et la réalisent en même temps.
Dans la célébration des sacrements, Jésus Christ ressuscité est réellement présent. A travers des gestes et des paroles qui « signifient » sa présence et son action, il nous dit l'intention de Salut qu'il poursuit dans le monde, et qu'il est en train de réaliser en nous ici et maintenant.
Il nous dit aussi quelle disposition de cœur, quelle attitude de vie il attend de nous dans l'événement d'Alliance qu'il nous propose en tel sacrement.
Enfin et surtout, il nous y aide puissamment. C'est ce que l'on a appelé, en « chosifiant » cette rencontre personnelle, « la grâce sacramentelle ».

Mais, en quelque sacrement que ce soit, cette grâce qui nous touche, ou plus exactement ce Jésus qui nous touche — qui nous pardonne, nous guérit, nous investit de son sacerdoce, ou de son amour, etc. — c'est toujours le Jésus de l'Événement pascal, le Jésus éternellement fixé dans ce qui est le sommet de sa vie et de son droit à la gloire : l'Événement de sa Mort-Résurrection. Il n'y a pas d'autre Christ que celui-là. **Chaque sacrement nous plonge mystérieusement mais réellement dans l'acte même de Jésus mourant au péché et ressuscitant à la Vie nouvelle.** Nous essayerons de le saisir mieux à propos de chacun en particulier.
Cela revient à dire que chaque sacrement — et pas simplement l'eucharistie — est le **mémorial de la mort et de la Résurrection de Jésus Christ.** L'eucharistie nous donne le Christ lui-même, mort et ressuscité, mais les autres sacrements diversifient les richesses du mystère du Christ mort et ressuscité selon les situations particulières de celui qui les reçoit — pécheur, époux, malade, ordonné prêtre...
Les sacrements « font mémoire », c'est-à-dire qu'ils se réfèrent à un événement passé accompli par Dieu en Jésus Christ pour le Salut des hommes : l'incarnation, le baptême, la prédication, la vie et surtout la mort et la Résurrection du Christ suivies de la Pentecôte. Mais cet événement passé

Mémorial

est la source permanente de ce qui est vécu aujourd'hui dans la célébration du sacrement en Jésus Christ. **« Faire mémoire » signifie donc aussi reconnaître que l'événement passé est un mystère toujours actuel, toujours actif, présent à toutes les générations, pour que l'Église d'aujourd'hui, pour que l'homme d'aujourd'hui puisse s'y associer, y participer, en recevoir les fruits et entrer dans la Vie nouvelle.**

Jésus a dit : « Je suis avec vous pour toujours... » Célébrer un sacrement, c'est donc réellement « célébrer Jésus présent au milieu des hommes ». Jésus n'est pas un personnage du passé : il est ressuscité, il est vivant aujourd'hui, mystérieusement présent dans le monde. Et il est présent comme il est : au sommet où le placent à jamais sa mort et sa Résurrection.

Découvrir cette présence du Seigneur, l'accueillir dans nos cœurs et dans nos « affaires », nous soumettre à son action dans nos vies, c'est cela être chrétien. Car le Christ ne nous rejoint dans nos vies par les sacrements que pour les transformer. C'est toujours la rencontre mystérieuse sur le chemin d'Emmaüs (Luc 24, 13 ss) :

Sur la route d'Emmaüs

Relisons le récit d'Emmaüs. Sur la route de ce village, deux hommes marchent. Ils s'éloignent définitivement de Jérusalem où Jésus, leur maître, leur ami, est mort sur une croix. Le pas lourd, les visages tristes, ils parlent de leur désespoir...

Sans se laisser reconnaître, **Jésus s'approche, Jésus les rejoint sur leur route, Jésus vient s'insérer dans ce qu'ils vivent.**

Or ce qu'ils vivent tient de la misère et du péché : ils ont quitté Marie et les Apôtres, dit un adieu définitif à la Ville Sainte, tourné le dos au Calvaire, refusé de croire en la Résurrection prédite par Jésus et annoncée par les saintes femmes... Leur conversion ne peut venir d'eux. Mais la misère attire la Miséricorde. **C'est Jésus qui rejoint la vie des hommes, si pécheurs soient-ils.**

Mais Jésus est mort et ressuscité. Sa présence, aussi réelle, plus réelle qu'avant, reste néanmoins mystérieuse.

Elle est difficile à percevoir. « Les yeux des disciples d'Emmaüs sont empêchés de le reconnaître. » Il y faudra **un signe, un sacrement : « Ils le reconnurent à la fraction du pain ».**
Et le signe est efficace : les voilà transformés, ardents de foi et d'espérance. Ils remontent, vers Jérusalem, le chemin de leur désespoir. **Ils retrouvent leurs frères, font Église avec eux... Les sacrements font l'Église.**

La rencontre du Ressuscité ne peut se faire que dans la foi. Elle a besoin de signes :

1) Le Christ se fait voir aux Apôtres, aux disciples. Ils le reconnaissent à des signes qui rappellent l'histoire terrestre qu'il a vécue sous leurs yeux : l'intonation de sa voix lorsqu'il dit « Marie », les cicatrices de ses blessures, le repas familier au bord du lac... Ils reconnaissent le signe de Dieu, le « sacrement » de Dieu : « Mon Seigneur et mon Dieu! » dit Thomas en tombant à genoux. Mais **ils n'ont pas à être baptisés, parce qu'ils ont connu Jésus : c'est Jésus lui-même qui est pour eux, directement, le signe, le sacrement de la rencontre de Dieu.**

2) Avec les disciples d'Emmaüs, le Ressuscité fait un pas de plus. Lui, visiblement présent, se fait le ministre d'une célébration sacramentelle : il leur dit l'Écriture à la lumière de leur vie et leur vie à la lumière de l'Écriture ; il leur explique le mystère pascal : comment « il fallait que le Christ souffrît pour entrer dans sa gloire » ; mais **il ne se fait reconnaître qu'à la fraction du pain : un signe qui rappelle aussi l'histoire terrestre de Jésus, mais qui est déjà un signe sacramentel. Et leur cœur brûle de joie.**

3) Sur le chemin de Damas, Paul, terrassé, ne voit pas le Ressuscité. Il ne pourrait d'ailleurs le reconnaître au visage : **comme nous, il ne l'a jamais vu.** Mais, aveuglé de lumière, Paul l'entend... Et il l'entend... le renvoyer à l'Église : « Entre dans la ville ; on te dira ce que tu dois faire » (Act 9, 6). En effet, à Damas, Ananie, envoyé par le Seigneur, vient rejoindre Paul dans sa cécité. Ananie agit comme ministre de Dieu et

Sur les chemins des hommes

Comme le matin déjà paraissait, Jésus se tint sur le rivage ; mais les disciples ne savaient pas que c'était Jésus. Jésus leur dit : « Eh! les enfants, auriez-vous quelque chose à manger? » — « Non », lui répondirent-ils. Il leur dit alors : « Jetez le filet du côté droit de la barque, et vous trouverez. » Ils le jetèrent, et ils ne pouvaient plus le tirer, tellement il y avait de poissons. Le disciple que Jésus préférait dit alors à Pierre : « C'est le Seigneur! » (Jn 21, 4-7).

Ananie partit donc, entra dans la maison et imposa les mains à Saul. « Saul, mon frère, lui dit-il, c'est le Seigneur qui m'envoie — ce Jésus qui t'est apparu sur le chemin par où tu venais —, pour que tu recouvres la vue et que tu sois rempli de l'Esprit Saint. » Aussitôt il lui tomba des yeux comme des écailles, et il recouvra la vue. Il se leva et fut baptisé. (Actes 9, 17-19).

représentant de la communauté. **Il lui impose les mains et lui confère le baptême et l'Esprit Saint : deux sacrements.**

4) Le « diacre » Philippe marche sur la route qui descend de Jérusalem à Gaza. Il rejoint un haut fonctionnaire de la reine d'Éthiopie ; lui explique, sur sa demande, le mystère pascal à travers un texte de l'Écriture, « lui annonce la bonne nouvelle de Jésus » et le baptise au premier point d'eau (Act. 8, 26 ss). **Il n'y a plus que le signe sacramentel seul : parole et rite baptismal. Mais c'est cependant la pleine rencontre du Ressuscité :** « Il poursuit son chemin dans la joie », dans la foi, vers la Vie nouvelle.

C'est le signe du baptême qui a été donné à cet homme, comme il le sera à tant d'autres après lui.

Par le signe sacramentel, qui tient la place des apparitions du Ressuscité, ceux qui n'ont pas personnellement vécu avec Jésus peuvent le rencontrer à leur tour, le reconnaître, et affirmer : « C'est bien lui. »

LA FOI A-T-ELLE BESOIN DE RITES ?

Des églises se vident... Cette hémorragie marque-t-elle la fin de la chrétienté ? Faut-il vraiment en passer par les rites sacramentels pour vivre de Jésus Christ ?

Autrefois, tout était sacré. Il fallait pour tout et partout des bénédictions rituelles et de l'eau bénite pour mobiliser ou conjurer les puissances spirituelles bonnes ou malignes. Quitte à laisser croupir ses frères humains dans des situations d'injustice dont les responsables auraient mérité « le sacrement du fouet » qu'administra Jésus aux vendeurs du Temple ! Aujourd'hui le monde est désacralisé, mais l'homme n'en est pas moins fils de Dieu : comme un grand, il prend son sort et celui de ses frères en ses propres mains ; sa foi se vit dans des engagements plus qu'en des sacrements. N'est-ce pas un progrès, fruit de l'Esprit Saint ?

— Nous entendons là une critique — et pas injuste du tout — à l'adresse de tels et tels pratiquants qui, malgré leurs confessions et communions, malgré qu'ils arborent un chapelet d'une main et un missel de l'autre, tiennent à leurs privilèges aussi viscéralement qu'à leur religion et restent sur la touche des combats pour la justice, l'égalité et la paix. Alors, désabusés, perdant foi aux sacrements, d'autres s'en font une excuse pour les « larguer » et formulent le dilemme souvent entendu : « Si je vis dans la foi qui agit par la charité (Ga. 5, 6), à quoi bon la signifier par des rites sacramentels ? Si je n'en vis pas dans mes responsabilités quotidiennes, à quoi servent ces mêmes rites qui ne changent rien à rien ? »

Cette façon de raisonner n'est juste que partiellement. Elle appelle la question de fond : « De quelle foi parlez-vous ?... Foi en l'homme ou foi en Dieu ? Foi au Dieu des philosophes ou foi au Dieu de Jésus Christ ? » Des militants s'engagent et se sacrifient pour l'homme dans des perspectives purement terrestres : société sans classes, promotion du prolétariat, grand soir (?)... Fort bien. Mais après ?... Après la mort des hommes, et des classes, et des prolétaires ?...

La foi chrétienne est tout autre. Elle est foi en l'amour rédempteur de Dieu, en la vie divine et éternelle de l'homme, en l'Incarnation, en la Résurrection de Jésus Christ Sauveur. La foi est cela ou elle n'est pas ! La foi, ce ne peut être « ce que j'ai dans ma petite tête », c'est entrer dans le chemin de celui en qui l'on a mis sa foi, sinon les mots ne veulent plus rien dire. **La foi religieuse ne peut être que la reconnaissance de l'initiative de Dieu.**

Or, quelle est l'initiative de Dieu à l'égard de l'homme ? Que nous en a-t-il révélé ?

Quelle foi ?

La Révélation nous apprend que le dessein de Dieu sur l'homme, c'est de l'adopter comme fils dans le partage de sa Vie éternelle, — et que **ce Salut de l'homme, le Fils de Dieu l'a réalisé dans sa personne et dans son corps.**

La foi, rencontre de Jésus Christ.

C'est son corps sacrifié et ressuscité qui est le Chemin et la Vie. C'est lui qu'il nous faut rencontrer. C'est dans ses bras qu'il nous faut nous laisser prendre pour ne faire qu'un avec lui, car « nul ne monte au ciel sinon celui qui est descendu du ciel, le Fils de l'homme » (Jean 3, 13).

Dieu nous prend comme il nous a faits : par nos corps. L'homme Jésus est la présence parmi nous du Dieu rédempteur, mais sur le mode d'une présence humaine, donc par son corps, parce que nous sommes des êtres corporels et que nos seuls moyens de rencontre et de relations, ce sont nos corps. Pour nous rencontrer pleinement tels que nous sommes, Dieu s'est incarné. Ainsi nous avons, en Jésus Christ, le sacrement corporel de la rencontre de Dieu.

Cela revêt une importance capitale. Nous avons toujours tendance à dissoudre la vie humaine du Christ, à regarder au-delà de son humanité, vers sa divinité. C'est le mouvement de ceux qui prétendent à un christianisme « spirituel », sans pratique de rites, sans sacrements.

Erreur ! C'est en tant qu'homme que le Christ est le médiateur de grâce, dans son humanité et selon son humanité. C'est dans son corps sacrifié, dans son sang répandu, que le péché a été expié. C'est dans son corps ressuscité que l'homme passe à la vie. C'est par son corps ressuscité que le Sauveur rencontre chacun d'homme à homme.

Les Apôtres et les premiers disciples l'ont ainsi rencontré sensiblement, après sa Résurrection : ils l'ont vu, touché, ils ont mangé avec lui, entendu ses paroles directes ; ils n'ont donc pas eu à le « contacter » à travers un sacrement : ils n'ont pas eu à être baptisés. Mais, depuis son Ascension, force nous est de le retrouver là où il nous le dit, ou alors de reconnaître que nous n'avons pas foi en lui...

... dans l'Église et ses sacrements

Or le Christ ressuscité nous donne rendez-vous dans son Église. Elle est, nous le savons, le sacrement du Christ comme le Christ est le sacrement du Père. Il n'y a pas de foi réelle en Jésus Christ si l'on refuse d'entrer « dans le jeu » de Jésus Christ. On ne peut prétendre le rencontrer dans les hommes si l'on refuse de le reconnaître dans le groupe d'appartenance qu'il a institué en lui disant : « Voici que moi, je vais être avec vous tous les jours jusqu'à la fin du monde » (Mat 28, 20).

La foi chrétienne, c'est de faire confiance au Christ quand il nous invite à le rencontrer corporellement

— dans le seul fait déjà de se rassembler en Église pour le célébrer : « Là où deux ou trois seront réunis en mon Nom, je serai au milieu d'eux. »

— dans l'Écriture proclamée et la Parole annoncée : « Qui vous écoute, c'est moi qu'il écoute ; qui vous méprise, c'est moi qu'il méprise. »

— mais aussi, et très spécialement, dans le sacrement de baptême : « Allez ; enseignez toutes les nations, les baptisant au nom du Père et du Fils et du Saint Esprit. »

— dans le sacrement de l'eucharistie : « Prenez et mangez. Prenez et buvez... Faites ceci en mémoire de moi. »

— dans la correction fraternelle du péché et sa réconciliation dans la communauté : « Tout ce que vous délierez sur la terre sera délié dans les cieux... » (Mat. 18, 18)... « Recevez le Saint Esprit : les péchés seront remis à ceux à qui vous les remettrez » (Jean 20, 22-23).

— dans le sacrement du frère, où le Christ lui-même m'interpelle dans son corps qui a faim, qui a soif, qui est nu, transi, sans chez soi (Mt 25, 31 ss).

Sous le signe sensible de ces sacrements et des autres, la foi chrétienne reconnaît le Seigneur personnellement présent, corporellement présent.

L'Apôtre Thomas fut heureux de mettre ses mains dans les cicatrices du Ressuscité. « Parce que tu as vu, Thomas, tu as cru. Mais bien plus heureux ceux qui croiront sans avoir vu », lui dit Jésus. Cette dernière phrase nous concerne : par n'importe lequel des sacrements nous sommes mis en contact avec le Christ vivifiant tout aussi réellement, tout aussi corporellement, quoique d'une autre manière, que si nous avions été parmi ceux qu'il a absous, guéris, nourris, instruits en Galilée et en Judée.

Croire au Christ, c'est donc pratiquer les sacrements ; comme croire au pain, c'est en manger ; croire à un pont, c'est passer dessus ; croire à son fiancé, c'est jouer sa vie sur lui.

On ne peut pas opposer foi et pratique, parole et sacre-

Le Christ est toujours là, auprès de son Église, surtout dans les actions liturgiques. Il est là présent dans le sacrifice de la messe : et dans la personne du ministre, le même s'offrant maintenant qui s'offrit autrefois sur la croix, — et, au plus haut point, sous les éléments eucharistiques. Il est là présent par son action dans les sacrements, au point que lorsque quelqu'un baptise, c'est le Christ lui-même qui baptise (S. Augustin). Il est là présent dans sa Parole, car c'est lui qui parle tandis qu'on lit dans l'Église les Saintes Écritures. Enfin, il est là présent lorsque l'Église prie et chante les psaumes, lui qui a promis : « Là où deux ou trois sont rassemblés en mon nom, je suis là, au milieu d'eux » (Mt 18, 20). Effectivement, pour l'accomplissement de la grande œuvre par laquelle Dieu est parfaitement glorifié et les hommes sont parfaitement sanctifiés, le Christ s'associe toujours l'Église, son Épouse bien-aimée, qui l'invoque comme son Seigneur et qui passe par lui pour rendre son culte au Père éternel. (Vatican II).

ment. Peut-on même les distinguer ? La Parole, c'est quelqu'un, c'est le Verbe incarné. Accueillir la Parole, c'est donc se rendre à l'assemblée où elle nous convoque le dimanche, c'est aller la partager et la proclamer ensemble, c'est rechercher la réconciliation dans la communauté où elle retentit, c'est y manger et y boire le pain et le vin qu'elle consacre...

La foi chrétienne a besoin de rites sacramentels parce que c'est en eux que le Christ ressuscité nous donne rendez-vous.

Ce Salut par l'Incarnation, le corps — donc le rite corporel, sensible — est justement ce qui éclaire la logique du Jugement : « Ce que vous aurez fait au moindre des miens **dans son corps** (nourriture, boisson, toit, vêtement), c'est à moi que vous l'avez fait ». Un christianisme sans rites corporels se contente très vite de n'aimer les autres que spirituellement, comme il prétend aimer Dieu !...

LES RITES ONT-ILS BESOIN DE FOI ?

Jésus sortit de nouveau le long de la mer de Tibériade, et tout le peuple venait à lui et il les enseignait. En passant, il aperçut Lévi, fils d'Alphée, assis au bureau de la douane, et il lui dit : « Suis-moi. »

Les sacrements sont pour les croyants...

Je ne dis pas : « pour les savants qui ont les formules, pour les théologiens qui ont les explications » ; mais : pour les croyants. Et nous savons que ce peuvent être — le plus souvent — « les tout-petits » (Luc 10, 21).

Mais ceci dit, il faut insister avec le Concile sur le fait que les sacrements sont « les sacrements de la foi ».

Or, nous les donnons et notre Église les donne souvent à des gens qui n'ont manifestement plus la foi en Jésus Christ (s'ils l'ont jamais eue). Je pense au mariage, au baptême d'enfants de familles non chrétiennes, aux onctions sur des « morts » qui vivaient loin de l'Église et n'ont plus conscience...

Certes il faut être très attentifs aux balbutiements d'une foi chrétienne réelle et active mais qui manque de culture pour se dire. On n'insistera jamais assez sur ce point. Mais ce n'est pas le cas de ceux qui affirment, par exemple, que

Jésus Christ n'est pas Dieu. Or les statistiques montrent qu'en France, c'est le fait de plus de la moitié des baptisés!... **On n'est plus en milieu chrétien. L'appareil sacramentaire ne peut plus fonctionner automatiquement, comme en régime de chrétienté. La foi chrétienne ne se suppose plus; elle doit se manifester.**

● J'entends bien l'objection ressassée : « Vous êtes pour une Église de purs! »

— Allons donc! Comment cette objection-bidon a-t-elle pu être formulée même une fois?... Lisons Marc 2, 14 ss : Lévi, le futur Matthieu, est un publicain, un pécheur. C'est dans son péché que Jésus va le chercher, l'appeler. « Il se lève et suit. » **Parce qu'il croit.** Il donne une fête en l'honneur de Jésus : beaucoup de pécheurs y prennent place avec le Christ et ses disciples, **parce qu'ils croient.**

Telle est la toute première Église, le premier rassemblement de Jésus : **une Église de pécheurs, tout sauf purs, mais croyants.** Tandis que les scribes pharisiens — les purs justement! — refusent de croire. Même opposition des purs et des croyants en Luc 15, 1-2.

Une Église de croyants n'est jamais une Église de purs; une Église de purs n'est quasi jamais une Église de croyants.

Qui écoutait, qui n'écoutait pas Jean-Baptiste au Jourdain? Quels sont les gamins sur la place publique qui n'ont pas voulu entrer dans le jeu (Mat. 11, 16 ss)?... Les sacrements ne sont pas pour les purs; le Christ n'est pas venu pour les purs. Les sacrements sont pour les croyants; ils sont la célébration de la foi; ce sont « les sacrements de la foi ».

On ne peut continuer à obliger des prêtres à être les gestionnaires d'une religion non chrétienne. La crise des vocations tient pour une bonne part à notre pastorale de compromis.

● Mais, insiste-t-on souvent, qui peut affirmer ou nier la foi des gens? Qui peut prétendre, comme au compteur Geiger, départager les croyants des non-croyants?

— Cette contestation est grave : elle revient à nier l'Église visible. Si l'on ne sait pas qui a la foi chrétienne, on ne sait

Et, se levant, il le suivit.
Alors qu'il était à table dans sa maison, beaucoup de publicains et de pécheurs se trouvaient à table avec Jésus et ses disciples; car il y en avait beaucoup qui le suivaient. Les scribes du parti des Pharisiens, le voyant manger avec les pécheurs et les publicains, disaient à ses disciples : « Pourquoi mange-t-il avec les publicains et les pécheurs? » Jésus, qui avait entendu, leur dit : « Ce ne sont pas les gens bien portants qui ont besoin de médecin, mais les malades. Je ne suis pas venu appeler les justes, mais les pécheurs. » (Mc 2, 13-17).

Je vous rappelle, frères, l'Évangile que je vous ai annoncé..., par lequel aussi vous vous sauvez, si vous le gardez tel que je vous l'ai annoncé... Je vous ai donc transmis ce que j'avais moi-même reçu, à savoir que Christ est mort pour nos péchés selon les Écritures, qu'il a été mis au tombeau, qu'il est ressuscité le troisième jour selon les Écritures, qu'il est apparu à Céphas, puis aux Douze. (1 Cor 15, 1-5).

Zachée, c'était un chef de publicains, et qui était riche. Et il cherchait à voir qui était Jésus, mais il ne le pouvait à cause de la foule, car il était petit de taille. Il courut donc en avant et monta sur un sycomore pour voir Jésus, qui devait passer par là. Arrivé en cet endroit, Jésus leva les yeux et lui dit : « Zachée, descends vite, car il me faut aujourd'hui demeurer chez toi. » Et vite il descendit et le reçut avec joie. Ce que voyant, tous murmuraient et disaient : « Il est

pas qui est d'Église, on ne sait plus où est l'Église, il n'y a plus d'Église, car c'est la foi qui la rassemble.

Or on peut savoir qui a la foi... Il s'agit de foi **chrétienne**, rabâchons-le. Toute vague religiosité, toute quête du sacré, toute croyance religieuse n'est pas foi **chrétienne**. La croyance en Dieu n'est pas la foi **chrétienne**. Sinon les Juifs, les musulmans, les païens seraient chrétiens... Drôle, non ?

La foi « chrétienne » est essentiellement la foi au « Christ » Sauveur : foi explicite en Jésus Dieu, mort et ressuscité pour le Salut des hommes.

Si, en gros, on ne peut savoir qui partage cette foi et qui ne la partage pas, il faut, honnêtement, renoncer à parler d'Église du Christ, renoncer à se rassembler, renoncer à rien célébrer... Aucune société ne peut accepter de vivre sur de pareilles équivoques.

● Alors, chasser de l'Église les mal-croyants ?

Le Christ n'a jamais chassé personne, sauf les commerçants du Temple. L'Église, comme lui, est envoyée par priorité à qui est perdu, lointain, malade. Dans la foulée du Bon Berger, son Maître, elle doit même se fatiguer à les chercher jusqu'à ce qu'elle les rejoigne (Luc 15).

Elle doit offrir à tous un espace fraternel où les accueillir, dialoguer, partager, collaborer, aimer... Dans une église, il n'y a pas que les fonts baptismaux, les confessionnaux et la table sainte ! Il y a le narthex (vestibule), le seuil, la nef, la sacristie, le presbytère, les salles paroissiales... Et puis, les chemins des hommes, les maisons des hommes... Je veux dire que l'Église, envoyée à tous les hommes, doit trouver sa joie et sa raison d'être à les rencontrer, à les écouter, à chercher avec eux, à marcher avec eux, à participer avec eux aux tâches humaines, individuelles et collectives. N'est-elle pas le sacrement de la rencontre du Christ ? Comme lui, ne doit-elle pas rejoindre les mal-croyants sur les chemins de Damas, d'Emmaüs ou de Gaza ?

— Mais ils demandent les sacrements, non la foi !

— Cette demande, toute inconsidérée qu'elle soit, reste une bienheureuse occasion du contact, un lieu privilégié de la parole fraternelle et même de la Parole de Dieu. « Mais

il n'a jamais été dit que la seule manière qu'avait
l'Église d'accueillir les hommes soit de leur donner
un sacrement » (Henri Denis). Elle souhaite ardemment
les conduire vers Jésus. Mais, précisément, les sacrements
de la foi ne sont pas au début du chemin.

Sacramentaliser tout et tout de suite, c'est une façon de
happer les « clients », de les lier pour toujours, qui tient du
rapt. Même si les intéressés sont demandeurs : « ils ne savent
pas ce qu'ils font ».

Que l'Église soit signe : qu'elle « signalise » pour tout
homme le début du chemin. Mais qu'elle s'efforce d'inventer
des types d'appartenance qui ne se réduisent pas à l'unique
type sacramentel. Un signe de l'Alliance ne peut être donné
et reçu que par qui engage sa foi en Jésus Christ.

allé loger chez un pécheur ! » Mais Zachée, résolument, dit au Seigneur : « Oui, Seigneur, je vais donner la moitié de mes biens aux pauvres, et si j'ai fait du tort à quelqu'un, je lui rendrai le quadruple. » Et Jésus lui dit : « Aujourd'hui cette maison a reçu le salut, parce que celui-là aussi est un fils d'Abraham. Car le Fils de l'homme est venu chercher et sauver ce qui était perdu. » (Lc 19, 1-10).

PAROLE ET RITES

Que l'on excuse le terre à terre de la comparaison. Rien
de moins semblable que la pelle, la truelle, l'équerre, le fil
à plomb, le marteau, le niveau ; mais ils ont ceci de commun
qu'ils sont les instruments efficaces du maçon pour la construction d'un mur. Ainsi, les sacrements ont ceci de commun
qu'ils sont les célébrations de la présence et de l'action du
Christ ; mais ils sont tellement dissemblables qu'il est difficile de discourir sur le groupe des sacrements en général...

On s'y est trop essayé. En prenant modèle sur l'eucharistie,
« le roi des sacrements », on a voulu que tous aient une
matière comme le pain et le vin, une forme comme les
paroles de la consécration, un ministre comme le prêtre...
Les sacrements résistent à ce traitement. Ainsi, appeler
« matière » l'huile de l'onction des malades et aussi les péchés
de la pénitence, c'est user du même terme dans un sens
concret, puis dans un sens abstrait, qui n'ont qu'une lointaine analogie. Si les péchés sont la matière de la pénitence,

ils sont tout autant celle de l'onction et, cette fois, dans le même sens. Alors, l'onction a deux « matières » : l'huile et le péché ?... Assez de jeux de mots !

Qu'on nous excuse donc de peu nous étendre sur les sacrements en général.

La Parole est première

Jésus était entré dans Capharnaüm. Un centurion vint le trouver en le suppliant : « Seigneur, dit-il, mon serviteur gît dans ma maison, atteint de paralysie et souffrant atrocement. » Jésus lui dit : « Je vais aller le guérir. » — « Seigneur, reprit le centurion, je ne mérite pas que tu entres sous mon toit ; mais dis seulement un mot et mon serviteur sera guéri. Car moi, qui ne suis qu'un subalterne, j'ai sous moi des soldats, et je dis à l'un : Va ! et il va, et à un autre : Viens ! et il vient, et à mon serviteur : Fais ceci ! et il le fait. » Entendant cela, Jésus

Le seul point commun de la célébration de tous les sacrements, c'est ce que l'on a appelé leur « forme », c'est-à-dire la formule qui en exprime le sens. Regardez les rites sacramentels : certains utilisent des éléments matériels : l'eau, le pain et le vin, l'huile ; d'autres s'expriment en un geste : signe de la croix, imposition des mains ; d'autres enfin, comme le mariage n'exigent obligatoirement ni élément, ni geste particulier ; mais tous requièrent la parole, pour dire ce que Dieu réalise dans tel sacrement.

Pour « faire » un sacrement, la parole est première. Commentant la réflexion de Jésus : « Vous êtes déjà purs à cause de la parole que je vous ai dite », saint Augustin écrit : « Pourquoi ne dit-il pas : vous êtes purs à cause de l'eau dont je vous ai lavés, mais bien : à cause de la parole que je vous ai dite, sinon parce que, même dans l'eau, c'est la parole qui purifie ? Supprime la parole et qu'est-ce que l'eau sinon de l'eau ? Mais la parole s'ajoute à l'élément et il devient un sacrement, qui est comme une parole visible... C'est sans doute cette parole — la parole de foi que nous prêchons — qui fait du baptême un rite sacré, capable de purifier. »

Ces paroles des sacrements sont Parole de Dieu. Elles sont Parole de Dieu, qui est présent, qui interpelle, appelle, s'engage, nous transforme... Or, la Parole de Dieu ne « baratine » jamais. Toute Parole de Dieu est un acte de Dieu.

Ne cherchons pas ailleurs l'efficacité des sacrements. Qu'il nous suffise d'affirmer la toute-puissance de la Parole de Dieu telle que la Bible nous la montre dès la Création : « Dieu dit, et il en fut ainsi. » « Comme la pluie et la neige descendant des cieux n'y remontent pas sans avoir arrosé la terre, l'avoir fécondée et fait germer pour qu'elle donne la semence au semeur et le pain comestible, de même la Parole qui sort de ma bouche, dit Dieu, ne me revient pas sans résultat, sans avoir fait ce que je voulais et réussi sa mission » (Is 55, 10). C'est la puissance que le Christ manifeste dans les signes de l'Évangile : « Lève-toi et marche! » — « Fillette, debout! » — « Va, ton fils vit... » Cette puissance manifestée rend pleinement crédible le « Ceci est mon corps, ceci est mon sang ». Elle appelle de notre part la foi du centenier de Capharnaüm : « Tu n'as qu'un mot à dire » (Mat 8, 5 ss). Telle est la Parole en chaque sacrement.

Cette Parole de Dieu est d'autant plus puissante qu'elle est une Personne : le Fils. Celui que saint Jean nomme le Logos, le Verbe, parce que, pour lui, « parler », c'est « faire ». Dans les sacrements, la Parole ne se borne donc pas à exprimer le sens des signes, ni même à les réaliser : **étant le Verbe, Elle en est Elle-même, personnellement, le Sens.**

Nous comprenons ici l'*ex opere operato*. Il ne veut pas dire que les sacrements sanctifient « automatiquement », indépendamment de la foi et de la conversion du chrétien. Il veut dire que l'effet d'un sacrement n'est pas lié à la sainteté du prêtre qui l'administre, mais que la Parole sacramentelle est toujours Parole du Christ : elle est aussi puissante sur les lèvres du pauvre prêtre qui écrit ces lignes que sur celles du saint Curé d'Ars.

L'important n'est donc pas de se fatiguer à la recherche du « saint prêtre » : le Christ est toujours là personnellement, et il est saint.

L'important n'est pas non plus de courir de messe en messe, d'absolution en absolution, comme si les sacrements avaient été entraînés dans la dévaluation ; comme si, resté sur sa faim à la table de ses amis, il fallait aussitôt aller s'attabler dans un restaurant.

L'important est de se laisser « travailler » par un sacrement. Il y faut de la foi, de la faim, de l'écoute et... du temps.

fut dans l'admiration et dit à ceux qui le suivaient : « En vérité, je vous le dis, chez personne je n'ai trouvé pareille foi en Israël. » Puis il dit au centurion : « Va! Qu'il t'advienne selon ta foi! » Et le serviteur fut guéri sur l'heure. (Mat 8, 5-13).

Être chrétien, ce n'est pas être moins homme. Au contraire. Dieu s'est fait homme pour rencontrer des hommes dans des relations d'hommes, c'est-à-dire s'exprimant dans des rites, des symboles, des fêtes. Ces réalités humaines fondamentales orchestrent le Don de Dieu en Jésus Christ. Ainsi la Parole de Dieu n'est pas un discours, mais une action qui

Parole de Dieu visible en des rites

plonge ses racines à la fois dans la Tradition du Seigneur et dans les profondeurs de l'inconscient personnel et collectif. Cette Tradition du Seigneur est d'ailleurs très souple. A part l'eucharistie, nous ne pouvons pas déceler dans les évangiles la célébration par le Christ de tel ou tel sacrement. En affirmant qu'ils sont tous institués par le Seigneur, nous croyons essentiellement que tous les sacrements doivent à Jésus Christ leur existence et leur efficacité actuelles parce qu'ils continuent ses gestes d'amour et qu'il a inspiré leur pratique à l'Église des premiers temps. Depuis les origines elle fait « comme le Christ a fait », ou « comme ont fait les anciens ». Tout en se reconnaissant une très large autorité pour modifier les rites reçus : l'histoire de chaque sacrement nous en montrera des variations surprenantes. Surprenantes, mais pleines d'espoir : cette liberté, l'Église l'a toujours pour adapter les « sept sacrements » aux temps nouveaux et aux cultures diverses.

C'est ainsi, nous l'avons dit, qu'il a fallu attendre le XIIe siècle pour isoler sept sacrements parmi les rites sacrés de l'Église. Parce que la Scolastique d'alors éprouva un violent désir de systématisation, de définition et de codification.

Pourquoi sept ? D'abord et essentiellement parce que sept est un des nombres bibliques de la plénitude (cf. l'Apocalypse). Cela veut dire que l'amour de Dieu n'est jamais en défaut pour rejoindre l'homme dans la totalité de ses besoins et de ses situations et y faire alliance avec lui. A ce titre, ç'aurait pu tout aussi bien être douze : douze est aussi un chiffre de la plénitude (douze tribus, douze apôtres, douze étoiles, douze péchés qui souillent l'homme, etc.). Et de fait, un Docteur de l'Église comme Pierre Damien enseigne qu'il y a douze sacrements. Il y compte la consécration religieuse, le sacre des rois, l'installation des chanoines, la consécration d'une église, etc. D'autres y rangeaient le lavement des pieds, la proclamation de la Parole de Dieu...

Après la première multiplication des pains, « on en emporta des morceaux plein douze paniers » (Marc 6, 43) ; après la deuxième, « sept corbeilles pleines » (Mat 15, 37). Douze ou sept, c'est la même chose : c'est la plénitude du Don de Dieu offert à la totalité des hommes.

Jean aux sept églises d'Asie, à vous grâce et paix de par Celui qui est — qui était — et qui vient, de par les sept esprits qui sont devant son trône et de par Jésus Christ, le témoin fidèle, le premier-né des morts et le souverain des rois de la terre. (Ap 1, 4-5).

Il y a un « moment » pour célébrer chaque sacrement : le baptême lors de l'entrée dans l'Église, le mariage quand des fiancés sont prêts pour un engagement à vie, etc... Mais ce moment n'est pas le tout du sacrement. « Il y a le temps et le moment » de chaque sacrement. **Le moment, c'est celui de la célébration ; mais il doit ouvrir sur un temps qui dure.**

Au moment de la célébration tout est posé comme en germe, mais encore faut-il le découvrir, le vivre ; et cela se fait tout au long de la vie.

Le jour de leur cérémonie, les jeunes mariés vivent déjà la totalité de leur mariage et pourtant il leur faudra de longues années pour développer la plénitude du sacrement, pour découvrir comment il est présence du Ressuscité dans toute leur vie.

On n'a pas été baptisé telle année ; on est un baptisé à longueur d'années : la source est toujours là, jaillissante.

On n'a pas reçu l'Esprit à telle date ; on est investi par lui et il ne demande qu'à agir.

On n'a pas été mariés tel jour ; on est des mariés chaque jour.

Les sacrements sont, en nous, des sources jaillissant pour la vie éternelle (Jean 4, 14).

Les temps et les moments

Comme la pluie et la neige descendent des cieux et n'y retournent pas sans avoir arrosé, fécondé la terre et fait germer les plantes, sans avoir donné de la semence au semeur et du pain à celui qui mange, ainsi en est-il de la Parole qui sort de ma bouche, elle ne retourne pas à moi sans avoir exécuté ma volonté, accompli mes desseins.
(Is 55, 10-11).

3

LE SACREMENT
DE BAPTÊME

« NÉS DE L'EAU ET DE L'ESPRIT »

— Le « baptême », tu connais?... « Baptiser », ça veut
dire quoi?...
Sur le boulevard, je pose la question au premier titi pari-
sien rencontré... Chrétien ou pas, il me donnera une réponse.
Parce que « baptême » et « baptiser » sont des mots « courants » : ils courent les rues.
— Baptiser, c'est inaugurer. On a baptisé au champagne
la première pierre de la préfecture d'Evry.
— Le baptême de l'air! Quand on monte en avion pour
la première fois.
— Le baptême du feu, pour les jeunes soldats qui étren-
nent... les armes des ennemis.
— Ou quand on lance à la mer un navire tout neuf, en
lui donnant son nom.
— Nous aussi, on a un nom : notre nom de baptême,
parce qu'on a été baptisés...
En des domaines bien divers, le « baptême » évoque donc
le plus souvent un commencement, une initiation.
Comme sacrement, il est, de fait, pour le chrétien, un
commencement. Il est la porte d'entrée dans l'Église, la
porte du Salut, la porte des autres sacrements, nous le verrons.
Mais il nous faut d'abord prendre la chose de plus loin et
de plus haut.

Puisque le baptême est un commencement, reportons-
nous « au commencement ».
« Au commencement » : tels sont les premiers mots de la
Bible, les premiers mots de la Révélation écrite. Ils nous renvoient au début de tous les temps. Ils nous renvoient surtout
à la Source de tous les êtres : à l'amour tout-puissant, à l'amour
débordant du Créateur. Lisons :
« Au commencement, Dieu créa le ciel et la terre. Or la
terre était déserte et vide, et la ténèbre couvrait l'abîme.
Et l'Esprit de Dieu planait à la surface des eaux. »
Au commencement, donc, il y a un Dieu Père qui prépare

« *Au
commen-
cement,
Dieu créa* »

Yahvé, notre Sei-
gneur, que ton
Nom est magni-
fique par toute la
terre!
Lorsque je vois

tes cieux, l'œuvre de tes doigts, la lune et les étoiles que tu as établies, qu'est-ce qu'un mortel, pour que tu t'en souviennes et un fils d'homme, pour que tu le visites ? Tu l'as fait de peu inférieur à un dieu, de gloire et de splendeur tu l'as couronné ; tu l'as fait dominer sur l'œuvre de tes mains, tu as tout mis sous ses pieds... (Ps. 8).

amoureusement le berceau des hommes ses enfants. Au commencement, sur les eaux qui vont enfanter toute vie, est présent l'Esprit de Dieu. Aucun péché ne pourra effacer que tout homme soit né de cette Source et de cet Esprit.

La bienveillance paternelle de Dieu, elle est donc acquise à tout ce qui fait partie de sa Création, à quiconque appartient à cette humanité formée par Lui « à son image et ressemblance ». Elle éclate dans toute la nature, dans sa fidélité malgré la perversité des hommes :

« Tant que durera la terre, semailles et moissons, froid et chaleur, été et hiver, jour et nuit jamais ne cesseront » (Gen 8, 22).

Dieu le Père n'est pas un Jupiter monstrueux : **tout homme sa créature, reste « plongé », « baptisé », dans sa tendresse et vit par son Souffle.**

Le Salut, une nouvelle création

Dieu n'a donc créé l'homme que pour l'aimer. Comme des parents normaux ne font un enfant que pour le combler de tout ce qu'ils auront dans le cœur et dans les mains.

Aussi, Dieu se mêle à cette histoire qu'Il inaugure. Il se fait connaître progressivement des hommes, ses enfants. Pour Israël Il s'appelle Yahvé — « Je-Suis » — : « Je suis avec vous, près de vous, pour vous... » et c'est l'Alliance du Sinaï. Il s'appellera finalement « Emmanuel » — « Dieu avec nous » — et il s'incarnera en effet dans l'humanité de Jésus de Nazareth. « Qui me voit, voit le Père », dira Jésus, sacrement de la rencontre de Dieu.

Mais un père, une mère, ne « rencontrent » leurs enfants que pour les faire vivre, mieux vivre, vivre heureux, vivre toujours, vivre de leur propre vie, tout partager du meilleur de leur vie à eux. **Dieu ne crée l'homme son enfant, Dieu n'entre dans l'histoire de ce fils que pour le faire vivre de sa propre vie, vivre divinement, vivre éternellement. C'est ce que l'on appelle le Salut.**

Ce qu'il nous faut bien comprendre, c'est que le Salut n'est pas une chose, un titre, comme un billet de relogement en paradis quand la mort nous jettera à la porte de ce monde-ci. **Le Salut ne nous donne rien ; il nous change : il nous change en un être nouveau, divin.**

La première création n'a eu lieu qu'en vue d'une nouvelle création par laquelle un fils d'homme devient fils de Dieu. « Si quelqu'un est dans le Christ, il est une nouvelle créature. Le monde ancien est passé, une réalité nouvelle est là » (2 Cor 5, 17). Cette réalité nouvelle, c'est ni plus ni moins que « la participation à la nature divine » (2 Petr 1, 4).

« Participation à la nature divine ? » Comment cela ?

Vous l'avez entendu : par le Christ. « Si quelqu'un est dans le Christ... » **Nous sommes appelés à ne faire qu'un avec le Christ, Fils de Dieu, bien-aimé du Père. A ne faire qu'un avec lui dans son être, sa vie, sa mort et sa Résurrection.**

Car le Salut, c'est Jésus Christ lui-même. C'est en lui personnellement que nous trouvons la rémission des péchés, la réconciliation avec Dieu et avec les autres, l'adoption divine, le don de l'Esprit Saint, la victoire sur la mort, en un mot : la vie nouvelle, la Grâce.

D'où l'importance de rencontrer Jésus Christ et de ne faire qu'un avec lui. « Personne, dit Jésus, ne vient au Père que par moi » (Jean 14, 6).

Mais où le rencontrer ?

Nous le savons : nous n'avons pas oublié le chapitre précédent. Le sacrement de la rencontre du Christ, c'est son Église. Ne pouvant plus voir, toucher, entendre le Verbe de Vie corporellement, on entre en contact avec lui par les rites sacramentels de l'Église, et d'abord par le baptême.

Le Salut, c'est Jésus Christ

Résumons-nous :

1. Jésus Christ, Fils éternel du Père, naît à ce monde ; il est ainsi au cœur de la première création, plongé, avec toute l'humanité, tout le cosmos, dans la tendresse du Créateur.

2. Jésus Christ meurt par amour, « passe » à son Père, ressuscite, et entre ainsi, comme homme, dans sa pleine puissance de Fils de Dieu : élevé de terre, il attire à lui tous les hommes, ne faisant qu'un avec

eux et eux ne faisant qu'un avec lui. C'est la nouvelle création, la deuxième et définitive étape.

3. Mais il s'agit de ne faire qu'un avec le Christ! Le lieu de cette union, c'est l'Église; et le moyen, ce sont principalement ces signes où il agit personnellement et corporellement : les sacrements.

Or le sacrement primordial, celui de la naissance à la Vie nouvelle, c'est le baptême.

« Naître d'eau et d'Esprit »

Je vous aspergerai d'une eau pure, dit le Seigneur, et vous serez purs; de toutes vos impuretés et de toutes vos saletés je vous purifierai. Je vous donnerai un cœur nouveau, et c'est un esprit nouveau que je mettrai au-dedans de vous; j'ôterai de votre chair le cœur de pierre et je vous donnerai un cœur de chair. Je mettrai mon esprit au-dedans de vous, et je ferai que vous marchiez suivant mes décrets, que vous observiez et exécutiez mes règles. Vous habiterez dans le

Ce baptême, Jésus l'explique à Nicodème, au chapitre 3 de saint Jean :

— En vérité, en vérité, je te le dis : à moins de naître d'en haut, nul ne peut voir le Royaume de Dieu (c'est-à-dire exister dans la Vie divine).

— Comment un homme peut-il naître s'il est vieux? demande Nicodème. Pourrait-il entrer une seconde fois dans le sein de sa mère et naître?

— En vérité, en vérité, rétorque Jésus, je te le dis : nul, s'il ne naît d'eau et d'Esprit, ne peut entrer dans le royaume de Dieu. Ce qui est né de la chair est chair » — et voilà la première création — « ce qui est né de l'Esprit est esprit » — et voici la deuxième. « Ne t'étonne pas si je t'ai dit : Il vous faut naître d'en haut. L'esprit — le vent — souffle où il veut, et tu entends sa voix, mais tu ne sais pas ni d'où il vient ni où il va. Ainsi en est-il de quiconque est né de l'Esprit... »

Jésus annonce le baptême. Il parle de naissance. Non pas de naissance charnelle, mais de naissance d'en haut. De cette naissance par laquelle un fils d'homme devient fils de Dieu. Il parle du Salut.

Mais le moyen de cette naissance divine?

Le Maître parle d'eau. Il parle surtout d'Esprit, et il compare ce Souffle de Dieu au souffle de la nature qu'est le vent.

L'eau, on sait d'où elle vient, où elle va : elle ne va pas où elle veut; la pesanteur l'oblige à suivre les pentes et les méandres terrestres. C'est déjà insinuer que le baptême d'eau sera forcément limité. Mais qu'à cela ne tienne, car il y a l'Esprit.

L'Esprit, lui, représenté ici par le souffle du vent, est totalement libre. Tu endigueras l'eau; tu ne tiendras pas le vent en laisse; tu n'enchaîneras pas l'action divine de l'Amour. Non, pas même dans les sacrements, pas même dans l'Église. « Dieu n'est pas lié aux sacrements », puisque c'est lui qui les a institués comme moyens ordinaires du Salut.

Le baptême, c'est donc, normalement, un peu d'eau et beaucoup de Saint Esprit. L'eau ne peut évidemment pas suppléer le Saint Esprit; mais l'Esprit peut suppléer l'eau, parce que précisément l'Esprit ne souffle pas que sur les eaux : « il souffle où il veut ». Même là où il n'y a pas d'eau, même là où il n'y a pas d'Église, même là où l'eau sainte et l'Église ne sont pas reconnus...

« L'Esprit souffle où il veut. » Or « il veut que tous les hommes soient sauvés ». C'est pourquoi il ne manque pas de souffler partout où il espère susciter un peu de foi, de cette foi obscure qui s'appelle la bonne volonté, « afin que quiconque croit ait en lui la vie éternelle » (15).

pays que j'ai donné à vos pères; vous serez mon peuple, et moi je serai votre Dieu. (Ez 36, 25-28).

Car le Salut est offert à tous les hommes. Il est une réalité universelle. Il englobe toute l'humanité. Il n'est pas « proposé » à tous les hommes; il est « accompli » pour tous les hommes. Faut-il frapper encore sur ce clou? « Dieu veut que tous les hommes soient sauvés. » « Le Christ s'est donné en rançon pour tous. »

— Mais ceux qui ne seront pas baptisés? qui ne connaîtront même pas Jésus Christ en cette vie?

Dans la troisième partie de la Somme, question 68, saint Thomas d'Aquin demande :

Article 1er : « Tous les hommes sont-ils tenus de recevoir le baptême? » — Réponse : « Il est évident que tous sont tenus au baptême, et que sans lui il ne saurait y avoir de Salut pour les hommes. »

Article 2 : « Peut-on être sauvé sans le baptême? » — Réponse : Oui encore.

Contradiction? Nullement. Car il y a trois formes du baptême...

« Que le monde soit sauvé »

Dieu notre Sauveur veut que tous les hommes soient sauvés et parviennent à la connaissance de la vérité. Car Dieu est unique, unique aussi le médiateur entre Dieu et les hommes, le Christ Jésus, homme lui-même, qui s'est livré en rançon pour tous. (1 Tim 2, 3-6).

« TOUS FURENT BAPTISÉS »

« Il y a un seul Corps du Christ » — l'Église — « et un seul Esprit ; une même espérance ouverte à tous ; un seul Seigneur, une seule foi, un seul baptême... » (Éph 4, 4 s). Un seul baptême. Mais trois formes de cet unique baptême : le baptême du sang, le baptême de l'eau, le baptême de désir :

Le baptême du sang *(sanguinis)*, le martyre. C'est le baptême « chrétien » qu'a vécu Jésus dans sa passion : « J'ai a recevoir un baptême, et combien il me tarde qu'il s'accomplisse! » (Luc 12, 50). C'est le type même du baptême, parce que c'est le sommet de l'amour et du témoignage de foi : « baigner » dans son sang, donner sa vie.

Le baptême d'eau *(fluminis)*, qui est le baptême rituel, officiel... et qui nous obnubile un peu des brouillards que cette eau évapore! Nous allons le voir.

Le baptême de désir *(flaminis)*, le baptême de sincérité, comme aimait dire Zundel. Ce « baptême » ne comporte aucune connaissance explicite de Jésus Christ, ni de l'Église, ni du baptême d'eau. C'est le baptême de l'Esprit seul, qui souffle où il veut et inspire à qui il veut un commencement de bonne volonté. Il atteint tous ceux qui ne refusent pas obstinément ce qui leur parvient de lumière.

Le baptême de l'Esprit

Yahvé allait devant eux pour les guider dans leur chemin, le jour dans une colonne de nuée, la nuit dans une colonne de feu qui les éclairait, de sorte qu'ils pouvaient marcher de jour et de nuit. La

Qu'est-ce que le baptême de désir ?

Rappelons-nous que « baptiser » est la transcription d'un mot grec qui signifie « plonger » et lisons ce que dit saint Paul (1 Cor 10). Il nous met sur la voie :

« Je ne veux pas vous le laisser ignorer, frères : nos pères étaient tous sous la nuée, tous ils passèrent à travers la mer Rouge, et tous furent baptisés en Moïse dans la nuée et dans la mer. Tous mangèrent la même nourriture spirituelle, et tous burent le même breuvage spirituel ; car ils buvaient à un rocher spirituel qui les accompagnait : ce rocher, c'était le Christ. »

Le peuple de Dieu fuyait d'Égypte. Sous des signes matériels, des « sacrements » avant la lettre, une puissance spirituelle », un amour divin, le conduisait comme par la main et prenait soin de lui. Bien avant de naître, le Christ rayonnait déjà sur lui sa mort et sa Résurrection futures : « le Christ est mort pour tous les hommes ; il est ressuscité pour tous les hommes... » Ces Juifs en exode, « tous furent baptisés dans la mer », c'est-à-dire dans l'Esprit et l'eau : sous ces figures, la grâce du baptême les touchait déjà. « Tous mangèrent la même nourriture spirituelle, et tous burent le même breuvage spirituel,... le Christ » : sous ces figures, la grâce de l'Eucharistie les vivifiait déjà mystérieusement.

Qu'est-ce à dire ? Que le Salut universel est en Jésus Christ mort et ressuscité. Que par sa Résurrection, il est devenu le Seigneur, c'est-à-dire le centre vivant de tout l'univers d'avant et d'après, depuis Adam jusqu'à la fin du monde. Que tous les Juifs, et tous les hommes, du seul fait qu'ils sont hommes comme et avec Jésus ressuscité, sont « plongés » dans cet événement du Salut qui n'est autre que Jésus Christ personnellement. Qu'ils le sachent ou non.

C'est là le sens originel du baptême : l'homme est plongé dans l'Événement du Salut, l'homme est plongé en Jésus Christ :

● **Du seul fait de leur création,** ils sont tous de la création de Jésus Sauveur, inaugurée lorsque, « au commencement », l'Esprit de vie et d'amour du Père planait sur les eaux.

● **Du seul fait de leur humanité,** ils sont tous de l'humanité de Jésus Sauveur, morte en lui, ressuscitée en lui, montée aux cieux avec lui.

C'est cet éblouissant mystère que doit expliciter, accueillir et célébrer le baptême d'eau pour ceux qui sont amenés à la connaissance de Jésus Christ et de son Église. Mais il ne leur est pas réservé : **l'Événement du Salut, c'est le baptême de sang de Jésus Christ « versé pour la multitude ».**

Jésus marche à son baptême, qui est le baptême du monde. « Avec ses disciples, il est en chemin et monte à Jérusalem. Ils étaient effrayés, et ceux qui suivaient avaient peur. Prenant les Douze avec lui, il se mit à leur dire ce qui allait lui arriver :

colonne de nuée ne se retira point de devant le peuple pendant le jour, ni la colonne de feu pendant la nuit. (Ex 13, 21-22). Moïse étendit sa main sur la mer, et Yahvé fit refouler la mer par un fort vent d'est durant toute la nuit ; il fit de la mer une terre ferme, et les eaux se fendirent. Les fils d'Israël pénétrèrent au milieu de la mer à pied sec, les eaux leur formant une muraille à leur droite et à leur gauche. (Ex 14, 21-22).

Il n'en va pas du don gracieux comme de la faute. Car si la faute d'un seul a entraîné la mort de la multitude, à bien plus forte raison la grâce de Dieu et le don que confère la grâce d'un seul homme, Jésus Christ, se sont-ils en abondance répandus sur la multitude. (Rom 5, 14-15).

Jésus, baptisé dans son sang, dans sa mort

Comme Moïse éleva le serpent au désert, ainsi faut-il que soit élevé le Fils de l'homme, afin que tout homme qui croit ait par lui la vie éternelle. Oui, Dieu a tant aimé le monde qu'il a donné son Fils unique, pour que tout homme qui croit en lui ne périsse pas mais ait la vie éternelle. Car Dieu n'a pas envoyé son Fils dans le monde, pour juger le monde, mais pour que le monde soit sauvé par lui. Qui croit en lui n'est pas jugé ; qui ne croit pas est déjà jugé, parce qu'il a refusé de croire au Nom du Fils unique de Dieu. (Jn 3, 14-18).

« Voici que nous montons à Jérusalem et le Fils de l'homme sera livré aux grands prêtres et aux scribes ; ils le condamneront à mort et le livreront aux païens, ils se moqueront de lui, ils cracheront sur lui, ils le flagelleront, ils le tueront et, trois jours après, il ressuscitera » (Luc 10, 32 ss).

Les disciples Jacques et Jean, et leur mère, et tous les autres... ne « suivent » pas, mais pas du tout. Ils rêvent du royaume terrestre à instaurer à Jérusalem, et du futur gouvernement, et des meilleurs « portefeuilles » à s'assurer!

— Il s'agit bien de cela! répond Jésus. Vous ne savez pas ce que vous demandez. Pouvez-vous boire la coupe (de souffrances) que je vais boire? et être baptisés du baptême dont je vais être baptisé? »... Je vais être ruisselant de mon sang, « plongé » dans la mort et le tombeau. **Cette Heure, mon Heure, sera le baptême du Seigneur du monde ; elle sera donc l'Heure du baptême du monde.** « Vous serez baptisés du baptême dont je vais être baptisé. » Tous les hommes seront plongés dans cet événement du Salut, immergés en Jésus et Jésus crucifié.

Ils y seront baptisés du seul fait de leur existence, puisque le Christ ressuscité est l'Adam nouveau, le Chef de l'Humanité nouvelle, le Seigneur des hommes et du cosmos. « Une fois élevé de terre, j'attirerai à moi tous les hommes » (Jean 12, 32).

Conformés au Christ par les tribulations de leur vie, plongés dans sa mort par leur propre mort, ils iront au-devant de sa Résurrection.

« Cela ne vaut pas seulement pour ceux qui croient au Christ, mais bien pour tous les hommes de bonne volonté, dans le cœur desquels, invisiblement, agit la grâce. En effet, puisque le Christ est mort pour tous et que la vocation dernière de l'homme est réellement unique, à savoir divine, nous devons tenir que l'Esprit Saint offre à tous, d'une façon que Dieu connaît, la possibilité d'être associés au mystère pascal » (Vatican II).

Un baptême de désir

La plupart ne le sauront jamais en ce monde... Or, ne sommes-nous pas dans un Salut de liberté? Ne faut-il pas prendre conscience de Dieu, du Christ, du Salut? Et répondre personnellement?

Assurément. Parce que là où est Dieu, là est l'amour ; là où est le Christ, là est la liberté. Il faut donc prendre conscience, il faut répondre personnellement. C'est pour cela que l'on parle de baptême de « désir ».

Mais **le baptême de désir n'est pas le désir du baptême,** puisque cette humanité non évangélisée ne connaît pas le baptême. Pour que tous ces hommes soient plongés dans l'événement du Salut, et donc baptisés de désir, il leur suffit d'une certaine conscience.

Quelle conscience ?

« La conscience », tout simplement, qui appelle chacun à faire ce qu'il croit devoir faire. Tout homme qui, pauvrement, suit les lumières de sa conscience, est baptisé du baptême de désir, parce que ces lumières, si faibles soient-elles, sont concrètement la volonté de Dieu sur lui. Plus exactement : Dieu ne lui demande pas autre chose que de suivre sa conscience, fût-elle ignorante, fût-elle erronée. Sa conscience est, à son niveau, la vérité. Or « celui qui fait la vérité vient à la lumière » (Jean 3, 21) : dans la mesure où on ne lui ferme pas obstinément toutes les issues, Dieu entre par la plus petite lucarne. Comme le vent.

Gloire, honneur et paix à quiconque fait le bien, au Juif d'abord, puis au Grec (au païen) ; car Dieu ne fait pas acception des personnes... En effet, quand des païens privés de la loi accomplissent naturellement les prescriptions de la loi, ces hommes, sans posséder de loi, se tiennent à eux-mêmes lieu de loi ; ils montrent la réalité de cette loi inscrite en leur cœur, à preuve le témoignage de leur conscience. (Rom 2, 10-15).

Ces affirmations ne sont pas accessoires, ni même secondaires, dans notre foi. Elles en constituent, au contraire, le noyau, puisqu'elles ne sont que la profession de foi correcte de Jésus Seigneur. C'est là le commencement de tout christianisme (cf. le tome I, p. 144 ss).

Et pourtant, beaucoup ont tendance à les oublier, à les minimiser, tant on a appuyé sur la nécessité du baptême d'eau. Beaucoup en ont peur, parce qu'ils redoutent que l'on en vienne, sur ce chemin, à rendre moins sérieux l'enjeu de la foi, moins important le choix pour le christianisme, moins active la mission, et qu'en fin de compte, l'Église et ses sacrements ne soient qu'une religion parmi d'autres.

Mais, honnêtement, aucune peur ne permet de masquer la vérité, la belle et bienheureuse Vérité.

Et cette peur-ci n'est que plus mesquine et plus borgne que toute autre : elle est une sorte de blasphème contre Dieu et contre son Christ ! Si seuls les baptisés dans l'eau sont en

Jésus Christ est Seigneur

O profondeur de la richesse, de la sagesse et de la science de Dieu ! Que ses jugements sont insondables, impénétrables ses voies ! Qui en effet a connu la pensée du Seigneur ? Qui s'est fait son conseiller ? Ou qui lui a donné le premier, pour devoir être payé de retour ? Oui, tout est de Lui, par Lui, pour Lui. A Lui la gloire dans tous les siècles ! Amen. (Rom 11, 33-36).

Jésus Christ, il n'est pas le Sauveur dans l'immense majorité des hommes, il n'est pas le Seigneur du monde, il faut chercher ailleurs un Prince de ce monde qui restera éternellement plus grand que lui... Et le baptême d'eau lui-même ne peut plus tenter que les lâches, puisqu'il n'est qu'un passe-droit pour privilégiés... Et Dieu lui-même est sans intérêt, puisqu'il crée tant de gens pour le malheur éternel...

En vérité, parce qu'il est Créateur, Dieu est Père. Parce qu'il est Créateur de tous et de chacun, « Dieu est Père de tous et de chacun, règne sur tous, agit par tous et demeure en tous » (Éph 4, 6).

A tous et à chacun il donne son Fils incarné comme frère en humanité et comme leader du Salut. A tous et à chacun, ce Fils donne sa vie, son sang et sa mort. A tous et à chacun ce Fils ressuscité envoie son Esprit.

Tous les hommes sont plongés dans le sang de ce Fils, immergés dans sa mort, ensevelis avec lui dans son tombeau. Tous les hommes sont plongés dans ce don de l'Esprit. Tout homme qui, un jour ou l'autre, répond oui selon ses lumières, entre dans l'Alliance de Salut.

L'ENTRÉE DANS L'ÉGLISE

« Notre Dieu unique est le Père de tous les hommes ; il règne sur tous, agit par tous, et demeure en tous » (Éph 4, 6). Par son Fils, il les sauve tous, qu'ils en soient conscients ou non. Par le « baptême de désir ».

Mais pouvons-nous penser que l'inconscience de la plupart soit sans importance ? Non, bien sûr.

La grâce appelle l'illumination

Puisqu'il est quelqu'un — Jésus Christ en personne —, l'Événement du Salut, c'est un Visage, image parfaite du Père ; c'est un Cœur, le cœur du Dieu Amour. Le Salut, puisque c'est une naissance, c'est une Famille ; puisque c'est une Alliance, c'est une vie partagée.

La Grâce doit donc, tôt ou tard, éveiller une conscience, provoquer une réponse libre, créer une relation, une « connaissance » dans le sens le plus profond du terme. **« La Vie éternelle, c'est qu'ils Te connaissent, toi le seul vrai Dieu, et celui que Tu as envoyé, Jésus Christ »** (Jean 17, 3). **Tôt ou tard : soit en ce monde, soit en l'autre.**

L'enfant qui vient de naître est connu, aimé, accueilli ; lui, par contre, ne connaît pas encore ; mais cela ne va pas durer ; cela ne peut durer. Bientôt, il connaîtra comme il est connu ; il aimera comme il est aimé ; il accueillera comme il est accueilli. Quel malheur, pour lui d'abord, quelle tristesse pour ses parents, pour toute sa famille, s'il devait demeurer un débile profond, à jamais fermé à toute illumination de son cerveau, de ses yeux, de son sourire !...

« Illumination », c'est précisément le nom que les anciens donnaient au baptême de l'eau. Parce que, dans la réalisation du Salut, le baptême constitue l'étape décisive où le Christ, Salut du monde, dévoile à un homme son visage, sort de l'anonymat, devient pour lui le Seigneur. Il est l'aboutissement d'une découverte, la Révélation. Non pas une information théorique sur des vérités à croire et des commandements à pratiquer, mais cette découverte de Dieu : « Voilà que vous êtes quelqu'un tout à coup ! » (Claudel).

Ses parents, son fiancé, on ne les connaît pas par une information, mais par rencontre personnelle : dialogue, confidences, intimité. De même, le baptême d'eau commence par une rencontre où l'intimité de Dieu se dévoile à l'homme progressivement, à travers le cœur du Christ. **Cette révélation ne se fait pas sans le Père et sans l'Esprit. Cette révélation se fait dans l'Église et par l'Église.** C'est elle qui a « entendu, vu de ses yeux, contemplé, touché de ses mains le Verbe de vie » (1 Jean 1, 1) ; c'est elle à qui le Christ a donné mission et grâce : « Allez, de toutes les nations faites des disciples, les baptisant au nom du Père et du Fils et du Saint Esprit » (Mat 28, 19).

« Seul en effet le Christ est médiateur et voie de Salut : or, il nous devient présent en son Corps qui est l'Église ; d'où la nécessité de l'Église elle-même, dans

Moi, devant toi je marcherai et les sols montueux, je les aplanirai ; les battants de bronze, je les briserai, et les verrous de fer, je les ferai sauter.
Je te donnerai les trésors secrets et les richesses cachées, afin que tu saches que je suis Yahvé, qui t'appelle par ton nom, [moi], le Dieu d'Israël.
C'est à cause de mon serviteur Jacob et d'Israël mon élu, que je t'ai appelé par ton nom, je t'ai donné un titre, alors que tu ne me connaissais pas.
(Is 45, 2-4).

Jésus dit : « Nul ne peut venir à moi si le Père qui m'a envoyé ne l'attire ; et moi, je le ressusciterai au dernier jour. Il est écrit dans les prophètes : Ils seront tous enseignés par Dieu. Quiconque entend l'enseignement du Père et s'en instruit vient à moi... En vérité, en vérité, je vous le dis, celui qui croit a la vie éternelle. (Jn 6, 43-47).

laquelle les hommes entrent par la porte du baptême » (Vatican II).

Mais, avant que soit franchie la porte du baptême, cette révélation appelle la foi, cette expérience de l'Autre où, peu à peu, grandit l'amour. C'est-à-dire qu'il y faut du temps. Sauf le miracle du coup de foudre, pour faire connaissance, pour se lier, pour se donner, il faut du temps. Le temps des « fiançailles »... Dieu a mis de longs siècles pour se révéler aux hommes. Il faut de longs mois pour préparer au baptême un catéchumène, de longs mois pour révéler Jésus Christ à des parents non pratiquants qui demandent le baptême pour leur enfant, de longs mois avant que la foi grandisse assez pour éclater en profession sincère :

« Crois-tu en Dieu le Père ?

— Je crois.

En Jésus Christ ?

— Je crois.

En l'Esprit Saint ?

— Je crois. »

Le baptême est l'entrée dans la Famille

Dieu, notre Père, depuis longtemps tu es venu au-devant de tes amis ; tu as mis sur leur chemin des témoins de ton Fils ressuscité ; tu leur as révélé le mystère inouï de ton amour ; ils t'ont cherché avec courage et persévérance. Aujourd'hui, tu les ap-

Cette foi accueillie et proclamée, la pleine « illumination » s'accomplit alors dans la célébration solennelle du baptême. C'est l'entrée dans l'Église. Un homme nouveau est né dans la Famille. Une nouvelle pierre est insérée dans cette construction du Corps du Christ qu'est l'Église.

Là est l'essentiel du baptême : l'entrée dans la famille de Dieu qu'est la communauté de Jésus Christ, l'Église.

Il faut, à ce sujet, redresser quelques idées, aussi tenaces qu'inexactes, qui mettent l'accent sur « l'effacement » du péché originel.

« Je te baptise au nom du Père, et du Fils, et du Saint Esprit. » On voit déjà quelque chose de décisif : le baptême fonde une communauté de nom avec le Père, le Fils et l'Esprit. De ce point de vue, il est comparable au mariage, qui crée entre deux personnes une communauté de nom. Cette communauté exprime qu'ils forment désormais une unité nouvelle, qui les arrache au lieu où ils vivaient auparavant, chacun de son côté, pour les faire habiter l'un avec l'autre » (Joseph Ratzinger).

Le baptême, c'est donc, essentiellement, l'entrée dans la Famille de Dieu. Dans les quinze passages de la *Constitution dogmatique sur l'Église* où Vatican II parle du baptême, il n'évoque jamais le péché originel. A travers ses dix-sept documents, le Concile nous dit :

— par le baptême, l'homme ne fait plus qu'un avec le Fils crucifié et ressuscité ; il devient membre du Christ ;

— il reçoit donc l'Esprit filial qui le fait enfant de Dieu, selon ce texte de saint Paul : « Quand vint l'accomplissement des temps, Dieu a envoyé son Fils naître d'une femme pour qu'il nous soit donné d'être adoptés comme fils de Dieu. Fils, vous l'êtes bien : Dieu a envoyé dans nos cœurs l'Esprit de son Fils, qui crie : Abba — Père ! Tu n'es donc plus esclave, mais fils ; et, comme fils, tu es aussi héritier : telle est l'œuvre de Dieu » (Gal 4, 4 ss) ;

— le Saint Esprit associe le baptisé au sacerdoce royal et prophétique du Christ, l'adjoint ainsi au peuple sacerdotal qu'est l'Église et le consacre du caractère baptismal pour le culte religieux, spécialement l'Eucharistie ; ce « sceau » du baptême, qui ne s'efface plus, est une mystérieuse marque de ressemblance au Christ et d'appartenance à l'Église : un trait de famille ;

— en un mot, le nouveau baptisé est incorporé, dans le Fils, à la communauté des trois Personnes divines et à la communauté visible des croyants, au Peuple de Dieu.

Ainsi donc, dire que le baptême efface le péché originel, l'expression est maladroite, mais elle n'est pas fausse. Par contre, « définir » le baptême comme « le sacrement qui efface le péché originel », c'est passer aussi loin de la vérité que si l'on affirmait : « Une maison, c'est cent mètres carrés de terrain où l'on a arraché l'herbe. »

Cette théologie du péché originel et du baptême n'est pas la plus traditionnelle dans l'Église : elle ne s'enracine pas dans la Révélation. Elle fut lancée par saint Augustin. Du fait de son génie, elle domina depuis dans l'Église occidentale : le baptême effacerait la faute originelle, qui marquerait tout homme dès sa naissance.

Il n'est pas question de nier cette « faute » : nous lui avons consacré les pages 150-158 dans le tome I. Mais, outre que l'image de la tache n'est pas la plus heureuse, réduire

pelles à devenir tes fils dans le baptême de la nouvelle naissance.

Rends-les dociles à ton Esprit, et persévérants dans l'effort, pour qu'ils soient, jour après jour, de plus en plus fidèles à cet appel, par Jésus, le Christ, notre Seigneur.

(De la liturgie catéchuménale)

Par le baptême, les hommes sont greffés sur le mystère pascal du Christ : morts avec lui, ensevelis avec lui, ressuscités avec lui, ils reçoivent l'esprit d'adoption des fils dans lequel nous crions : « Abba, Père! » (Rom 8, 15), et ils deviennent ainsi ces vrais adorateurs que cherche le Père. (Vatican II).

le baptême à la suppression du péché originel conduit à une impasse et à une confusion : à une impasse toute négative alors qu'il faut aller droit au positif ; c'est la lumière qui fera connaître l'ombre à laquelle on échappe : ici, la communion à laquelle le baptême initie dévoile la désunion à laquelle il soustrait ; — à une confusion, car tout autre est la vie non divine de l'enfant, tout autre le péché personnel de l'adulte auquel le baptême l'arrache.

Aussi, à l'époque de saint Augustin, dans l'Église orientale, saint Jean Chrysostome pouvait parler du baptême aux adultes qui le recevaient dans la nuit pascale sans faire allusion au péché originel. C'était simplement être fidèle à l'Écriture et à la Tradition. Comme le sera Vatican II.

Le Salut est une communion

De même, en effet, que le corps est un, tout en ayant plusieurs membres, et que tous les membres du corps, en dépit de leur pluralité, ne forment qu'un seul corps, ainsi en est-il du Christ. Aussi bien est-ce en un seul Esprit que nous tous avons été baptisés pour ne former qu'un seul corps, Juifs ou Grecs, es-

Faut-il rappeler que le péché — qui est acte d'adulte — est, essentiellement, non une tache à effacer, mais une rupture, du fait de l'égoïsme qui divise ? et que la vie divine est, au contraire, amour, « unité du Saint Esprit » ?

Aussi, que vient faire le Sauveur ? « Tuer la haine », — « réconcilier le monde », — « rassembler les enfants de Dieu dispersés »... De fait, les évangiles nous le montrent constituant autour de lui et formant à l'amour une communauté de croyants et de frères. Il laisse un embryon d'Église d'environ cent vingt personnes, avec mission d'être le signe du Salut. Comment ? Par la charité qui les lierait les uns les autres.

Le Salut, c'est de construire l'unité — l'unité du Saint Esprit — entre les personnes humaines comme elle existe entre les Personnes divines. Le baptême est essentiellement cette adjonction à la famille de Dieu, à « l'unité » chrétienne. Les Actes des Apôtres en témoignent abondamment :

Dès le jour de la Pentecôte, « ceux qui accueillirent la parole de Pierre reçurent le baptême et **se joignirent aux disciples** au nombre d'environ trois mille... Tous ceux qui étaient devenus croyants étaient **unis... unanimes...** Et le Seigneur **adjoignait chaque jour à la communauté** ceux qui trouvaient le Salut » (Actes 2, 41-47). Prenez le soin de parcourir les Actes, d'y repérer les baptêmes et d'analyser leur effet : effacement du péché originel ou accroissement de la communauté ?

Paul, de son côté, nous rappelle que « **nous avons été baptisés dans un seul Esprit pour former un seul corps** » (1 Cor 12, 13). Usant d'une autre analogie, saint Jean disait : le baptême nous greffe sur le Christ pour constituer avec lui et entre nous l'unique Cep aux multiples rameaux.

claves ou hommes libres, et tous nous avons été abreuvés d'un seul Esprit. (1 Cor 12, 12-13).

C'est pourquoi « la grâce sanctifiante est une grâce fraternelle », dit saint Thomas, qu'on a bien oublié sur ce point.

Et non pas une « chose » donnée par Dieu ; non pas un « titre » au ciel comme une place louée au cinéma ; non pas une « vie surnaturelle » qui serait refusée au non-baptisé.

La grâce, c'est une communion, une « union avec ».

Le Père et son Fils ressuscité envoient leur Esprit : on est baptisé dans l'eau et dans l'Esprit Saint. **Cet Esprit, c'est l'amour mutuel, c'est la communion du Père et du Fils.** L'Esprit nous met donc aussi en communion de vie et d'existence avec le Père, et avec le Fils qui est notre Frère : nous entrons dans « l'unité du Saint Esprit ».

Cet Esprit est, en nous, cette communion même, nous rendant fils et filles du Père de cette vie mystérieuse qui est la vie même du Fils : don incessant qui jaillit continuellement de la tendresse de Dieu.

Fils et filles du Père comme Jésus, nous sommes ses frères, en communion fraternelle avec lui. En communion fraternelle avec tous les autres enfants de Dieu. « La grâce sanctifiante est une grâce de fraternité. »

« Notre communion est communion avec le Père et avec son Fils Jésus Christ...

Si nous disons : « Nous sommes en communion avec Dieu », tout en marchant dans les ténèbres, nous mentons et nous ne faisons pas la vérité.

Mais si nous marchons dans la lumière comme lui-même est dans la lumière, nous sommes en communion les uns avec les autres, et le sang de Jésus, son Fils, nous purifie de tout péché » (1 Jean 1, 3 et 6-7).

Le baptême est le sacrement de cette « union avec » ; il nous fait marcher dans la lumière, c'est-à-dire dans l'amour.

Grâce baptismale, grâce fraternelle

Si l'on devient fils d'un tel Père, on ne l'est pas tout seul. Entrer dans la filiation divine, c'est entrer dans l'immense famille de ceux qui sont fils avec nous. Aller au Christ, c'est toujours en même temps aller à tous ceux dont il voulut faire un seul corps. On voit ici, dans la formule trinitaire, la dimension ecclésiale du baptême : elle ne vient pas s'ajouter du dehors, mais, depuis le Christ, elle fait partie de l'idée de Dieu. (Joseph Ratzinger).

C'est cette communion avec le Père, cette communion les uns avec les autres, qui détruit le péché. Automatiquement : comme la lumière anéantit les ténèbres, comme l'union détruit la désunion. Le péché, c'est précisément la désunion.

Est-il nécessaire d'ajouter que cette Communion de Vie et d'Amour ne peut être une communauté juridique entraînant une « appartenance » juridique avec des conséquences avant tout juridiques ?

Naître d'en-haut

Je vous donne un commandement nouveau, c'est de vous aimer les uns les autres, oui de vous aimer, vous aussi, les uns les autres comme je vous ai aimés. A cela tous reconnaîtront que vous êtes mes disciples : si vous vous aimez les uns les autres. (Jn 13, 34-35).

On se torture, on se dessèche de problèmes : Faut-il baptiser les nouveau-nés ? ou attendre qu'ils soient capables d'un choix personnel ?... Doit-on refuser de baptiser les enfants des non-pratiquants ?...

Ce sont, en effet, des questions brûlantes, et de poids. Mais la tâche la plus urgente, en faveur du baptême, est ailleurs : **refaire des communautés chrétiennes qui soient des communautés du Royaume de Dieu, où circule visiblement cette grâce filiale et fraternelle qui est la grâce sacramentelle du baptême !**...

Où sont les chrétiens convaincus que la vie chrétienne est avant tout communion ?

Où est la communauté qui accueille en vérité, comme communauté, les nouveaux baptisés ? Et qui leur crée, au fur et à mesure qu'ils grandissent, un milieu de chaleur humaine et d'esprit évangélique ?

Où nos jeunes trouvent-ils ce Royaume des Béatitudes où sont heureux les pauvres, les doux, les purs, les artisans de paix... ; ce Royaume si différent de celui du « monde » où sont considérés les riches, les puissants, les forts, ceux qui peuvent plier la Justice à leurs intérêts ?...

Il faut vraiment « faire un passage ». « Ce qui est né de la chair est chair, et ce qui est né de l'Esprit est Esprit... Il faut naître d'en-haut. »

« LE BAIN D'EAU »

Rappelons-nous la parabole de la fillette abandonnée, c'est-à-dire de la pauvre tribu dont Dieu a voulu faire son peuple : « Alors tu fus à moi. Je t'ai lavée dans l'eau, j'ai nettoyé le sang qui te couvrait, puis je t'ai parfumée d'huile. Je t'ai donné des vêtements brodés... » (Éz 16, 9 s). Israël entrait dans l'Alliance à travers un bain. Selon les coutumes orientales, la fiancée était baignée et parée.

C'était l'image du baptême. « Ainsi le Christ a voulu rendre sainte l'Église en la purifiant dans un bain d'eau, et cela par la Parole » (Éph 5, 25).

Dans le baptême, le Christ purifie son Église « par la Parole », la Parole de Dieu prononcée par le ministre, et d'abord la Parole de la foi reçue et professée par le catéchumène. Nous l'avons vu : la Parole est première. Mais cette Parole, dans le sacrement, est « une parole visible » grâce au « bain d'eau » qui l'accompagne et la « signifie »...

Mais peut-on encore parler d'un bain d'eau ?

« Se noyer dans un verre d'eau », c'est l'expression dérisoire bien connue pour se moquer de celui qui réussit à se perdre... dans un mouchoir. Comment notre « baptême », cette « plongée », cette « immersion » que le mot signifie, est-il devenu ce parcimonieux mouillage de front sur des fontaines baptismales desséchées ? Si le baptême est la noyade du péché, on le noie vraiment dans moins qu'un verre d'eau ! Le symbole sacramentel de l'eau est lui-même devenu... « symbolique » !...

Mesquines gouttes d'eau pour rendre présent le monde, le cosmos, à cet événement qui le concerne tout entier !... Maigre groupe familial pour un baptême « privé », en semaine, sur « rendez-vous particulier », et non sur convocation de l'assemblée dominicale, alors qu'il s'agit de nouer la relation fondamentale entre cet enfant et Dieu, et l'Église, et l'humanité, et le monde !... Non, vraiment !

Les premiers disciples du Seigneur baptisaient dans les

« Le bain d'eau »

Alors s'en allaient vers Jean le Baptiste Jérusalem, et toute la Judée, et toute la région du Jourdain, et ils se faisaient baptiser par lui dans les eaux du Jourdain, en confessant leurs péchés... Il leur dit : « Produisez donc un fruit qui soit digne du repentir et ne vous avisez pas de dire en vous-mêmes : « Nous avons pour père Abraham. » Car je vous le dis, Dieu peut, des pierres que voici, faire surgir des enfants à Abraham... Pour moi, je vous baptise dans l'eau en vue du repentir ; mais celui qui vient derrière moi est plus puissant que moi, et je ne suis pas digne d'enlever ses chaussures ; lui vous baptisera dans l'Esprit Saint et le Feu. » (Mat 3, 5-11).

fleuves, les fontaines, les points d'eau, voire la mer. D'ailleurs, dans les villes antiques, toutes les demeures importantes étaient munies de piscines ; or, avant l'ère constantinienne, c'était dans ces maisons que l'Église se rassemblait le dimanche. Au IVe siècle, les cathédrales furent pourvues de baptistères monumentaux avec une vasque profonde où le néophyte descendait par des marches. Ne manquez pas de visiter ceux que l'on voit encore à Aix-en-Provence, Poitiers, Nevers (dans les fouilles inférieures mises à jour par les bombardements), Fréjus, Riez.

Vers le Xe siècle, parce qu'on ne baptisait plus d'adultes, les grandes vasques furent remplacées par des cuves où l'on plongeait le bébé. Puis, on en vint à baptiser à l'économie : une burette d'eau sur la tête des enfants, une aspersion pour les baptêmes de groupes...

Il faut en revenir au « bain d'eau », à l'immersion. Elle fut et reste toujours pratiquée en Orient ; elle est toujours prévue par le Rituel en Occident. On y revient d'ailleurs lentement, là où la vie a remplacé la routine. Lors d'une récente Veillée pascale, à Luxembourg, j'ai vu un enfant plongé tout entier dans une bassine d'eau tiède...

— Mais c'est bien des préparatifs !

— On en fait davantage pour le repas... Où est le plus important ? A quoi croyez-vous, au repas ou au baptême ?

Le sens naturel de l'eau

Le rite du baptême ne date pas de Jésus Christ. Pas plus que le fait de manger du pain et de boire du vin ne date du premier Jeudi saint. Le Seigneur et l'Église ont utilisé des réalités naturelles et des rites « humains » pour les « enrichir » de présence divine, pour les « sur-déterminer » en signes efficaces du Salut.

● De temps immémorial, les peuples pratiquent des rites d'ablutions. Les païens gréco-romains avaient leurs lustrations à l'entrée des temples, dans les cérémonies d'initiation, au cours des funérailles, au moment de consulter les oracles, après un homicide... Leurs temples étaient ordinairement construits près d'une fontaine, qui en était le baptistère. Les prêtres des diverses religions devaient se plonger dans l'eau lustrale avant d'officier ; les laïcs y trempaient les mains.

Ne pouvant immerger les maisons dans un bain — comme font plus aisément les réclames de la télévision —, on les purifiait d'aspersions généreuses.

Le Bouddha fut baptisé à sa naissance. Les rites assyro-babyloniens ou égyptiens connaissaient des baptêmes. D'autres peuples suivaient les rythmes des lustrations naturelles : les Étrusques se purifiaient aux pluies de février afin de participer à la vie nouvelle qui allait surgir avec le printemps ; au Pérou, c'était en septembre, en accord avec la terre qui se lavait de rosée. Les Hindous descendent dans le Gange en disant : « O Gange, purifie-moi ! ». Nous connaissons aussi les ablutions islamiques, à l'eau ou, faute d'eau, au sable.

Partout, la conscience de la souillure morale postule des rites de purification par l'eau.

● Il faut aller encore plus profond... L'eau maternelle n'est-elle pas la matrice universelle d'où surgissent la vie, les formes, l'histoire ? Elle est le milieu fœtal du monde comme elle l'est de tout embryon. Pour la Bible, en particulier, l'eau est « la matière première », l'élément de base de la Création ; en ces contrées d'Orient elle est, plus encore que chez nous, le symbole expressif de la vie : eau féconde de qui vient toute fertilité ; pluie généreuse, image privilégiée de la gratuité divine.

● Mais l'eau n'est-elle pas aussi, à l'inverse, un élément plus redoutable que le feu, où se noie toute vie terrestre, c'est-à-dire la nôtre, car nous ne sommes pas des poissons ? Eaux des tornades et des cyclones, des noyades et des naufrages, repaires des monstres marins... Et aussi : eau des fleuves, qui coule vers la mer comme la vie vers la mort...

● L'immersion dans les eaux — maternelles et vivifiantes, abyssales et destructrices — obéit donc à des mécanismes profonds de notre psychisme : descente dans l'inconscient, cette part nocturne de soi-même où grouillent nos monstres intérieurs dans des ténèbres que l'on n'ose pas s'avouer ; noyade psychologique du pécheur que je suis et que l'on jette

Yahvé tonna dans les cieux, le Très-Haut fit retentir sa voix : grêle et charbons ardents ! Il lança ses flèches et les dispersa ; il multiplia ses foudres et il les confondit. Alors, le lit des eaux apparut, les fondements de la terre furent mis à nu, à ta menace, Yahvé, au souffle du vent de tes narines.

Il étendit sa main d'en haut et me saisit, il me retira des grandes eaux. Il me délivra de mon puissant ennemi, de ceux qui me haïssaient, alors qu'ils étaient plus forts que moi... (Ps. 18, 14-18).

à la mer, pour s'en défaire, comme y fut précipité Jonas ; renaissance morale pour tout recommencer à zéro...

Il ne nous faut pas mépriser, il nous faut au contraire reconnaître cette parenté du sacrement de baptême avec nos symbolismes cosmiques ou psychologiques élémentaires : les eaux sont ce qui tue et ce qui fait vivre, sépulcre et matrice, purification et renouveau. Mais, n'en déplaise à saint Augustin, c'est là une vision trop humaine et, au plan psychologique de la culpabilité, terriblement négative. On ne peut s'en contenter.

Le baptême de Jean

Les Juifs pratiquaient de nombreuses ablutions purificatrices. Pour le corps ; pour les habits. Par aspersion ; par immersion. Élisée envoie Naaman le lépreux se plonger dans le Jourdain (2 Rois 5, 14). Jean le Baptiste n'innovait donc point quand, « en l'an 15 du gouvernement de Tibère... il quitta le désert et vint dans toute la région du Jourdain, prêchant un baptême de pénitence pour la rémission des péchés » (Luc 3).

Que signifiait ce baptême de Jean ?... C'est important de le préciser parce que Jésus fut baptisé de ce baptême, et que, durant toute sa vie terrestre, ses disciples, en son nom, baptisèrent d'un baptême de ce type (cf. Jean 3, 22 et 4, 2). Or, ce type de baptême n'est ni le baptême juif ou païen, ni le baptême chrétien : le baptême chrétien ne pourra exister qu'après la Résurrection.

● Ce qui caractérise le baptême de Jean, c'est d'abord qu'il est **administré par un autre :** il ne suffit pas d'entrer dans l'eau ; on ne se baptise pas soi-même. C'est le baptême de Jean. C'est le baptême d'un homme reconnu comme prophète.

● Et autour duquel se groupent des disciples. Il est **communautaire.**

Ainsi parle le Seigneur Dieu : « Je ferai sur vous une aspersion d'eau pure, et vous serez

● Pourquoi Jean baptise-t-il ? Parce que, pour lui, **les derniers temps sont près de s'ouvrir où Dieu va intervenir,** où s'accomplira la prophétie d'Ézéchiel (36, 25) : « Je répandrai sur vous une eau pure et vous serez purifiés...

Je vous donnerai un cœur neuf et je mettrai en vous un esprit neuf. » Jean se sait la mission de préparer cette venue imminente de Dieu (Marc 1, 3). Son baptême est le signe visible de cette préparation.

● Aussi le baptême de Jean signifie-t-il une **conversion radicale de celui qui l'accepte :** il faut se reconnaître pécheur, se tourner vers Dieu une fois pour toutes, réformer ses mœurs par une conduite de fraternité et de justice. Pour le recevoir, il faut vouloir faire partie du « peuple bien disposé ».

● Enfin, **tous sont invités** à entrer dans ce peuple, pécheurs de toute catégorie, juifs et païens. Jésus est parmi eux parce qu'il est venu « porter le péché du monde ».

Dans le baptême de Jean, la structure du baptême chrétien est posée : initiative du baptiseur et relation personnelle à lui (dans le christianisme, c'est toujours le Christ qui baptise), — signe décisif d'une conversion, — proposé à tous sans exclusive, — scellant l'appartenance à une communauté.
Mais c'est une communauté qui attend : elle attend Pâques, elle attend l'Esprit, elle attend le monde nouveau.

purs ; je vous purifierai de toutes vos impuretés et de toutes vos idoles.
« Je vous donnerai un cœur neuf et je mettrai en vous un esprit neuf ; j'enlèverai de votre corps le cœur de pierre et je vous donnerai un cœur de chair.
« Je mettrai en vous mon propre esprit, je vous ferai marcher selon mes lois, garder et pratiquer mes coutumes. Vous habiterez le pays que j'ai donné à vos pères ; vous serez mon peuple et je serai votre Dieu. »
(Éz 36, 25-28).

Le baptême dans l'Esprit

Le monde nouveau, le voici : ce sera la Pentecôte.
Juste avant l'Ascension, le Ressuscité « mange avec ses disciples ». Il leur commande de ne pas quitter Jérusalem, mais d'y attendre la promesse du Père, « celle, dit-il, que vous avez entendue de ma bouche : Jean a bien donné le baptême d'eau, mais vous, **c'est dans l'Esprit Saint que vous serez baptisés dans quelques jours** » (Actes 1, 4 s).
La distinction est nette : Jean a donné le baptême d'eau, sans Esprit Saint, parce que Jésus n'était pas encore mort et monté aux cieux pour nous l'envoyer ; au bord du Jourdain, l'Esprit est apparu sur Jésus seul, non par le baptême de Jean, mais parce qu'il est « le Fils unique, le bien-aimé » ;
— tandis qu'après la Résurrection, les disciples vont recevoir, à la Pentecôte, le baptême dans l'Esprit Saint, sans eau,

parce que le Ressuscité leur était visiblement apparu : ils n'avaient pas eu besoin de sacrement pour le rencontrer. Donc, arrive le jour de la Pentecôte. L'Esprit tombe sur les disciples, avec son souffle en tempête, ses langues de feu et sa rumeur bouleversante. Pierre explique aux foules émerveillées : « Les derniers temps sont advenus... Le Messie annoncé par Jean Baptiste, c'est Jésus... Dieu l'a ressuscité, nous en sommes tous témoins. Exalté par la droite de Dieu, il a donc reçu du Père l'Esprit Saint promis et il l'a répandu, comme vous le voyez et l'entendez... Dieu l'a fait Seigneur et Christ, ce Jésus que vous avez crucifié » (Actes 2, 14 ss).

Le baptême dans l'eau et l'Esprit

Ignorez-vous que nous tous, qui avons été baptisés dans le Christ Jésus, c'est en sa mort que nous avons été baptisés ? Nous avons donc été mis au tombeau avec lui par le baptême qui nous plonge en la mort, afin que, comme le Christ est ressuscité des morts par la gloire du Père, nous menions semblablement, nous aussi, une vie nouvelle. Car si nous sommes devenus un même être avec lui par une mort semblable à la sienne, nous le

« Le cœur bouleversé d'entendre ces paroles, la foule demande :

— Que ferons-nous, frères ?

— Convertissez-vous, répond Pierre ; que chacun de vous reçoive le baptême au nom de Jésus Christ pour le pardon de ses péchés, et vous recevrez le don du Saint Esprit. Car c'est à vous qu'est destinée la promesse, et à vos enfants, ainsi qu'à tous ceux qui sont au loin (les nations païennes), aussi nombreux que le Seigneur notre Dieu les appellera.

« Ceux qui accueillirent sa parole reçurent le baptême et il eut environ trois mille personnes ce jour-là qui se joignirent à eux » (Actes 2, 37 ss).

Nous avons là toutes **les caractéristiques du baptême chrétien :**

● **La conversion : conversion à Jésus par la foi ; — conversion en Jésus par une vie nouvelle,** le « passage » à une existence de ressuscité tel que saint Paul nous la décrit dans le texte de Rom 6, 1-14, texte capital qu'il nous faut lire et relire.

● **L'invocation du nom de Jésus :** ce n'est plus Jean qui baptise pour la rémission des péchés ; c'est Jésus qui baptise pour le don de l'Esprit et une vie ressuscitée.

● Car le baptême est **dans l'Esprit Saint,** ce don du Christ mort et ressuscité. Le baptisé est donc plongé dans l'Événement primordial qu'est la Pâque de Jésus : sa mort, sa Résurrection, son entrée auprès du Père, d'où il envoie l'Esprit. A la différence de celui de Jean, le baptême d'eau chrétien est une immersion dans l'Événement fondateur du Salut.

● Elle se fait **par la Parole** qui dit le Don de Dieu **et l'action symbolique** — ici, l'eau — qui la signifie et la rend « Parole visible ».

● Enfin, **le baptême adjoint au peuple nouveau** qui commence à la Pentecôte.

Le baptême est l'héritier de toute l'histoire du peuple de Dieu, de toute l'histoire du Salut. L'eau de notre baptême est celle de la Création : elle est riche de tous les événements symboliques qu'elle a traversés dans la succession des époques de la Bible. Elle nous en apporte la signification et la vertu. Notre liturgie en est pleine.

L'eau de nos fontaines baptismales,

— c'est l'eau maternelle de la première création sur laquelle planait le Souffle personnel de Dieu pour la vivifier. L'eau et l'Esprit déjà,

— c'est l'eau de la source qui jaillissait dans l'Eden pour arroser le Paradis terrestre et féconder la terre vers les quatre horizons,

— c'est l'eau du Déluge qui noie le péché d'un monde à purifier et sauve du même coup l'humanité nouvelle,

— c'est l'eau mortifiante qui engloutit Pharaon et ses armées, symbole des puissances du Mal, — et l'eau vivifiante qui ouvre au peuple béni le « passage » — la Pâque — vers la vie et la liberté : mort et vie, Croix et Résurrection,

— c'est l'eau vive qui sort du rocher pour empêcher le peuple de mourir de soif au désert, « et ce Rocher, c'était le Christ »,

— c'est l'eau du Jourdain dont la traversée introduit dans la Terre promise,

— c'est encore l'eau du Jourdain où descendit le Sauveur pour communiquer à toutes les eaux du monde le parfum de sa divinité : cette eau du Ciel ouvert sur Jésus baptisé et de la tendresse du Père qui s'écriera désormais sur tous les baptistères : « Voici mon enfant bien-aimé ; il est toute ma

serons aussi par une semblable résurrection.
Nous le savons ; notre vieil homme a été crucifié avec lui pour que fût détruit le corps du péché et qu'ainsi nous ne soyons plus esclaves du péché.
(Rom 6, 3-6).

La pré-histoire du baptême d'eau

Au commencement Dieu créa le ciel et la terre. Or la terre était un chaos, et il y avait des ténèbres au-dessus de l'Abîme, et l'esprit de Dieu planait au-dessus des eaux.
(Gen 1, 1-2).

Arrivés à Jésus, voyant qu'il était déjà mort, ils ne lui rompirent pas les jambes, mais l'un des soldats lui perça le côté d'un coup de lance, et aussitôt il en sortit du sang et de l'eau. (Jn 19, 33-34).

joie », tandis que sur lui se pose l'Esprit, ce Souffle des eaux primitives et de la Nouvelle Création,

— c'est enfin l'eau qui sortit du cœur transpercé du Crucifié, lors du baptême de Jésus et du monde, en son sang. Là jaillit la source de tout les sacrements, surtout des deux sacrements-maîtres, le baptême et l'eucharistie.

Peut-on dès lors passer sous silence, malgré le charme rose des berceaux et des premières communions, ce qu'ils comportent de grave et de tragique?... Le baptême, pour nous en tenir à lui, il est d'abord Déluge, Mer Rouge, Croix sanglante ; son premier temps est de faire mourir.

L'élément de la mort

Parce que ce peuple a méprisé les eaux de Siloé qui coulent doucement, et qu'il se réjouit au sujet de rois ennemis, à cause de cela, voici que le Seigneur va faire venir sur eux les eaux du fleuve, fortes et profondes, le roi d'Assyrie et toute sa puissance. Il s'élèvera partout au-dessus de son lit, il se répandra par-dessus toutes ses rives ; il pénétrera en Juda, il débordera, il inondera, il montera jusqu'au cou ; et le déploiement de ses ailes couvrira

« L'exorcisme radical, dit Ratzinger, c'est la plongée dans l'élément de la mort. Nous voici donc enfin à la « matière » du sacrement... L'eau est symbole de mort : pour la Bible, la mer est le séjour du Léviathan, ennemi de Dieu ; elle exprime le chaos, l'opposition à Dieu, la mort. Le salut est victoire sur les eaux d'en-bas. C'est en pensant à ce symbolisme que l'Apocalypse dit que dans la terre nouvelle « il n'y aura plus de mer » (21, 1) : Dieu règne seul et la mort est vaincue pour toujours.

« L'eau du baptême peut ainsi représenter le mystère de la croix du Christ et récapituler les grandes expériences de mort et de salut de l'Ancienne Alliance, en particulier le passage miraculeux de la Mer Rouge. Expériences qui préfigurent ainsi **la croix,** en laquelle elles montrent le **centre caché de toute l'histoire du salut.**

« On voit par là que la conversion passe par une mort, que la voie de la vérité et le risque de l'amour passent par la Mer Rouge, que la Terre promise ne peut être atteinte qu'à travers la passion et la mort de Celui qui est la Vérité.

« Le baptême est donc plus qu'une ablution, qu'une purification, même si cet aspect est présent dans le symbolisme de l'eau. Être baptisé au nom de Jésus crucifié demande plus que ne peut réaliser le simple lavage. Le Fils unique de Dieu est mort. Seule la puissance inquiétante de la mer, seule sa profondeur abyssale correspond à la grandeur de ce qui s'est passé » (Joseph Ratzinger).

Le baptême que l'on ne situe pas à cette tragique profondeur n'a rien à voir avec la mort de Jésus Christ!... Accueil de la communauté, ablution qui embellit, bienveillance de Dieu sur l'enfant... Joli, joli! mais à quel niveau situez-vous tout ça?... Saint Paul ne cesse de nous parler de mort définitive à une certaine vie pour surgir à une vie de ressuscité. Avec le Christ.

« Retournons au signe de l'eau. Sa place dans le baptême tient à une double symbolique. En ce qu'il représente la mer, il est symbole de la mort, de la puissance qui lutte contre la vie ; mais en ce qu'il rappelle la source, il est le signe même de la vie. L'eau représente la mort, mais aussi la vie qui féconde la terre. L'eau est créatrice, l'homme en vit. L'Église a très tôt repris le symbole de la source en indiquant que l'eau du baptême devait être « vive », « courante » *(Didachè)*. Vie et mort sont étrangement mêlées : seul le sacrifice vivifie ; seul l'abandon au mystère de la mort mène au pays de la vie. C'est ce que ce symbolisme ambivalent met étonnamment en évidence, en unissant mort et résurrection en un unique symbole » (J. Ratzinger).

Symbolisme antithétique, et cependant si cohérent, car, comment vivre sinon du néant? comment ressusciter sinon de la mort? quelle vie nouvelle sinon sur les ruines d'une vie du « vieil homme » enfin crucifié?...

Mais ce préalable de mort bénéficie généralement d'une inattention qui ramène beaucoup de baptêmes — puis de vies chrétiennes — à l'insignifiance... Non que l'Église ne soit une Église de pécheurs — dont je suis, moi, le premier —, mais qu'est-elle si elle n'est précisément lieu et grâce de mort au péché, pour vivre en Dieu?...

C'est ce double symbolisme de mort pour vivre que développe admirablement la bénédiction de l'eau baptismale, dans la Veillée pascale :

tout ton pays, ô Emmanuel! (Is 8, 6-8).

Le Christ ressuscité des morts ne meurt plus ; la mort, sur lui, n'a plus d'empire. Sa mort fut une mort au péché une fois pour toutes ; sa vie est une vie pour Dieu. Et vous, de même : regardez-vous comme morts au péché, et comme vivants pour Dieu dans le Christ Jésus. Que le péché ne règne donc plus dans votre corps mortel pour vous faire obéir à ses convoitises. Ne livrez pas vos membres comme des armes d'injustice au service du péché ; mais livrez-vous vous-mêmes à Dieu comme des morts revenus à la vie, et vos membres comme des armes de justice au service de Dieu. Car le péché ne doit plus avoir d'empire sur vous. (Rom 6, 9-14).

Bénédiction de l'eau baptismale

Baptisez « au nom du Père et du Fils et du Saint Esprit » dans de l'eau courante. S'il n'y a pas d'eau vive, qu'on baptise dans une autre eau et, à défaut d'eau froide, dans de l'eau chaude. Si tu n'as assez ni de l'une ni de l'autre, verse trois fois de l'eau sur la tête « au nom du Père et du Fils et du Saint Esprit. » (Didachè).

Par ta puissance invisible, Seigneur, tu accomplis des merveilles dans tes sacrements, et au cours de l'histoire du salut tu t'es servi de l'eau, ta créature, pour nous faire connaître la grâce du baptême.

Dès les commencements du monde, c'est ton Esprit qui planait sur les eaux pour qu'elles reçoivent en germe la force qui sanctifie.

Par les flots du déluge, tu annonçais le baptême qui fait revivre, puisque l'eau y préfigurait également la mort du péché et la naissance de toute justice.

Aux enfants d'Abraham tu as fait passer la mer Rouge à pied sec pour que la race libérée de la servitude préfigure le peuple des baptisés.

Ton Fils bien-aimé, baptisé par Jean dans les eaux du Jourdain, a reçu l'onction de l'Esprit Saint.

Lorsqu'il était en croix, de son côté ouvert il laissa couler du sang et de l'eau, et quand il fut ressuscité, il dit à ses disciples : « Allez, enseignez toutes les nations, et baptisez-les au nom du Père et du Fils et du Saint Esprit. »

Maintenant, Seigneur, regarde avec amour ton Église et fais jaillir en elle la source du baptême. Que l'Esprit Saint donne, par cette eau, la grâce du Christ afin que l'homme, créé à ta ressemblance, y soit lavé, par le baptême, des souillures qui déforment cette image, et qu'il renaisse de l'eau et de l'Esprit pour la vie nouvelle d'enfant de Dieu.

Nous t'en prions, Seigneur : par la grâce de ton Fils, que la puissance du Saint Esprit vienne sur cette eau, afin que tout homme qui sera baptisé, enseveli dans la mort avec le Christ, ressuscite avec lui pour la vie. Par Jésus, le Christ, notre Seigneur.

Amen.

4

LA CONFIRMATION
DU BAPTÊME

ACTUALITÉ DE LA CONFIRMATION

La confirmation est le plus mal connu des sacrements. Et cependant, jamais on n'en a tant parlé.

Bien sûr, il reste des paroisses stagnantes qui conduisent routinièrement leur « troupeau » des 8-10 ans à la « cérémonie » de la confirmation. Mais dans bien des diocèses bouillonne un intense travail : de réflexion sur l'Esprit et sur le sacrement, de catéchèse des enfants, de leurs familles et des communautés paroissiales tout entières ; les confirmands ne sont plus enrégimentés à tel âge ; l'évêque rencontre préalablement les parents, parfois les enfants ; on le questionne — et on se questionne — sur l'Esprit, sur la mission de l'Église, et non plus sur des problèmes de chiffons : aubes ou costumes...

Ailleurs, rarement, on conteste positivement l'institution, parce que l'on sent un décalage entre ce qui est et ce qui devrait être, entre la paroisse dormante et une communauté rayonnante. Résultat : on parle, on discute, on s'affronte. C'est une autre forme d'actualité.

Pourquoi, dans beaucoup d'institutions et de communautés chrétiennes, la confirmation fait-elle ainsi « la une » des conseils pastoraux et des discussions familiales ? Pourquoi a-t-elle suscité, depuis les années 60, tant de livres et d'articles importants ?... Pour trois raisons principales :

Cinq colonnes à « la une »

1) D'abord, sauf en de rares îlots, nous ne sommes plus en Église de chrétienté. Autrefois, dans une Église établie, la confirmation fonctionnait comme automatiquement. Parce qu'elle faisait partie du septenaire sacramentaire qui « appareillait » tout chrétien. Une préparation minimum suffisait, le groupe « portait » aux sacrements, le milieu aidait à en vivre, et souvent très bien. Assez passivement, on « recevait » la confirmation, sans se poser de problèmes sur sa signification concrète aujourd'hui : le martyre, c'était de l'histoire ancienne, — le témoignage, la mission — « Vous êtes le

sel de la terre » —, à quoi bon en rajouter dans une société tout entière salée de catholicisme ?...

Mais ces temps ne sont plus. Les blocs de chrétienté sont en train de fondre comme névés au soleil. Devant cette situation culturelle nouvelle, **les chrétiens doivent se concentrer ou se diluer, se serrer les coudes ou disparaître. De là la remise en question de tout ce qui n'est pas signifiant et vital.** Voilà pourquoi « ça bouge » autour de la confirmation.

Les pasteurs doivent reconnaître et promouvoir la dignité et la responsabilité des laïcs dans l'Église ; ayant volontiers recours à la prudence de leurs conseils, leur remettant avec confiance des charges au service de l'Église, leur laissant la liberté et la marge d'action, stimulant même leur courage pour entreprendre de leur propre mouvement. (Vatican II).

2) Le concile Vatican II y est aussi pour beaucoup. Il nous a ramenés à la pure théologie de l'Église. Non plus une Église verticale de la Hiérarchie ; mais l'Église horizontale de la Pentecôte, où il y a les Apôtres, Pierre en tête, d'accord, mais qui est d'abord **une communauté, le peuple de Dieu, où tous reçoivent l'Esprit Saint, avec des responsabilités dans la mission.**

Devant cette prise de conscience, que signifie pour le laïc d'être confirmé ? que signifie dans l'Église le fait de célébrer la confirmation de ses baptisés ? Questions très neuves que ni les prêtres, ni les laïcs ne sont très disposés à entendre.

3) Enfin, dans l'Église, tout le terrain liturgique et catéchétique est défoncé, comme on « défonce » une vigne pour en renouveler les plants. On prépare les fiancés au mariage, les parents au baptême ou à la confirmation de leurs enfants, on les « met dans le coup » activement. Par ailleurs, les rites des sacrements, renouvelés par ordre du Concile, entrent en jeu, allumant la réflexion, rénovant les célébrations.

Ce réveil est une exigence de vérité : vérité des célébrations, vérités des communautés où l'on célèbre, vérité de la démarche de chacun. **La communauté croyante doit savoir ce qu'elle veut signifier aux yeux de ceux qui ne partagent pas sa foi ; les parents, comme dans un passage difficile, doivent savoir pourquoi et à quoi ils « assurent » la cordée de leurs enfants ;** le chrétien, jeune ou adulte, n'entre plus dans un sacrement avec une foi globale et uniforme, celle de l'Église, comme le soldat entre dans sa tenue militaire, la même pour tous, et au même âge : **il est appelé à prendre une conscience per-**

sonnelle de ce que signifie le sacrement pour lui et des engagements qu'il doit vivre.

De là, pour les candidats et pour les paroisses, des hésitations, des contestations, des remises à plus ample informé, à meilleure maturité, des refus..., à propos de cette confirmation qui se trouve être, de tous les sacrements, le moins clairement caractéristique.

Cette ébullition amène en surface des questions capitales : Quel est le sens du sacrement de confirmation? Qu'est-ce qu'il ajoute au baptême? A quel âge l'administrer?...

Questions et réponses

Au cours de l'histoire, théologiens et pasteurs ont mis l'accent sur différents aspects de ce sacrement, avec plus ou moins de bonheur :

1) C'est le sacrement de l'âge adulte. « La confirmation est au baptême ce que la croissance est à la naissance » (S. Thomas d'Aquin).

2) La position protestante est-elle tellement différente, qui y voit le renouvellement des dons et promesses du baptême? Non un second baptême cependant, mais un renforcement, une rénovation à l'âge conscient.

3) C'est le sacrement de l'apostolat, de l'Action catholique. Le confirmé est soldat du Christ. Cette position était très marquée vers les années 1930-1940.

4) C'est le sacrement de la force, du courage, du martyre.

5) C'est le sacrement du Saint Esprit, une nouvelle Pentecôte. Le baptême donne déjà l'Esprit, l'Esprit qui fait vivre de la vie de Dieu. La confirmation le donne en plénitude : elle fait du baptisé un chrétien parfait. Deux étapes inséparables d'une même sanctification.

6) C'est le sacrement de la communion ecclésiale. La présence de l'évêque ou de son délégué exprime l'unité de tous les chrétiens dont l'évêque est le lien et le garant...

Autant de facettes du même cristal. Richesse d'une même réalité, comme les couleurs du prisme qui décompose la lumière blanche. Mais le fait de ne pas les saisir globalement commandait souvent une pastorale étroite ou divergente.

D'où la réaction du « tout ou rien » que l'on rencontre parfois : ou bien on continue « comme cela s'est toujours fait » : confirmation obligatoire pour tous les enfants de tel âge qui ont suivi tant d'années de catéchisme ; — ou bien on arrête les frais en attendant que l'on y voie clair.

La réflexion est à reprendre de plus loin, pour considérer tout le diamant, et non plus une seule facette.

Un sacrement doit « faire signe »

Le fruit de l'Esprit est charité, joie, paix, longanimité, affabilité, bonté, fidélité, douceur, tempérance. Contre de telles choses il n'est point de Loi. Ceux qui sont au Christ Jésus ont crucifié leur chair avec ses passions et convoitises. Si nous vivons par l'Esprit, suivons aussi l'Esprit. Ne cherchons pas la vaine gloire ; pas de provocations entre nous, entre nous pas d'envie. (Gal 5, 22-26).

Il faut commencer par changer de point de vue.

Le sacrement est un signe efficace. Dans une Église de chrétienté, c'est-à-dire où toute la société est chrétienne, on se demande de quoi il est efficace, qu'est-ce qu'il produit dans celui qui le reçoit ? Par exemple, on dira : la confirmation donne la lumière, ou la force, ou l'amour, ou les trois... Mais on ne se posera pas la question : de quoi est-il signe ? à qui fait-il signe ? car on est entre chrétiens : on n'est pas regardé par d'autres, non chrétiens, à qui on aurait à donner des signes de notre foi. L'Église n'a guère alors le souci d'être signe, d'être sacrement de Jésus Christ. Et les chrétiens ne se définissent pas par le témoignage de vie qu'ils donnent, mais par les sacrements qu'ils reçoivent. On juge l'homme sur la pratique.

Par contre, dans un monde non chrétien, le chrétien n'est pas jugé sur la pratique, mais sur sa vie, sur le témoignage de son groupe. **Il doit faire signe. Non par son assiduité à l'Église, mais par son existence de tous les jours.** Alors, s'il est adulte, il est sensible au sens des gestes qu'il vit dans les sacrements : qu'est-ce que ces gestes lui disent à lui ? qu'est-ce qu'ils changent chez les chrétiens ? qu'est-ce qu'ils disent aux non-chrétiens qui les regardent ? Qu'est-ce qu'ils « signifient » ? Qu'est-ce qu'ils changent à leur vie pour la rendre « significative » de Jésus Christ ?...

On quitte ainsi le petit point de vue individualiste et intérieur pour se redécouvrir en mission, ensemble : **l'Église doit faire signe par la vie de ses membres, et les sacrements ont été institués pour les y aider, sinon, à quoi bon ?...**

Comme tout sacrement, la confirmation ne « produit » que ce qu'elle « signifie ». Que signifie-t-elle au monde ?

« L'ESPRIT SUR TOUTE CHAIR »

A ces questions, commençons par donner l'éclairage central qui va tout situer :
La confirmation, c'est la Pentecôte continuée. Elle est le signe que la plénitude du Saint Esprit est donnée à tout le peuple de Dieu. La plénitude de l'Esprit à la plénitude de l'Église.

C'est cette double plénitude qui fait de la confirmation un sacrement bien distinct, quoique pas vraiment séparable du baptême et de l'eucharistie. « Je répandrai mon Esprit sur toute chair », dit le Seigneur : voilà la confirmation.

N'en concluons pas que les autres sacrements ne nous communiquent en rien l'Esprit Saint !... Tout sacrement vient des Trois Personnes ; tout sacrement donne la vie, et le pardon, et l'Esprit... Cela n'empêche pas que tel sacrement soit spécialisé au don de la vie, ou du pardon, ou de l'Esprit.

Ainsi, tout baptême est dans l'Esprit ; mais c'est la confirmation qui apporte le **don plénier de l'Esprit**. Et pas à une catégorie restreinte, comme les évêques ou les prêtres, mais **à « toute chair » baptisée**.

Mais d'abord, qu'est-ce que l'Esprit ?

Le Vent qui parle

Dans le tome I, aux chapitres 5 et 15, nous avons tenté d'expliquer ce que l'on peut dire de la vie intime de l'Esprit Saint dans la Trinité et de son action dans l'Église et dans le monde. Vous trouveriez avantage et, peut-être, intérêt, à les relire attentivement. Sur cet acquis, nous greffons quelques notations nouvelles et essentielles à notre sujet...

Les superbes Touareg du Sud Sahara ou les Indiens Navajos groupés autour d'un transistor dans les réserves de l'Arizona, tendent l'oreille, en grand silence, au « vent qui parle ». Ce vent puissant et insaisissable, qui arrachait leurs tentes, et contre lequel ni flèches, ni lances, ni épées, ni tomahawks ne peuvent rien, le voilà qui s'est mis à parler par la radio, et même, le dimanche, à leur dire l'histoire de Dieu, l'amour de Dieu, la parole de Dieu... Le père Cormac, franciscain, entreprend un jour la toute première instruction d'un Navajo illettré qui demande le baptême. « Un père avait deux fils... » Il n'a pas dit trois mots du « Notre Père » que le vieil indien l'interrompt et récite d'un trait toute cette prière, dans sa langue et sans faute. Stupeur du missionnaire :

— Qui t'a appris cette belle prière ?

— J'écoute le vent qui parle...

Admirable image de l'insaisissable Esprit Saint !...

« Si vous m'ai-mez, vous gar-derez mes com-mandements, et moi, je prierai le Père, et Il vous donnera un autre Défenseur pour être à jamais avec vous, l'Es-prit de vérité, que le monde ne peut recevoir, parce qu'il ne le voit ni le connaît. Mais vous, vous le connaissez, parce qu'il de-meure chez vous et qu'il sera en vous. (Jn 14, 15-18).

Le Fils, lui, a pris visage humain, mots, gestes, regards et silences humains. Le Père ? Il est le Père de ce Fils ; et ce Fils, c'est tout son Père : « Celui qui me voit, voit le Père. » Et puis, la relation père-fils, nous la connaissons, nous la vivons. Mais l'Esprit ?... Il n'a point de visage. Totalement immatériel, il échappe à toutes nos prises ; tout-puissant, il s'impose pourtant avec évidence. Comme le vent. « Le vent souffle où il veut, tu entends sa voix, mais tu ne sais ni d'où il vient, ni où il va » (Jean 3, 8). La comparaison est du Christ lui-même parlant de l'Esprit.

Mais cet Esprit n'est pas une simple qualité de Jésus. C'est une personne. C'est le Vent qui parle... Et qui, à ceux qui l'écoutent, apprend le « Notre Père », parce qu'il les rend pleinement fils, de l'intérieur : « En effet, ceux-là sont fils de Dieu qui sont conduits par l'Esprit de Dieu... : vous avez reçu un Esprit qui fait de vous des fils adoptifs et par lequel nous crions : Abba, Père! » (Rom 8, 14 ss).

Nous sommes là en pleine grâce de la confirmation : donner au Père une famille de fils, à Jésus une famille de frères, formant entre eux une immense communion qui fasse signe au monde : l'Église.

Comme le vent, les autres symboles de l'Esprit — l'eau, le feu, l'air, la respiration — ne comportent pas de figure ; « ils évoquent surtout l'envahissement d'une présence, une expansion irrésistible et toujours en profondeur » (Jacques Guillet).

La puissance de l'Esprit sur Jésus

Comme le vent, il est d'une puissance à faire du petit bois avec les cèdres du Liban. C'est le vent impétueux qui battait des ailes sur l'abîme au premier jour de la création, — qui plane sur notre Dame au premier jour de la Rédemption :

« Le Saint Esprit viendra sur toi et la puissance du Très Haut te couvrira de son ombre » (Luc 1, 35).

Cette puissance de l'Esprit, elle se manifeste visiblement, à son baptême, sur Jésus, qui l'exerce en plénitude pour sa mission. Aussitôt, « rempli d'Esprit Saint, il revient du Jourdain et, conduit par l'Esprit au désert, il y épuise toute tentation possible » victorieusement. « Alors Jésus, avec la puissance de l'Esprit, revient en Galilée » (4, 1 et 13-14).

Mais cette puissance de force et de victoire est tout entière puissance d'aimer, puisque l'Esprit est Dieu et que Dieu est Amour. « Ce Jésus de Nazareth, Dieu lui a conféré l'onction d'Esprit et de puissance : il est passé partout en faisant le bien ; il guérissait tous ceux que le diable tenait asservis » (Act 10, 38). Aussi, « une puissance sortait de lui et les guérissait tous » (Luc 6, 19).

Cette puissance d'amour irrésistible, Jésus la communiquera à tout son peuple : « Vous recevrez une puissance, le Saint Esprit » (Act 1, 8). Elle est, pour le moment, toute concentrée en lui. Il faut qu'il meure pour qu'elle explose, pour ainsi dire, vers tous les siens... A son Incarnation, il en a été rempli pour lui-même, pour sa mission ; maintenant, à son dernier soupir, il va « rendre l'esprit », « livrer l'Esprit » pour le « passer » à tout son peuple. « Exalté par la main de Dieu dans sa Résurrection-Ascension, il a donc reçu du Père l'Esprit promis » — pour les autres cette fois — « et il l'a répandu » (Act. 2, 33). C'est la Pentecôte. C'est la confirmation...

Jean le Baptiste proclamait : « Il vient après moi celui qui est plus puissant que moi, et je ne suis pas digne de me courber pour délier la courroie de ses chaussures. Moi, je vous ai baptisés avec de l'eau, mais lui vous baptisera avec l'Esprit Saint. » (Mc 1, 7-8).

Jésus annonce l'effusion du Saint Esprit comme exécution d'une « promesse du Père » (Act 1, 4). En quoi consiste cette promesse ?

A travers l'Ancien Testament, l'Esprit fut donné à de nombreux prophètes, juges ou rois. Le prophète est un homme saisi par l'Esprit de Dieu, non particulièrement pour annoncer l'avenir, mais pour proclamer une Parole de Dieu, en général un appel à la conversion.

Mais tout le peuple juif n'était pas prophète. Tout le peuple, à plus forte raison, ne recevait pas l'Esprit de gouvernement des juges et des rois.

« L'Esprit promis »

Une voix me dit : Fils d'homme, tiens-toi sur tes pieds, et je te parlerai. Un esprit entra en moi, selon ce qu'il m'avait dit ; il me fit tenir sur mes pieds, et

j'entendis celui
qui me parlait.
Il me dit : fils
d'homme, je
t'envoie vers les
fils d'Israël, vers
un peuple de ré-
voltés qui se sont
révoltés contre
moi.
(Éz 2, 1-3).

Dans la Nouvelle Alliance au contraire, dans le peuple engendré par Jésus Christ et son baptême, l'Esprit de prophétie et de royauté sera accordé à tous ; c'est annoncé par le prophète Joël (3) :

> « Je répandrai mon Esprit sur toute chair.
> Vos fils et vos filles prophétiseront,
> vos vieillards auront des songes,
> vos jeunes gens auront des visions.
> Même sur les serviteurs et les servantes,
> en ce temps-là je répandrai mon Esprit. »

L'Esprit sera donc « répandu », et non parcimonieusement mesuré... Il sera répandu « sur tout le peuple », sans distinction d'âge ni de condition sociale : les anciens parleront de par Dieu, mais tout autant les jeunes ; Dieu parlera par la bouche des importants, mais tout autant par celle « des obscurs, des sans grade ». Et l'Esprit produira en tous un débordement de charismes prophétiques.

Mieux que des manifestations spectaculaires, il créera des cœurs fidèles à Dieu et tendres au prochain :

> « Je vous donnerai un cœur nouveau,
> je mettrai en vous un Esprit nouveau ;
> j'ôterai de votre chair le cœur de pierre
> et je vous donnerai un cœur de chair.
> Je mettrai en vous mon Esprit,
> et je ferai que vous marchiez selon mes lois
> et que vous observiez et suiviez mes coutumes...
> Vous serez mon peuple et je serai votre Dieu »
>   (Éz 36, 26 ss).

Telle était « la promesse du Père »...
Sa réalisation ? Le jour de la Pentecôte, Pierre reprendra la prophétie de Joël pour dire : C'est aujourd'hui !

*« L'Esprit
sur toi »*

Mais à cet « aujourd'hui » préludera une aube merveilleuse : quelque trente-cinq ans plus tôt, l'Esprit prendra demeure en Marie de Nazareth, parfaite fille de Sion, prémices et mère de l'Église, Vierge de l'Annonce...

« O merveilleuse, ô jeune, ô unique Marie
« Que nous dis-tu du Saint Esprit ?
« Il t'a connue, tu ne l'as pas connu...
« Comme nous tu l'as connu à ses fruits :
« La présence en toi de l'enfant qui va tressaillir,
« Le jaillissement dans ta bouche du Magnificat
« Où c'est toi qui chantes, toi-même et non de toi-même,
« Tandis que le va-et-vient de l'Esprit
« Entre Elisabeth et toi tisse le dialogue indélébile. »
(Elisabeth Chanterelle)

Avant le jour de la Pentecôte... on voit Marie appelant elle aussi de ses prières le don de l'Esprit qui, à l'Annonciation, l'avait déjà elle-même prise sous son ombre. (Vatican II).

L'Enfant naquit, grandit, mourut en croix et, ressuscité, envoya l'Esprit à l'Église.

« Quand le jour de la Pentecôte arriva, ils se trouvaient réunis tous ensemble. » « Environ cent vingt personnes. » Des femmes, des hommes. **Les Apôtres en tête. Marie au centre.**

Que faisaient-ils ? « Tous, unanimes, étaient assidus à la prière. » (Act 1, 14-15 ; 2, 1).

L'Esprit de Pentecôte ne tombe pas sur des individus, mais sur une communauté...

Sur une communauté « ensemble » avec les Apôtres et Marie...

Sur une communauté « unanime » de priants...

Et tout à coup voici l'Esprit. Enveloppement puissant de souffle et de flammes. Deux réalités sans visage, mais familières et indubitables : le vent et le feu annoncés par Jean Baptiste.

Tous, et pas seulement les Onze, furent pris dans ce vent. « Ces langues de feu, il s'en posa sur chacun d'eux » (3)... Chacun peut donc dire une parole de Dieu. En chacun il faut entendre l'Esprit. Chacun a ses charismes, sa mission, sa grâce, ses responsabilités.

« **Ils furent tous remplis d'Esprit Saint** et se mirent à parler d'autres langues. » Non pas des langues inconnues à eux-mêmes ou aux auditeurs, ce charisme du « parler en langues » relaté dans les Actes (10, 46 ; 19, 6) et que Paul relativise dans 1 Cor 14. Mais le « propre idiome » de chaque auditeur (2, versets 6, 8 et 11).

« *Quand la Pentecôte arriva* »

Jean le Baptiste disait aux foules : « Pour moi, je vous baptise dans l'eau en vue du repentir, mais celui qui vient après moi est plus puissant que moi, et je ne suis pas digne d'enlever ses chaussures ; lui vous baptisera dans l'Esprit Saint et le feu. » (Mat 3, 11).

C'est vraiment l'envoi de l'Église « à toutes les nations qui sont sous le ciel » (5). Et non pour leur parler latin ou espéranto! Parce qu'il est Amour, l'Esprit rejoint les gens dans leur diversité, en autant de langues qu'il y a de cultures et de pays. **L'Église est universelle : « toutes les nations qui sont sous le ciel » y sont chez elles et y entendent leur langue.**

Aussi est-elle essentiellement une Église de la « mission ». « **Vous allez recevoir une puissance, leur avait dit Jésus, celle du Saint Esprit qui viendra sur vous ; vous serez alors mes témoins à Jérusalem, dans toute la Judée et la Samarie, et jusqu'aux extrémités de la terre » (Act 1, 8).**

Témoins affermis, les chrétiens seront des témoins assurés : « Ce n'est pas vous qui parlerez, c'est l'Esprit de votre Père qui parlera en vous » (Mat 10, 20).

« Il vous enseignera et vous rappellera tout ce que je vous ai dit » (Jean 14, 26).

« Il vous conduira vers la vérité tout entière » (16, 13).

Promesse du Père, promesse du Fils. Don du Père, don du Fils. « Afin qu'il demeure avec vous à jamais » (14, 16).

LA CONFIRMATION DANS L'ÉGLISE

Ce n'est pas le prêtre, ni les catéchistes, ni les parents, seuls, qui peuvent décider si la Confirmation sera célébrée cette année. Ce sont toutes les forces vives de la communauté locale qui sont res-

Un sacrement n'est jamais une dévotion privée ; c'est un acte d'Église, c'est-à-dire de la communauté chrétienne, en tant que présence, ici, de l'Église universelle. Ce doit être un « signe » pour le monde.

La célébration dans un groupe n'y suffit pas nécessairement, quelle qu'en soit l'ambiance : une célébration communautaire n'est pas forcément une célébration qui « fait signe ». Même en temps de persécution, si une communauté chrétienne est obligée de se terrer pour s'assembler, ce doit être avec la souffrance et l'impatience de ne pouvoir dire en pleine lumière et crier sur les toits ce qu'elle entend dans le secret et chuchote aux oreilles (Mat 10, 27).

Ceci est deux fois vrai pour la confirmation, sacrement de cette Pentecôte qui arracha les disciples à leur cénacle calfeutré, pour les jeter, en témoins, au milieu d'une foule « venue de toutes les nations qui sont sous le ciel ».

C'est que, au-delà du clercle chrétien qui la constitue, **l'Église a été fondée pour annoncer quelque chose au monde,** spécialement quand elle célèbre un sacrement — un « signe » —, plus spécialement quand ce « signe » est la confirmation. Ce sacrement « fait signe », de la part de Jésus Christ, à celui qui le reçoit, bien sûr, — et « signe efficace », c'est-à-dire qu'il réalise en lui ce qu'il signifie. Mais que signifie-t-il si on l'ampute de ses dimensions essentielles ?... Si, au contraire, on le rend pleinement significatif pour l'Église et pour le monde, combien plus le sera-t-il pour celui qui le reçoit tel que le Seigneur l'entend : comme **événement d'Église,** comme **événement pour le monde...**

Et pourtant... Quand nous discutons confirmation, qu'est-ce qui nous préoccupe ? L'âge du candidat, sa préparation, ce que la confirmation change dans l'âme de l'enfant... Très bien. Mais n'est-ce pas là entrer dans la maison par les fenêtres, demande Mgr Coffy ? Et comme les fenêtres sont nombreuses, nous ne parvenons pas à nous entendre. Alors, ne faut-il pas essayer d'entrer par la porte ? C'est-à-dire envisager d'abord la signification de la confirmation dans l'Église-sacrement du Salut ?

La confirmation est un geste du Christ, dans son Église, pour le monde. Que signifie ce geste du Christ pour son Église et pour le monde ?

L'Église célèbre la confirmation. Que dit-elle d'elle-même par cette célébration ? Quels sens introduit-elle alors dans le monde ?... D'ailleurs les deux questions sont liées : ce que l'Église dit d'elle-même, elle le dit pour le monde. Et ce qu'elle dit, c'est cela que, dans le sacrement, le Christ réalise pour elle-même et pour le monde.

Ainsi, les sacrements ne sont pas d'abord des événements spirituels dans l'histoire personnelle de chacun ; ils sont

ponsables de cette décision, responsables aussi du choix des enfants à confirmer : car il est évident qu'y seront appelés uniquement ceux qui seront capables de participer au dynamisme de l'Église : « Si tu veux, suis-moi. » Mais la communauté locale est-elle suffisamment vivante pour proposer la Confirmation aux enfants d'aujourd'hui ? Donnet-elle le témoignage de la Confirmation qu'elle a reçue jadis ? C'est cela, la grande question. (G. Deloze).

L'Église célèbre la Pentecôte

Le Christ est l'image du Dieu invisible, Premier-né de toute la création ; car c'est en lui que tout a été créé aux cieux et sur la terre, le monde visible et l'invisible, Trônes, Seigneuries, Principautés, Dominations. Tout a été créé par lui et vers lui, et lui est par-devant tout et tout subsiste en lui.
C'est lui encore qui est la tête du corps : de l'Église. Il est en effet Principe, Premier-né d'entre les morts, afin d'exercer en tout la primauté.
(Col 1, 15-18).

d'abord des événements de l'histoire du Salut pour le peuple de Dieu et pour l'humanité. Ce qu'ils sont dans la vie de l'Église et du monde, c'est cela même qui retentit dans l'âme de chacun.

Pour s'en tenir aux trois sacrements de l'initiation, l'Église fut et reste l'Église de la Pâque, l'Église de l'Esprit, l'Église du Repas nuptial du Seigneur. L'Événement pascal de Jésus Sauveur est levé sur le monde, comme un soleil sans couchant, et il est vivant dans l'Église.

Ainsi, l'Église, née de la Pentecôte, est l'Église de l'Esprit. Le Christ lui a donné le sacrement de la confirmation pour qu'elle « fasse mémoire » de la Pentecôte...

Vous n'avez pas oublié ce que veut dire « faire mémoire » (cf. p. 43-44)? L'Église a surgi d'un Événement fondateur qui s'appelle Jésus Christ : sa vie, sa mort, sa Résurrection, sa montée au Ciel d'où il répand l'Esprit. Or l'Événement ne se clôt pas là! Au contraire, c'est là qu'il commence : l'Église reste fondée, enracinée, dans cet Événement, qui se continue, qui se propage comme une onde unique dans « la multitude de frères dont Jésus est le premier-né ».

Donc, quand l'Église « fait mémoire » du Mystère pascal dans sa liturgie, spécialement dans ses sacrements, elle ne vit pas de souvenirs ; elle vit de cet Événement fondateur comme l'arbre vit de ses racines. Comme le dernier wagon du train avance, ici, maintenant, par la traction actuelle de la locomotive qui est bien plus loin, si l'on ose de pauvres comparaisons. L'Église met la communauté qui célèbre un sacrement dans une situation actuelle de Salut; elle la place sur le rail de Jésus Christ, sur orbite de Jésus Christ qui, en avant de nous, est « exalté en croix et en gloire, attirant à lui tous les hommes » (Jn 12, 32). Il est ainsi toujours présent et actif à cette marche où son Église, où l'humanité, met ses pas dans les siens.

C'est ainsi que **la confirmation se réfère à cet événement précis de l'histoire du Salut — la Pentecôte — et le rend actuel.** Comme tout l'Événement pascal du Christ, la Pentecôte est un fait d'histoire — et l'on s'en souvient —; mais il dépasse l'histoire d'alors en ce qu'**il est dynamiquement présent à toute l'histoire :** il est en avant, certes,

mais c'est lui qui « tire tout à lui » et au Père. Aussi, la Pentecôte, comme Pâques, est le commencement d'un mouvement
qui ne s'arrêtera qu'avec la fin de ce monde-ci.

● En « faisant mémoire » de la Pentecôte dans la confirmation, l'Église signifie donc qu'elle n'est pas une société
humaine, pas même une société religieuse, pas même **un
peuple de Dieu, mais le peuple de Dieu. Elle proclame
qu'elle est née, voici deux mille ans, à Jérusalem, et
qu'elle naît constamment de l'Esprit de la Pentecôte.**
L'humanité en attente, comme la Vierge de l'Annonciation,
comme l'abîme primitif, reçoit sa fécondité de ce Souffle du
Père : « L'Esprit Saint viendra sur toi et la puissance du Très
Haut te couvrira de son ombre ; c'est pourquoi ce qui va naître
sera saint et sera appelé fils de Dieu » (Lc 1, 35).

*Église,
que dis-tu
de toi-même ?*

● En célébrant la confirmation, l'Église signifie donc qu'**elle
est, comme Église, « une créature nouvelle »** ; qu' « un
être nouveau est né ».
   Sa carte d'identité : Corps du Christ, né du Père, au cin-
quantième jour après Pâques de l'an 30...
   Sa vie : la respiration de ce Souffle qu'est l'Esprit Saint...
   Sa sainteté : Don gratuit du Père, dans le Fils, par l'Esprit...
   Son héritage : « Cet Esprit lui-même atteste à notre esprit
que nous sommes enfants de Dieu. Enfants, et donc héritiers :
héritiers de Dieu, cohéritiers du Christ » (Rom 8, 16 s).

● En célébrant la confirmation, **l'Église proclame donc la
« grâce » imméritée.** Elle signifie qu'elle n'est pas née, ne
naît pas, ne naîtra jamais du désir des hommes, de l'effort des
hommes, de l'action des hommes ; qu'elle n'est « pas née du
sang, ni d'un vouloir de chair, ni d'un vouloir de sang, mais
de Dieu » (Jn 1, 13).., mais de « l'Esprit qui souffle où il veut »...
Il n'est pas inutile de le rappeler : trop de chrétiens, soucieux
d'un engagement efficace, croiraient volontiers, à la limite,
qu'ils se justifient eux-mêmes et qu'ils sauvent le monde...

● En célébrant la confirmation, enfin, l'Église se tourne vers
l'avenir et annonce aux hommes que, finalement, par la puissance amoureuse de l'Esprit, « Dieu sera tout en tous ». Elle

Le commandant
du Temple par-
tit avec ses hom-
mes et ramena
les Apôtres, sans
violence toute-
fois, car ils crai-
gnaient d'être la-
pidés par le peu-
ple. Ils les firent
comparaître de-
vant le Sanhé-
drin. Le grand

prêtre les interrogea : « Nous vous avions expressément interdit d'enseigner en ce nom-là, et voilà que vous avez rempli Jérusalem de votre enseignement. Vous voulez donc faire retomber sur nous le sang de cet homme ! » Pierre et les Apôtres répondirent : « Il faut obéir à Dieu plutôt qu'aux hommes. Le Dieu de nos pères a ressuscité Jésus, que vous aviez fait mourir en le suspendant au gibet. C'est lui que par sa droite Dieu a élevé au rang de Chef et Sauveur, afin de donner à Israël le repentir et la rémission des péchés. Et de ces choses nous sommes témoins, nous et l'Esprit Saint que Dieu a donné à ceux qui lui obéissent. » (Act 5, 26-32).

Église, que dis-tu au monde ?

ouvre toujours, plus largement, le temps de l'homme, le peuple des hommes à l'Avenir de Dieu, c'est-à-dire à ce que Dieu fait advenir dans le monde : son Règne d'Amour, sa Vie, le Salut en Jésus Christ. **La confirmation est essentielle comme sacrement de la croissance du Royaume.**

Voilà ce que dit d'elle-même l'Église en célébrant la confirmation.

Certes, tous les sacrements signifient et produisent, pour leur part, l'action de l'Esprit : l'Esprit plane sur les eaux du baptême ; le soir de Pâques, le Christ souffle, sur les Douze, l'Esprit de la rémission des péchés ; les ministères de l'ordination sont des dons (des « charismes ») de l'Esprit ; c'est l'Esprit qui sanctifie le pain et le vin à la messe, l'Esprit qui est l'amour même des époux. C'est précisément pour assurer cette présence de l'Esprit en tous les autres sacrements qu'il fallait une « promesse du Père », une attente d'un peuple, la mort et la Résurrection du Fils et, finalement, le prodigieux événement pentecostal. **L'Église célèbre la confirmation parce qu'il est nécessaire qu'elle célèbre pour lui-même et reçoive en plénitude Celui qui est son origine, son être, sa source, sa croissance, son unité, sa prière, son élan, sa mission, son cœur.**

A-t-on assez conscience de cette Présence active, aussi constante et indispensable à l'Église et à chacun que l'air que nous respirons ?... On présente des enfants à la confirmation. La communauté chrétienne n'est pas là. Des parents, des amis « assistent » à la... « cérémonie ». Ont-ils conscience — même les parrains et marraines — d'être l'Église qui confirme, l'Église qui se ressource en ses racines, l'Église de la Pentecôte, l'Église qui s'expose au vent de l'Esprit, au dépoussiérage, à la contestation, à la perpétuelle nouveauté de ce Feu sur sa tête et dans son cœur, la communauté « des derniers temps », rassemblés pour être envoyés au monde et y porter un témoignage à toute épreuve ?

Car cette Église de la Pentecôte n'est pas celle de l'adolescence, ou de la croissance, ou de l'âge adulte, ou de l'Action catholique, ou du martyre, ou de l'évêque... D'accord, elle anime toutes ces situations particulières, comme la locomotive entraîne le wagon-postal, et le grill-express, et les voitures-couchettes, et les premières classes, et les deuxièmes, et les « fumeurs » et les « non-fumeurs »... Mais cette Église de la Pentecôte et de la confirmation est essentiellement et globalement le peuple sur lequel est tombé l'Esprit pour l'investir en permanence d'une fonction sacerdotale et prophétique : proclamer la Nouvelle à « toutes les nations qui sont sous le ciel ».

Quelle Nouvelle?... Que Dieu aime les hommes et que cet amour est une personne, l'Esprit Saint. Que cet Esprit agit sans cesse dans le monde, pour le Salut du monde. La communauté « confirmée » reçoit mission d'aider les hommes à reconnaître sa présence active en eux et dans l'univers.

« La grâce de la confirmation doit manifester dans le monde la prise en charge du monde en vue de sa transformation glorieuse. La grâce de la confirmation est donc vraiment, pour l'Église, une grâce pour s'acquitter de sa mission envers le monde et pour annoncer à celui-ci sa future glorification. Quel rôle, quelle charge particulière revient à chacun, d'une façon plus précise, dans le déploiement de cette grâce, Dieu seul en décide par son appel et par la distribution des charismes de l'Esprit. Ces charismes sont des composantes privilégiées de la manifestation du même et unique Esprit que tous reçoivent dans la confirmation » (K. Rahner).

La Pentecôte est donc la naissance de l'Église comme missionnaire. Par la confirmation l'Église est investie de l'Esprit Saint, et ensemble les baptisés sont envoyés dans le monde pour la sanctification des hommes et la transformation de l'univers, « jusqu'à ce que Dieu soit tout en tous ».

LA CONFIRMATION DU BAPTÊME

Dans son autobiographie spirituelle, *L'autre soleil*, Olivier Clément raconte : « J'ai reçu le baptême dans l'Église ortho-

Nous étions jadis, nous aussi, insensés, rebel-

les, égarés, es-
claves de convoi-
tises et de volup-
tés de toutes
sortes, vivant
dans la malice
et l'envie, odieux
et nous haïssant
les uns les autres.
Mais quand sont
apparus la bonté
de Dieu, notre
Sauveur, et son
amour pour les
hommes... n'é-
coutant que sa
miséricorde, Il
nous a sauvés par
le bain de régé-
nération où l'Es-
prit Saint nous
renouvelle, et cet
Esprit, Il l'a ré-
pandu sur nous
à profusion par
Jésus Christ
notre Sauveur,
afin que, justifiés
par la grâce du
Christ, nous de-
venions héritiers
en espérance de
la vie éternelle.
(Tite 3, 3-7).

doxe. J'avais trente ans. C'était un 1er novembre... Froide et pure était l'eau baptismale... On n'a pas le temps de suffoquer sous l'immersion, et c'est dommage. La chrismation suit sans désemparer : « Sceau du don du Saint Esprit », dit le prêtre en oignant le front, les yeux, les oreilles, les narines, la bouche, la poitrine près du cœur, les mains et les pieds. Afin que désormais on pense, voie, entende, respire, parle, agisse et se meuve dans l'Esprit... »

Ainsi fait-on toujours dans l'Église d'Orient, même pour les petits enfants : baptême par immersion, puis, tout de suite, la chrismation (onction avec le saint chrême) pour le don de l'Esprit.

Sauf pour les bébés, l'Église catholique procède désormais de même. Les *Notes* officielles qui accompagnent le nouveau *Rituel de la Confirmation*, promulgué en latin à Rome le 22 août 1971, disent : « Les catéchumènes adultes, et aussi les enfants qui sont baptisés à l'âge de catéchisme, sont normalement admis à la confirmation et à l'eucharistie aussitôt après avoir reçu le baptême » (11).

Ces trois sacrements de l'initiation chrétienne — baptême, confirmation, eucharistie — forment un tout, une « suite ». Ils « s'enchaînent » au point que chacun de ces trois éléments ne prend pleine valeur que si l'on perçoit les rapports qui l'unissent avec les chaînons voisins. Ils font problème ensemble. Les solutions sont à chercher dans une vue d'ensemble. Ce fut l'objectif de Vatican II : « Le rite de la confirmation sera révisé pour manifester plus clairement le lien intime de ce sacrement avec toute l'initiation chrétienne » *(Ste Liturgie)*.

Un peu d'histoire

Durant les trois premiers siècles, le baptême était célébré par l'évêque, durant la Nuit pascale ou la Veillée de la Pentecôte. Au sortir de l'eau, le baptisé — qui était un adulte, non un enfant — recevait de lui, suivant les lieux, soit l'imposition des mains, soit une onction d'huile sainte, soit les deux, et la « signation », c'est-à-dire le signe de la croix sur le front. Puis avait lieu la messe où il faisait sa première communion. Il en fut ainsi tant qu'on baptisa surtout des adultes et que les communautés vécurent ramassées autour de leur évêque.

Mais, vers la fin du IIIe siècle, en raison du grand nombre

de candidats, l'évêque ne peut plus les baptiser tous lui-même. Il se contente de consacrer l'eau baptismale où tous seront plongés ; il inaugure la série des baptêmes, puis cède sa place à des prêtres ou à des diacres (des diaconesses pour les femmes) qui continuent en son nom. Quant à lui, non loin du baptistère, il accomplit les rites post-baptismaux pour le don de l'Esprit : imposition des mains (en Occident), ou chrismation (en Orient), avec signation du front et baiser de paix.

Mais le IVe siècle amena la liberté pour l'Église, la disparition progressive des païens, le nombre croissant des baptêmes d'enfants, la multiplication des paroisses rurales loin de la ville épiscopale... Deux solutions s'offrent alors : ou bien baptiser tout de suite et sur place le nouveau-né, au nom de l'évêque, et renvoyer la confirmation à plus tard, quand le premier pasteur passera, — ou bien maintenir liés le baptême et sa confirmation et donner aux simples prêtres le pouvoir de confirmer.

Les Églises de rite oriental ont choisi la seconde solution : le prêtre baptise et confirme tout de suite — mais toujours avec un saint chrême consacré par l'évêque — et, bien souvent, il donne au bébé quelques gouttes du Précieux Sang : baptême, confirmation, eucharistie. Notre Église occidentale a choisi la seconde solution : le prêtre baptise dès la naissance, l'évêque viendra, de loin en loin, accomplir les rites post-baptismaux.

Ces rites, on les appelle alors « consignation », ou « imposition des mains », ou « chrismation », ou encore « sceau ». A partir du Ve siècle on commencera à les nommer « confirmation » : l'évêque « confirme », non pas le baptisé, mais le baptême ; il y appose le « sceau » final : le néophyte peut se présenter à la table eucharistique.

L'Occident a donc dissocié baptême et confirmation. Est-ce légitime ?

Nous disions dans le chapitre précédent que ce qui caractérise le baptême chrétien, en le distinguant de celui de Jean, c'est qu'il est assorti du don de l'Esprit Saint. « Moi, je vous baptise dans l'eau, en vue de la conversion, disait le Baptiste ; mais celui qui viendra après moi est plus fort que moi : lui

La confirmation du baptême

Les auditeurs furent touchés au cœur, et ils dirent

à Pierre et aux autres Apôtres : « Frères, que nous faut-il faire ? » Et Pierre de leur répondre : « Repentez-vous, et que chacun de vous se fasse baptiser au nom de Jésus Christ pour la rémission de ses péchés ; vous recevrez alors le don du Saint Esprit. (Act 2, 37-38). Pierre parlait encore, quand l'Esprit Saint tomba sur tous ceux qui écoutaient la Parole. Tous les fidèles issus de la circoncision qui avaient accompagné Pierre furent stupéfaits de voir que le don du Saint Esprit s'était répandu aussi sur les païens ; car ils les entendaient parler en langues et magnifier Dieu. Alors Pierre prit la parole : « Peut-on refuser l'eau du baptême à ceux qui ont reçu l'Esprit Saint tout comme nous ? » Et il ordonna de les baptiser au nom de Jésus Christ. (Act 10, 44-48).

vous baptisera dans l'Esprit Saint et le feu » (Mat 3, 11). Le chrétien doit « naître d'eau et d'Esprit », comme dit le Seigneur à Nicodème. Et saint Paul : « Nous avons tous été baptisés dans un seul Esprit pour être un seul corps, et nous avons tous été abreuvés d'un seul Esprit » (1 Cor 12, 13).

Alors, le baptême donne déjà l'Esprit, et la confirmation est inutile ?... Ou bien : le baptême et sa confirmation ne font qu'un et ne doivent pas être séparés ?... Dans un cas comme dans l'autre, cela ferait un seul sacrement ?...

La manie innocente de compter les sacrements ne nous a pris qu'au XIIe siècle. L'Église les vivait très bien sans ces comptes. Saint Thomas ignorait que son cerveau comptait quatorze milliards de neurones ; il l'utilisait pourtant mieux que vous et moi, qui le savons. L'Église ancienne administrait ensemble baptême et confirmation, sans se poser de problème. Depuis des siècles, l'Occident les distingue et les sépare... Disons ceci :

Le baptême donne déjà l'Esprit, la confirmation le donne en plénitude. Ces deux sacrements s'appellent donc intensément l'un l'autre. Comme la naissance appelle la croissance. Comme la vie appelle la santé... Saint Paul nous met sur la voie : « Nous avons tous été baptisés dans un seul Esprit » — et voilà le baptême — « et nous avons tous été abreuvés d'un seul Esprit » — et voilà la confirmation... du baptême.

Feuilletons les Actes des Apôtres :

Pierre distingue « le baptême au nom de Jésus Christ et le don du Saint Esprit » (2, 38).

Le « diacre » Philippe évangélise la Samarie et donne le baptême ; Pierre et Jean le suivent pour donner la confirmation en imposant les mains (8, 14-17).

Arrivant à Éphèse, Paul y rencontre des disciples du Baptiste : il les fait baptiser au nom du Seigneur Jésus, puis il leur impose les mains pour leur conférer l'Esprit (19, 1-6).

Deux rites différents pour deux grâces différentes, mais complémentaires. Les deux faces de la même médaille.

LES RITES ACTUELS

Quel que soit leur intérêt, nous n'avons pas insisté, dans notre chapitre précédent, sur les rites divers qui, dans le baptême, accompagnent l'immersion. Il ne fallait pas distraire du symbolisme riche et puissant de l'eau. Le geste lustral — essentiel — est suivi d'une onction d'huile sainte, autrefois sur tout le corps, aujourd'hui sur la tête, pour signifier l'assimilation du nouveau « chrétien » au « Christ ». En effet, « Christ » et « chrétien » veulent dire « oint ». Une autre onction constitue le sommet de la confirmation.

Mais, avec l'onction, quel que soit le prestige des mots « Christ » et « chrétien », nous entrons dans une symbolique beaucoup moins perceptible à l'homme contemporain. Le pain et le vin, la lumière et l'eau restent des symboles prestigieux. L'huile, par contre, n'a plus qu'un relent de cuisine et de garage... Raison de plus pour s'efforcer à comprendre et à expliquer les rites de la confirmation.

C'est l'évêque, chef et rassembleur de la communauté, responsable de la Mission de l'Église, qui, habituellement, donne la confirmation. Cependant, des prêtres peuvent lui être associés dans ce ministère, spécialement en cas d'affluence des confirmands ou de péril de mort.

Après la célébration de la Parole, la profession de foi du baptême est renouvelée : puis, l'évêque et les prêtres présents imposent les mains sur le groupe des confirmands.

L'imposition des mains est un geste biblique de bénédiction ou de consécration. Jésus guérit les malades et bénit les enfants par l'imposition des mains où passe toute sa force divine. C'est par l'imposition des mains aussi que les Apôtres guérissent les malades, consacrent les « presbytres » et les « diacres », donnent le Saint Esprit aux communautés nouvelles. Le geste est propre en effet à signifier la prise de possession d'un être par la puissance de Dieu et la plénitude de l'Esprit, pour l'investir d'un pouvoir spirituel, d'une aptitude, en vue d'une mission.

Imposition des mains

On présenta à Jésus des petits enfants, pour qu'il leur imposât les mains en priant ; mais les disciples les rabrouèrent. Jésus dit alors : « Laissez les petits enfants et ne empêchez pas de venir à moi ; car c'est à leurs pareils qu'appartient le Royaume des Cieux. » Puis il leur imposa les mains et poursuivit sa route. (Mat 19, 13-15).

Dieu très bon, dit l'évêque...
regarde ces baptisés sur qui nous imposons les mains :
Par le baptême, tu les as libérés du péché,
tu les as fait renaître de l'eau et de l'Esprit ;
Comme tu l'as promis,
répands maintenant sur eux ton Esprit Saint ;
Donne-leur en plénitude l'Esprit qui reposait son ton
Fils Jésus :
esprit de sagesse et d'intelligence,
esprit de conseil et de force,
esprit de connaissance et d'affection filiale ;
remplis-les de l'esprit d'adoration...

Ce sont là « les dons du Saint Esprit », qui, selon le prophète Isaïe (11, 1 ss), caractériseront le Messie.

Le rite essentiel

Suit alors le rite essentiel... Il comprend une autre imposition des mains, plus personnelle : l'évêque pose la main droite sur la tête de chaque confirmand. En même temps, il trace sur son front le signe de la croix — c'est la consignation — avec son pouce enduit de saint chrême — c'est l'onction — et il dit :
— **N..., sois marqué de l'Esprit Saint, le don de Dieu.**
L'Occident ne connut longtemps que l'imposition des mains ; jusqu'en 1972 il usa d'une autre formule sacramentelle. L'Orient, par contre, n'a jamais pratiqué que l'onction. Dès le Vᵉ siècle, l'onction est aussi devenue en Occident le rite essentiel de la confirmation. Et maintenant, l'Occident abandonne sa formule sacramentelle du XIIᵉ siècle pour lui préférer celle qu'utilisait l'Orient depuis les IV-Vᵉ siècles. Nous saisissons ainsi sur le vif la liberté que le Christ a laissée à son Église d'adapter les rites sacramentels pour qu'ils soient, selon les temps et les lieux, des signes toujours expressifs de la grâce de chaque sacrement.

L'onction du saint chrême

Le saint chrême est une huile d'olive parfumée d'essences balsamiques.
L'huile, dans la civilisation biblique, on en soignait les

malades, **on en sacrait les prêtres et les rois,** on en oignait la tête ou les pieds de l'hôte que l'on voulait honorer. Ainsi fit Madeleine à Jésus.

Dans l'espérance millénaire du peuple juif, le grand Roi à venir, le Libérateur attendu fut donc appelé l'Oint... « Oint » se dit en hébreu « Messie », en grec « Christ ». Jésus « Christ », c'est Jésus « Oint ». De quelle « onction » ?

En Jésus de Nazareth, il s'agit là d'une image symbolique : d'une « onction » purement spirituelle, intérieure. Elle évoque la nature divine qui le « pénètre » au point d'être sa personne même. Elle signifie son envahissement par l'Esprit avec lequel il ne forme qu'un seul Dieu : l'homme Jésus est « oint » de divinité et d'Esprit Saint, comme une pierre est imbibée d'huile jusqu'au cœur.

Lors de son baptême, puisqu'il inaugure sa vie publique, le moment est venu de manifester cette « onction » divine, cette qualité de « Christ » : **l'Esprit descend sur lui sous forme de colombe,** le Père proclame : « Celui-ci est mon Fils, mon unique », et Jean Baptiste s'écrie : « J'ai vu et j'atteste qu'il est le Fils de Dieu. » **Telle est l'onction de « l'Oint » de Dieu, du « Christ », solennellement rappelée au seuil de sa Mission.**

La Pentecôte et la confirmation, c'est donc l'onction de l'Église et des confirmés, par l'Esprit, pour leur vie publique d'envoyés de la Bonne Nouvelle. Nous devenons pleinement « chrétiens », c'est-à-dire participants à l'onction du « Christ » pour continuer sa Mission.

La fragrance de l'huile renforce le même sens. « Nous sommes pour Dieu la bonne odeur du Christ. Dieu répand en tout lieu par nous le parfum de sa connaissance » (2 Cor 2, 14 s). Au point que « la maison (l'Église, le monde, notre milieu) est envahie tout entière de ce parfum » (Jn 12, 3).

Cette onction se fait en forme de croix — « Les combattants portent l'insigne de leur chef », dit saint Thomas — et sur le front, à l'endroit le plus apparent.

Cette marque est ineffaçable. Comme au fer rouge. Parce que l'Esprit ne se prête pas. Il se donne. Pour nous apprendre à nous donner sans nous reprendre.

L'esprit du Seigneur Yahvé est sur moi, parce que Yahvé m'a oint ; il m'a envoyé apporter aux humbles la bonne nouvelle, panser les cœurs brisés, proclamer aux déportés la libération et aux captifs l'élargissement, proclamer une année favorable de Yahvé, un jour de vengeance de notre Dieu, consoler tous les endeuillés, leur donner un turban au lieu de cendre, une huile d'allégresse au lieu d'habits de deuil, la louange au lieu d'un esprit abattu. On les appellera térébinthes de justice, plantation de Yahvé pour se glorifier. Ils rebâtiront les ruines antiques, ils relèveront les lieux désolés du passé, ils restaureront les villes en ruine, les lieux désolés depuis des générations. (Is 61, 1-4).

LA CONFIRMATION
DANS LE CHRÉTIEN

La jeune recrue, arrivée la veille au régiment, fait partie de l'armée. Tout baptisé, même non encore confirmé, fait partie de l'Église. De l'Église de la Pentecôte, car il n'y en a pas d'autre. Il est membre d'une Église qui célèbre et qui vit la confirmation.

Il participe donc déjà, comme simple baptisé, à la Mission de l'Église, puisque, pour l'Église, la Mission, c'est son être même. Aussi a-t-il hâte, s'il en comprend l'enjeu, de voir **« confirmer » son baptême par le sacrement où l'Église ne cesse d'accueillir l'Esprit pour l'annonce de l'Évangile.**

Concrètement, pour lui, que va « signifier », et donc « réaliser », ce geste, sur lui, du Christ et de l'Église ? Qu'est-ce que la confirmation apporte de plus que le baptême ?

*Le doigt
de Dieu*

Lorsque vint la plénitude des temps, Dieu a envoyé son Fils, né d'une femme, né sous la loi, afin qu'il rachetât ceux qui étaient sous la loi, afin que nous recevions la filiation. Et parce que vous êtes fils, Dieu a envoyé l'Esprit

Nous sommes là dans les œuvres de Dieu... Comment Dieu travaille-t-il ?

Dieu est amour : les Trois Personnes font tout de concert. Mais — le Credo nous l'a bien montré — leur action commune ne se confond pas : tout **commence** à partir du Père, — tout est **réalisé** par le Fils envoyé du Père, — tout est **consommé** par le Saint Esprit envoyé par le Père et le Fils.

Ainsi, le Père crée le monde ; il le crée par son Fils, « le Verbe » ; et « l'Esprit plane sur les eaux » pour en faire jaillir la vie.

Il en sera toujours ainsi... Pour reprendre une analogie traditionnelle : le Père est comme le bras d'où part force et mouvement, — le Fils est comme la main qui exécute, — l'Esprit est comme le doigt — *digitus paternae dexterae* — qui fignole et achève. Ainsi les Personnes divines forment un Tout, agissent toujours ensemble, font la même chose et dans le même ordre, mais à des stades différents : le Père commence, le Fils continue, l'Esprit perfectionne.

Le Saint Esprit, c'est donc l'artiste qui « met la

dernière main », « le doigt », aux œuvres d'amour du Père et du Fils. Il assure les finitions.
Ainsi pour l'Église. La Pentecôte est le finissage de Pâques. A la Résurrection, les disciples reconnaissent le Christ, croient en lui, sont « baptisés » par cette rencontre personnelle du Ressuscité ; mais ils restent bornés, peureux, calfeutrés derrière leurs murs... Le Doigt de Dieu les mettra « au point » à la Pentecôte. Et cette confirmation continue pour nous et pour nos enfants.

de son Fils dans nos cœurs, criant : Abba, Père! Tu n'es donc plus esclave, mais fils, et héritier de Dieu par le Christ. »
(Gal 3, 6-7).

● Par le baptême, nous entrons dans la Famille de Dieu, « nous passons de la mort à la Vie » ; nous devenons des **vivants :** notre Résurrection est commencée. Par la confirmation, l'Esprit nous rend **vivifiants,** contagieux de la Vie. — En d'autres termes, le bapême nous fait naître de Dieu, nous rend fils et filles du Père en Jésus. La confirmation, par le témoignage et le rayonnement de cette Vie qui est en nous, veut nous rendre pères et mères spirituels, à l'imitation de Marie, Mère de l'Église.

● Par le baptême, nous sommes **appelés** et justifiés, pour être glorifiés (Rom 8, 29 s). Par la confirmation, nous sommes **envoyés** « pour faire des disciples de toutes les nations » (Mat 28, 19) et à cet effet « revêtus de puissance » (Lc 24, 29).

● Par le baptême nous devenons **disciples,** nous sommes l'Église « qui écoute la Parole et la retourne en son cœur » pour la « mettre en pratique ». Par la confirmation, sans cesser d'être disciples, bien au contraire, nous sommes **prophètes,** l'Église qui parle, qui annonce Jésus Christ, qui catéchise, qui « lutte, avec l'évêque, pour l'Évangile » (Phil 4, 3), qui rejoint sur leurs places, en leurs langages, en leurs cultures, « toutes les nations qui sont sous le ciel », c'est-à-dire les peuples, et d'abord nos milieux de vie et de travail, si divers.

● Baptisés, l'Église est pour nous une famille, **une maison,** aux multiples et amoureux services : nous y sommes nourris, instruits, consolés, lavés et blanchis, soignés... Avec le risque

Baptême et confirmation

Grâces soient à Dieu, qui dans le Christ nous emmène dans son triomphe, et qui par nous répand en tous lieux le parfum de sa connaissance. Car nous sommes bien, pour Dieu, la bonne odeur du Christ parmi ceux qui se sauvent et parmi ceux qui se perdent ; pour les uns, une odeur qui de la mort conduit à la mort, pour les autres, une odeur qui de la vie conduit à la vie. Et qui donc est à la hauteur d'une telle tâche ? Nous ne sommes pas, en effet, comme la plupart, qui trafiquent de la parole de Dieu; non, c'est en hommes sincères, c'est en envoyés de Dieu que devant Dieu nous parlons dans le Christ. (2 Cor 2, 14-17).

de rester de simples consommateurs. Confirmés, l'Église devient **une tâche** à accomplir : une communauté à animer, à construire, à étendre, à multiplier activement, chacun selon ses possibilités. L'Esprit nous rend membres actifs et responsables de la vie et de la Mission de l'Église, de la construction d'une société plus juste et plus fraternelle.

● Par le baptême nous sommes **investis**, « revêtus de Jésus Christ », pour qu'il vive en nous. Par la confirmation nous sommes plus capables de le **rayonner** : les saints, « une puissance sortait d'eux et faisait du bien à tout le monde ».

● Enfin, le baptisé **confesse** la vérité de la foi. Le confirmé la **pénètre** : « Lorsque viendra l'Esprit de vérité, il vous fera accéder à la vérité tout entière,... il vous communiquera tout ce qui doit venir » (Jn 16, 12 ss). Cf. Jn 14, 26.

A noter,
à vivre

« Je vous ai dit ces choses, quand je demeurais auprès de vous. Mais le Défenseur, l'Esprit Saint qu'enverra le Père en mon nom, vous enseignera toutes choses et vous rappellera tout ce que je vous ai dit. » (Jn 14, 25-26).

1) Pas plus que les autres sacrements, la confirmation n'est « ponctuelle » — trois p'tits tours et puis s'en vont —. Elle ouvre **une Source à jamais... mais il faut y boire.**

Son grand Souffle ne tombera plus... mais il faut lui tendre sa voile.

L'Ami ne partira plus... mais il ne faut pas le réduire au silence...

2) **Confirmer les laïcs** et ne pas les mettre **en situation de responsabilité dans l'Église,** — présenter ses enfants à la confirmation et ne pas accepter de les voir **différents, libres et responsables...** c'est ne pas savoir ce qu'on fait...

3) On parle beaucoup de « baptême dans l'Esprit » et de « mouvement charismatique ». Ces expressions sont mauvaises, parce qu'elles méconnaissent les sacrements de baptême et de confirmation d'une part, et, d'autre part, les charismes permanents, mais non spectaculaires, dont l'Église est pleine. Parlons plutôt, avec Paul VI, de « mouvement de renouveau ».

C'est, **à travers le monde chrétien, un grand souffle de l'Esprit** pour réactiver, précisément, la grâce sacramentelle dans les baptisés et les confirmés.

Ces groupes prient authentiquement dans l'Esprit, dans la mesure où ils sont reconnus par **le ministre « originaire » de la confirmation : l'Évêque.**
Pourquoi s'en méfier *a priori* alors que l'Évangile les annonce ?

« En ce temps-là Jésus, debout dans le Temple, s'écrie :
« Si quelqu'un a soif, qu'il vienne à moi,
et qu'il boive, celui qui croit en moi !
Comme dit l'Écriture :
Des fleuves d'eau vive
jailliront de son cœur. »
« En disant cela, Jésus parlait de l'Esprit Saint, l'Esprit que devaient recevoir ceux qui croiraient en lui. »

(Jn 7, 37-38.)

« Il n'y a pas une Église institutionnelle et une Église charismatique. Il n'y a qu'une seule Église, avec un aspect institutionnel et un aspect charismatique, et les deux doivent être unies, en osmose. »
(Card. Suenens, Neuchâtel, 26 avril 1977).

5

LES ÉTAPES
DE L'INITIATION

BAPTÊME - CONFIRMATION - EUCHARISTIE

Sur le point d'aborder le troisième sacrement de l'initiation chrétienne, le plus grand, l'eucharistie, nous ne pouvons reporter plus loin le débat épineux, passionné, dans la mêlée duquel on risque de se jeter mutuellement à la tête, non pas les antiphonaires du *Lutrin,* mais les exorcismes et les anathèmes : le problème du baptême des enfants.

Ce débat, nous n'allons pas prétendre le trancher. Mais seulement rappeler les éléments du problème. Pour éclairer peut-être la lanterne de tel ou tel. Pour dire en tout cas que celui qui ne respecte pas le choix des autres, même s'il ne le partage pas, celui-là oublie qu'il est un baptisé, car il pèche contre la paix commune. Pour rappeler enfin que c'est l'évêque qui est le pasteur de son diocèse et que, au lieu de nous ériger en papes, nous avons à respecter et à soutenir sa liberté pastorale.

Partons de la séquence de l'initiation : baptême-confirmation-eucharistie.

Le baptême est la « plongée » dans la mort du Christ. Mais le Christ n'est mort que pour ressusciter. Aussi, nous n'avons été immergés dans la mort du Christ que pour participer à sa Résurrection. Or il y a un sacrement de la Résurrection : c'est l'eucharistie. Le baptême appelle l'eucharistie.

La confirmation, elle, est le sacrement de l'Esprit de Vie, de l'Esprit qui ressuscita Jésus (Rom 8, 11). Elle conduit donc aussi au sacrement dont le Christ a dit : « Celui qui mange ma chair et boit mon sang a la Vie éternelle et je le ressusciterai au dernier jour » (Jn 6, 54).

Ainsi, l'eucharistie est l'aboutissement du chemin d'entrée dans l'Église, le dernier palier, le sommet de l'initiation.

Quand toute notre société était chrétienne, les « ouailles » étaient conduites aux sacrements de l'initiation un peu militairement : par âges, en ordre et dans l'ordre. On baptisait

Au sommet de l'initiation : l'eucharistie

Une machine à fabriquer des incroyants

à la naissance, on confirmait d'office « la classe » à l'âge de raison, on l'accueillait à la communion sur le seuil de l'adolescence. C'était la séquence traditionnelle : baptême-confirmation-eucharistie.

Avec la communion « privée » (?) des jeunes enfants, Pie X, sans le vouloir, introduisit un grain de sable dans ce bel engrenage : désormais, la « fournée » des baptisés de la même année connut, ensemble, les étapes sacramentelles suivantes : communion « privée », confirmation, communion solennelle dite ensuite « profession de foi » ou « fête de la foi ». On entrait ainsi « dans un ordre différent » : baptême, eucharistie, confirmation. Plus grave : la confirmation sera éclipsée par la « communion solennelle » et sombrera dans l'indifférence.

Aujourd'hui, dans un monde pluraliste où beaucoup ne croient plus, où la majorité des familles ne pratique plus, où le milieu combat, plus qu'il n'assure, la persévérance, les responsables tendent à **personnaliser la confirmation, l'eucharistie, et même le baptême :** c'est-à-dire à ne plus y conduire tous les jeunes au même pas, mais à étudier chaque cas, chaque personne, pour l'admettre, ou non, aux sacrements, selon ce qu'elle est réellement elle-même au plan de la foi. Ainsi, on ne juge plus possible d'accéder à la demande de n'importe quelle famille qui requiert le baptême de son enfant. D'un mot : **on retrouve les délais et les étapes du catéchuménat des adultes des temps non chrétiens.**

Pourquoi ? En gros, parce que notre programmation traditionnelle des trois sacrements de l'initiation est devenue « une machine à fabriquer des incroyants »... Notre monde n'est plus un monde chrétien. Aussi importante que reste la dimension familiale, la société qui est la nôtre arrache vite l'enfant à la cellule familiale pour l'exposer, presque sans protection extérieure, au bombardement intensif de l'incroyance. De tous les enfants, absolument tous, l'avenir spirituel est incertain...

Ce n'est d'ailleurs pas nouveau. Voici quarante ans, François Mauriac constatait : « La communion solennelle est le signe officiel et reconnu de tous que l'on va abandonner Jésus Christ et l'Église. » Il exagérait à peine. Mais la routine était trop impérative pour que l'on s'en avisât.

Sans vouloir du tout constituer une « réserve » de purs, il est plus que temps que l'Église se refasse un visage. Comme dit justement Henri Bourgeois : « Une Église sacramentelle, c'est d'abord une Église qui vit aussi dans la rue. » Ce qu'elle est, ce qu'elle vit, ce qu'elle fait, ce qu'elle ne fait pas regarde tous les hommes, parce qu'elle doit être signe pour tous les hommes.

D'où l'importance de la confirmation. Le baptême est le sacrement que le Christ et l'Église proposent à ceux du dehors pour les introduire « dans la maison », dans le mystère chrétien. La confirmation est celui qu'ils proposent à ceux du dedans pour les habiliter à sortir et à montrer le visage de l'Église : « Comme mon Père m'a envoyé, je vous envoie... »

Église,
il est temps
de montrer
ton visage

De là, chez certains théologiens, le souhait que la confirmation soit réservée à l'âge vraiment adulte, quand la responsabilité a atteint sa pleine stature. Autour des vingt ans... Donc bien après la première communion.

Mais n'est-ce pas compter plus sur l'homme que sur la grâce du Saint Esprit ?... C'est, en tout cas, perturber l'ordre deux fois millénaire de l'initiation chrétienne — baptême-confirmation-eucharistie — et admettre ainsi à l'autel un baptisé qui n'est pas encore « confirmé » dans son sacerdoce de fidèle...

De fait, nous l'avons dit, depuis le décret de Pie X sur la communion des jeunes enfants, la confirmation est souvent administrée après l'eucharistie. Ce n'est peut-être pas grave. Ce n'en est pas, pour autant, normal. Du moment qu'un baptisé est admis au sacrifice eucharistique, il exerce pleinement le sacerdoce chrétien ; introduit au Repas du Seigneur, il est totalement intégré à l'Assemblée. Il est donc au terme de son initiation. Conférée après l'eucharistie, la confirmation ne sera donc plus un sacrement d'initiation, d'intégration plénière à l'Église. Le sacrement n'aura plus sa pleine signification, ni, par conséquent, sa pleine efficacité. Il est vrai qu'il en gardera l'élément principal : la grâce et la responsabilité apostoliques.

Renvoyer la confirmation à l'âge des grands engagements personnels et définitifs, c'est donc une solution « bancale ».

Une solution
bancale,
mais qui peut
« marcher »

La confirmation pourrait être le sacrement des adolescents à quinze, seize ou dix-sept ans. Une telle réforme pose une question : sommes-nous actuellement capables de créer une fête nouvelle, après une formation chrétienne, sinon à inventer, du moins à repenser ?
(Serge Bonnet).

Mais chacun sait qu'un bancal n'est pas un paralysé. Beaucoup marchent, et fort bien.

Le problème fondamental

Le problème crucial n'est donc pas celui du parcours de l'initiation sacramentelle. Il est plus fondamental : cette initiation, faut-il, ou non, l'engager, la mettre en route, par le baptême? Vu le climat païen de notre temps, l'Église peut-elle continuer à baptiser le tout venant?...

Il n'est pas rare que les prêtres essuient un refus obstiné au moment où ils appellent les parents non pratiquants à assurer une certaine catéchèse de leurs enfants en première année scolaire. Et quand ils insistent : « Mais alors, cet enfant, pourquoi l'avez-vous fait baptiser? », on répond :

— Ce n'est pas nous qui voulions : il ne fallait pas contrarier les grands-parents...

— On n'était pas tellement d'accord entre nous...

— On aurait voulu attendre. Le prêtre d'alors ne l'a pas voulu...

— On a désiré qu'il soit « paré » pour toute éventualité à l'avenir, comme tous les autres. Après tout, vous étiez là pour baptiser, non?...

Des faits. Et cent autres... Alors les responsables s'interrogent : Faut-il continuer à accorder des baptêmes comme un droit, automatiquement, dès lors qu'une demande est formulée?

Réponse : « **Le baptême est signe et célébration de la foi. Il ne peut être célébré que si les parents et la Communauté sont capables d'assurer l'éducation de la foi des enfants** » (Mgr Bullet, évêque auxiliaire de Fribourg).

Que l'on ne prétende pas que le baptême est le signe de la grâce et de l'amour de Dieu pour tout homme... Il est beaucoup plus : il est entrée et accueil dans l'Église, c'est-à-dire dans une communauté qui vit de la foi et de l'eucharistie. Rien de moins.

Quant à « manifester la grâce et l'amour de Dieu pour tout homme », le fait d'exister y suffit : être créé, c'est être tiré du néant par Dieu et appelé par son nom, c'est être plongé, « baptisé », dans la vie et la tendresse du Dieu créateur. Les « sacrements » de cette tendresse, c'est la vie même — ce cœur qui bat, ces yeux qui voient, etc... —, et la fidélité de la nature où la vie se ressource : le soleil qui revient, le printemps au rendez-vous, la pluie sur nos champs...

Le baptême, lui, est à un tout autre niveau : il est une célébration de Jésus explicitement reconnu comme Sauveur, et l'entrée dans une longue et divine marche qui doit conduire à la confirmation par l'Esprit et à toute une vie d'eucharisties.

L'Église ne peut donc baptiser dans la vérité n'importe quel enfant. Elle ne l'a jamais fait. Elle n'en a pas le droit.

Elle n'en a pas le droit vis-à-vis d'elle-même : la perte de son identité serait une sorte de folie qui irait à sa disparition dans les sables d'une société non chrétienne.

Elle n'en a pas le droit vis-à-vis du Christ qu'elle « contraint » ainsi à baptiser, contre l'Évangile, celui qui ne croit ni par lui-même, ni par ses seuls répondants : son père et sa mère.

Elle n'en a pas le droit vis-à-vis de l'enfant : dans *La Croix* du 26 février 1976, un théologien invite à ne pas voir le baptême « comme un carcan qui emprisonne pour toujours »... Pardon! il inaugure, de fait, une « appartenance juridique » que ceux qui grandiront dans l'incroyance traîneront comme une chaîne, surtout quant à leur mariage : ils ne pourront se marier que selon les règles de l'Église sous peine d'être considérés et traités comme des concubins...

Dieu ? Comment on peut savoir qu'il existe puisqu'on ne le voit pas ? Si cela se trouve qu'il n'existe pas, tout le monde prie pour rien. Moi je ne prie jamais parce que ça ne sert à rien. S'il n'existait pas, alors je ferais ça pour rien. Souvent les grands-mères croient en Dieu parce qu'elles ont été élevées dans un temps où tout le monde allait au catéchisme. A première vue, mes parents ne croient pas en Dieu, mais peut-être qu'ils y croient sans nous le dire.
(Béatrice, dix ans).

Il est donc simplement honnête — vis-à-vis du Christ, de l'Église, du monde, des parents et de l'enfant — de ne pas accepter de baptiser un nouveau-né dont le milieu familial ne vit pas, au moins pauvrement, la foi « chrétienne », en liaison avec une communauté « chrétienne ».

On ne plante pas un arbre dans un désert!

Alors, refuser?...

On ne refuse pas **l'impossible.** On explique, le plus aimablement que l'on peut, que l'Église n'est pas ce que l'on pense, qu'elle n'est pas là pour conjurer les peurs obscures ni pour assurer la solennité des fêtes de famille... Il n'est

Le baptême des enfants

pas exclu que l'on obtienne, de la part des demandeurs, un
minimum d'intelligence et de respect... Et puis, peut-être y
a-t-il possibilité d'amorcer avec eux un cheminement conduit
par l'Esprit : un dialogue, une réflexion reprise fois après
fois sur un temps long, à partir de cet enfant qu'ils aiment.
Le sens de sa vie toute neuve... L'amour de Dieu pour lui...
Jésus Christ... Le baptême... Et l'engagement qu'il entraîne
dans une communauté chrétienne...

Quant aux couples chrétiens qui font partie de cette communauté, leur attitude normale est de faire baptiser leurs enfants
peu après leur naissance, comme cela se pratique à l'intérieur
de l'Église depuis le début du IIIᵉ siècle. Mais, bien plus
qu'autrefois, ils auront à témoigner par toute leur vie de ce
qu'est Jésus Christ pour eux. Et aussi bien qu'ils fassent,
eux et la communauté adulte dont il est nécessaire qu'ils
soient appuyés, rien ne les garantit contre la souffrance cui-
sante de voir leurs enfants tourner à l'incroyance. La foi
ne s'hérite pas, comme la vie, le nom, les biens, la langue.
A côté du travail de celui qui plante et de celui qui arrose,
subsiste le mystère de la liberté du « terrain ».

Faut-il s'étonner que, devant cette liberté imprévisible
qui aura à faire ses choix dans un monde hostile à la foi,
des parents chrétiens refusent d'opter pour un baptême pré-
coce ? On envisage alors une célébration en plusieurs étapes,
comme pour les adultes. A sa naissance, les parents pré-
sentent le nouveau-né à leur communauté chrétienne, qui
l'inscrit parmi les siens ; c'est désormais un catéchumène.
Puis, des années durant, ils guideront et accompagneront
l'enfant dans sa découverte progressive du Seigneur Jésus.
Mais il aura à décider lui-même de son engagement baptismal dans l'accomplissement du rite d'eau... Peut-on dire
que c'est retarder le baptême ? Disons plutôt que c'est lui
donner son temps... Et peut-être ses chances ?

Finalement, c'est chacun, c'est toute la communauté chrétienne qui est interpellée par ces problèmes. C'est nous tous.
**A tous ceux qui nous voient vivre et célébrer, don-
nons-nous l'envie de connaître Jésus Christ, d'en
suivre l'Évangile et de se retrouver tous les dimanches
avec nous autour de l'eucharistie ?**

On élève l'en-
fant, en tant que
parents, on ne
lui demande pas
s'il veut manger.
On essaie de lui
donner ce qu'il
y a de meilleur
pour lui, que ce
soit pour son
éducation sco-
laire, que ce soit
pour son ouver-
ture au monde.
Autrement on
serait indifférent
à lui... Alors ça
me fait vraiment
mal de penser
que je peux refu-
ser ou différer ce
baptême ; lui re-
fuser ce qu'il y a
de meilleur pour
lui, ça me paraît
terrible...
(Une maman
chrétienne, avril
1970).

SI L'ENFANT MEURT SANS BAPTÊME ?

L'enfant non baptisé qui, en grandissant, est devenu capable de faire usage de sa liberté, se trouve dans la situation de l'adulte non croyant ou catéchumène : sa bonne volonté est « le baptême de désir », elle est amour de Dieu, même s'il ne connaît pas Dieu. « Si quelqu'un m'aime, déclare Jésus, mon Père l'aimera, et nous viendrons à lui, et nous ferons en lui notre chez nous ».

Mais si l'enfant non baptisé meurt avant l'éveil de sa responsabilité ?

Les petits enfants morts sans baptême ont été les victimes innocentes de quelques théologiens implacables. Malheureusement, leurs opinions ont allumé la peur plus souvent que la paix des Écritures.

Saint Augustin n'hésitait pas à les envoyer en enfer... Sa thèse a scandalisé le sens chrétien du peuple de Dieu et s'est vue refusée par les maîtres de la théologie classique.

D'autres théologiens ont imaginé pour ces enfants une sorte de ciel naturel, « les limbes des enfants » : un bonheur humain sans la vision de Dieu...

L'Église ne s'est jamais prononcée sur la question des limbes. Cette opinion ne peut revendiquer aucun appui des Écritures. Au contraire, elle contredit saint Paul et, en imaginant une zone hors des frontières de la Rédemption, elle réduit indûment l'extension du Salut universel. Un schéma de Vatican I prétendait bien la proposer comme dogme de foi ; mais on n'eut pas le temps d'en discuter ; et nous sommes bien placés pour savoir que les schémas préconciliaires ne sont pas forcément la doctrine de l'Église !...

Il faut d'abord en revenir avec sérieux à cette confondante affirmation de saint Paul : « Dieu veut que tous les hommes soient sauvés. » Et quand l'Amour veut quelque chose, il s'y jette tout entier. Seul le refus obstiné peut le mettre en échec.

D'autre part, avez-vous jamais vu un seul parent chrétien

Des opinions...

Dieu notre Sauveur, veut que tous les hommes soient sauvés et parviennent à la connaissance de la vérité. Car il n'y a qu'un Dieu ; il n'y a aussi qu'un médiateur entre Dieu et les hommes, le Christ Jésus, homme lui-même, qui s'est donné en rançon pour tous. (I Tim 2, 3-6).

Des lumières...

croire que son enfant, mort sans baptême, ne jouira jamais du bonheur de Dieu?... La foi commune du bon peuple fidèle ne l'a jamais admis! Or, où est la foi de l'Église, si elle n'est pas dans cette unanimité?...

Et pouvez-vous penser que Dieu ne soit pas meilleur encore que tous ces pères et mères?... « Si donc vous, qui êtes mauvais, nous dit Jésus, savez donner de bonnes choses à vos enfants, combien plus le Père du Ciel donnera-t-il l'Esprit Saint à ceux qui l'en prient! (Lc 11, 13). Et même à ceux qui ne l'en prient pas encore, parce qu'ils ne le peuvent pas, si cet Habit de Fête leur est immédiatement nécessaire pour entrer dans la Salle du Festin.

Saint Paul d'ailleurs, dans sa première Lettre aux Corinthiens 7, 13-14, éclaire le problème d'une lumière directe. Il parle des enfants nés d'un père païen et d'une mère chrétienne, ou inversement. A l'époque, le cas était fréquent où un seul des conjoints se convertissait au christianisme. L'Apôtre enseigne que, par une sorte de contamination de la grâce émanant de la mère ou du père chrétien, le conjoint païen et les enfants non baptisés appartiennent aussi à la communauté des saints. Par le mariage en effet, mari et femme sont devenus « une seule chair » et, dans l'anthropologie biblique, les enfants sont considérés comme un seul être avec les parents.

« Le cas de nombreux enfants de parents et de régions non chrétiennes, est à élucider différemment. Il serait évidemment absurde de juger au nom d'une loi ceux qui n'ont jamais eu l'usage de la raison. Comme nous le savons, toute l'humanité concrète participe au Salut du Calvaire et de la Résurrection, à moins de s'en exclure par un acte délibéré » (Adalbert Hamman).

En somme, nous avons assez de lumière pour faire pleine confiance, pas assez pour hasarder des explications. Dieu ne nous a pas tout dit... Comment s'y prend-il pour introduire, avec les petits non baptisés, un dialogue d'amour éternel? C'est là une des nombreuses limites où bute notre ignorance. Reconnaissons nos limites, mais n'en mettons point à la puissance de la tendresse de Dieu. « Laissez venir à moi les petits enfants », dit le Sauveur.

Si un frère a une femme non croyante qui consente à cohabiter avec lui, qu'il ne la renvoie pas ; une femme a-t-elle un mari non croyant qui consente à cohabiter avec elle, qu'elle ne renvoie pas son mari. Car le mari non croyant se trouve sanctifié par sa femme, et la femme non croyante se trouve sanctifiée par le mari croyant. S'il en était autrement, vos enfants seraient impurs, alors qu'ils sont saints. (1 Cor 7, 12-14).

6

L'EUCHARISTIE :
LES SYMBOLES

UNE NOURRITURE

Pour nous permettre de le rencontrer dans les sacrements, le Christ s'est rendu présent et agissant dans des actes profondément humains : le bain d'eau du baptême, l'onction d'huile de la confirmation. En les « habitant » personnellement de sa puissance et de son amour, en les « sur-déterminant » comme disent les sociologues, en les « sur-naturalisant » comme disaient nos catéchismes, il ne les vide pas de leur consistance humaine, de leur signification quotidienne. Au contraire, c'est à partir de cette signification naturelle qu'il en fait les signes efficaces de son action divine. Ainsi, nous l'avons vu, pour le bain baptismal, pour l'onction de l'Esprit Saint. Ainsi pour l'eucharistie que nous abordons maintenant.

Malheureusement, pour l'eucharistie comme pour le baptême, les symboles institués par le Seigneur avaient pratiquement presque disparu de notre pauvre liturgie. Le geste dense du repas rituel partagé autour du Seigneur s'est trouvé peu à peu réduit à une « cérémonie »... Où sont le « partagez entre vous », le « pain » et le « vin », le « prenez et mangez... tous », le « prenez et buvez... tous »?... On a cédé aux difficultés du nombre ; on a plié à la facilité ; on a calculé à l'économie ; une théologie des « poussières » saintes l'a emporté sur les injonctions de Jésus.

Le Concile a commencé à réagir ; mais seule une minorité sort vraiment de ses routines.

Osons quand même espérer que, sans tomber dans le prosaïsme des gestes quotidiens, la symbolisation annoncée par l'Écriture, vécue et voulue par le Christ, retrouvera sa réalité significative et chaleureuse.

Supposons le problème résolu et approfondissons le sens des symboles eucharistiques.

Ce que nous appelons justement le « sacrifice » de la messe a été institué par Jésus comme **un repas :** « Ma chair est une vraie nourriture et mon sang une vraie boisson » (Jn 6, 55). **Un repas fraternel :** « Prenez et partagez entre vous » (Luc 22, 17). **Un repas de pain et de vin.** Ces réalités quo-

Retrouver les symboles

La Sagesse a bâti sa maison, elle a taillé ses sept colonnes, elle a abattu ses bêtes, elle a mêlé son vin, elle a aussi dressé sa table. Elle a envoyé ses servantes, elle crie sur les cimes des hauteurs de la ville : « Quelqu'un est-il naïf, qu'il passe par ici ! » A qui manque d'esprit elle dit : « Venez, mangez de mon pain, et buvez du vin que j'ai mêlé. » (Prov 9, 1-5).

tidiennes sont par elles-mêmes lourdes de sens humain.
A travers elles, le Christ veut nous communiquer des réalités
infiniment supérieures : sa croix et sa Résurrection, son corps
et son sang sacrifiés et glorifiés, la communion avec Dieu et
entre nous dans l'unique Corps du Christ. Mais si, pour
effectuer cet insondable « mystère de la foi », il emploie un
repas fraternel de pain et de vin, c'est que, comme dans tous
les sacrements, le symbolisme est parlant ; c'est que le signe
réalise ce qu'il dit.

Que dit-il ?... Et d'abord, que dit ce sacrement-nourriture,
ce « Prenez et mangez » ?

Il dit : vie ; il dit : communion à l'univers et à Dieu.

« *Mangez...* *Buvez...* »

Nous ne pouvons pas vivre sans un échange perpétuel avec
l'univers, le « cosmos ». Nous n'y pensons pas. Mais si l'air,
ou la pression atmosphérique, ou la température venaient à
nous abandonner brusquement, nous serions aussitôt titubants,
aveugles, sourds, bouche ouverte, comme un poisson hors de
l'eau, et bientôt étendus, raidis et givrés comme au congéla-
teur...

Cette relation vitale au monde, nous en avons davantage
conscience dans le domaine de la nourriture. Au point que
l'on marque les étapes de l'humanité à partir de ses progrès
dans les techniques de subsistance : on distingue ainsi l'âge
de la cueillette, celui de la chasse et de la pêche, puis de la
domestication des animaux, de l'agriculture... C'est que, si
l'air du temps est à notre portée pour respirer, l'aliment, lui,
il nous faut le chercher ou le produire. Il nous force donc à
prendre conscience de notre dépendance par rapport aux
ressources cosmiques : sans nourriture quotidienne, perpé-
tuellement renouvelée, nous défaillons.

**La première vérité qui s'impose à un être humain,
c'est que, s'il cesse de manger, il cessera de vivre.**

Heureusement, le Créateur a dressé devant lui la table où
se servir. « Prenez et mangez... Prenez et buvez. » L'Occi-
dental suffisamment payé et rondement nourri ne perçoit plus
le merveilleux et le tragique de cet enracinement au cosmos.
Le paysan sait, à sa joie ou à ses dépens, quand il a labouré,
semé, sarclé, que c'est sa vie qui est en jeu. La pluie peut

Yahvé est mon
berger : je ne
manque de rien.
En des prés
d'herbe tendre il
me parque, vers
les eaux du repos
il me mène, il

manquer au point de réduire sa plantation en poussière ; elle peut abonder jusqu'à pourrir son blé doré à point pour la moisson. Le Targui du Sahel regarde vers les nuages d'où lui tombera la tornade ou la mort...

Manger son pain et boire son vin, c'est donc, d'abord, vivre. C'est brancher sa vie sur Celui qui est le Créateur de l'univers et le Maître de la pluie et de la croissance, le Vivant.

« C'est Dieu qui fait mourir et qui fait vivre », répète l'Écriture (Deut 32, 39 ; Tob 13, 2 ; Sag 16, 13).

La transposition est évidente vers l'eucharistie : « De même que sans pain et vin, ou quelque chose qui leur correspond, les corps les plus vigoureux se délabrent bientôt, de même, sans la vertu du corps et du sang du Christ, les âmes les plus saintes sont condamnées à périr bientôt. Et de même que le pain et le vin entretiennent notre vie naturelle, de même notre Seigneur Jésus, par l'apport continuel de force de grâce que représentent le pain et le vin, soutient-il vraiment cette vie spirituelle qu'il nous a procurée par sa Croix » (John Wesley).

Ainsi donc, dans l'eucharistie, le pain et le vin consacrés vont signifier efficacement le corps et le sang du Christ comme source de vie divine pour celui qui mange et boit avec foi. Parce qu'ils sont, d'abord, une nourriture et une boisson.

Or — faisons un pas de plus — **par la nourriture et la boisson, l'homme « communie » à l'univers et l'univers « communie » à l'homme.**

Le philosophe matérialiste allemand Feuerbach a affirmé : « L'homme est ce qu'il mange. » Il voulait dire que l'homme n'a pas de dimension spirituelle ; qu'il n'est rien de plus que le bifteck ou l'endive qui passe de son assiette à son estomac...

Le pauvre! en prétendant réduire « l'animal humain » à ne faire qu'un avec la matière, il exprimait au contraire la conception la plus religieuse, et de l'homme, et du monde. Voici comment :

1) **L'homme, cette image de Dieu, l'homme ce fils de**

restaure mon âme ; par de bons sentiers il me guide, à cause de son Nom.
Dussé-je cheminer par un val ténébreux, je ne craindrais nul mal, car tu es avec moi ; ton bâton, ta houlette, voilà mon réconfort.
Devant moi tu dresses une table face à mes adversaires ; tu parfumes d'huile ma tête, ma coupe est débordante.
Oui, bonheur et fidélité m'escorteront tous les jours de ma vie ; j'habiterai la Maison de Yahvé en la longueur des jours.
(Ps. 23).

« Ceci est mon corps, ceci est mon sang »

L'Eucharistie protège le monde et déjà, secrètement, l'illumine. L'homme y retrouve sa filiation perdue, il puise sa vie dans celle du Christ, l'ami secret, qui partage avec lui le pain de la nécessité et le vin de la fête. Et le pain est son corps, et le vin est son sang, et dans cette unité plus rien ne nous sépare de rien ni de personne. Que peut-il y avoir de plus grand ? C'est la joie de Pâques, la joie de la transfiguration de l'univers. Et nous recevons cette joie dans la communion des saints et la tendresse de la Mère. Alors plus rien ne peut nous faire peur. Nous avons connu l'amour que Dieu a pour nous, nous sommes des dieux. Désormais, tout a un sens. Toi, et toi encore, tu as un sens. Tu ne mourras pas. Ceux que tu aimes, même si tu les crois morts, ne mourront pas. Ce qui est vivant et beau, jusqu'au dernier brin d'herbe, jusqu'à cet instant fugitif où tu as senti tes veines pleines d'existence, tout sera vivant à jamais.

Dieu, est l'invité permanent à la table du cosmos. Devenant « ce qu'il mange », il intègre le monde à sa chair et à son sang.** Il prend l'univers dans ses mains, le porte à sa bouche, le véhicule dans ses veines et l'assimile à son corps. A son corps et à son esprit, qui ne font qu'un car il est corps spirituel, ou esprit incarné, comme vous voudrez. Il « communie » au monde matériel, dont il peut dire : « Ceci est mon corps, ceci est mon sang. »

Il devient ainsi la chance d'une « montée » de cet univers, puisque toute la création matérielle, jusqu'aux étoiles, est appelée, réciproquement, à « communier » à l'homme, devenant son corps, son esprit, son cœur, son action, son amour, sa prière, sa foi, par l'apport de sa lumière, de ses radiations, de son atmosphère et, tout spécialement, par l'assimilation qu'il en fera en mangeant et buvant. Ils prennent corps l'un par l'autre.

2) Or — mystère de foi! — cette percée ascendante va mener l'univers — et l'homme — tellement plus haut que l'homme! Car, parmi les hommes, Dieu s'incarnera. Comme tout autre homme, **l'Homme-Dieu communiera donc au cosmos et le cosmos à Dieu parce qu'il mangera et boira.** Il deviendra ce qu'il mangera, et ce qu'il mangera deviendra son corps et son sang divins.

3) Plus encore, si c'est possible... Il ne s'incarnera que pour être « le premier-né d'une multitude de frères » en divinisation. Rien de moins. Dès lors, par leur foi et leur baptême, **l'univers a chance divine, non seulement en Jésus de Nazareth personnellement, mais à travers cette multitude de frères de Jésus,** comme lui fils et filles du Père, qui mangeront et qui boiront des fruits de ce monde et en feront leur corps...

4) Cependant, cette ascension vertigineuse de la création trouvera son sommet plus haut encore : dans l'eucharistie. L'univers fournira le pain et le vin que l'Esprit Saint changera au corps et au sang du Seigneur ; l'homme mangera et boira ce pain et ce vin consacrés ; l'un et l'autre seront ainsi « assimilés » au Christ ressuscité. **Dieu pourra dire en vérité**

sur ces éléments, sur ce communiant, sur cette assemblée : « Ceci est mon corps... Celui-ci est mon corps...
Ceux-ci, ensemble, sont mon corps... »

Même la souf-
france, même la
mort ont un sens,
deviennent les
chemins de la vie.
Tout est déjà vi-
vant.
Parce que le
Christ est ressus-
cité.
(Athénagoras).

VIVRE EN EUCHARISTIE

Laissant de côté les formules abstraites dont on a bardé
plus que d'autres le sacrement de l'eucharistie, poursuivons
la démarche vitale, quotidienne, dans laquelle le Christ nous
entraîne. Car, ce qu'il a institué, c'est une action organique,
saisissant la réalité la plus naturelle du monde, pour la transformer toute par sa Résurrection. Restons-en donc encore à
cet aspect premier du symbole sacramentel : la nourriture.

A travers la Bible, Israël apparaît — comme tous les peuples
d'autrefois et d'aujourd'hui — d'abord comme un peuple
qui a faim et soif, qui va de puits en puits, de moisson en moisson, du pâturage à l'arbre fruitier, du lait à la viande de son
troupeau. C'est un peuple qui mange.

« Manger dans la main de Dieu »

Mais « il mange dans la main de Dieu » (Qoh 2, 24). Il
sait — et ses voisins païens aussi le devinent — que tout ce
qui existe est don de Dieu, — et n'existe que pour faire connaître, goûter la paternité de Dieu, — pour faire de la vie de
l'homme une communion avec Dieu... Le fruit et l'eau, le lait
et la viande, l'air et le soleil, c'est l'amour divin fait nourriture,
fait vie, pour l'homme.

Aussi, Dieu « bénit » tout ce qu'il crée. Cela veut dire qu'il
fait, de la création, le signe et le moyen de sa présence, de son
amour, de sa révélation à l'homme.

— Mais, dira-t-on, l'homme n'est pas le seul à avoir faim.
Tout ce qui vit, vit de manger. L'animal aussi mange dans la
main de Dieu!...

« *Bénir*
Dieu »,
« *rendre*
grâces »

Bénis   Yahvé,
mon   âme,   que
tout   mon   être
(bénisse)   son
saint Nom! Bénis
Yahvé, mon âme,
n'oublie   aucun
de ses bienfaits!
Lui qui pardonne
toutes tes fautes,
lui qui guérit tou-
tes tes maladies,
lui qui rachète ta
vie de la fosse, lui
qui te couronne
de fidélité et de
miséricorde, lui
qui   rassasie   de
biens tes années,
pour que ta jeu-
nesse se renou-
velle comme l'ai-
gle.
(Ps. 103, 1-5).

La femme vit que
l'arbre était bon à
manger,   qu'il
était agréable aux
yeux,   et   qu'il
était, cet arbre,
désirable   pour
acquérir l'intelli-
gence. Elle prit
de son fruit et
mangea, elle en
donna aussi à son
mari   qui   était
avec elle, et il
mangea.
(Gen 3, 6).

— Certes, mais la vocation de l'homme dans l'univers est
unique : tous les autres mangent et vivent pour être au service de l'homme, éventuellement pour être sa nourriture. Tel
est le sens de cette solennelle présentation de l'Eden où **il
appartient à Adam de « nommer » toute créature,
c'est-à-dire d'en prendre possession comme don de
Dieu et de Lui en rendre grâces** (Gen 2, 19).

Aussi, l'homme est le seul à qui il soit demandé de « bénir »
Dieu pour la nourriture et la vie, et toute cette nature qu'il
reçoit de Lui. C'est à lui, à lui seul, de répondre à la bénédiction de Dieu par sa propre « bénédiction » de reconnaissance.

Cette bénédiction n'est pas, de soi, un acte cultuel. C'est
la manière la plus naturelle de vivre pour quelqu'un qui sait
que le monde est don de Dieu. Dieu a béni le monde, béni
l'homme, béni toute créature pour l'homme, sa première
créature, béni le septième jour c'est-à-dire le temps de
l'homme. Cela veut dire qu'il a rempli tout ce qui existe de sa
bonté, qu'il a fait tout « très bon » par tendresse pour l'homme..
A la manifestation de l'amour de Dieu qui jaillit dans la création et dans l'histoire humaine, répondent normalement
le merci et la louange de l'homme. Dieu se révèle en créant
des merveilles ; l'homme répond en « bénissant » le Dieu des
merveilles. Et voilà l'eucharistie.

**« Bénédiction » et « eucharistie », ont pratiquement
le même sens : « action de grâces », « remerciement ».**

A moins d'être conditionné par le milieu, l'homme connaît
spontanément ce sens divin des aliments qui soutiennent sa
vie : qu'ils sont pour lui branchement sur le Dieu vivant. Ou
alors, c'est la rupture...

Ce n'est pas par hasard que la mise en scène biblique de
la chute est centrée sur la nourriture. L'homme et la femme
ont mangé à l'arbre de mort, ils ont mordu au fruit défendu :
image d'un monde économique où Dieu n'est pas reconnu, qui
n'est pas reçu de Lui comme un don, dans « l'action de grâces »,
dans « l'eucharistie »... C'est le péché d'une masse d'hommes,
qui voient le monde comme une réalité opaque, et non pas
traversée par la présence de Dieu. Il semble, hélas! naturel à
beaucoup de ne pas vivre en action de grâces — en eucharistie — pour le don que Dieu nous fait du manger, du boire,
et de la vie dont ils sont la racine quotidienne. Errement de

ceux qui, le dimanche, préfèrent travailler pour la nourriture plutôt que d'offrir l'eucharistie à Celui qui fait vivre.

Le mouvement irrésistible du croyant est, au contraire, de faire remonter vers Dieu cette vie qui vient de lui. Et comment le faire mieux qu'en offrant les éléments de notre nourriture ? Nous savons que la nourriture est vie, et que le monde entier a été créé pour nourrir l'homme. Offrir à Dieu nos vies, à travers la nourriture qui en est le symbole expressif, c'est la fonction « eucharistique » primordiale de l'homme. Cette démarche peut seule valoriser, « éterniser » tout ce qui existe et lui donner sens.

« Prendre en nos mains le monde entier comme on prendrait une pomme », a dit un poète russe. Non pour la dérober et la manger dans la révolte ou l'indifférence ; mais pour l' « offrir » en reconnaissance à Celui de qui nous tenons tout. C'est le geste qu'Adam n'a pas su faire. C'est le geste du « sacrifice ».

Le sacrifice devrait être l'acte le plus naturel de l'homme. Les païens en ont eux-mêmes trouvé spontanément le chemin. Le sacrifice est amour : merci à Dieu, partage aux autres. Où trouver, ailleurs que dans le sacrifice, le sens et la joie de vivre ?

Aussi, nous mangeons entre le « bénédicité » et les « grâces », c'est-à-dire dans l' « eucharistie ». Et nous offrons à Dieu le monde et nos personnes. Mais, chrétiens, nous le faisons « dans le Christ ». Nouvel Adam, il a tout effacé et tout offert. Une fois pour toutes, il a accompli cette eucharistie en « offrant » sa vie, en « sacrifiant » sa vie, au Père et à tous ses frères. Le seul merci du monde, c'est le Christ. La seule eucharistie.

Quel arbre est plus beau que la Croix ? Quel fruit est plus merveilleux que celui qui pend à ce Bois d'Amour ? Il nous est donné ; nous le cueillons pour l'offrir au Père : Il nous le remet dans les mains pour nous en faire vivre. Tel est le Sacrifice, et l'Eucharistie, et l'Aliment de Vie éternelle.

Dimanche après dimanche, nous venons et revenons avec nos existences dans les mains, nos pauvres vies à offrir. Or voilà que nos mains sont pleines du corps du Christ, de ce

« Offrande »
et
« sacrifice »

Les mains ouvertes devant toi Seigneur pour t'offrir le monde,
Les mains ouvertes devant toi Seigneur, notre joie est profonde.
(O. Vercruysse).

Pain où tout est offert, tout sacrifié... Dans nos mains, dans nos vies, le Père ne voit plus que son Fils bien-aimé...

Le plus simple repas, le moindre morceau de pain devrait nous jeter en adoration... Et nous préparer à l'eucharistie.

DU PAIN ET DU VIN

« Le soir du Jeudi Saint, pendant qu'ils mangeaient, Jésus prit du pain, dit la bénédiction, le rompit, le donna aux Apôtres et dit : « Prenez ; ceci est mon corps. » Puis, prenant une coupe, rendant grâces, il la leur donna, et ils en burent tous. Et il leur dit : « Ceci est mon sang, le sang de l'Alliance, versé en faveur d'une multitude. En vérité, je vous dis que jamais plus je ne boirai du produit de la vigne, jusqu'au jour où j'en boirai du nouveau dans le Royaume de Dieu » (Mc 14, 22-25).

Les nourritures de base

Bénis le Seigneur, ô mon âme! Seigneur, mon Dieu, tu es si grand!... Tu fais germer l'herbe pour le bétail, les plantes pour le travail de l'homme, pour qu'il tire le pain de la terre et que le vin réjouisse le cœur du mortel, pour qu'il fasse briller son visage avec l'huile, et que le pain réconforte le cœur du mortel. (Ps. 104, 1, 14-15).

Le pain et le vin sont les nourritures de base, symboles de toutes les autres. Du moins dans notre civilisation occidentale... On mange son pain ; on trempe son pain dans les larmes, ou dans la joie, ou dans la sueur, ou dans le sang ; on gagne son pain, c'est-à-dire sa vie même ; au Père on demande son pain du jour, c'est-à-dire de quoi vivre. C'est à la faim des hommes que le Christ s'adresse par l'eucharistie.

Quant au vin, il est nécessaire pour un repas complet et festif. Sinon on est condamné à manger son pain sec. Il ajoute au « casse-croûte » cette note d'allégresse sans laquelle « ce n'est plus une vie ». L'homme en effet ne vit pas seulement de pain ; il a besoin, pour le digérer, de ce minimum de joie dont le jus de la vigne est le symbole efficace :

« Pour les hommes, le vin est comme la vie,
si on le boit avec modération.
Quelle vie pour celui qui manque de vin?
Aussi bien fut-il créé pour apporter la joie.
Le vin apporte allégresse du cœur et joie de l'âme,
quand on le boit à propos et juste ce qu'il faut »
(Sir 31, 27 ss).

Pour préparer la Vie et la Fête éternelles, Jésus « prend donc du pain et une coupe de fruit de la vigne ».

« Fruits de la terre... »

Ces éléments, pour lui d'abord, et aussi pour ceux qui l'entourent, sont porteurs de tout un symbolisme. Et d'abord de toute une puissance évocatrice que nous appellerons « naturelle » à condition de ne pas oublier que pour le sémite — et pour le chrétien — toute la nature est don et présence de Dieu.

Tout d'abord, comme disait la prière juive de bénédiction reprise aujourd'hui à la messe, ce pain et ce vin sont des « fruits de la terre ». Enracinés dans la terre, ils y collectent toutes les énergies profondes et obscures du sol pour en vivre et nous en faire don. Poussant bientôt à la surface, et tout en continuant à aspirer toutes les puissances du terrain, ils s'approprient, pour croître, toutes les énergies du ciel : ils assimilent la pluie et le vent, la lumière et la chaleur, les rayons et les forces cosmiques. Dans le blé comme dans le raisin se donne rendez-vous l'univers entier.

Ainsi, tout le cosmos se presse à la table de l'homme... Tout le cosmos est donc invité à la table de Dieu... Tout le cosmos sera un jour saisi dans la présence et la puissance d'amour du Christ ressuscité...

Les aliments carnés sont aussi, à leur manière, des fruits de la terre, puisque les animaux tirent leur subsistance de l'air, du sol et des fonds marins. Cependant, le Seigneur n'en fera pas la matière eucharistique. Le pain et le vin sont des nourritures végétales. Pour trois raisons, semble-t-il :

Nourritures végétales

1. La Genèse nous présente les plantes et les fruits comme le menu exclusif de l'homme dans **un monde sans péché où le sang ne coule pas,** ni celui de l'homme, ni celui des animaux :

« Dieu créa l'homme à son image... et dit : Voici, je vous donne toute herbe qui porte sa semence sur toute la surface de la terre et tout arbre dont le fruit porte sa semence : ce sera votre nourriture » (Gen 1, 29).

Le Créateur soumet à l'homme la totalité des animaux et de la terre ; mais sa nourriture, ce seront les fruits, les plantes :

grains broyés de froment, de seigle, de riz, de maïs, de mil et de raisins... La Terre ne sera avare qu'après le péché.

Dès lors les consignes données à la génération pécheresse du Déluge seront moins végétariennes : « Tout ce qui remue et ce qui vit vous servira de nourriture, comme déjà l'herbe mûrissante, je vous donne tout. Toutefois, vous ne mangerez pas la chair avec sa vie, c'est-à-dire son sang » (9, 3 s).

Quant au poisson, dépourvu de sang, il figure plusieurs fois au menu des repas évangéliques de Jésus, avant ou après la Résurrection. Aussi fut-il retenu par le rituel eucharistique de quelques communautés primitives. Le poisson n'est-il pas, au surplus, le symbole du Messie par ses lettres grecques ? Mais, s'il multiplia deux fois des poissons avec les pains, le Christ à la Cène, avec le vin, ne consacra et ne partagea que du pain...

2. Si la matière de l'eucharistie est constituée d'éléments végétaux, ce n'est en rien pour promouvoir une diététique végétarienne, on s'en doute. Mais il fallait absolument se dégager des sacrifices d'animaux où le sang coulait à flots dans les bassins du Temple : affirmer qu'**une Alliance nouvelle est là.**

3. Il fallait surtout marquer qu'un seul sacrifice fut offert une fois pour toutes, **un seul sang versé une fois pour toutes.** C'est le grand thème de l'Épître aux Hébreux, surtout chapitres 9 et 10. Le repas sacré des chrétiens ne versera donc point d'autre sang : il est mémorial, c'est-à-dire rappel et présence sacrificielle de la Croix, re-présence, représentation de l'unique sacrifice du Calvaire.

Ces végétaux — pain et vin — sont ainsi assez loin des sacrifices païens ou juifs pour éviter toute équivoque.

Et ils sont assez près du sacrifice de Jésus pour en être les signes expressifs :

La Pâque des Juifs approchait. Jésus monta à Jérusalem. Il trouva dans le Temple les marchands de bœufs, de brebis et de pigeons et les changeurs assis à leurs comptoirs. Se faisant un fouet de cordes, il les chassa tous du Temple, avec leurs brebis et leurs bœufs ; il dispersa la monnaie des changeurs, renversa leurs tables et dit aux vendeurs de pigeons : « Otez cela d'ici ! » (Jn 2, 13-16).

« *Si le grain ne meurt...* »

Car ce blé et ce raisin n'échappent pas au passage par la mort avant de parvenir à leur consécration. Pour devenir du pain, les grains de froments sont moulus ; pour devenir du vin, les grappes de vigne sont pressées et comme saignées. Dans l'Écriture et le langage courant, la meule évoque la souffrance ; et le pressoir, le broiement de la torture, le sang versé.

Il faut insister sur l'aliment du pain. Si le vin est privilégié aux noces de Cana (Jn 2), le pain l'est plus encore, multiplié sur la montagne et commenté dans le Discours du Pain de Vie (Jn 6). Et Jésus lui-même se compare au grain de blé (12, 24) : s'il ne meurt pas, il reste seul, stérile ; mais s'il tombe en terre et meurt, il porte beaucoup de fruit.

Cycle dramatique du blé! Tout son avenir est de mourir en terre pour surgir et se multiplier en moisson. Mais la moisson n'a de sens que pour être à son tour fauchée, battue, moulue, pétrie, cuite et, finalement, rompue. C'est à travers cette double mort qu'elle donne ce bon pain qui fera vivre l'homme. Quel chemin de mort! Mais pour nourrir la vie!... Image expressive de Jésus broyé en Passion, mort en Croix, mis au tombeau, pour ressusciter, et devenir, sous d'humbles apparences à manger, ce Pain vivant et qui fait vivre : l'eucharistie.

Dans le pain et le vin, la tragédie de la mort de l'Unique pour la vie de tous les autres est donc signifiée, éloquente à qui sait entendre. Tandis que le choix du végétal répond à l'impératif de ne pas détourner nos regards du seul corps où s'opère le Salut, du seul sang vraiment sacrificiel, — c'est-à-dire du seul corps et du seul sang agréés par Dieu, — de la seule mort où furent baptisés l'homme et le monde.

Or, il y avait à Cana six jarres contenant chacune deux ou trois mesures. Jésus dit aux servants : « Remplissez d'eau ces jarres. » Ils les remplirent jusqu'au bord. «Puisez maintenant, leur dit-il, et portez-en à l'intendant du festin. » Ils lui en portèrent. Quand l'intendant eût goûté l'eau changée en vin, il appela le marié et lui dit : « Tout le monde sert d'abord le bon vin, et, quand les gens sont gris, le moins bon. Toi, tu as gardé le bon vin jusqu'à présent. » (Jn 2, 6-10).

Le raisin ne partage pas le sort du blé dans sa première destruction : tomber en terre et mourir. Mais la vendange connaît bien un sort semblable à celui de la moisson : être écrasée, pour ensuite assouvir l'homme et l'enchanter. Pour devenir, elle aussi, ni plus ni moins que l'homme qui la verse dans sa coupe.

Il faut s'arrêter à cette « coupe ». Le Christ « prend une coupe » de vin rouge. Il dit : « Cette coupe est la Nouvelle Alliance en mon sang (Luc et 1 Cor 11, 25), en mon sang « qui est répandu ». Ainsi parlent les évangiles.

« La coupe de mon sang »

Car ainsi m'a parlé Yahvé, Dieu d'Israël : « Prends de ma main cette coupe du vin de la fureur, et tu la feras boire à toutes les nations vers lesquelles je t'envoie ; elles boiront, tituberont et deviendront folles, à cause du glaive que j'envoie parmi elles ! » Je pris la coupe de la main de Yahvé et je fis boire toutes les nations vers lesquelles m'avait envoyé Yahvé : Jérusalem et les villes de Juda, ses rois et ses chefs, pour en faire une ruine, une dévastation, un persiflage et une malédiction ; Pharaon, roi d'Égypte, ses serviteurs, ses chefs et tout son peuple ; tout le [peuple] mêlé ; tous les rois du pays des Philistins, etc. (Jér 25, 15 ss).

● Un sang peut être répandu dans un accident, une hémorragie maladive, une opération chirurgicale, un crime. Ce sang n'a plus alors de valeur, précisément parce qu'il est répandu, **perdu :** le patient en est privé, vidé. Ce sang, on ne le recueille pas, parce qu'on ne sait qu'en faire. On l'évacue aux égouts et on en lave la trace.

● Un sang peut être prélevé sur **un donneur.** Il est alors précieusement recueilli : c'est de la **vie partagée,** en faveur d'un malade exsangue ou d'un blessé saigné à blanc.

● Un sang peut être enfin répandu en sacrifice religieux. Il est alors **choisi :** on sacrifie ce que l'on a de meilleur. Il est répandu, mais recueilli, pour n'être pas perdu. Car il doit être **offert.** Et peut-être **répandu** en libation ou **partagé** en aspersion, voire en boisson.

La « coupe » nous dit donc tout de suite de quel sang il s'agit dans l'eucharistie : sang précieux, recueilli pour être offert, dans une coupe pour le passer à la ronde afin que chacun en boive. « Le sang de la Nouvelle Alliance répandu dans une coupe », cela veut dire le don de la vie et du sang du Christ, offert au Père en sacrifice infini et aux chrétiens en communion de Salut.

« La coupe de bénédiction » (1 Cor 10, 21) remplace à jamais « la coupe de la colère » (Jér 25, 15 ss).

« Fruit du travail des hommes »

Il faut que nous prêchions et pratiquions ce que j'appellerai l'Évangile de l'Effort humain... 1. Pendant une première phase d'initiation, je

Le pain et le vin, « fruits de la terre », ne sont pas des produits bruts ; ils sont aussi les « fruits du travail des hommes ». « Tu mangeras ton pain à la sueur de ton front » (Gen 3, 19). Dès lors, **le pain et le vin, ce sont aussi des hommes.**

● **Des hommes avec leur dimension spirituelle, avec leur activité intelligente.** En effet, le pain et le vin sont des aliments élaborés, donc propres à l'homme. Le Seigneur n'a pas fait choix de fruits, de viande, de miel : les animaux s'en repaissent aussi ; il suffit de brouter, de cueillir, de chasser. Tandis que le pain et le vin, il faut les faire, il faut savoir les bien faire. Cela demande une série d'opérations intelligentes qu'il a fallu inventer, puis transmettre, perfectionner. C'est toute une histoire, comme on dit profondément. Le pain et le vin ne représentent donc pas seulement la vie de l'homme dans ce qu'elle a de plus instinctif — se nourrir —, mais aussi dans ce qu'elle comporte de plus actif, de plus industrieux, de plus intelligent. Ils tiennent davantage de l'homme créateur, que du consommateur.

En offrant à Dieu du pain et du vin pour être transformés en son corps et en son sang, c'est donc aussi notre activité manuelle et intellectuelle, notre histoire humaine que nous lui offrons et qu'il intégrera à son sacrifice pour leur donner une dimension divine et éternelle. Les nôtres, et celles de tout le monde du travail.

● Le pain et le vin, ce sont aussi **des hommes avec leurs peines.** Le pain, ce sont des travailleurs qui ont labouré et semé, moissonné et battu, moulu et pétri. Le vin, ce sont des vignerons qui ont défoncé le terrain pierreux et planté les ceps, butté, arrosé, sarclé, taillé, effeuillé, sulfaté chaque pied, cinq fois, dix fois, sous un soleil vertical. Ils y ont sué sang et eau un peu comme le Christ en agonie.

Ce sont leurs sueurs et leur peine qui sont là, sur nos tables, sur nos autels. Elles y rendent présents tous les travailleurs du monde. Le sacrifice eucharistique sera fait aussi de leurs journées de labeur, de la vie qu'ils ont donnée ainsi pour leurs frères.

● Enfin, le pain et le vin, ce sont **des hommes ensemble** au travail, chacun fidèlement à sa place dans la longue chaîne qui nous permet de rompre la miche et remplir les verres. Depuis l'ouvrier agricole qui ouvre le sol à la pioche ou au tracteur, jusqu'à la porteuse de pain qui trottine au petit matin parce que certains l'aiment chaud. Des Français et des immigrés, des conservateurs et des progressistes, des fervents et des mal-croyants, des capitalistes et des socialistes... Ensemble. Pour ce pain et ce vin, ils se sont donné la main. Ils sont donc tous présents, ensemble, pour nous, dans cette bouchée de pain, dans cette gorgée de vin.

Sur la table eucharistique, comme sur ma table familiale, je trouve ainsi la solidarité des hommes dans leur diversité,

pense qu'il faudrait développer — dans ceux qui croient en Jésus Christ, aussi bien que dans les incroyants — une plus grande conscience de l'Univers ambiant, et de notre capacité d'action sur son développement... 2. La phase proprement chrétienne de l'Évangélisation de l'Effort humain consisterait (dans mon idée) à présenter Jésus Christ aux Hommes comme le terme même, entrevu par eux, du développement universel, eux ne pouvant (en vertu de la surnaturalisation du Monde) être consommés que dans son Unité — Lui ayant besoin, pour atteindre sa plénitude, de s'enraciner dans la totalité de chacun d'eux. N'est-ce pas la moelle même des enseignements de saint Jean et de saint Paul? (Teilhard de Chardin).

Comme ce pain rompu, autrefois disséminé sur les montagnes, a été recueilli pour devenir un seul tout, qu'ainsi ton Église soit rassemblée des extrémités de la terre dans ton royaume.
Car c'est à toi qu'appartiennent la gloire et la puissance par Jésus Christ dans les siècles!
(Didaché).

la chaine des travailleurs dans leurs dissemblances, voire leurs oppositions. Toute cette convergence des hommes est reprise par le Christ — « J'attirerai tout à moi » —, assumée par le Christ, offerte par lui au Père en ce sacrifice « qui est notre paix, qui unifie ce qui était divisé et détruit les murs de séparation » (Éph 2, 14). Que d'hommes au travail ont ainsi, sans le savoir, rendez-vous à la messe, dans ce pain et ce vin qui sont leur labeur collectif!

A nous de le savoir, et d'être, avec le Christ, leur lien conscient et émerveillé. Leur prière et leur « communion ». Et pas seulement leur « profiteur ». Ce rassemblement, à travers nous, du monde émouvant des travailleurs est un des offices majeurs de notre sacerdoce de baptisés. « Si tous les gars du monde savaient se donner la main... »

Osera-t-on une question ?

Le pain de froment et le vin de raisin, c'étaient, au pays de Jésus comme au nôtre, des aliments du cru, fruit du travail des hommes du terroir. Mais là où l'on ne cultive ni blé ni vigne ?... Là où notre pain et notre vin ne peuvent être que des produits importés, « colonialistes » ? En Asie, les aliments courants sont le pain de riz et le thé ; dans de larges pans d'Afrique, on vit de galettes de mil arrosées de « dolo ». Y est-on à jamais lié, pour l'eucharistie, au pain et au vin d'ailleurs, fruits du travail d'ailleurs ?...

Il faut « refaire ce que le Christ a fait », pour sûr. Et l'on peut dire : « Il a pris du pain de froment et du vin de raisin, non du riz ou du mil, non de la bière ou du thé ». Mais on peut dire aussi : « Il a pris les aliments courants du pays où il vivait, sortis des mains des travailleurs de l'endroit »... Imaginez que le Christ soit né au Vietnam, et que les Bourguignons et les Valaisans soient astreints à célébrer la messe avec du thé « pour faire ce que le Christ aurait fait ». Ils se récrieraient : « Ce thé n'est pour nous que tisane! »

Si le champ de mil et de sorgho germe à la gloire de Dieu, à quand le jour où ces humbles fruits de notre terre seront eucharistiés ?
(Anselme Titianma Sanon, évêque de Bobo-Dioulasso).

Depuis l'expansion mondiale de l'Église, cette question est posée ici ou là. Il faut le savoir. Il faut comprendre pourquoi. Il n'est pas défendu de souhaiter partout une liturgie localement incarnée, proche de la vie du peuple qui la célèbre. Surtout s'il s'agit du Sacrement des sacrements, l'eucharistie.

Quant à la solution — oui ou non — l'Esprit la dira à l'Église.
Nous sommes trop petits pour les enjamber.

LE REPAS EUCHARISTIQUE

Ce pain et ce vin, « fruits de la terre et du travail de
l'homme », sont naturellement destinés à être partagés à table.
Aussi, le Seigneur institua l'eucharistie « au cours d'un repas »
(Jn 13, 2), comme un repas : « à table avec les douze Apôtres »
(Mt 26, 20). **L'eucharistie est un repas partagé :** « Prenez
ceci et partagez entre vous » (Lc 22, 17).

*Un repas
partagé*

L'heure venue,
Jésus se mit à
table, et ses Apô-
tres avec lui.
(Lc 22, 14).

Un repas partagé, c'est tellement plus que se nourrir et se
désaltérer! Manger, boire, peuvent n'être que des actes animaux ; et si les bêtes les font côte à côte, c'est en se battant
pour tout avoir, dans un refus du partage ; elles ne mangent
pas « ensemble », mais en rivalité. Chez l'homme « humanisé »,
au contraire, le plus simple repas est déjà un grand geste
humain. C'est une célébration rituelle de la famille, de la
fraternité, de l'amitié, de l'hospitalité, de la réconciliation.
On comprend dès lors pourquoi **le symbole du sacrement
de l'eucharistie n'est pas l'acte de manger, mais
celui de partager dans la communion fraternelle :**
partager son repas avec quelqu'un, c'est le reconnaître comme
un frère. Le symbolisme des éléments eucharistiques prend
donc place dans le symbole d'un repas fraternel. **Le sacrement de l'eucharistie, ce n'est pas la présence réelle
du Christ, c'est manger le Christ ensemble.**

Tout sacrement est présence du Christ. Il est présent : dans
toute communauté rassemblée en son nom : elle est son Corps,
— en tout baptisé en son sang : il est un de ses membres, —
en tout acte de l'Église : ce sont ses actes, — en toute parole
suscitée par l'Esprit : il est cette Parole... Ce n'est pas de cette
présence réelle du Ressuscité que nous parlons ici, mais de la
« présence réelle » de Jésus dans l'hostie consacrée.

*Ne pas
confondre
« repas » et
« présence
réelle »*

« ' Je suis le pain de vie. Vos pères ont **mangé** la manne au désert et sont morts. Tel est le pain qui descend du ciel que celui qui en **mange** ne meurt pas. Je suis le pain vivant descendu du ciel ; si quelqu'un **mange** de ce pain, il vivra éternellement ; et le pain que je donnerai, c'est ma chair, pour la vie du monde. » Cependant les Juifs discutaient entre eux : « Comment, disaient-ils, cet homme peut-il nous donner sa chair à **manger** ? » Jésus leur dit donc : « En vérité, en vérité je vous le dis : si vous ne **mangez** la chair du Fils de l'homme et ne **buvez** son sang, vous n'aurez point la vie en vous. Qui **mange** ma chair et **boit** mon sang possède la vie éternelle, et moi, je le ressusciterai au dernier jour. Car ma chair est une vraie nourriture et mon sang est une vraie boisson. Qui

Eh bien, on a trop confondu « présence réelle » et « sacrement de l'eucharistie »...

La présence réelle des victuailles dans le garde-manger, ou même sur la table, cela avance à quoi ?... Certes, il la faut : « on ne vit pas de beau langage », disait Molière. Mais on ne vit pas davantage de la présence réelle de ces aliments. **On vit biologiquement de manger et de boire ; on vit humainement de manger et de boire ensemble, dans le partage fraternel ; on vit divinement de manger et de boire le Christ ensemble.**

Aussi, le sacrement institué par le Christ, c'est « la fraction du pain » consacré, le partage du vin consacré.

« Ceci est mon corps, ceci est mon sang », bien sûr : donc, présence réelle — c'est très important, et nous en reparlerons — ; mais pour quoi faire ? Pour « prendre et manger », pour « prendre et boire », pour « partager entre vous ». Voilà le sacrement.

Depuis quatre cents ans, ce sacrement est pratiquement perdu pour beaucoup. Parce que des protestants voyaient dans l'eucharistie un pur symbole, la contre-Réforme et le concile de Trente insistèrent tellement sur la présence réelle que l'on en négligea les aspects essentiels : « Mangez... Buvez... » Le jansénisme vint à la rescousse : au lieu de manger l'hostie, comme avait dit le Seigneur, on l'adora éperdument, à distance. La participation au sacrement fut remplacée par la dévotion à l'hostie consacrée : processions, saluts, bénédictions du Saint Sacrement... aux dépens de la communion.

Cette mentalité est tenace. Dans nos campagnes, comptez les adultes qui communient le dimanche... Après les absolutions pascales, comptez les braves gens qui « osent » s'approcher de la table sainte plus d'une fois ou deux, quitte à passer ensuite l'année sans « prendre et manger »... Comptez les curés qui consacrent le Repas du jour et partagent ce repas avec l'assemblée, comme le demande le concile... et le bon sens (*Ste Liturgie* 55) : beaucoup, après plus de dix ans (!), préfèrent chercher un ciboire de conserve dans le tabernacle de la présence réelle, appauvrissant ainsi le signe sacramentel, et donc le sacrement lui-même. Car les sacrements, ne l'oublions pas, ne sont efficaces que de ce qu'ils signifient réellement. L'expérience le démontre tous les jours... Comptez les religieuses qui se communient solitairement (de quel droit?) ou donnent la communion hors de la messe à des bien portants, alors que les prêtres commencent à ne plus s'en reconnaître pastoralement le droit...

Le « signe » eucharistique, c'est une assemblée qui consacre et partage un repas sacrificiel.

mange ma chair et **boit** mon sang demeure en moi et moi en lui. » (Jn 6, 48-56).

Hélas! notre monde bureaucratisé, industrialisé, écrasé de « progrès », n'a plus le temps de se rassembler gratuitement et de partager fraternellement entre convives. On se nourrit, bien sûr : on avale, on « bouffe » ; ou bien on mordille son casse-croûte à la sauvette ; ou encore, on se pointe, impatient, au self-service où, plateau en main, on suit la chaîne jusqu'au ticket de l'addition, puis on cherche — non pas un visage, surtout pas! — mais au contraire une table vide où manger au lance-pierres, sans un mot, et hop! terminé... Sous-développés!

Un repas est une assemblée

Dans la Bible et chez les peuples que nous appelons « primitifs », parce que le rythme industriel n'a pas détruit en eux les valeurs humaines, tout repas vous introduit dans la grandeur, dans la rencontre de l'autre, de l'Autre...

C'est que, tout autant que d'alimenter, **le rôle naturel du repas est de réunir.** Le pain suggère, nous l'avons rappelé, la collaboration d'une chaîne de métiers et de travailleurs ; il suggère plus encore le rassemblement familial autour de la table, la communauté des convives, la communion des esprits et des cœurs, le partage des nourritures terrestres et spirituelles.

A défaut d'affection, un lien d'honneur lie chacun à tous et tous à chacun des participants. On n'invite pas un ennemi ; ou, si on l'invite, il n'y a pas de geste plus expressif de pardon. On n'accepte une invitation que si l'on veut venir en frère. Dans les sagas allemandes, on ne peut tuer celui que l'on a invité. Dans le monde arabe, trahir la commensalité est un crime monstrueux. Rester traître tout en prenant la bouchée de l'amitié, c'est comme Judas, être possédé du démon (Jn 13, 27).

Un repas « humain » rassemble des frères, ou rend frères ceux qu'il rassemble.

« Cependant voici que la main de celui qui me livre est avec moi sur la table. Le Fils de l'homme, certes, va à son destin selon ce qui a été arrêté ; malheur en tout cas à cet homme par qui il est livré! » Et eux se mirent à se demander les uns aux autres qui pouvait bien être celui d'entre eux qui allait faire cela. (Lc 22, 21-23).

Un repas fait des frères

Beaucoup de publicains et de pécheurs vinrent se mettre à table avec Jésus et ses disciples. Ce que voyant, les pharisiens dirent à ses disciples : « Pourquoi votre maître mange-t-il avec les publicains et les pécheurs ? » Mais lui, qui avait entendu, leur dit : « Ce ne sont pas les gens valides qui ont besoin du médecin, mais les malades. Allez donc apprendre ce que signifie : C'est la miséricorde que je veux, et non le sacrifice ; car je ne suis pas venu appeler les justes, mais les pécheurs. » (Mat 9, 10-13).

Creusons plus profond... Dans une tribu, dans une famille, on est frères et sœurs parce que l'on descend d'ancêtres communs : on a reçu la vie de la même source. Mais si de fait on n'est pas frères, parce que de familles, de tribus différentes ? Il reste alors un moyen de « fraterniser » à tout jamais : partager un repas. En effet, on ressource alors sa vie aux mêmes plats, à la même coupe : on est donc frères désormais. Tel est le sens du repas partagé, chez ceux que l'on ose appeler « primitifs ». Tel est le sens du repas partagé, dans la Bible et l'Évangile.

C'est donc le sens bouleversant des repas de Jésus. « Cet homme invite les pécheurs et mange avec eux! » disent les Pharisiens scandalisés. Il y a de quoi ! Le prophète de Dieu, et par lui Dieu lui-même, se comporte en frère des pécheurs ; il veut être de leur « tribu », de leur clan, de leur bord... Il dira : Aimez vos ennemis. Et il mangera avec les siens, les pécheurs : publicains, prostituées, Zachée, Lévi... Et tant de miséricorde les retournera. « Heureux les invités aux repas du Seigneur ! »

Si, pour ceux qui ont gardé le sens des valeurs profondes, un repas commun fait renaître de la même source, combien est-ce plus vrai de ce repas qu'est l'eucharistie partagée. **C'est à cette table du Pain vivant que s'opère l'unité réelle et mystérieuse de l'Église.** Communiant au même Christ, nous communions aux autres. « La coupe de bénédiction que nous bénissons n'est-elle pas communion au sang du Christ ? Le pain que nous rompons n'est-il pas communion au corps du Christ ? Puisqu'il n'y a qu'un seul pain, à nous tous nous ne formons qu'un seul corps, car tous nous avons part à ce pain unique » (I Cor 10, 16 s).

Un repas est parole

Dans les mangeries du robot humain, la bouche n'est que mâchoires sur son assiette. Dans les agapes fraternelles, elle est d'abord lèvres, langue et sourire : elle est parole, elle est « conversation » : partage des nouvelles, des idées, des sentiments, plus encore que du pain et du sel. Surtout quand le vin ouvre les vannes de la joie expansive et des confidences. On met alors sur table ce qu'il y a derrière les têtes et au fond des cœurs : peines, soucis, joies, espoirs.

On échafaude des projets, on débat des idées. On n'est pas toujours d'accord et parfois le ton monte. La paix a le dernier mot dans un éclat de rire...

La messe, surtout à travers ses siècles de latin et de hiératisme, ne nous a pas habitués à parler à la table sainte. D'autant plus que c'est là que la Parole atteint son sommet dans les mots consécratoires : « Ceci est mon corps... » Il nous faudra pourtant, non seulement retrouver le plein sens de cette table de la Parole, mais aussi les mots, improvisés par chacun, de la rencontre chaleureuse. Sinon les jeunes iront chercher dans les sectes la chaude atmosphère que le Christ, lui, aimait partager avec ses disciples.

Un repas est partage

Car, enfin, un repas est partage, puisqu'il est amitié. Aimer, c'est partager.

Un repas chacun pour soi n'est plus un repas, nous l'avons dit. Le geste alors n'a plus de sens humain, surtout entre chrétiens. Nous entendrons saint Paul l'affirmer vertement aux Corinthiens. Le pain, les mets sont pour chacun ; la coupe doit passer de main en main et de lèvres à lèvres. Comme sont pour tous et pour chacun les regards, les sourires, les idées et les paroles. Partager !

Mais partager, c'est tout autre chose que de donner...

On donne du sien. Donc, donner asservit les autres à être « débiteurs ».

Partager, au contraire, les rend libres : je ne peux partager avec eux que ce que j'ai conscience d'avoir d'abord reçu. Je ne partage pas du mien ; nous partageons du nôtre, parce que le Père du Ciel nous l'a donné. Je ne suis pas la source de mon propre amour, ni de rien. J'ai conscience d'avoir tout reçu, et d'abord ces frères et sœurs magnifiques qui me font la joie de m'admettre à partager tout ce qu'ils sont et ces simples nourritures que Dieu nous offre ensemble.

C'est ainsi que le partage est reconnaissance : re-connaissance de Dieu et re-connaissance des autres, — reconnaissance envers Dieu et reconnaissance envers les frères. C'est le chemin de l'humilité et de l'action de grâces, de la « bénédiction » et de l' « eucharistie ».

Même dans une économie athée de capitalisme et de pro-

C'est la main qui permet l'apparition de la face humaine. En effet, sans la main, c'est la mandibule, ou la mâchoire, ou le bec, ou le croc, qui attaque directement les aliments, et cela implique une violence. Mais lorsque la main, libérée par la station debout, appréhende les aliments, alors la face, soustraite à la violence, se résorbe et s'humanise pour d'autres fonctions que la fonction alimentaire. Et c'est alors que

la face devient visage, c'est-à-dire sourire, regard, et surtout parole. Le sourire et le regard sont déjà en quelque sorte des paroles.
(F. Varillon, s.j.).

priété individualiste, un homme digne de ce nom vivra donc ses repas dans une mentalité et un climat de fraternité dont la première communauté chrétienne de Jérusalem reste l'idéal :

« Tous les croyants vivaient unis et mettaient tout en commun. Ils vendaient biens et propriétés et en partageaient le prix entre tous selon les besoins de chacun. Tous les jours, d'un même cœur, rompant le pain dans leurs maisons, ils prenaient leur nourriture avec allégresse et simplicité de cœur. Ils louaient Dieu et avaient la faveur de tout le peuple » (Act 2, 44-47).

7

L'EUCHARISTIE :
LES PRÉPARATIONS

SACREMENT DE LA CRÉATION

L'histoire de France, de Belgique, de Suisse, de partout...
ne commence, ni à Mérovée, ni à Guillaume Tell, ni aux
Celtes ; — l'histoire de l'Église ne commence pas à saint Pierre.
Notre histoire nationale, l'histoire de l'Église — et même
notre histoire la plus personnelle — commencent... à la
création ! Pour mettre à jour nos racines « chrétiennes » —
je dis bien : « chrétiennes » — nous devons dire, non pas
simplement : « Nos ancêtres les Apôtres », mais : « Nos
ancêtres les Hébreux » ; plus encore : « Nos ancêtres les
premiers hommes. »

Pour en venir au sacrement de l'eucharistie, si nous voulons, au-delà des symboles, en saisir la portée sans mesure,
il nous faut donc remonter le temps, au-delà de Jésus Christ,
jusqu'à la source du temps, « au commencement », à la
création.

Nous n'avons pas oublié le chapitre premier : le Salut
de l'homme est attaché aux Alliances d'amour que Dieu ne
cesse de chercher, de multiplier avec lui. A commencer par
la création, qui est la première « grâce », la première Alliance,
le premier « sacrement » de la rencontre du Père.

« Il est, lui, par-devant tout »

La réalité de Dieu, c'est d'être Amour. La réalité de la
création, c'est d'être son premier geste d'amour pour nous.
Un geste aussi immense que l'univers. Un geste permanent
d'ailleurs, de tous les instants, puisque la création n'est pas
un « autrefois », mais un « maintenant », comme une source.
La création, c'est le cœur de Dieu qui ne cesse pas de se
donner.

Mais un cœur se repose-t-il sur un premier geste d'amour,
fût-il soutenu ? Suffit-il, pour être père ou mère, de concevoir
un enfant ?... Il reste à « le faire » : le mettre au monde, le
nourrir, le former, le libérer, l' « élever », jusqu'à ce qu'il
soit un « grand », comme ses parents, à leur niveau.

La création est donc quelque chose que Dieu est en train
de « parfaire ». Elle est quelque chose qui monte, depuis
le commencement, vers plus de beauté, vers plus de vie,

Car je suis devenu ministre de l'Église en vertu de la charge que Dieu m'a confiée, de réaliser chez vous l'avènement de sa Parole, ce mystère resté caché depuis les siècles et les générations et qui maintenant vient d'être manifesté à ses saints : Dieu a bien voulu leur faire connaître de quelle gloire est riche ce mystère chez les païens : c'est le Christ parmi vous ! l'espérance de la gloire ! Ce Christ, nous l'annonçons, avertissant tout homme et instruisant tout homme en toute sagesse, afin de rendre tout homme parfait dans le Christ.
(Col 1, 25-28).

plus de conscience, plus d'humanisation, plus de divinisation. **Elle « monte »? Non : elle est attirée, soulevée vers un Pôle divin qui n'est autre que Jésus Christ.**

Nous savons que dans les chromosomes de l'ovule humain, dès le premier jour de la fécondation, les « gènes » sont déjà présents et actifs pour assurer la transmission des caractères héréditaires que la croissance manifestera. Celui qui pourrait lire la programmation prodigieusement miniaturisée inscrite dans l'embryon microscopique, celui-là saurait tout de suite ce que sera cet enfant, hormis ses choix libres, bien sûr. Jusqu'à la couleur de ses yeux et de ses cheveux !... De même, dès la création, une Force vitale appelle et aspire l'humanité et le monde vers la Plénitude, qui est Dieu. Cette force, c'est une Personne, c'est le Verbe, le Verbe incarné : Jésus Christ au cœur du monde pour le transformer et l'entraîner jusqu'à la divinisation. **Dès « le commencement », l'homme et l'univers sont programmés de Jésus Christ ressuscité.** Le chiffre — c'est-à-dire le sens écrit mais secret — le chiffre authentique du monde, c'est, nous dit saint Paul, « le Christ en vous comme espérance de gloire » (Col 1, 27).

Ce Fils éternel du Père, il est Créateur, avec le Père et l'Esprit. Il est l'Alpha (première lettre de l'alphabet grec), le commencement du monde... Mais il en est aussi l'Oméga (la dernière lettre), l'aboutissement. Le Point de départ et le Point d'arrivée. Et tout l'entre-deux. Car, par son incarnation, il est aussi créature, homme parmi les hommes, corps parmi les corps, matière parmi la matière. Pour tout conduire à la Plénitude de la Vie divine, car lui seul en connaît le chemin. Lui seul est le Chemin.

Si j'ose la comparaison, je dirai : non seulement il est le constructeur de la voiture, mais il se met lui-même au volant et il mène la course. Aux deux sens du mot « mener » : il **dirige** l'évolution, et il **l'entraîne.** La fusée de la création — hommes et monde — c'est lui qui l'a lancée, avec son Père et leur Esprit, et c'est lui aussi qui en est la Tête guidante.

« Il est le Premier-né de toute créature,
Car en lui tout a été créé,
dans les cieux et sur la terre...

Tout a été créé par lui et vers lui ;
il est, lui, par devant tout ;
et tout subsiste en lui ;
Il est, lui, la tête du corps.
Il est le commencement...
Car il a plu à Dieu de faire habiter en lui
toute la Plénitude (de la divinité et de l'univers) »
(Col 1, 15 ss).

Cet immense mouvement de divinisation est signifié et réalisé d'une manière particulièrement intense par l'eucharistie. A la consécration, des éléments matériels du monde, le pain et le vin, sont convertis en corps et sang du Fils de Dieu ! **Par la puissance de l'Esprit, la création est saisie par le rayonnement souverain du Ressuscité et devient la Plénitude qu'il est lui-même : « Ceci est mon corps, ceci est mon sang ! »**

C'est la messe qui « mène »

« Elle n'est plus simplement signe de Dieu (elle montre son existence simplement par le fait qu'elle est sortie de ses mains) ; elle n'est plus simplement porteuse de sa grâce (comme dans les autres sacrements). Transsubstantiée, elle est vie éternelle, le Corps du Fils de Dieu.

« L'eucharistie révèle ainsi le sens dernier de l'acte créateur de Dieu, la vocation de toute la création. Cette signification suprême, ce n'est pas sa sortie de Dieu, sa création à partir du néant *(ex nihilo)*, comme si Dieu, après l'avoir tenue dans ses mains, la lançait dans la ronde aveugle des siècles, dans le néant du monde cosmique qui tourne en rond sans jamais avancer. C'est bien plutôt une progression de la matière vers l'homme, de l'homme vers le Christ, et du Christ vers le Père. Ce retour de la créature vers Dieu... est signifié d'une manière qui dépasse tous les autres sacrements, par l'eucharistie. Le moment de la consécration, quand le pain et le vin, « fruits de la terre et du travail des hommes », deviennent le Corps du Christ, accomplit en un clin d'œil la marche des siècles vers Dieu. Prédestiné par le Père, appelé à l'existence dans le Fils, conduit par l'Esprit qui meut tous les enfants de Dieu, l'homme — et la création qu'il résume en lui — retourne dans le sein du Père, là où se

L'eucharistie est le grand sacrifice de louange par lequel l'Église parle au nom de la création tout entière. En effet, le monde que Dieu a réconcilié avec lui-même est présent à chaque eucharistie : dans le pain et le vin, dans la personne des fidèles et dans les prières qu'ils offrent pour eux et pour tous les hommes. Puisque les fidèles et leurs prières sont unis dans la personne du Seigneur et à son intercession, ils sont transfigurés et accueillis. Ainsi, l'eucharistie révèle au monde ce qu'il doit devenir. (Conseil œcuménique des Églises, 1976).

trouve le Fils, là où règne l'amour de l'Esprit... Née dans le cœur de Dieu, la création, transsubstantiée dans l'eucharistie, retourne dans le cœur de Dieu, pour y être éternellement « louange de gloire de sa grâce (Eph 1, 6) » (Lucien Deiss).

« La transsubstantiation accomplit dans le pain et le vin la vocation de l'homme et la fin de l'Univers. Dans l'eucharistie il n'arrive rien d'autre à un double élément de ce monde que ce qui doit arriver au monde entier et à l'homme lui-même, quand on les considère à la lumière de la Résurrection » (Gustave Martelet).

C'est donc l'eucharistie qui « mène ». C'est la messe qui anticipe la fin des temps. C'est elle qui réalise, ensemble, le Devenir divin de l'homme et de l'univers.

SACREMENT DE L'ALLIANCE

Les matériaux dont se saisit l'eucharistie chrétienne sont tout autre chose qu'une simple matière brute. Ce sont des pierres déjà polies et savamment travaillées. Pas un iota de ce qui avait été déjà gravé ne sera effacé.
On ne peut pas plus partir à zéro avec les premières formules eucharistiques chrétiennes qu'on ne peut partir à zéro avec l'Évangile. Dans un cas comme

« Ceci est la coupe de mon sang, **le sang de l'Alliance** nouvelle et éternelle », disent toutes les prières eucharistiques. Ces mots font écho aux évangélistes et à saint Paul : « Ceci est mon sang, **le sang de l'Alliance** versé pour la multitude » (Mat 26, 28 ; Mc 14, 24), — « cette coupe est la nouvelle **Alliance en mon sang** versé pour vous » (Lc 22, 20 ; 1 Cor 11, 25).

Ainsi, l'eucharistie est dominée par l'idée, par la réalité, de l'Alliance. Elle est enracinée dans l'Alliance. Elle « accomplit » l'Alliance.

Nous savons ce que sont les petites alliances que nous portons au doigt ; et qu'elles signifient don total, corps et âme, pour la vie, dans l'amour. Mais savons-nous ce qu'est l'Alliance avec un grand A, dont les autres ne sont que le « sacrement », le symbole ? Nous avons tenté d'en donner un aperçu dans notre chapitre premier, p. 20 et suivantes. Mais il nous faut ici approfondir ce thème dans la perspective de l'eucharistie.

Car l'eucharistie, c'est « le sacrement de l'Alliance » ;

le Précieux Sang, c'est « le sang de l'Alliance ». Qu'en comprenons-nous ? Qu'en vivons-nous ?...

Nous savons comment Jésus prépara à l'eucharistie les deux disciples d'Emmaüs :

« Il leur dit : « O cœurs sans intelligence, lents à croire à tout ce qu'ont annoncé les Prophètes ! Ne fallait-il pas que le Christ endurât ces souffrances pour entrer dans sa gloire ? **Et, commençant par Moïse et parcourant tous les prophètes, il leur interpréta dans toutes les Écritures ce qui le concernait.** » (Lc 24, 25-27).

« Moïse » (on disait aussi « la Loi »), ce sont les cinq premiers livres de la Bible : Genèse, Exode, etc...

dans l'autre, il y a, de par le dessein providentiel, un Ancien Testament par-dessus lequel il ne saurait être queston à pieds joints. Car si la Providence, a jugé cette étape nécessaire, nous n'avons pas le droit ni la possibilité de l'écarter du revers de la main. (Bouyer).

Les Alliances de la promesse

Parlant du temps de leur vie païenne, saint Paul écrit aux chrétiens d'Éphèse : « Souvenez-vous qu'en ce temps-là vous étiez sans Christ, privés du droit de cité en Israël, étrangers aux alliances de la Promesse, sans espérance et sans Dieu dans le monde » (Éph 2, 12).

Il juge de la dernière importance pour le salut ce droit de cité dans l'Israël spirituel. Et nous ?... Savons-nous seulement ce que sont ces « alliances de la Promesse » hors desquelles nous serions « sans espérance et sans Dieu dans le monde »?... Promesse de quoi ?... En vertu de quelles alliances ?

Vous me parlerez peut-être de Moïse et du Sinaï, et vous n'aurez pas tort. Mais si vous étudiez Moïse et l'Alliance du Sinaï, vous serez renvoyé par l'Écriture à Abraham : le Seigneur renouvelle avec Moïse l'Alliance conclue avec Abraham.

La grande geste d'Abraham, on a eu tendance à l'oublier en faveur de Moïse. Pourtant, les deux évangélistes de l'enfance de Jésus, Matthieu et Luc, jugent capital de souligner par une généalogie que Jésus était fils d'Abraham. A cause de la Promesse! Cf. Mat 1, 1 ss ; Lc 3, 23 ss.

Et nos deux grands cantiques évangéliques — le *Benedictus* et le *Magnificat* — que la liturgie chrétienne reprend tous les jours, à Laudes et à Vêpres, comme les piliers de sa foi et de son espérance, — ces deux cantiques n'évoquent pas Moïse, mais Abraham, à propos de l'Incarnation de Jésus et du Salut du monde :

Marie ne cite pas d'autre nom, elle ne donne pas beaucoup de références, elle parle peu ; mais quand elle nous parle de quelqu'un, elle nous parle d'Abraham, de la Promesse

faite à Abraham et à sa descendance, et donc à nous, postérité d'Abraham. Avec Abraham tout commence : et d'abord le dialogue que Dieu noue avec l'homme. Dieu en quête de l'homme...
(Jacques Loew).

Béni soit le Seigneur Dieu d'Israël :
il visite et rachète son peuple.
Il nous suscite une force de salut
dans la maison de David son serviteur...
Amour qu'il scellait avec nos pères
et souvenir de son Alliance sainte,
du serment juré à notre père Abraham... »
« Mon âme exalte le Seigneur...
il se souvient de son amour,
de la Promesse faite à nos pères
en faveur d'Abraham et de sa race à jamais. »

« Le Père de tous les croyants »

Josué dit à tout le peuple : « Ainsi parle Yahvé, Dieu d'Israël : Vos pères, Tèrah, père d'Abraham et père de Nahor, habitaient jadis au-delà du Fleuve, et ils servaient d'autres dieux. Je pris votre père, Abraham, d'au-delà du Fleuve, je le fis aller par tout le pays de Canaan. »
(Jos 24, 2-3).

C'est dans la foi qu'ils moururent tous sans avoir reçu l'objet des promesses, mais ils l'ont vu et

Avec Abram, que Dieu nommera Abraham après l'Alliance (Gen 17, 5), la Bible rejoint l'histoire. Tout commence vers 1850 avant Jésus Christ, au temps de la première dynastie de Babylone, et dans des villes — Ur, Harrân — que les fouilles archéologiques de ces cinquante dernières années nous ont restituées, avec d'innombrables documents d'époque, en particulier des milliers de tablettes écrites, archives des rois de Mari, capitale de la Chaldée.

C'est là et alors que Dieu prend l'initiative de se « révéler ». Abraham est saisi d'une expérience intérieure qui s'impose à lui : Dieu lui parle...

● « Pars de ton pays, de ta famille et de la maison de ton père... » Dès que la parole de Dieu sort du silence, que ce soit à l'aube de la foi ou au matin de la messe, c'est toujours pour nous happer vers un Ailleurs, vers Lui. C'est le mouvement même du Salut... Dieu n'aborde personne pour le laisser à son passé, à sa terre, à ses idoles, à sa propre sécurité. Il faut « passer » des fleuves, des déserts, et changer de terre et de dieu...

● « Va vers le pays que je te ferai voir... » Première étape de la foi : lâcher prise sans filet. Ne rien savoir de ce pays... parce que le seul Pays auquel on soit arrimé, c'est Dieu. L'aventure du « peuple en marche » commence ici. « Vers toi, Terre promise, le peuple de Dieu tend les bras... » Et le viatique de la procession dont Abraham fit le premier pas, c'est la sainte communion.

L'Épître aux Hébreux (11, 8 ss) nous laisse bien voir toute la portée de la foi du Patriarche : « Par la foi, répondant à l'appel, Abraham obéit et partit pour un pays qu'il devait recevoir en héritage, et il partit sans savoir où il allait. Par la foi, il vint résider en étranger dans la terre promise, habitant sous la tente, avec Isaac et Jacob, les cohéritiers de la même promesse. Car **il attendait la ville munie de fondations qui a pour architecte Dieu lui-même** » : la Jérusalem céleste.

C'était le premier volet de la « Promesse » : une Terre, nouvelle et inconnue...

● Et voici le second : « Je ferai de toi une grande nation, dit Dieu, et je te bénirai. Je rendrai grand ton nom... En toi seront bénies toutes les familles de la terre. » A ce septuagénaire et à Sara la stérile, Dieu donnera un peuple de descendants ; plus encore : « en lui seront bénies toutes les familles humaines », ses fils seront aussi nombreux que les grains de sable de la terre et les étoiles du ciel (13, 16 ; 15, 5), « à lui et à ses descendants, promesse est faite de recevoir le monde entier en héritage » (Rom 4, 13), c'est-à-dire que **chacun, Juif ou non, devra la Vie éternelle à celui dont Abraham est l'ancêtre, Jésus. Et en exécution de cette promesse.**

● Abraham, « l'ami de Dieu » (Is 41, 8), partit : il Le crut sur parole et attendit l'impossible. Aussi, « nul ne lui fut égal en gloire » (Si 44, 19). Les traditions juive et chrétienne le proclament « père de tous ceux qui naîtront engendrés par sa foi » (Rom 4, 11).

Toute l'histoire du peuple de Dieu, toute l'histoire des peuples, toute l'Histoire du Salut, part de cet appel et de cette réponse... De cette source ouverte dans la stérilité d'Abraham, relayée par cette source ouverte dans la virginité de Marie, et leur double foi qui dit oui sans ciller...

C'est cette foi qui prépare et accueille l'incarnation du Fils de Dieu, fils d'Abraham, fils de la Vierge, frère universel de tous les hommes, Vie et Salut du monde.

salué de loin, et ils ont confessé qu'ils étaient étrangers et voyageurs sur la terre. Ceux qui parlent ainsi font voir clairement qu'ils sont à la recherche d'une patrie. Et s'ils avaient pensé à celle d'où ils étaient sortis, ils auraient eu le temps d'y retourner. Or, en fait, ils aspirent à une patrie meilleure. c'est-à-dire céleste. C'est pourquoi, Dieu n'a pas honte de s'appeler leur Dieu ; il leur a préparé, en effet, une ville... (Heb 11, 13-16).

« Y a-t-il une chose trop prodigieuse pour le Seigneur ? » (Gen 18, 14). Cette phrase annonce la conception miraculeuse d'Isaac. Elle est reprise par l'Ange de l'Annonciation pour certifier à Marie la conception virginale de Jésus. (Lc 1, 37).

L'Alliance nouvelle et éternelle

Vous êtes tous fils de Dieu par la foi au Christ Jésus ; vous tous en effet qui avez été baptisés dans le Christ, vous avez revêtu le Christ. Il n'y a ni Juif ni Grec, il n'y a ni esclave ni homme libre, il n'y a ni homme ni femme : vous n'êtes tous qu'un dans le Christ Jésus. Mais si vous êtes au Christ, vous êtes la Descendance d'Abraham, héritiers selon la Promesse.
(Gal 3, 26-29).

« A la manière de Melchisédek »

Aussi bien, le Christ ne s'est-il pas attribué lui-même la gloire de devenir grand prêtre ; non, c'est Celui qui lui a dit : Tu es mon Fils, c'est moi qui t'engendre aujourd'hui. Et encore ailleurs : Tu es prêtre pour l'éternité selon

En effet, par sa Pâque — sa mort et sa Résurrection — Jésus, « fils d'Abraham, fils de Dieu » (Lc 3),

1) entre personnellement dans la Béatitude éternelle, la vraie Terre promise et inconnue de nous, et en ouvre les portes au genre humain tout entier ;

2) « attire à lui tous les hommes » (Jn, 12, 32), tout le Peuple de Dieu, horizontalement, et en fait une seule famille de frères ; — plus : un seul corps de membres (Rom 12, 5), donc une seule descendance spirituelle d'Abraham, le fruit de sa foi : « Jésus dit... « Les enfants que Dieu m'a donnés »... et c'est la descendance d'Abraham » (Hébr 2, 13 et 16) ;

3) « attire à lui » verticalement, vers le Père où il est monté, ce peuple de Dieu, qui naît, qui marche, et qui meurt, de génération en génération, jusqu'à la Parousie finale : descendance universelle promise à Abraham. Par les sacrements, au moins par le baptême de désir, et surtout par l'eucharistie, il continue et achève heureusement son « accomplissement » en une incessante migration, un incessant « passage », « au-delà du Fleuve » de la mort, vers l'éternité : « Celui qui mange ma chair et boit mon sang a la Vie éternelle, et moi, je le ressusciterai au dernier Jour » (Jn 6, 54).

L'Épître aux Hébreux résume ce mystère de l'Histoire du Salut en ces mots :

« Le Fils, conduit jusqu'à son propre accomplissement, devint, pour tous ceux qui lui obéissent, cause de Salut éternel, ayant été proclamé grand prêtre à la manière de Melchisédek » (5, 8-10).

Nous voilà renvoyés à Abraham par le Nouveau Testament lui-même. Mais pour quoi dire ?...

Nous avons vu qu'Abraham est supérieur à Moïse. En conséquence, le sacerdoce d'Aaron, frère de Moïse, sera remplacé, lui aussi, en Jésus Christ, par un sacerdoce supérieur, « dans la ligne de Melchisédek » (Hébr 7, 1-28), le sacerdoce qu'Abraham nous fait découvrir : celui de nos eucharisties. Voici les faits :

Des roitelets pillards ont enlevé Lot, son neveu, avec sa famille et ses biens. Abraham et sa troupe les poursuivent, les surprennent et ramènent neveu, famille, biens et la « plus-value » d'un riche butin. Sur le chemin du retour, ils passent par une ville nommée Salem — « La Paix » — qui deviendra célèbre et sainte sous le nom de Jérusalem. Or, cette « Ville-la-Paix » est gouvernée par un roi dont on ne sait ni les ascendants, ni les descendants, et qui a nom Melchisédek, « Roi-de-Justice ». Il est aussi prêtre : « prêtre du Dieu Très Haut qui a fait le ciel et la terre » (Gen. 14, 18-19), prêtre du vrai Dieu, le seul, celui d'Abraham et de Jésus Christ.

Ce mystérieux personnage est présenté par le Psaume 110 comme une figure du Messie, roi et prêtre. Cette application au sacerdoce du Christ est développée dans l'Épître aux Hébreux, 7. La tradition patristique en soulignera les aspects importants :

1) Melchisédek commence par « faire apporter du pain et du vin ». Pour quoi faire ? Pour une offrande rituelle ? Non... Pour être partagés avec Abraham et sa suite. C'est un geste d'hospitalité, **un rite d'accueil aux étrangers.** C'est aussi un repas — sacré ou pas, c'est secondaire — **un repas, partagé entre deux races, en signe d'alliance fraternelle.**

Dans ce pain et ce vin apportés à Abraham, les Saints Pères verront une figure de l'eucharistie, et même un véritable sacrifice. Cette interprétation fut reçue par le Canon de la messe. Elle rejoint le lavement des pieds de saint Jean, où le récit de l'institution eucharistique est remplacé par ce geste du Christ qui en indique l'impact pratique : accueil, partage, communion fraternelle, service : « Prenez, mangez, buvez... tous ». C'est cela, la messe.

2) Puis Melchisédek « bénit Abraham, et ce dernier lui donna la dîme de tout son butin ». Donc, « le rôle principal est tenu ici par Melchisédek, prêtre non hébreu ; devant lui Abraham l'hébreu, ancêtre des prêtres lévitiques, n'occupe qu'un rang inférieur » (VTB). **A travers Melchisédek, Abraham s'incline devant Jésus Christ et reçoit de lui le pain et le vin.**

3) D'ailleurs, le personnage, le nom, les titres du roi-prêtre, le fait qu'il n'a pas reçu d'investiture terrestre,

l'ordre de Melchisédek. C'est lui qui, aux jours de sa vie mortelle, offrit prières et supplications accompagnées d'un grand cri et de larmes à Celui qui pouvait le sauver de la mort ; et il fut exaucé pour son esprit de religion. Tout fils qu'il était, il apprit par ce qu'il souffrit, ce que c'est que d'obéir ; et, conduit jusqu'à sa propre perfection, il devint pour tous ceux qui lui obéissent principe de salut éternel, Dieu l'ayant proclamé grand prêtre selon l'ordre de Melchisédek. (Hebr 5, 5-10).

Tandis que l'auteur sacré indique avec soin l'origine des patriarches, donne le nom de leur père, de leur mère, de leurs ancêtres, il introduit brusquement Melchisédek dans son récit. Il l'en fait disparaître aussi brusquement, à la différence des patriarches, dont il mentionne toujours la mort. C'est comme si Melchisédek sortait de l'éternité pour y rentrer aussitôt, « prêtre du Très-Haut pour l'éternité ». (E. Osty).

esquissent si bien **les traits de Jésus** que plusieurs Pères ont admis qu'en lui était apparu le Fils de Dieu en personne. Jésus, en tout cas, sera « prêtre à la manière de Melchisédek ». « D'abord, il s'appelle roi de Justice, ensuite, il est aussi roi de Paix. Lui qui n'a ni père, ni mère, ni généalogie, ni commencement pour ses jours, ni fin pour sa vie, mais qui est assimilé au Fils de Dieu, reste prêtre à perpétuité » (Hébr 7, 2-3).

Au portail de Reims, Melchisédek, en habits sacerdotaux, tient à la main un ciboire et présente une hostie à Abraham vêtu en guerrier médiéval, les mains jointes pour recevoir le sacrement. De même, le porche septentrional de Chartres représente Melchisédek, coiffé de la tiare du Souverain Pontife et portant un encensoir et un ciboire. C'est toute la tradition patristique et liturgique qui a tenu les ciseaux des sculpteurs. Le Prêtre éternel, Jésus, donne l'eucharistie au Peuple de Dieu tout entier en la personne de son Ancêtre dans la foi, Abraham.

L'Alliance inconditionnelle

Voici qu'[advint] à Abram cette parole de Yahvé : « Regarde vers le ciel et dénombre les étoiles, si tu peux les dénombrer » ; et il lui dit : « Ainsi sera ta descendance. » [Abram] crut en Yahvé, qui le lui compta comme justice. Il lui dit : « Je suis Yahvé, qui t'ai fait sortir d'Our des Chaldéens pour te

Après sa rencontre avec Melchisédek, Abraham voit son expérience de Dieu s'approfondir en « alliance ». Une « alliance » dont les traits sont à connaître si l'on veut saisir ce qu'est la foi chrétienne en général, et le « banquet de l'alliance » qu'est l'eucharistie en particulier.

Avant Abraham et depuis toujours, l'alliance était une pratique juridique et sociale courante entre les hommes. Ce rite était un contrat, avec droits et devoirs **réciproques**. Pactes d'amitié, de paix, de vassalité, entre individus ou entre groupes. « La conclusion du pacte se fait suivant un rituel consacré par l'usage. Les parties s'engagent par serment. On coupe en deux des animaux et l'on passe entre les morceaux en prononçant des imprécations contre les transgresseurs éventuels (On appelle sur l'infidèle le sort de ces animaux mis en pièces). Enfin on établit un mémorial : on plante un arbre ou on dresse une pierre qui seront désormais les témoins du pacte » (VTB).

C'est selon ce rite coutumier que Dieu contracte officiellement avec son Ami. Il faut lire, au chapitre 15 de la Genèse, la mise en scène de ces animaux partagés et de Dieu, sous forme de torche de feu, acceptant d'être « coupé en deux » s'il manque à sa promesse!...

Car il s'agit d'une promesse. Dieu ne demande rien, ne marchande rien... Et Abraham ne donne rien, ne promet rien, ne dit rien...

Là est la différence radicale d'avec les alliances humaines. Dieu promet tout et donnera tout. Une fois pour toutes, Dieu s'engage à conduire l'Homme au bonheur dans la Terre de Dieu... Et cette promesse nous concerne, chacun, personnellement, autant qu'Abraham! Quelque grands que puissent être nos péchés, Dieu ne pourra se dédire, et l'étonnant marchandage du chapitre 18 en faveur de Sodome, où Abraham se lasse de demander avant Dieu de pardonner, en est un témoignage « à chaud ». L'amitié, la miséricorde, de la part de Dieu, ne cessera jamais, tandis qu'elle n'attend, en échange, que la confiance et l'amour : « Marche en ma présence et sois parfait. »

Encore n'est-ce pas là une « condition ». L'amour infini est inconditionnel. « Si nous sommes infidèles, Dieu reste fidèle, car il ne peut se renier lui-même » (2 Tim 2, 13). Abraham a tout quitté, mais sa sécurité désormais — et la nôtre — ce sera la fidélité de Dieu...

Fidélité à mort... Pour nous les infidèles, c'est lui qui sera « coupé en deux » lors de sa Pâque, dans cette Alliance de sang de son sacrifice. « Corps brisé... sang répandu... » sur la croix, sur l'autel.

« De fait, le Christ lui-même est mort une fois pour les péchés, lui, le juste, pour des injustes, afin de nous conduire à Dieu » (1 Pier 3, 18).

donner ce pays en possession. » [Abram] dit : « Seigneur Yahvé, à quoi saurai-je que je le posséderai? » Il lui dit : « Prends-moi une génisse de trois ans, une chèvre de trois ans, un bélier de trois ans, une tourterelle et un jeune pigeon. » [Abram] lui prit tous ces animaux, les partagea par le milieu et plaça chaque moitié en face de l'autre... Quand le soleil fut couché et qu'il fit noir, voici qu'un four fumant et une torche de feu passèrent entre les morceaux des [victimes]. En ce jour-là, Yahvé conclut une alliance avec Abram. (Gen 15, 4-18).

L'autel? Abraham va devoir maintenant en dresser un sur le mont Moriyya (Gen 22) et, tel le Père éternel, sacrifier dessus... son fils...

Car, après dix ans d'errance et de foi, il a eu un fils, Isaac. Un fils unique : c'est par lui, et par lui seul que pourront se réaliser les promesses de Dieu : « Tu seras père d'un peuple, et ce peuple aura une Terre? et cette Terre inconnue rassemblera tous les Peuples tes enfants. »

Le sacrifice d'Abraham

L'héritage vient par la foi, afin que ce soit par grâce, et qu'ainsi la Promesse demeure ferme pour toute la postérité, non seulement pour celle qui se réclame de la Loi, mais encore pour celle qui se réclame de la foi d'Abraham, notre père à nous tous, ainsi qu'il est écrit : J'ai fait de toi le père d'une multitude de nations, notre père aux yeux de Dieu en qui il crut comme en Celui qui donne la vie aux morts et appelle ce qui n'est pas à l'existence. Espérant contre toute espérance, il crut et devint par là le père d'une multitude de nations, selon ce qui avait été dit : Telle sera ta descendance. Et c'est sans faiblir dans la foi qu'il songea à son corps déjà mort — il avait quelque cent ans —, au sein de Sara mort aussi. En face de la promesse divine il n'hésita pas, incrédule ; au contraire, il se fortifia par la foi, rendant gloire à Dieu. (Rm 4, 16-20).

Or Dieu vient lui dire : « Sacrifie-moi ton enfant, ton unique, ton bien-aimé, Isaac !... »

Abraham ne le sait pas, mais nous savons que Dieu a un Fils, son unique, son bien-aimé... Il sait ce qu'il demande... (Marie aussi connaîtra ce déchirement...)

Saint Abraham, l'Ami de Dieu, « le croyant », donne aussitôt le témoignage absolu : « Abraham se leva de grand matin, fendit le bois... » (Gen 22, 3).

Il pense alors que Dieu se dédit ?...

La foi transporte les montagnes ou leur passe dessus ! Écoutons encore l'Épître aux Hébreux 11, 17 ss : « Par la foi, Abraham, mis à l'épreuve, a offert Isaac. Il offrait le fils unique alors qu'il avait reçu les promesses et qu'on lui avait bien dit : « C'est par Isaac qu'une descendance te sera donnée. » **Même un mort, se disait-il, Dieu est capable de le ressusciter. Et c'est pour cette foi qu'il recouvra son fils ;** et ce fut un symbole. »

Un symbole du sacrifice et de la Résurrection de Jésus Christ...

C'était au mois de nisan (de la mi-mars à la mi-avril).

C'est ici la vraie fécondité d'Abraham : quand, grâce à sa foi, il engendra l'Isaac de la Résurrection. C'est ici la vraie naissance d'Isaac : cette nuit où ce « premier-né », cet unique, fut « sauté » par la mort parce que la foi d'Abraham le voyait par avance « ressuscité »...

Pâque du premier-né sur l'autel d'Abraham, « sauté » par la mort sanglante grâce à la foi de son père...

Pâque de Jésus Christ, premier-né du Père, égorgé sur l'autel de la croix et ressuscité pour que la mort « saute » à jamais tous ceux qui ne refuseront pas d'avoir foi en lui...

Pâque de la messe — « chair donnée pour que le monde ait la vie » (Jn 6, 51) — où ceux qui ne la « sauteront » pas trouveront Vie et Résurrection : « Qui mange ma chair et boit mon sang a la vie éternelle. Et moi, je le ressusciterai au dernier jour » (54).

Être « sauté » par la mort, « passer à la Vie éternelle », c'est cela, la « Pâque ».

SACREMENT DE LA PAQUE

« Sacrement de l'Alliance », l'eucharistie est aussi le « sacrement de la Pâque ». Deuxième aspect de la Réalité eucharistique. Un chrétien « fait ses Pâques ». Qu'est-ce à dire ?
Ce mot — la Pâque — est comme les vieilles pièces de monnaie d'usage journalier : inscriptions et effigies n'y sont plus lisibles. On ne sait pas quelle est l'origine précise du terme désignant la fête la plus populaire des Juifs et des chrétiens. « Passage du Seigneur ? Ou de l'ange exterminateur qui « saute » les habitations marquées du sang ? « Passage » de la mer des Roseaux ? « Passage » au désert ?... « Sauter », « passer », peu importe : Juifs et chrétiens sauront que « Pâques » est le nœud de leur Salut.

Un an au moins avant sa mort, Jésus annonce longuement l'eucharistie (Jn 6). Il est impatient : il déclarera le Jeudi saint : « J'ai ardemment désiré manger **cette Pâque** avec vous avant de souffrir » (Luc 22, 15).
Il attendra cependant, pour instituer l'eucharistie, la semaine de la Pâque juive de cette année où la haine est mûre pour le tuer. Quand le danger devient imminent, « Jésus ne circule plus ouvertement parmi les Juifs ; il part pour la région proche du désert, dans la ville d'Ephraïm, où il séjourne avec ses disciples » (Jn 11, 54). A l'approche de la Pâque, par contre, Jésus reparaît ; d'un pas décidé il marche à la mort, entraînant ses Apôtres effrayés. C'est alors la manifestation provocante des Rameaux, l'expulsion des vendeurs du Temple, l'affrontement ouvert de ses adversaires.
C'est son Heure. C'est lui qui fixe cette date de la Pâque pour son accomplissement : l'Heure pascale, pas avant, pas après. On ne doit pas s'y tromper : le sang qu'il va verser, c'est « le sang de l'Alliance », « le sang de l'agneau » pascal, ce sang annoncé par le rituel antique.
Lui-même marque explicitement sa référence à la Pâque

« *Manger cette Pâque avec vous* »

Beaucoup de ces Juifs qui avaient vu ce qu'avait fait Jésus — la résurrection de Lazare — crurent en lui... Grands prêtres et Pharisiens réunirent donc un conseil... et c'est ce jour-là qu'ils décidèrent de le faire mourir.
Dès lors, Jésus ne se montrait plus ouvertement parmi les Juifs, mais il se retira dans la région

voisine du désert, en une ville appelée Ephraïm, et il y demeura avec ses disciples. Cependant la Pâque des Juifs était proche, et beaucoup de gens montèrent de la campagne à Jérusalem. Ils cherchaient Jésus et se disaient les uns aux autres, en stationnant dans le Temple : « Que vous en semble ? Ne viendra-t-il pas à la Fête ? » Or les grands prêtres et les pharisiens avaient donné des ordres pour que quiconque savait où était Jésus, le dénonçât, afin de l'arrêter. (Jn 11, 45-57).

La Pâque printanière et pastorale

juive : « Vous le savez, dans deux jours, c'est la Pâque : le Fils de l'homme va être livré pour être crucifié » (Mat 26, 1).

Il envoie Pierre et Jean préparer cette Pâque juive dont il a décidé qu'elle sera la Cène : « Allez nous préparer la Pâque, que nous la mangions » (Luc 22, 7).

Au cours du repas, Jésus souligne la situation de la Pâque qu'il va célébrer : il ne va pas l'abolir ; il va, au contraire, « l'accomplir », la « faire aboutir », dans le Royaume. Le moyen de cet « accomplissement » ? L'eucharistie qu'il institue sur l'heure :

— J'ai tellement désiré manger cette Pâque avec vous avant de souffrir. Car, je vous le déclare, jamais plus je ne la mangerai jusqu'à ce qu'elle soit accomplie dans le Royaume de Dieu...

« Puis il prit du pain... Et la coupe... » (Luc 22, 15 ss).

La Cène du Jeudi saint et le sacrifice du Vendredi sont donc, ensemble, la Pâque juive... en voie d'« accomplissement » vers la Pâque « à venir » à la fin des temps.

Comment ignorer ces liaisons ? Que comprendre à un adulte si l'on ignore ses enfances ? Que comprendre à « notre Pâque immolée, le Christ » (1 Cor 5, 7) si on ignore ce qui a rempli le cœur du Christ et des Apôtres lors de cette Pâque ultime et première du Jeudi saint ? Qu'était pour eux la Pâque ?

Dans le déroulement de l'Histoire du Salut, il nous faut parler de la Pâque avant d'évoquer Moïse, et même Abraham. Cette fête d'origine cananéenne remonte sans doute plus haut que la sortie d'Égypte. Elle est vieille comme les printemps, les troupeaux et les bergers. C'est « le sacrifice d'Abel ».

« A l'origine, la Pâque est une fête de famille. On la célèbre de nuit, à la pleine lune de l'équinoxe de printemps, le 14 du mois d'abib ou des épis (appelé nisan après l'exil). On offre à Dieu un jeune animal, né dans l'année, pour attirer les bénédictions divines sur le troupeau. La victime est un agneau ou un chevreau, mâle, sans défaut ; on ne doit en briser aucun os. Son sang est mis, en signe de préservation, à l'entrée de chaque demeure » (VTB). Sa chair est mangée avec respect en signe de communion avec Dieu. Peut-être le mot de

« Pâque » vient-il d'une « sauterie » sacrificielle autour de l'agneau, ou du feu ?

Mais c'est l'Exode qui donnera à cette fête sa signification définitive : **la Pâque nomade deviendra la Pâque juive.** Elle rappellera la sortie d'Égypte, la délivrance « à bout de bras », l'Alliance renouvelée au Sinaï...

Elle sera la fête, toujours actuelle, de la toute-puissance et de l'amour de Yahweh, pour autrefois, pour aujourd'hui, et pour l'avenir...

Abraham nomadisait dans le Négueb. C'est « le pays sec », la région méridionale de la Palestine. « Il y eut une famine dans le pays, et Abraham descendit en Égypte pour y résider, car la disette était grave dans la contrée » (Gen 12, 10). En des temps meilleurs, il regagnera Chanaan et y prospérera.

Mais son petit-fils Jacob et sa famille y souffrent de nouveau la faim. — **Manger, manger pour vivre, c'est toujours la première vérité humaine... et sacramentelle.** — Les voilà repartis pour l'Égypte, où Joseph les installe dans le delta du Nil. Les Hébreux (= « ceux qui viennent d'ailleurs », les « étrangers ») y vivent en paix et s'y multiplient durant quatre cents ans. Vers 1310 avant J.-C., le Pharaon Sethi Ier entreprend de développer le delta par la culture intensive du blé et la construction de villes-entrepôts pour sa commercialisation. Son successeur Ramsès II recourt à l'esclavage : les Hébreux au travail, durement, et qu'ils y crèvent »!...

Affamé, esclave, sur une terre étrangère, voilà la situation du Peuple de Dieu six cents ans après Abraham. Exactement celle du fils prodigue dont nous parlera Jésus (Lc 15) **pour caractériser l'état de l'homme à sauver.**

Tous, ici-bas, nous sommes ce fils prodigue, ce peuple affamé, esclave, en terre étrangère. Aussi, parlant du cycle de l'Exode qui va tirer les Hébreux d'Égypte, saint Paul nous y rend-il attentifs : « Ces événements leur arrivaient préfigurativement, pour servir d'exemple ; ils furent mis par écrit pour nous instruire, nous qui touchons à la fin des temps » (1 Cor 10, 11).

Affamé,
esclave,
étranger

Un homme avait deux fils... Le plus jeune fils, rassemblant tout son avoir, partit pour un pays lointain et y dissipa son bien dans une vie de prodigue.
Quand il eut tout dépensé, une grande famine survint en cette contrée, et il commença à sentir la privation.
Il alla se mettre au service d'un des habitants de la contrée, qui l'envoya dans ses champs garder les cochons. Il aurait bien voulu se remplir le ventre des caroubes que mangeaient les cochons, mais personne ne lui en donnait...
(Lc 15, 11-16).

Celui qui est présent

C'est par la foi que Moïse, à sa naissance, fut caché trois mois durant par ses parents, parce qu'ils virent que l'enfant était beau et qu'ils ne craignirent pas l'édit du roi. C'est par la foi que, devenu grand, Moïse renonça au titre de fils de la fille du Pharaon, aimant mieux partager les souffrances du peuple de Dieu que de goûter les éphémères délices du péché. L'opprobre du Christ lui parut une richesse supérieure aux trésors de l'Égypte ; car il avait les yeux fixés sur la récompense. C'est par la foi qu'il quitta l'Égypte, sans craindre le courroux du roi ; il tint ferme, en effet, comme s'il voyait l'Invisible. (Heb 11, 23-27).

C'est dans la nuit que blanchit l'aurore.

Un jour, Moïse voit un contre-maître égyptien brutaliser un de ses frères hébreux : son sang ne fait qu'un tour, il y va « un peu fort » et l'Égyptien meurt entre ses mains ! Il doit fuir au désert de Dahna (Arabie saoudite). Là, pâturant sur les pentes du Sinaï (appelé aussi : Horeb), il expérimente Dieu comme présent dans un buisson enflammé. Le Seigneur lui dit :

— J'ai vu la misère de mon peuple... Me voici descendu pour le délivrer... et le faire monter vers un bon et vaste pays... Va... Je suis avec toi... Mon nom ? Je suis Celui-qui-est-présent... » (Ex 3, 7 ss).

C'est le nom du Dieu de l'Histoire : Yahvé, Emmanuel, « Dieu-avec-nous »...

Mais Dieu n'est présent que pour agir. Il propose donc la foi à travers des actes historiques qui changent l'aventure humaine. Ce trait demeurera le trait fondamental du christianisme authentique. Dieu ne peut se renier lui-même.

Aussi, Jésus se présentera comme « celui-qui-vient ». Qui vient pour quoi ?

« Je suis « Christ », dit-il, j'ai reçu l'onction de l'Esprit
pour apporter une bonne nouvelle aux pauvres,
proclamer aux captifs la libération,
et renvoyer les opprimés en liberté »

(Luc 4, 18 ss).

« Je suis » (Jean 8, 58), « Je suis avec vous tous les jours jusqu'à la fin du monde » (Mat 28, 20), dit le Christ. C'est l'eucharistie en premier qui assure sacramentellement cette présence. Si elle n'est pas **présence réelle, donc présence active, libérante, bonne nouvelle aux pauvres, aux opprimés,** ce n'est plus la présence de Dieu, mais le somnifère des privilégiés, des inconscients et des lymphatiques. **Le Dieu eucharistique prend la tête d'une marche de libération.** Communier, c'est partir, c'est « marcher à la suite de », plus qu'adoration et culte. La marche du peuple « à la suite de » Yahvé, la marche du chrétien « à la suite de » Jésus, dans la pauvreté, l'engagement, jusqu'à travers la

mort, c'est la forme de la même foi, c'est le même mouvement, le même événement, qui continue...

Ma communion doit se conclure par le mot de Saul terrassé par le Ressuscité : « Seigneur, que veux-tu que je
fasse ? » (Act 9, 6).

« Je suis Celui-qui-est-présent.
Je vous affranchirai de l'oppression égyptienne
et vous délivrerai de leur servitude.
J'aurai le bras long pour vous sauver »
(Ex 6, 6).

Commence alors, contre les oppresseurs, une série très
colorée d'événements : les plaies d'Égypte. Une série de
malheurs où se lit en clair l'action de Yahvé pour forcer la
main au Pharaon. La dernière plaie, décisive, celle qui
effectivement va sauver Israël, coïncide avec le repas de
l'agneau pascal et en est le fruit (Ex 12).

Ce repas pascal comprend des circonstances et des éléments « typiques », à reconnaître ou à revivre dans l'eucharistie.

● C'est un grand départ, la nuit. Chaque famille s'apprête
silencieusement, fiévreusement, la ceinture nouée, sandales
aux pieds, bâton à la main (Ex 12, 11).

Notre eucharistie est-elle encore un « passage », une
« pâque », un exode ? Elle devrait l'être. Nous ne sommes
pas d'ici-bas !... Pas des sédentaires, pas des installés. Mais
des nomades. La communion est une nourriture de voyage,
un repas d'étape, pour aller sans défaillir jusqu'au bout de
la traversée... « Mon Dieu, sera-ce pour cette nuit ? »

● On a choisi **un agneau sans défaut.** Un par famille.
On l'immole. Sans briser aucun de ses os. Son sang,
sur les portes, leur vaudra d'être « sautés » quand « passera »
l'ange exterminateur. **La mort entrera dans toute maison
qui ne sera pas marquée du sang de l'agneau.**

● **On mangera la chair de l'agneau avec du pain** que,

L'Agneau de Dieu

A la délivrance
créatrice que la
Pâque commé-
more, et au ca-
ractère laborieux,
onéreux, du
haut-fait divin,
correspond le
titre de « rédemp-
teur », déjà don-
né à Yahvé dans
l'Ancien Testa-
ment. Le ré-
dempteur est ce-
lui qui rachète
un esclave et en
fait ainsi un hom-
me libre. Cf. par
exemple Lévi-
tique, 27, 13, 19
et 31 avec Isaïe,
44, 23 ou 48, 20.
Mais l'applica-
tion du terme au
Dieu sauveur ne
connaîtra guère
de développe-
ments enrichis-
sants avant le
Nouveau Tes-
tament.
(Louis Bouyer).

dans sa hâte, le peuple n'aura pas eu le temps de faire lever,
— et des herbes amères contrastant avec les oignons d'Égypte
dont il rêvera à travers le désert.

● **La Pâque est un mystère auquel doit participer**
« toute l'assemblée de la communauté d'Israël » (6).
Et à laquelle, inversement, peuvent seuls participer les
membres de ce peuple (43-44). S'en abstenir, c'est s'exclure
du peuple de Dieu.

L'un des Vieil-
lards prit la pa-
role et me dit :
« Ceux-là qui
sont vêtus de
robes blanches,
qui sont-ils et
d'où sont-ils ve-
nus ? — « Mon
Seigneur, répon-
dis-je, tu le sais. »
Et il me dit : « Ce
sont ceux qui
viennent de la
grande tribula-
tion ; ils ont lavé
leurs robes et les
ont blanchies
dans le sang de
l'Agneau. Aussi
sont-ils devant le
trône de Dieu et
le servent-ils jour
et nuit dans son
Temple. Celui
qui siège sur le
trône les abritera
sous sa tente ; ils
n'auront plus
faim, ils n'auront
plus soif, et ja-
mais plus ne les
accablera le so-
leil ni aucun vent
brûlant. Car l'A-
gneau qui est au
milieu du trône

● L'Israélite lui-même n'y peut prendre part qu'en union
avec la totalité de son peuple. **La Pâque n'est pas un rite**
individuel. Le peuple est sauvé ensemble, en un même
et unique « passage » de l'idolâtrie et de la servitude à la
liberté du désert et à l'Alliance de Dieu : il célèbre et célébrera
communautairement son salut, dans le rite efficace de l'agneau
pascal...
Rite efficace ?

● Le véritable Agneau pascal, c'est le Christ crucifié. Paul
le célèbre comme « notre Pâque immolée » (1 Cor 5, 7). Pierre
nous rappelle que nous avons été « rachetés par le sang précieux, comme d'un agneau sans défaut et sans tache, celui
du Christ » (1 Pier 1, 19). Jean le Baptiste le désigne comme
« l'Agneau de Dieu qui enlève le péché du monde » (Jean 1,
29). Jean l'Évangéliste souligne que les Juifs ont célébré la
Pâque au soir du Vendredi saint ; ils ont donc immolé l'agneau
dans l'après-midi, à l'heure précise de la mort de Jésus ;
et il conclut sont récit sur un détail qui fait, de l'immolation
de l'agneau, une prophétie de celle de Jésus : « Cela est
arrivé afin que s'accomplît cette Écriture : Pas un de ses
os ne sera brisé » (19, 36). Aussi, dans l'Apocalypse, le Sauveur nous est présenté une trentaine de fois sous les traits
d'un Agneau immolé et toujours vivant, debout, et maître
de l'Histoire (chap. 5-7).
L'Agneau de Dieu, dans son sacrifice pascal, dans son repas
pascal, voilà la messe... Un peuple meurt parce qu'il ne mange
pas la chair du Fils de l'homme et ne boit pas son sang. Un
peuple a la vie éternelle parce qu'il mange sa chair et boit
son sang (Jean 6, 53 s). Un monde échappe aux coups de

l'extermination parce que ses « portes » sont marquées du sang de l'Agneau.

D'où le dialogue qui précède immédiatement notre manducation de l'Agneau pascal :
— Agneau de Dieu, qui enlèves le péché du monde, prends pitié de nous !
— Voici l'Agneau de Dieu qui enlève le péché du monde...

les fera paître et les conduira aux sources des eaux de la vie. Et Dieu essuiera toute larme de leurs yeux. » (Ap 7, 13-17).

La traversée du désert

Sous la pression de l'exterminateur, l'Égypte lâche prise et Israël s'enfuit. Dieu seul pouvait — Dieu seul peut — arracher son Peuple à la servitude et à l'idolâtrie. Il l'a fait à travers le long filtrage du désert.

Le désert est le « passage » nécessaire vers la Terre des promesses. Il fut, pour les Hébreux, la période du meilleur et du pire. Du meilleur : la marche avec Dieu, la pauvreté désinstallée, l'Alliance du Sinaï. Du pire : les regards en arrière vers les marmites de l'Égypte, le veau d'or, les prostitutions et les apostasies (Nomb 20, 25). Infidélités de l'homme, de l'Église ; patience et pardons de Dieu. Ces traits durables, cycliques, resteront, jusqu'à la fin des temps, les caractéristiques de la marche du couple de l'Alliance : l'Homme et Dieu. La libération n'est jamais finie ; les purifications du désert sont toujours à recommencer ; les miséricordes gratuites du Seigneur ne se lassent jamais ; la Terre, pourtant promise, est toujours à conquérir...

Or, tout ce « passage », inauguré avec la Pâque juive par laquelle s'ouvre le cycle de l'Exode, se continue et se consommera par la Pâque de l'Alliance nouvelle et éternelle. C'est la Pâque eucharistique dont la première n'était que la figure. De cette première Pâque de l'Exode, la chair de l'agneau et le pain sans levain seront remplacés, tout au long de la marche, par la manne miraculeuse et « toute savoureuse ». Elle ne cessera de tomber qu'après la célébration de la première Pâque dans la Terre promise. Cependant, ce n'était que l'image : « Au désert, dira Jésus, vos pères ont mangé la manne, et ils sont morts. » Et voici la réalité : « Tel est le pain qui descend du ciel, que celui qui en mangera ne mourra pas » (Jean 6, 49 ss).

C'est une nourriture d'anges que tu as donnée à ton peuple, et c'est un pain tout préparé que, du ciel, tu leur as fourni sans qu'ils se fatiguent, [un pain] capable de procurer toutes les délices et de satisfaire tous les goûts. Et la substance que tu [donnais] manifestait ta douceur envers tes enfants, puisque, s'accommodant au goût de celui qui l'emportait, elle se changeait en ce que chacun voulait. (Sag 16, 20-21).

Le repas et le sang de l'Alliance

Moïse bâtit un autel au bas de la montagne, avec douze stèles pour les douze tribus d'Israël. Il envoya les jeunes gens sacrifier à Yahvé des taureaux en sacrifices de paix. Moïse prit la moitié du sang, qu'il mit dans des bassins, et avec l'autre moitié il aspergea l'autel. Il prit le livre de l'Alliance et le lut aux oreilles du peuple ; et ils dirent : « Tout ce qu'a dit Yahvé, nous le pratiquerons et nous l'écouterons. » Moïse prit le sang, en aspergea le peuple et dit : « Voici le sang de l'alliance que Yahvé a conclue avec vous, suivant toutes ces paroles. » (Ex 24, 4-8).

La traversée du désert est marquée par le plus grand événement de l'histoire juive : l'Alliance renouvelée. Contractée autrefois avec un ami, Abraham, elle est reprise aujourd'hui **avec le peuple de ses descendants.** Pour en faire pleinement, « le Peuple de Dieu... un royaume de prêtres et une nation consacrée » (Ex 19, 6).

Le Seigneur vient de donner à Moïse, pour son peuple, les « Dix paroles » (le « Déca-logue ») et le Code de l'Alliance. Le peuple acquiesce. Reste à sceller l'accord en bonne et due forme (Ex 24).

● Par **un sacrifice,** bien sûr, car l'Un des contractants est la Source de la vie et de tout. Mais ce sacrifice sera doublé d'un rite d'Alliance. Lequel ?

Il s'agit de devenir « frères de sang », « époux de sang ». Eh bien, le sang des victimes est répandu, à la fois, sur l'autel qui représente Dieu, et sur le peuple figuré par douze stèles : désormais un même sang, une même vie circulent dans les deux parties contractantes et font, de deux, comme un seul être vivant...

Dans les veines du Fils de Dieu devenu fils d'Abraham, un seul sang circulera en effet, qui sera le sang de l'Hébreu et le sang de Dieu. Un vrai sang d'Homme sera le vrai sang de Dieu. C'est « le sang de l'Alliance » versé dans l'unique Sacrifice, le Sacrifice de la croix et de la messe. Le sang du Repas eucharistique : « Prenez, et buvez-en tous, car ceci est la coupe de mon sang versé. »

● **Un repas eucharistique** est présent aussi à l'Alliance du Sinaï. Après l'aspersion du sang, Moïse, Aaron et les soixante-dix anciens d'Israël montèrent sur le Sinaï. « Ils contemplèrent Dieu, ils mangèrent et ils burent » (Ex 24, 11). Comment se passa la rencontre ? En tout cas, deux notations sont là, d'une extrême signification :

— le peuple est l'invité de Dieu pour un joyeux repas qui établit la communion entre les participants et Dieu

— cette communion est le début de la vision de Dieu

Cette Alliance passée avec le peuple du Sinaï diffère profondément de celle conclue avec Abraham. Du moins à première vue. Celle-ci était inconditionnelle, sans contrepartie ; celle du Sinaï comporte le Décalogue et le Code de l'Alliance... Il s'agit de provoquer la responsabilité de l'homme, d'éduquer ce peuple-enfant à la liberté...

A des siècles de distance, expérience faite, et le Saint Esprit lui soufflant, saint Paul comprendra que l'homme est perdu s'il ne s'accroche qu'à l'Alliance mosaïque, pour cette raison qu'il est radicalement pécheur. Au-delà de ses œuvres, au-delà de la fidélité aux préceptes, c'est dans la seule Alliance de pure grâce, de pure amitié, nouée avec Abraham, et réalisée par la mort et la Résurrection de Jésus Christ, que l'homme pourra accéder au Salut.

Le plus grand des sacrements ne pourra être que celui de la plus grande miséricorde : le sacrement de la tendresse de Dieu.

Un grand moine du xie siècle exprime bien le cœur du Christ quand il écrit :

« L'esprit est ardent, mais la chair est faible », dit le créateur et le connaisseur de la chair et de l'esprit. C'est pourquoi, ayant connu notre faiblesse, lui qui nous créa, et ayant su notre impuissance d'hommes fragiles et désarmés à résister au Fort et à l'Armé, à moins que nous protège le Plus-Fort, il nous fournit, contre la haine implacable de l'ennemi antique, la protection invincible du pain quotidien... Il a su également, lui qui scrute les cœurs avec bonté, que notre chemin de corruption était ténébreux et glissant et qu'aucun homme ne pouvait le parcourir sans dommage. C'est pourquoi, puisque chaque jour nous sommes livrés aux périls, que chaque jour nous tombons, que chaque jour nous sommes malades, il a daigné nous offrir sa présence de chaque jour dans le mystère de son corps et de son sang, afin que par cette présence nous soyons délivrés, nous soyons relevés, nous entrions en convalescence » (Francon d'Afflighem).

Alliance et loi

Quand un homme... a fait un testament en bonne et due forme, personne ne peut l'annuler ni y ajouter. Or, les promesses ont été faites à Abraham et à sa Descendance. Il n'est pas dit : et aux descendants, comme pour plusieurs, mais et à ta Descendance, comme pour un seul, à savoir le Christ. Je raisonne donc ainsi : une disposition testamentaire ayant été prise par Dieu en bonne et due forme, la Loi, venue quatre cent trente ans plus tard, ne saurait l'infirmer, de manière à abolir la promesse. Car si c'est par la Loi que s'obtient l'héritage, ce n'est plus par promesse ; or, c'est par voie de promesse que Dieu a accordé sa faveur à Abraham. (Gal 3, 15-18).

LES QUATRE NUITS

La Création célébrée dans l'action de grâces et l'imploration de la Pâque printanière par les innombrables Abel de temps champêtres, la Promesse pour le monde dans l'Alliance personnelle avec Abraham, l'Alliance étendue au peuple lors de la Pâque mosaïque, nous amènent à la venue du Messie attendu. N'allons pas croire qu'il a fallu la Révélation chrétienne pour prendre conscience de ces dimensions de l'eucharistie. La Pâque juive célébrait déjà toutes ces merveilles.

La Pâque juive ou les quatre nuits

Le séjour que les fils d'Israël firent en Égypte fut de quatre cent trente ans. Et ce fut au bout de quatre cent trente ans, jour pour jour, que toutes les armées de Yahvé sortirent du pays d'Égypte. Ce fut une nuit de veille pour Yahvé, pour les faire sortir du pays d'Égypte ; cette même nuit est une veille [à célébrer] pour Yahvé par tous les fils d'Israël dans toutes leurs générations.
(Ex 12, 40-42).

Dans l'esprit des Juifs contemporains du Christ — et par conséquent dans l'esprit des Apôtres et de Jésus lui-même — la Pâque ne commémorait pas la seule nuit de la sortie d'Égypte. La Tradition y avait ajouté le « mémorial » de trois autres nuits, de trois autres « naissances », résumant ainsi, nous l'allons voir, toute l'Histoire du Salut, depuis la création jusqu'à la fin du monde. Comment le savons-nous ?... Dans la version araméenne de la Bible, celle que Jésus lisait, (le targum palestinien), l'Exode 12, 42 était commenté par le fameux *Poème des quatre nuits*, synthèse magnifique de ce qu'enseignaient d'autres écrits juifs contemporains. En voici la traduction du père Roger Le Déaut :

« Quatre nuits ont été inscrites au « Livre des Mémoriaux » :
— La première nuit fut celle où Yahvé se manifesta sur le monde pour le créer ; le monde était désert et vide et la ténèbre était répandue sur la surface de l'abîme. Et la parole de Yahvé était la lumière et brillait : et il l'appela : Nuit première.
— La deuxième fut quand Yahvé se manifesta à Abram âgé de cent ans et à Sara sa femme de quatre-vingt-dix pour que s'accomplît l'Écriture : est-ce qu'Abram va engendrer et Sara enfanter ?... Et Isaac avait trente-sept ans lorsqu'il fut offert sur l'autel. Les cieux sont descendus et se sont abaissés, et Isaac en vit les perfections, et ses yeux s'obscur-

cirent par suite de leurs perfections. Et il l'appela : Nuit seconde.

— La troisième nuit fut quand Yahvé apparut aux Égyptiens au milieu de la nuit : sa main (gauche) tuait les premiers-nés des Égyptiens et sa droite protégeait les premiers-nés d'Israël pour que s'accomplît ce que dit l'Écriture : Mon fils, mon premier-né, c'est Israël. Et il l'appela : Nuit troisième.

— La quatrième nuit (sera) quand le monde accomplira sa fin pour être dissous ; les jougs de fer seront rompus et les générations de l'impiété seront détruites. Et Moïse sortira du désert et le Roi Messie des hauteurs...

« C'est la nuit de la Pâque pour le nom de Yahvé, nuit fixée et réservée pour le salut de toutes les générations d'Israël. »

« Il n'est sans doute pas indifférent, si nous voulons comprendre le mystère eucharistique, de songer que, pour les Apôtres présents à la Cène, et d'abord pour le Christ, la fête juive qu'ils entendaient célébrer commémorait, à la vérité, l'Histoire du Salut tout entière — passée et à venir — telle qu'elle sera racontée dans nos Bibles chrétiennes, depuis le premier verset de la Genèse : « Au commencement Dieu créa le ciel et la terre », jusqu'au dernier verset de l'Apocalypse : « Viens, Seigneur Jésus. » (Stanislas Lyonnet.)

Deux questions : 1) La Pâque célébrée par Jésus est un « mémorial »... Qu'est-ce à dire ? — 2) Elle « commémorait » toute l'Histoire du Salut... Comment ?

Le targum palestinien que nous venons de lire témoigne de tout ce qu'était la fête pascale, au temps de Jésus, pour la foi traditionnelle du peuple de Dieu : on commémorait « les quatre nuits » de l'Histoire du Salut inscrites au « Livre des Mémoriaux ». Qu'est-ce « Livre des Mémoriaux », ou des « souvenirs » ?

Façon concrète de parler. Comme quand nous disons : « Je note cela dans ma mémoire », ou « J'inscris ton nom dans mon cœur ». Il s'agit de ces « livres célestes » sans pages où Dieu « enregistre » les noms de ses amis, les œuvres de son

Le soir de la Résurrection, Jésus se tint en personne au milieu de ses disciples... Puis il leur dit : « Il faut que s'accomplisse tout ce qui est écrit de moi dans la Loi de Moïse, les Prophètes et les Psaumes. » Alors il leur ouvrit l'esprit à l'intelligence des Écritures et il leur dit : « Ainsi était-il écrit que le Christ souffrirait et ressusciterait d'entre les morts le troisième jour, et qu'en son nom le repentir en vue de la rémission des péchés serait proclamé à toutes les nations, à commencer par Jérusalem. De cela vous êtes témoins. (Lc 24, 44-48).

La Cène pascale « commémore »

amour pour son peuple, les gens et les choses qu' « il ne veut pas oublier ».

Dans la liturgie, ces « mémoriaux » sont un rappel, et aux hommes, et à Dieu :

— un rappel aux hommes des bienfaits passés de Dieu. Pour réveiller l'action de grâces et la fidélité ;

— un rappel à Dieu de tout ce qu'il a fait. Pour qu'il se souvienne de son amour.

Mais, du côté divin, le souvenir de Dieu n'est jamais simple évocation du passé ; il correspond toujours à une nouvelle intervention de son amour. Dieu ne « rumine » pas ses souvenirs ; il en réactive le bienfait ; il en poursuit la grâce, actuelle, continuelle.

Donc, quand Dieu « se souvient », il se passe quelque chose : une situation nouvelle est créée ou une situation ancienne est restaurée. Célébrer un « mémorial » du passé, c'est provoquer un événement réel dans le présent, et non pas une simple évocation.

La Pâque du Nouveau Testament, l'eucharistie, revêt donc aussi ce double aspect dynamique d'action de grâces des chrétiens et d'engagement sauveur de la part de Dieu. Nous sommes dans le droit fil de la théologie pascale de Jésus et de son temps quand nous disons : La messe est un mémorial.

« La Nuit où il fut livré le Seigneur prit du pain »

L'eucharistie est la grande action de grâce au Père pour tout ce qu'il a accompli dans la création, la rédemption et la sanctification, pour tout ce qu'il

La messe est un mémorial. Mémorial de quoi ?... De la mort et de la Résurrection de Jésus Christ, bien sûr :

« Faites ceci en mémoire de moi », mais « moi », je suis l'accomplissement de la Pâque ancienne.

En effet, c'est le Seigneur Jésus qui a insisté à présenter la Cène comme « la Pâque » ; c'est lui qui a commandé les événements pour que la Cène et son Sacrifice coïncident avec la Pâque juive. La Pâque juive n'est donc pas remplacée, mais assumée, « accomplie » par la Pâque chrétienne. **Avec l'eucharistie, on est au cœur de la « nuit pascale ».**

En « mémorial » de la sortie d'Égypte (Ex 11, 4 ss et 12, 6), **la Pâque se célébrait la nuit.** Le Seigneur institua donc l'eucharistie « le soir venu » (Mat 26, 20 ; Marc 14, 17) :

« C'était la nuit » (Jean 13, 30), « la nuit où il fut livré le Seigneur prit du pain... » (1 Cor 11, 23).

La nuit est sœur de la mort. Elle est le « lieu » des bandits de tout poil (Job 24, 13 ss), l'image de l'empire du péché, de Satan et de la perdition (Luc 22, 53 ; Jean 1, 5 ; Thess 5, 4-8 ; Act 26, 18 ; Col 1, 13).

C'est donc « la nuit » qui appelle les grandes interventions de Dieu ; c'est à partir de la nuit qu'éclatent les aurores de Dieu ; c'est sur un f∩nd de nuit que s'inscrivent les grandes étapes de l'Histoire du Salut... Depuis le commencement... Par Jésus Christ...

accomplit maintenant dans l'Église et dans le monde malgré le péché des hommes, pour tout ce qu'il accomplira en conduisant son Royaume à la plénitude. (Conseil œcuménique des Églises).

Aussi le *Poème des quatre nuits* ramasse-t-il, dans le mémorial de la nuit pascale, les quatre grandes étapes de l'Histoire du Salut dont chacune, à sa façon, est une création, une naissance, une libération ; — quatre grandes étapes d'où surgissent, de plus en plus « nouveaux », une Humanité nouvelle, des « cieux nouveaux et une terre nouvelle » :

Cieux nouveaux, terre nouvelle, toujours...

1) « Au commencement Dieu créa le ciel et la terre », tout neufs. Ce fut la naissance des mondes, des vivants, de l'homme et de la femme. La « genèse ». Première étape rédemptrice, puisqu'elle arracha l'univers à la nuit, à la mort du néant... Chaque messe en est le « mémorial ».

Je crois en Dieu le Père tout-puissant, Créateur du ciel et de la terre...

2) « Mémorial » aussi d'Abraham, quand, à cette humanité païenne, Dieu parle. Et c'est l'aurore de la première Révélation, la naissance (spirituelle) du premier « ami de Dieu », la création d'une race spirituelle de croyants, l'Humanité sauvée naissant de la cendre stérile et plus encore de la foi d'Abraham ; « re-création » d'Isaac, ressuscitant en quelque sorte sur l'autel de son sacrifice.

et en Jésus Christ, son Fils unique, notre Seigneur, qui a été conçu du Saint Esprit, est né de la Vierge Marie, a souffert sous Ponce Pilate, a été crucifié, est mort, ... le troisième jour est ressuscité des morts...

3) « Mémorial » aussi — surtout — de la création d'Israël comme peuple. « Mon fils premier-né, dit Dieu, c'est Israël » (Ex 4, 22). Sa naissance, c'est sa libération d'Égypte : il

Je crois en l'Esprit Saint, à (dans) la sainte Église catholique, à la communion des saints, à la rémission des péchés,

« naît » la nuit de la Pâque où, protégé par le sang de l'agneau, nourri par sa chair (11, 5), il s'élance vers la Terre promise. « Les détresses du passé seront oubliées... En effet, voici que je vais créer des cieux nouveaux et une terre nouvelle ; ainsi le passé ne sera plus rappelé » (Is 65, 17).

à la Résurrection de la chair, à la Vie éternelle. Amen.

4) Enfin, la Pâque juive annonçait, la Pâque de Jésus inaugurait, la quatrième nuit : celle du Messie attendu. Les « derniers temps », créés sur la Croix, nés du Côté ouvert, annonçant et hâtant le plein Jour du Seigneur, le Huitième Jour, la Parousie.

Saint Paul fait le lien des « derniers temps » au mystère eucharistique : « Chaque fois que vous mangez ce pain et que vous buvez cette coupe, vous annoncez la mort du Seigneur jusqu'à ce qu'il vienne » (1 Cor 11, 26).

Saint Paul fait ce lien parce que le Seigneur l'a fait avant lui : « J'ai désiré avec ardeur manger cette Pâque avec vous avant de souffrir ; car, je vous le dis, je ne la mangerai jamais plus jusqu'à ce qu'elle s'accomplisse dans le Royaume de Dieu » (Luc 22, 15-16).

Que le juste continue de pratiquer la justice, et le saint de se sanctifier. Oui, je viens bientôt, apportant mes rétributions pour rendre à chacun selon ses œuvres. Je suis l'Alpha et l'Oméga, le Premier et le Dernier, le Principe et la Fin. Heureux ceux qui lavent leurs vêtements, pour avoir droit à l'arbre de vie et entrer dans la ville par les portes. (Ap 22, 11-14).

Alors, enfin, ce sera la création « finie », la naissance pleine des hommes et du monde enfin libérés (cf. Rom 8, 18 ss). « Nous attendons, dit saint Pierre (2 P 3, 13), selon la promesse de Dieu, des cieux nouveaux et une terre nouvelle où la justice habite !... »

Tel est le retentissement universel de la messe. Le cadre pascal que le Christ a voulu pour son sacrifice et la Cène confère au mystère eucharistique toute sa dimension :
   « Je suis l'Alpha et l'Oméga, dit le Seigneur Dieu,
   Celui qui est, qui était, et qui vient,
   le Tout-Puissant » (Apoc 1, 8).
   « Comme l'aiguille aimantée, à des milliers de kilomètres, est tournée vers le pôle, ainsi l'Ancien Testament vers la Personne du Christ » (Jacques Loew), vers nos eucharisties.

8

L'EUCHARISTIE :
L'ACCOMPLISSEMENT

ALLIANCE NOUVELLE ET ÉTERNELLE

L'eucharistie est le sacrement de la tendresse de Dieu. Ces mots nous ramènent au cœur du Mystère, à l'essentiel de la foi, hors de quoi rien ne se peut comprendre ni en Dieu, ni en l'homme, ni en l'univers.

Réaliserons-nous une bonne fois, d'une exultante et indéracinable conviction, que Dieu ne crée l'univers que pour s'unir tous les hommes dans l'amour?... Pour tout leur faire partager de sa propre Vie, y compris sa divinité!... Pour tout partager Lui-même de leur vie d'hommes, le meilleur — sa mère — et le pire : la pauvreté, le travail, la torture, l'injustice, la mort... « Tout ce qui est à moi est à toi! Tout ce qui est à toi est à moi! » (Jean 17, 10).
C'est cela, le Grand Amour. Des épousailles, rien de moins. L'Alliance...
Dieu ne s'incarne que pour épouser l'Humanité.
Sa pauvre fiancée, Il vient la chercher où elle est, où elle ne peut pas ne pas être : dans sa condition de créature, — pour la « faire passer » à la condition divine. **C'est « la Pâque »...** Ensemble, ils vont « passer de ce monde à son Père », l'Époux emmenant l'Épouse, enlevant l'Épouse :
« Père, je veux que là où je suis, ceux que tu m'as donnés soient aussi avec moi, et qu'ils contemplent la gloire que tu m'as donnée, toi qui m'as aimé dès avant la fondation du monde » (Jean 17, 24).

L'Alliance...
pour
la Pâque

N'allons pas entendre cette alliance, ce mariage, en un sens faible ou métaphorique! Non, non. L'Ancien Testament, à travers lequel, entre Dieu et l'Homme, on se cherche, on se rencontre, on lie connaissance, on se fréquente, on se fiance, on est « époux » au sens de « promis », — l'Ancien Testament, donc, est de l'ordre des préparations : il ne va pas nous laisser à mi-chemin de cette Histoire d'Amour;

Le Grand
Mystère
de l'Unique
Mariage

Un vieux livre de Fornari, toujours beau à lire, dit, en commençant l'histoire du Christ : « Jésus est venu à nous comme un homme qui vient de loin. Et l'on entend ses pas d'abord à peine, à peine perceptibles, puis toujours plus sûrs, jusqu'à ce que l'on comprenne que son pas est la présence. » Et cela est l'histoire de la Rédemption que nous pouvons retrouver en rouvrant le livre qui est resté trop longtemps fermé pour nous : l'Ancien Testament, avec ses personnages, avec ses progressions, qui annoncent le Christ s'approchant de nous. (Paul VI).

il est l'aurore de l'Incarnation de Dieu et, par Jésus, ce seront les Noces éternelles...

— Il s'agit donc d'un vrai mariage ?

— Il s'agit du seul vrai Mariage !... Les autres — nos mariages terrestres les plus beaux — n'en sont qu'une pâle et lointaine image, une étincelle de « la flamme de Yahvé », dit le Cantique des Cantiques. Dieu s'incarne pour épouser l'Humanité au sens le plus fort du terme, c'est-à-dire pour ne faire éternellement avec elle qu'un seul être, qu'une seule chair : « Ils seront deux en une seule chair. » « Je suis en mon Père, et vous en moi, et moi en vous » (Jean 14, 20).

Non par une étreinte passagère et, somme toute, de surface, où chacun reste extérieur à l'autre. Mais par la fusion... Le vœu de l'amour, c'est la fusion : ne plus subsister que pour se donner, pour « passer » tout entier à l'autre, pour se laisser consommer par l'autre, en devenant en quelque sorte sa nourriture, la pensée de son esprit, le cœur de son cœur, la chair de sa chair, — et réciproquement, accueillir l'autre tout entier, pour que rien de lui ne me reste extérieur, pour qu'il ne fasse plus qu'un avec moi. Fusion, sans confusion.

Le geste de l'amour, le baiser, est plus que symbolique du manger et du boire : c'est déjà un peu « croquer ». Le manger et le boire sont les symboles les plus forts de l'intimité. Et l'intimité de ceux qu'on aime n'est-elle pas la première nourriture ? N'est-elle pas la vie même ?

Fusion, sans confusion, c'est le vœu de l'amour, c'est donc le vœu de Dieu même, ce fou d'amour pour l'Humanité.

Aussi, le fameux texte biblique et le grand mystère qu'il exprime — « Tous deux ne seront qu'une seule chair » — ce fameux texte ne concerne pas d'abord les mariages des filles et des fils d'Adam. « Je déclare qu'il concerne le Christ et l'Église », proclame saint Paul (Éph 5, 31-32).

Aimer
à mourir,
mourir
pour aimer

Hélas ! le vœu impétueux de l'amour humain — ne faire qu'un — n'est jamais accompli. Pour fusionner vraiment, il faudrait mourir à ce corps qui sépare plus encore qu'il unit. D'où les suicides des amoureux désespérés : mourir d'aimer ! D'où — kamikazes absurdes — des jeunes couples qui se jettent ensemble dans la mort pour briser cette double muraille qui les sépare : leurs corps.

Le Christ seul, parce qu'il est Dieu, peut ne faire qu'un avec l'Humanité sa bien-aimée ; lui seul peut être pour elle la chair de sa chair en se donnant à elle comme une « vraie nourriture ».

Il faut, bien sûr, qu'il meure à l'état corporel de ce monde-ci ; mais au-delà de la mort, dans sa condition de Ressuscité, il peut se donner en nourriture et en boisson, puisque toutes les barrières humaines sont abolies pour le corps glorieux. Ainsi l'Homme et le Christ deviennent véritablement un : l'Homme mange Dieu et les voilà deux en une seule chair.

C'est d'abord cela le Repas eucharistique : communier à Dieu.

Et non pas d'abord partager le pain et l'amitié avec les « co-pains » : cette voie horizontale est barrée et courte. Barrée par la juxtaposition imperméable des corps, toujours. Courte de toute la petitesse des cœurs : c'est l'Humanité entière qui est invitée, sinon ce n'est plus le Repas du Seigneur.

La réalité première de l'eucharistie, à ne jamais oublier, c'est qu'elle est d'abord une fusion, sans confusion, de Dieu à l'Homme.

La deuxième, c'est que « l'Homme », c'est tout homme, et pas moi seul. Dieu s'est incarné, s'unissant personnellement l'homme appelé Jésus, mais c'est pour épouser l'Humanité tout entière par l'homme Jésus. Le Christ meurt et ressuscite se faisant lui-même nourriture pour devenir la chair de la chair de toute l'Humanité. L'Incarnation ne se termine pas au Christ, elle se termine à l'Humanité tout entière. Dieu s'est fait homme pour que l'Homme soit fait Dieu. Tout homme...

> Que tous soient un. Comme toi, Père, tu es en moi et moi en toi, qu'eux aussi soient un en nous, afin que le monde croie que tu m'as envoyé. Je leur ai donné la gloire que tu m'as donnée, pour qu'ils soient un comme nous sommes un, moi en eux et toi en moi, pour qu'ils soient parfaitement un, et que le monde sache que tu m'as envoyé et que je les ai aimés comme tu m'as aimé. (Jn 17, 21-23).

A TABLE AVEC LES DOUZE

Depuis le triomphe des Rameaux, Jésus, pour ne pas être arrêté et tué avant « son Heure », passe les nuits chez ses amis de Béthanie ou au jardin de Gethsémani. Le jour, les foules enthousiastes des pèlerins accourus pour les fêtes pascales le mettent à l'abri d'un coup de main. Quatre jours, il mène cette existence harassante et traquée. Le jeudi venu — qui sera le premier Jeudi Saint —, discrètement, pour ne pas donner la piste à Judas, Jésus dépêche Pierre et Jean à la rencontre de l'homme à la cruche, un ami, qui lui ouvrira « sa grande salle haute, garnie de coussins, toute prête » pour les repas festifs (Marc 14, 12-15).

Car ils ont à préparer un repas festif, celui de la plus joyeuse des fêtes juives : la Pâque.

Manger le Christ « ensemble »

« Le soir venu, Jésus arrive avec les Douze » (Marc 14, 17) dans la salle parée pour le repas pascal.

Ils sont douze autour de Jésus : des « amis », sauf Judas, qu'il priera de quitter l'assemblée avant l'eucharistie, — des initiés « à qui il a fait connaître tout ce qu'il a entendu auprès du Père » (Jean 15, 15). On ne communie pas dans n'importe quelles dispositions de conscience et de foi. « Vous êtes purs, mais pas tous », a dit Jésus (Jean 13, 10).

Et l'on ne communie pas seul. « L'Eucharistie n'est pas simplement un « manger le Christ » ; c'est un « manger le Christ ensemble ». Cet « ensemble » est déjà celui du simple repas humain, où la nourriture partagée lie les commensaux et souvent les réconcilie. Dans le sacrement de l'autel cette nourriture est Jésus Christ et **c'est Jésus Christ lui-même qui unit les croyants, lui qui est reçu par tous et n'est point divisé** : « La coupe de bénédiction n'est-elle pas communion au sang du Christ ? Le pain que nous rompons n'est-il pas communion au corps du Christ ? Puisqu'il n'y a qu'un pain, nous ne formons qu'un corps, car tous nous avons part à ce pain unique » (1 Cor 10, 16-17). A la table de Dieu, c'est Jésus Christ qui nous unit, et pas d'abord le fait d'être ensemble » (Raymond Didier).

« Ceux-là sont mes frères »

« Le soir venu, donc, Jésus arrive avec les Douze. » On ne dit pas : avec Marie et les cousins de Nazareth... La Pâque normale, pourtant, se célébrait en famille, dix par dix, pour un agneau immolé. Que veut signifier le Seigneur à son

Église ? Sans doute : « Ta parenté est plus large : tout homme est ton frère, parce que tout homme est mon frère. »

Durant sa vie publique, le Christ a pris ses distances par rapport à sa famille charnelle. C'est dans la foi que se découvre et peut se vivre la seule fraternité que reconnaisse Jésus Christ et qui soit digne du cœur universel de Dieu... On se rappelle l'épisode rapporté par Luc (8, 19 ss) : « On annonce à Jésus : " Ta mère et tes frères (cousins) se tiennent dehors ; ils veulent te voir. " Il leur fait répondre : " Ma mère et mes frères, ce sont ceux qui écoutent la parole de Dieu et qui la mettent en pratique ". »

Aussi, la Cène de Jésus n'est pas un repas familial, c'est un repas communautaire. La Grâce filiale du Salut doit nous faire passer d'un groupe « naturel », « clos », à une Église « ouverte » rassemblée par la foi en Jésus, l'amour pour Jésus, l'amour mutuel de tous pour tous, l'accueil du premier venu, du dernier venu, de toute race, langue, peuple, nation... de tout âge !

Mais pourquoi Douze, pas plus, pas moins ?...

C'est que « douze » est le nombre symbolique de la plénitude. Jacob eut douze fils, d'où sortirent les douze tribus qui constituèrent la totalité du Peuple de Dieu jusqu'à Jésus. Mais Israël n'était que le noyau du Peuple définitif, l'Humanité, comme le gland n'est que la graine du chêne. Venu pour rassembler tous les hommes dans son Alliance d'amour, Jésus choisit douze Apôtres comme embryon du Peuple élargi : du même Peuple, mais universel.

Voilà pourquoi ce « douze » est si important pour l'Église tant qu'elle reste en Judée : il est significatif, pour le monde juif, de la mission universelle de l'Église, de l'Amour universel de Dieu, de l'offre universelle du Salut et de l'eucharistie. Aussitôt après l'Ascension du Seigneur, le premier acte officiel de Pierre est de proposer l'élection d'un successeur à Judas (Act 1, 15 ss). Ainsi, ils seront Douze pour la Pentecôte et pour le départ missionnaire vers « la totalité » des hommes.

C'est donc toute l'Humanité qui est invitée, avec les Douze, autour de la table eucharistique. Tous sont présents à l'Amour qui se donne. Le sang de la coupe qui va circuler, « c'est le

« Dans le monde entier... »

Vint alors un des sept anges qui tenaient les sept coupes remplies des sept ultimes fléaux, et il me parla ainsi : « Viens, que je te montre la Fiancée, l'Épouse de l'Agneau. » Et il me transporta en esprit sur une grande et haute montagne et me montra la Cité sainte, Jérusalem, qui descendait du ciel d'auprès de Dieu, pa-

rée de la gloire de Dieu. Son éclat est semblable à une pierre très précieuse, telle que du jaspe cristallin. Elle a un mur grand et élevé. Elle a douze portes et près de ces portes douze anges ; des noms y sont inscrits, ceux des douze tribus des enfants d'Israël. A l'orient trois portes ; au nord trois portes ; au midi trois portes ; au couchant trois portes. Le mur de la ville a douze assises, et sur elles douze noms, ceux des douze Apôtres de l'Agneau.
(Ap 21, 9-14).

Les Douze « choisis et institués »

sang de l'Alliance répandu pour la multitude » (Mat 26, 28 ; Marc 14, 24), et donc offert aussi à la multitude : « Prenez et buvez-en tous. » Jésus n'a-t-il pas été « mis en réserve et destiné à être l'Alliance de la multitude, de la multitude humaine » (Is 42, 6 ; 40, 7) ?

Le mot « multitude », repris par les évangélistes de la Cène, repris par saint Paul à propos de la Rédemption originelle (Rom 5, 15 ss), ce mot « multitude » est comme un terme technique de la Bible pour désigner, en même temps, la totalité des hommes et le lien de parenté humaine qui les fait membres de la même famille.

L'eucharistie pascale de Jésus et de l'Église rassemble donc bien une famille, selon la tradition juive, mais c'est toute la Famille humaine. C'est le sens théologique de cette merveilleuse image, après la multiplication des pains : une fois que tous en furent rassasiés, on en recueillit douze corbeilles en surplus ! Et qui donc avait apporté les corbeilles ?... Et pourquoi douze ?... Et pour qui tout ce pain miraculeux de reste ?... Pour toute l'Humanité de tous les siècles, pour vous, pour moi — nous en mangeons encore —, pour la multitude, pour la totalité. Douze est le chiffre biblique de la Plénitude.

Ces Douze, enfin, Jésus, après une nuit de prière sur la montagne, les avait **« choisis et institués »,** nous dit Marc (3, 13-19), qui en donne la liste, Pierre en tête. Ce sont ces mêmes Douze, eux seuls, qui sont maintenant réunis pour l'institution eucharistique, et à qui Jésus va dire : « Tout ce que j'ai entendu auprès de mon Père, je vous l'ai fait connaître. Ce n'est pas vous qui m'avez choisi, c'est moi qui vous ai **choisis et institués** » (Jean 15, 15-16). Et c'est **à eux seuls** qu'il dira : « Faites ceci en mémoire de moi. »

Nous sommes ici au niveau de la liberté de Dieu et de son Christ. Le Seigneur est arrivé à l'Heure de son Testament, au sommet de son Alliance. Testament, Alliance, ce sont là des « dispositions » qui n'ont valeur que dans la pleine liberté. Jésus dit donc aux Douze : « Je " dispose " pour vous du Royaume comme mon Père en a " disposé " pour moi... Ainsi vous siégerez sur des trônes pour juger les douze tribus

d'Israël » (Luc 22, 29-30), c'est-à-dire : c'est vous qui gouver-
nerez le Peuple de Dieu.

« Ainsi, déclare Vatican II, par le ministère de l'évêque,
Dieu consacre des prêtres qui participent de manière spéciale
au sacerdoce du Christ, et agissent dans les célébrations
sacrées comme ministres de celui qui, par son Esprit, exerce
sans cesse pour nous, dans la liturgie, sa fonction sacerdotale...
Par la célébration de la messe, ils offrent sacramentellement le
sacrifice du Christ. »

« Le ministre manifeste que l'assemblée n'est pas propriétaire du geste qu'elle est en train d'accomplir, qu'elle n'est pas
maîtresse de l'eucharistie : elle la reçoit d'un Autre, le Christ
vivant dans son Église. Tout en demeurant membre de
l'assemblée, le ministre est aussi cet envoyé qui signifie
l'initiative de Dieu et le lien de la communauté locale avec
les autres communautés dans l'Église universelle » (Accord
œcuménique des Dombes sur l'eucharistie).

« AIMEZ-VOUS LES UNS LES AUTRES COMME JE VOUS AI AIMÉS »

« Voici ce que j'ai reçu d'une tradition qui remonte au
Seigneur, et que je vous ai transmis : le Seigneur Jésus, dans
la nuit où il fut livré, prit du pain, et après avoir rendu grâces,
il le rompit et dit : « Ceci est mon corps, qui est pour vous » ;
faites cela en mémoire de moi. » Il fit de même pour la coupe,
après le repas, en disant : « Cette coupe est la nouvelle Alliance
en mon sang ; faites cela toutes les fois que vous en boirez, en
mémoire de moi. » Car toutes les fois que vous mangez ce pain
et que vous buvez cette coupe, vous annoncez la mort du
Seigneur, jusqu'à ce qu'il vienne » (1 Cor 11, 23-26).

Ce récit de saint Paul est le plus ancien témoignage que
nous possédions sur la dernière Cène. Il fut écrit vers les
années 55-57, avant l'évangile de Marc. C'est dire son
importance.

Le pain et le vin
sont du travail
incorporé... Sur
l'autel, le travail
de l'homme de-
devient vie du
Christ ; l'homme
devient Christ.
C'est pourquoi la
participation à
l'eucharistie tend
vers le sacrilège
si le souci du
pain des hommes
en est absent. Le
signe est men-
teur dans la me-
sure où la ques-

tion n'est pas po-
sée de savoir si
le pain est gagné
dans la justice
ou au détriment
du pain des

Et cependant, il ne nous est pas donné pour lui-même. Il se trouve au centre d'un long développement qui a pour objet de réprimer un abus sacrilège qui s'était introduit, chez les Corinthiens, dans la célébration de l'agape chrétienne, c'est-à-dire de la messe.

« Des discordes parmi vous ! »

autres. Sans le
travail qui trans-
forme la nature
pour « faire
l'homme », il n'y
a pas d'eucharis-
tie. Le chrétien
qui s'approche-
rait de l'eucha-
ristie, dans l'É-
glise fondée sur
ce signe, sans le
souci de la jus-
tice et de l'amour
dans le travail,
serait victime
d'un spiritua-
lisme aussi per-
nicieux pour la
conscience que le
matérialisme.
(F. Varillon).

Ce sacrilège — la seule communion sacrilège contre laquelle fulmine l'Écriture — ce n'est pas que l'on ait rompu le jeûne ou flâné sur des « mauvaises pensées »... Ce sacrilège, c'est qu'on a rompu la paix fraternelle !

« Je n'ai pas à vous féliciter : vos réunions eucharistiques, loin de vous faire progresser, vous font du mal. Tout d'abord, lorsque vous vous réunissez en assemblée, il y a parmi vous des divisions, me dit-on, et je crois que c'est en partie vrai : il faut bien qu'il y ait des scissions parmi vous afin que l'on sache manifestement qui est chrétien pour de bon. Mais, de fait, quand vous vous réunissez en commun, ce que vous prenez n'est plus le repas du Seigneur ! (Au lieu de vous réunir ensemble et de mettre tout en commun dans l'égalité), vous vous hâtez de prendre votre repas, chacun pour soi (ou chaque groupe pour soi), riches qui se goinfrent d'un côté, pauvres qui ont faim de l'autre... Méprisez-vous l'Assemblée de Dieu et voulez-vous faire affront à ceux qui n'ont rien ?... Rappelez-vous ce dont il s'agit : dans la nuit où il fut livré, le Seigneur prit du pain, le rompit, etc...

« Celui qui mangera le pain ou boira la coupe du Seigneur indignement, se rendra coupable envers le corps et le sang du Seigneur... Celui qui mange et boit le corps du Seigneur sans reconnaître les exigences que cela comporte, mange et boit sa propre condamnation... » (1 Cor 11, 2-29).

La fraction du pain

Les exigences que comporte l'eucharistie, les premiers chrétiens y étaient entrés joyeusement (Act 2, 42 ss ; 4, 32 ss), un peu naïvement peut être : ils partageaient tout. Et la messe n'était pas une « cérémonie » hors de la vie où l'on plainchantait dans les neumes ; c'était un repas fraternel où chacun apportait ce qu'il pouvait et où, dans le partage de la Parole, des hymnes rituels et des vivres, le pain et le vin étaient consacrés et

« fractionnés » pour chacun. L'eucharistie était appelée, non pas la messe, mais « la fraction du pain », en souvenir du geste habituel et caractéristique de Jésus. Et parce que **cette idée du partage allait de soi pour ceux qui croyaient au corps livré et au sang répandu du Sauveur, présents dans ce pain et ce vin.**

Depuis, on a construit d'admirables églises et ordonné de divines liturgies... Rien de mieux, si cela change la vie. Car le Christ, lui, n'a pas offert le Sacrifice unique dans les pompes, mais dans un réalisme dépouillé et terrible : dans la nudité de son corps écorché et transpercé. « Ceci est mon corps brisé... Ceci est mon sang répandu... » La messe, notre messe, c'est cela. Ou rien... Pour nous, comme pour lui.

Le Christ ne s'est pas payé de mots. Il ne s'est pas évadé... Voilà pourquoi il a institué les sacrements, spécialement l'eucharistie, en des symboles tout proches de la vie quotidienne parce que **les sacrements doivent changer la vie.**

On prend du pain, on le partage, parce que le sacrement de l'eucharistie, le Seigneur l'a institué pour que, devenus vraiment un avec Jésus sacrifié, nous partagions ensuite, avec tous, tout ce qui est représenté par le pain et le vin, tout ce qui fait la nourriture et la joie des hommes, tout ce qui fait vivre et bien vivre, tout ce qui rend heureux et libres.

La multitude des croyants n'avait qu'un cœur et qu'une âme. Nul ne disait sien ce qui lui appartenait mais entre eux tout était commun... Aussi parmi eux nul n'était dans le besoin ; car tous ceux qui possédaient des terres ou des maisons les vendaient, apportaient le prix de la vente et le déposaient aux pieds des apôtres. On distribuait alors à chacun suivant ses besoins.
(Act 4, 32-35).

C'est facile à dire. Ou à écrire... Les Corinthiens le disaient sans doute, mais faisaient le contraire. Il y avait les riches et les pauvres, et méconnaissance des pauvres par les riches. Et Paul de s'écrier : « Ce n'est plus une eucharistie ! » Pourquoi ? « Parce qu'il y a parmi vous des divisions. » Et des inégalités criantes : « L'un a faim tandis que l'autre est ivre ».

Paul ne blâme pas ses correspondants pour une erreur de doctrine. Il leur reproche de ne pas comprendre les implications sociales de la communion. La fraction du pain consacré, acte de foi au sacrifice de Jésus, est aussi, indissolublement, un acte de pardon et de partage.

Les Corinthiens riches croient qu'ils peuvent recevoir avec leurs frères pauvres le Corps du Christ tout en refusant de partager leurs biens avec eux. Or cela est impossible. On ne

Pardon et partage

Ou bien Dieu est un dieu d'injustice qui donne l'abondance à la Suisse et la famine au Pakistan ou au Brésil, (mais nous savons par ailleurs que Dieu est le Père de Jésus Christ qui a refusé l'injustice et qui a donné sa vie pour tous les hommes). Ou bien Dieu veut que tous les hommes mangent à leur faim mais il veut aussi que nous participions à son plan de salut. Nous savons bien que Dieu ne va pas faire pleuvoir des pains sur les Indiens ou les Africains. Le seul moyen que Dieu ait choisi pour nourrir ceux qui ont faim, c'est, à court terme, que nous les aidions à se passer de nous par l'instruction, l'achat de leurs ressources à des prix rémunérateurs, des prêts à long terme et à faible intérêt. (Quelle espérance ?)

peut recevoir le Christ partagé (quoique non divisé : il est tout à tous), sans partager ce que l'on possède. On ne peut manger ensemble le même Pain sans être frères en vérité, sans renoncer à ses privilèges, sans vivre une alliance dans l'amour, sans former réellement « un seul corps ». Hors de là, « on mange le pain et on boit la coupe du Seigneur indignement, se rendant ainsi coupable à l'égard du corps et du sang du Seigneur ».

Mais l'Apôtre n'est-il pas trop sévère ?... Les riches de Corinthe manquent gravement à leurs devoirs sociaux. Cela suffit-il pour affirmer « qu'ils méprisent l'Église de Dieu et que leur messe n'est plus le repas du Seigneur » ?

Croyons que Paul, inspiré par l'Esprit, a pesé ses mots : à ses yeux et aux yeux de Dieu, **la ténacité des rancunes, le refus de partage, le maintien égoïste des privilèges, entraîne une rupture de communion avec le Christ et les chrétiens.** « Le pain que nous rompons n'est-il pas communion au corps du Christ ? Puisqu'il n'y a qu'un pain, à nous tous nous ne formons qu'un seul corps, car ensemble nous avons tous part à ce pain unique » (10, 16-17). Communier à ce Pain unique, c'est s'affirmer un seul corps alors que l'égoïsme des nantis maintient la division en plusieurs corps sociaux. Le non-partage porte donc la contradiction au cœur même du sacrement.

On est très chatouilleux sur l'orthodoxie de la doctrine, — sur l'uniformité liturgique. Ce peut être une diversion confortable. Que n'est-on d'abord exigeant pour une conversion évangélique ! On pourchasse des eucharisties trop « quotidiennes » dont la simplicité et l'*in promptu* n'auraient pas gêné saint Paul, ni le Seigneur. Par contre, il se célèbre trop de messes dont les assistants s'accommodent parfaitement d'un système économique qui est un refus de partage, au point que saint Paul se refuserait, lui, à reconnaître en elles le repas du Seigneur... Qu'en pense l'Esprit ?...

« Je vous ai lavé les pieds »

Dans le même ordre d'exigence eucharistique, il y a plus brûlant encore que le fer rouge porté par Paul aux plaies de Corinthe... et aux nôtres. Saint Jean, qui a si longuement annoncé et commenté le Pain de Vie (6, 22 ss), nous surprend en ne racontant pas l'institution de ce sacrement. Il nous surprend plus encore en le remplaçant par un récit bouleversant qui en précise l'impact : où cela mène, une eucharistie vraie ?

« Pendant le dîner, sachant que son heure est venue de passer de ce monde au Père » et donc de marquer un grand et dernier coup... ; « sachant aussi que le Père a tout remis entre ses mains... », que va faire Jésus de ces mains ?... « Jésus se lève de table, prend un linge dont il se ceint, et commence à laver les pieds de ses disciples » (Jean 13, 1-5).

Laver les pieds des autres ? Une tâche d'esclave ! Même pas : on ne pouvait pas l'imposer à un esclave juif... Et un Maître, laver les pieds de ses disciples ? Folie impensable !... Non, leçon prophétique, leçon de choses :

« Vous m'appelez le Maître et le Seigneur, et vous dites bien, car je le suis. Alors, si je vous ai lavé les pieds, moi, le Seigneur et le Maître, vous devez vous aussi vous laver les pieds les uns aux autres. Je vous ai donné l'exemple pour que vous fassiez comme je vous fais. Tout de même, un serviteur n'est pas plus grand que son Maître ! » (13-16).

Payer de sa personne, dans les services les plus humbles et les plus pénibles, c'est cela laisser vivre en soi le Christ qu'on a mangé, « corps livré, sang répandu... pour la multitude... »

Tout à l'heure, autour de la table eucharistique, les Douze en arriveront à se quereller pour la première place... « Que le plus grand parmi vous prenne la place du dernier, dira Jésus, et celui qui commande la place de celui qui sert. Lequel est en effet le plus grand, celui qui est à la table ou celui qui sert ? N'est-ce pas celui qui est à table ? Or moi, je suis au milieu de vous à la place de celui qui sert » (Luc 22, 24-27). Par conséquent, « si quelqu'un veut être le premier parmi vous, qu'il soit l'esclave de tous. Car le Fils de l'homme est venu, non pour être servi, mais pour servir, et donner sa vie en rançon pour la multitude » (Marc 10, 55). Il est « le Serviteur » annoncé par Isaïe 53...

Saint Paul résume ainsi la loi eucharistique du lavement des pieds : « Par l'amour, frères, mettez-vous au service les uns des autres » (Gal 5, 13).

L'Évangile qui donne priorité aux opprimés, aux plus démunis, ne peut être étranger aux formes de la cité. Il ne nous est donc pas possible de nous satisfaire d'une société dirigée par les possesseurs de la fortune en fonction de leurs intérêts, même s'ils daignent, avec condescendance, distribuer quelques miettes de leur avoir, mais jamais de leur pouvoir. C'est n'avoir rien compris au mouvement ouvrier que de croire qu'il se contente de mendier un partage de richesses. La foi des chrétiens qui de plus en plus participent aux luttes ouvrières n'en est pas altérée. Au contraire, elle en sort renforcée et ils y trouvent des raisons supplémentaires d'agir avec tous ceux qui aspirent à une société meilleure. (Des militants ouvriers chrétiens).

« *Comme
je vous ai
aimés* »

« Mon commandement, c'est que
vous vous aimiez
les uns les autres
comme je vous
ai aimés. Personne n'a de plus
grand amour que
celui qui livre sa
vie pour ses amis.
Vous serez mes
amis, si vous
faites ce que je
vous   commande... Ce que
je vous prescris,
c'est de vous aimer les uns les
autres. »
(Jn 15, 12-17).

Cette loi, elle ne retentit plus du haut du Sinaï : « Tu aimeras ton prochain comme toi-même! », tel un papa intervenant
à grosse voix dans le chahut : « Les gamins, la paix! » Mais,
incarné, homme parmi les hommes, après leur avoir lavé les
pieds, Judas une fois sorti, Jésus dit simplement et répète
doucement, avec tendresse :

« Mes petits enfants, je n'en ai plus pour longtemps à être
avec vous... Je vous donne un commandement nouveau :
aimez-vous les uns les autres. Comme je vous ai aimés, vous
devez, vous aussi, vous aimer les uns les autres. Si vous avez
cet amour les uns pour les autres, tous reconnaîtront que vous
êtes mes disciples » (Jean 13, 31 ss).

Ce « les uns les autres », répété autour de la première
table eucharistique, renvoie aux participants de la
même table eucharistique. S'aiment-ils entre eux?
Le « signe » de « l'Église une », il est là... Ou nulle part...

« ALORS J'AI DIT : ME VOICI »

Jésus et ses Apôtres firent-ils un repas pascal « classique »?
Aucun évangéliste ne mentionne que l'on mangea l'agneau
rituel. Et nous savons par Jean 18, 28 que, pour l'ensemble
du peuple, l'immolation des agneaux aura lieu, au Temple,
l'après-midi du 14 nisan — le vendredi — à l'heure où agonisera et mourra en croix le véritable Agneau pascal, Jésus.

Rien d'étonnant à ce qu'il y eût anticipation du rite. Les
manuscrits de Qumrân établissent que le calendrier légal
n'était pas universellement adopté. Des communautés pratiquaient des anticipations officieuses. Comme Qumrân et
d'autres « Églises juives » d'alors, Jésus avança d'un jour son
repas pascal. Il est clair qu'aucun disciple n'en fut étonné.

Et il avait ses raisons...

« *Voici
l'Agneau
de Dieu* »

A-t-il, ou non, mangé l'agneau immolé? On n'a pas fini
d'en discuter et... peu importe!... Jésus semble avoir été très

proche d'un mouvement de réveil religieux fort important alors, les baptistes. Volontairement baptisé par Jean Baptiste, il a lui-même baptisé en masse par le ministère de ses disciples (Jean 3, 22-30 ; 4, 1-2), avant de faire du baptême le grand rite d'agrégation à son Église. Or ces baptistes se signalaient par leur refus de goûter aux viandes sacrificielles. Comment pouvaient-ils néanmoins pratiquer le repas pascal ? Ils étaient pourtant parmi les plus vivants et les plus spirituels des Juifs ?... Justement, surtout après l'Exil, s'était répandu l'usage de « sacrifices de plénitude », c'est-à-dire de « pleine communion avec Dieu et entre les participants », sacrifices où la louange avait plus de part que l'estomac. Les responsables du Temple les toléraient parce qu'ils étaient très en vogue dans les couches populaires. Ces « repas eucharistiques » — c'est ainsi qu'on les appelait — étaient des repas cultuels où l'on louait Dieu dans des psaumes d'action de grâces, où l'on implorait et attendait la rédemption d'Israël, tout en partageant principalement le pain et le vin.

De toute façon, les récits évangéliques ne sont pas des reportages, mais une révélation théologique. Ils ne gardent donc de l'événement que ce qui est nouveau, ce qui est vécu dans l'eucharistie chrétienne de leur communauté. S'ils ne mentionnent pas l'agneau pascal, on ne peut pas en conclure qu'il ne figurait pas au menu, mais qu'il n'avait plus d'importance. En consacrant le pain et le vin, le Christ élimine toute trace de sacrifice animal. **En mourant sur la croix à l'heure des égorgements du Temple, il élève vers le Père et sur le monde le corps livré et le sang versé du seul Agneau « pascal » véritable : celui qui « passe » effectivement et « fait passer » vers Dieu.** Il est là, sur la table, sur la croix, comme la réalisation parfaite de tous les sacrifices d'expiation, de rédemption, d'imploration, de communion et de louange tentés à travers les siècles par les Juifs et les païens. **L'unique Sacrifice qui est le sien met fin, dans le Régime de l'Amour qu'il inaugure, à la tricherie des substitutions : on n'a plus le droit de s'esquiver personnellement pour aller chercher la victime ailleurs.**

« Car il est impossible que le sang des animaux enlève les péchés.

Jésus se rendit avec ses disciples au pays de Judée ; il y séjourna avec eux et il y baptisait. Jean aussi baptisait, à Aenon, près de Salim, car les eaux y abondaient, et les gens venaient s'y faire baptiser... Or il s'éleva une discussion entre les disciples de Jean et un Juif à propos de purification. Ils allèrent donc trouver Jean et lui dirent : « Rabbi, celui qui était avec toi de l'autre côté du Jourdain, celui à qui tu as rendu témoignage, le voilà qui baptise et tous viennent à lui ! » Jean répondit : « Nul ne peut rien s'attribuer qui ne lui soit donné du ciel. Vous-mêmes, vous m'êtes témoins que j'ai dit : « Je ne suis pas le Christ, moi, mais je suis envoyé devant lui. » Qui a l'épouse est l'époux ; mais l'ami de l'époux, qui se tient là et qui l'entend, est ravi de joie à la voix de l'époux. Voilà ma joie ; elle est maintenant parfaite. Il faut que lui grandisse et que moi, je décroisse. » (Jn 3, 22-31).

Le sacrifice du Christ

Le Christ commence par dire : Sacrifices, oblations, holocaustes, victimes pour le péché, tu n'en as pas voulu, tu ne les as pas agréés — et ce sont bien là les sacrifices prescrits par la Loi —, puis il déclare : Me voici, je viens pour faire ta volonté. Il abolit le premier régime pour instituer le second. Et **c'est en vertu de cette volonté que nous sommes sanctifiés par l'oblation faite une fois pour toutes du corps de Jésus Christ.** (Heb 10, 8-10).

Le Christ Jésus lui qui était de condition divine, ne se prévalut pas d'être l'égal de

Aussi, **en entrant dans le monde,** le Christ a dit :
De sacrifice et d'offrande, tu n'as pas voulu ;
mais tu m'as façonné un corps.
Holocaustes et sacrifices pour le péché ne t'ont pas plu ;
alors j'ai dit : Me voici ! Je suis venu, ô Dieu, pour faire ta volonté » (Hébr 10, 4 ss).

« Un corps » pourquoi ? pour être sacrifié ? Non. Mais « un corps... **pour faire, ô Dieu, ta volonté ».**

« C'est en effet l'esprit qui vivifie, la chair ne sert de rien » (Jean, 6, 63), a déclaré Jésus en parlant précisément de l'eucharistie. Cela revenait à dire : « Ma chair pour la vie du monde, ce n'est pas d'abord la matérialité de ma mort sur la croix ; c'est l'esprit, c'est-à-dire **l'amour qui me fait m'offrir librement à mourir. »**

● **Or cet esprit d'amour fut celui de toute sa vie.**
Et d'abord de son Incarnation : « Je suis venu, ô Père, pour faire ta volonté. » « En entrant dans le monde. »

Puis, à travers toute sa vie, ce « oui » à son Père ne se dément jamais, n'hésite jamais, ne se reprend jamais. « Sa vie ne fut pas oui et non » — comme la nôtre — « c'est le oui qui se trouve en lui » (2 Cor 1, 19). « Oui, Père, puisque cela te fait plaisir » (Mt, 11, 26) : toute son existence est là... « Mon Père, je fais toujours ce qui lui plaît » (Jean 8, 29). « Faire sa volonté, c'est ma nourriture » (4, 34). Mots d'amour. Vie d'amour.

● A en mourir... Et sur une croix... Parce que l'amour reste égal à lui-même dans les circonstances tragiques comme dans le quotidien « aux travaux ennuyeux et faciles ». Il est grand tous les jours ; seules changent les occasions. L'éclusier de Nieuport qui, en 1914, leva ses écluses, inonda l'ennemi et sauvegarda pour le reste de la guerre une partie du territoire national belge, ne fut pas plus grand ce jour-là : il fut intelligent et fidèle, comme tous les jours ; mais la circonstance était de dimension héroïque, historique.

Ainsi, pour Jésus, devant la torture. la mort atroce du crucifié, ce sera le oui de chaque jour : « Non ma volonté, mais la tienne ».

Le sacrifice de Jésus ne sera donc pas de l'ordre rituel, mais de l'ordre de la charité. Par conséquent, le sacrifice eucharistique n'est pas de l'ordre rituel, mais de l'ordre de la charité ; la communion eucharistique n'est pas davantage de l'ordre rituel, mais de l'ordre de la charité. Il n'est pas question, pour lui ni pour nous, d'accomplir des actes cultuels ; il s'agit d'une transformation profonde, intérieure, de tout soi-même. Il s'agit de s'offrir soi-même.

● Voilà le sacrifice qui pénètre les Cieux! De la même « élévation », le Fils monte en croix, puis en Résurrection de Gloire : parce que Dieu agrée son sacrifice, il l'accueille « à sa droite » et le fait Seigneur du monde.

Seule la Résurrection fait, de la mort du Christ, un « sacrifice » : par la Résurrection seule le Père manifeste qu'il agrée l'offrande, qu'elle « passe », qu'elle est accueillie dans la pleine communion de Dieu. Acceptée, l'offrande est « sancti-fiée », « sacri-fiée », pleinement « divinisée », en ce sens que Jésus-Homme entre dans sa pleine puissance de Fils de Dieu (Rom 1, 4) et nous emmène à sa suite. Cf. Isaïe 53, 10-12.

Toute l'ampleur, tout le mouvement unique du sacrifice du Christ sont ramassés dans un hymne chrétien primitif que nous rapporte saint Paul dans Phil 2, 5-11 : le renoncement de l'Incarnation, — l'obéissance du serviteur à vie, — l'obéissance jusqu'à la croix, — c'est pourquoi Dieu l'a élevé...

Dieu, mais il s'anéantit lui-même, prenant condition d'esclave et se faisant semblable aux hommes. Offrant ainsi tous les dehors d'un homme, il s'abaissa lui-même, se rendant obéissant jusqu'à la mort et à la mort de la croix. Aussi Dieu l'a-t-il souverainement exalté et lui a-t-il donné le Nom qui est au-dessus de tout nom, afin qu'au nom de Jésus tout genou fléchisse, aux cieux, sur terre et aux enfers, et que toute langue confesse que Jésus Christ est Seigneur, à la gloire de Dieu le Père. (Phil 2, 6-11).

Dans le culte juif, le rite annuel de la grande expiation était chaque année à recommencer : « Offrandes et sacrifices incapables de mener à l'accomplissement... Mais le Christ est survenu, grand prêtre des biens à venir... et par le sang, non pas des boucs et des veaux, mais par son propre sang, il est entré une fois pour toutes dans le sanctuaire (= auprès du Père), et a obtenu une libération définitive » (Hébr 9, 9-12). « Ainsi le Christ fut offert une seule fois pour enlever les péchés de la multitude » (28). « Nous avons été sanctifiés par l'offrande du corps de Jésus faite une fois pour toutes » (10, 10).

Le sacrifice de la messe

Il est bon de rappeler d'abord ce qui forme comme la synthèse et le sommet de cet enseignement : par le mystère eucharistique, le sacrifice de la croix, consommé une fois pour toutes sur le Calvaire, est rendu présent *(repraesentari)* de façon merveilleuse ; il est toujours rappelé *(in memoriam revocari)* à notre souvenir et sa vertu salutaire est appliquée à la rémission des péchés que nous commettons chaque jour. (Paul VI).

Ce n'est pas, en effet, dans un sanctuaire fait de main d'homme, dans une image de l'authentique, que le Christ est entré, mais dans le ciel lui-même, afin de paraître **désormais** devant la face de Dieu en notre faveur. (Heb 9, 24).

Donc, aucune messe ne renouvellera ce sacrifice ; aucune messe n'ajoutera à ce sacrifice... La messe nous rend présent l'unique sacrifice du Christ.

Le sacrifice du Christ est donc résolument dans le passé : il n'y a pas d'immolation renouvelée du Christ dans le fait qu'il est réduit sous des apparences de rien, ou qu'on le mange et le boit, ou que le pain est séparé du vin comme le corps du sang. « Une fois pour toutes », cela veut dire une fois... pour toutes...

Et cependant, l'unique Sacrifice est réellement présent à la messe. Pas seulement « représenté » sous le symbole du pain (corps livré) et du vin (sang versé), mais présent, ou, si vous voulez, « re-présent » dans le sens de « présent de nouveau ».

Car il faut qu'il soit présent. Le Salut du monde est dans la mort de Jésus ; la Résurrection des hommes est dans son corps.

« L'Église doit s'unir au Christ en son sacrifice même ; pour être sauvés, il faut communiquer au Christ précisément là où le Salut se réalise : dans sa mort glorifiante. On est chrétien ainsi, selon saint Paul : par communion au Christ dans sa mort en laquelle il est glorifié » (F.-X. Durrwell). Le baptême (même de désir) nous plonge déjà dans sa mort (Rom 6, 3). L'eucharistie est comme un baptême dominical ou quotidien dans le sacrifice de Jésus toujours présent à son Peuple.

Présent comment ?

Vous savez que la mort fixe éternellement chacun dans la disposition où elle le prend. Le Christ meurt au sommet de son don d'amour à son Père et à ses frères ; il est donc ressuscité, glorifié à jamais dans cet état. **Il n'existe plus d'autre Christ que Jésus au sommet de sa vie, de sa mort, de son amour : Jésus glorifié au sommet de son sacrifice.** Depuis, son sacrifice est donc levé sur le monde comme le soleil est sans interruption levé sur notre planète. A chaque messe — « Ceci est mon corps... mon sang » — il est donc réellement présent sur l'autel dans l'état où il est à jamais : saisi et glorifié au sommet de son sacrifice. Comme le soleil, qui ne se couche réellement jamais, « se lève » ce matin, ici, pour nous, aujourd'hui.

C'est cela, « le sacrifice de la messe »... Mais pour quoi faire ?

C'est que, si le Christ est parfait dans son amour et dans son sacrifice, l'Église, elle, ne l'est pas!... Comme une pièce dégrossie, il faut la travailler au tour — et des tours et des tours — jusqu'à ce qu'elle soit conforme au Modèle divin.

En nous invitant à manger son corps livré, à boire son sang répandu, Jésus nous compromet dans son sacrifice. Il nous invite à ne faire qu'un avec lui (manger !) pour entrer avec lui dans le sacrifice qu'il fait de sa vie au Père et à ses frères : vivre comme lui, mourir avec lui, à petit feu peut-être, mais réellement, concrètement, vingt-quatre heures sur vingt-quatre.

C'est le sens de ses paroles trop oubliées : « Si quelqu'un veut venir à ma suite, qu'il prenne sa croix de chaque jour, et qu'il me suive. » Il s'agit d'accepter la part que Jésus nous appelle à prendre dans sa mission, son renoncement suprême, son amour en un mot, et sa gloire. **Nous n'avons pas le droit d'aller chercher la victime ailleurs !...**

C'est ce que symbolise le partage de la coupe, signe du destin commun : destin commun entre les participants, mais d'abord destin commun avec celui dont on boit le sang, le Christ, « obéissant au Père jusqu'à la mort et à la mort de la croix ». « C'est en vous approchant du Seigneur que vous aussi vous êtes constitués en communauté sainte sacerdotale, pour offrir des sacrifices spirituels agréables à Dieu par Jésus Christ... Car vous êtes la race élue, la communauté sacerdotale du roi, la nation sainte, le peuple que Dieu s'est acquis pour que vous proclamiez les hauts faits de celui qui vous a appelés des ténèbres à sa merveilleuse lumière » (1 Pier 2, 4-9).

Ainsi tout est dit du sacrifice de l'Église dans l'eucharistie. Si nous restons seuls, à part de Jésus Christ, tous nos « sacrifices », matériels ou spirituels, restent vains, puisqu'il n'y a qu'un Sacrifice à jamais ; puisque c'est dans sa vie obéissante et dans sa mort glorifiante, en un mot, dans son Corps, que le Salut se réalise pour tous. Aussi, dit saint Pierre, « approchons-nous du Seigneur » avec, dans les mains si l'on peut dire, nos « sacrifices spirituels », pour les jeter dans le sien, puisque le premier, par la messe, il s'approche de nous dans l'état glorifié de son sacrifice. Sinon, il reste seul, inutile, puisque son sacrifice « une fois pour toutes » n'a pas à être « re-présenté » sinon pour accueillir le nôtre...

Le sacrifice de l'Église

— Avec quoi aborderai-je Yahvé, me courberai-je devant le Dieu d'en haut ? L'aborderai-je avec des holocaustes, avec des veaux âgés d'un an ? Yahvé agréera-t-il des milliers de béliers, des myriades de torrents d'huile ? Donnerai-je mon premier-né pour mon forfait, le fruit de mes entrailles pour le péché de mon âme ?
— On t'a indiqué, ô homme, ce qui est bon et ce que Yahvé réclame de toi : rien d'autre que de pratiquer la justice, d'aimer la fidélité et de marcher humblement avec ton Dieu !
(Mich 6, 6-8).

A nous d'être ce « sacrifice spirituel », c'est-à-dire d'amour, comme fut la vie de Jésus, dans l'accomplissement de la volonté de Dieu. A notre tour de « ne plus vivre pour nous-mêmes », d'être « nous-mêmes dans le Christ une vivante offrande » à longueur de journée et d'existence, comme le demandent les Prières eucharistiques :

« **Afin que notre vie ne soit plus à nous-mêmes,** mais à lui qui est mort et ressuscité pour nous, ton Fils a envoyé d'auprès de Toi, comme premier don fait aux croyants, l'Esprit qui poursuit son œuvre dans le monde et **achève toute sanctification.**

« Voilà pourquoi, Seigneur..., nous t'offrons le corps et le sang du Christ, le sacrifice qui est digne de toi et qui sauve le monde. Regarde, Seigneur, cette offrande que tu as donnée toi-même à ton Église ; **accorde à tous ceux qui vont partager ce pain et boire à cette coupe d'être rassemblés par l'Esprit Saint en un seul corps, pour qu'ils soient eux-mêmes dans le Christ une vivante offrande à la louange de ta gloire.** »

« JUSQU'A CE QUE VIENNE LE ROYAUME »

Un repas de noces met fin aux rencontres des fiançailles. Non pour les annuler, mais pour les combler. Car, pour les époux, il ne finira pas : il inaugure, entre eux, la communion à jamais...

Ainsi, la Cène de Jésus avec les Douze — avec nous, car « les Douze », c'est la totalité du Peuple de Dieu — « accomplit » tous les repas de communion avec Dieu, ceux du passé et ceux de l'Avenir :

— ceux du passé lointain des Alliances anciennes, dont le sommet fut le Sinaï : « Ils contemplèrent Dieu, ils mangèrent et ils burent » ;

— ceux du passé proche, où « Jésus fait bon accueil aux pécheurs et mange avec eux », « rompt le pain » avec ses disciples, ou « comble de bien les affamés » ;

— ceux de l'Avenir, ces innombrables « fractions du pain » de l'Église chrétienne jusqu'au Festin éternel : « Faites ceci en mémorial de moi... Jusqu'à ce que vienne le Royaume » (Luc 22, 18-19).

D'ici là, « **je suis avec vous, tous les jours, jusqu'à la fin des temps** » (Mt 28, 20).

Sans **la présence réelle du Ressuscité** au cœur de nos eucharisties, nos messes ne seraient pas « communion », mais rêve sentimental et creux, — elles ne seraient pas « mémorial », c'est-à-dire présence réelle de l'Événement pascal, avec toutes les Alliances qui l'ont préparé depuis la Création et toute la force de Vie et d'Amour qui conduit au Royaume de la Résurrection générale, mais simple souvenir inutile...

Nos messes sont communion à Dieu et aux autres, parce qu'elles sont présence réelle de Jésus Christ.

Mais quelle présence réelle ?...

● Le Christ ressuscité est présent au monde entier parce que son corps, glorifié, n'est plus conditionné par l'espace et le temps : il est partout, agit partout, « illumine tout homme », même celui qui n'en est pas conscient.

● Dans les sacrements, c'est plus que la présence ; c'est la rencontre, consciente de part et d'autre, par une Parole toute-puissante, un geste divinisant : c'est le Christ qui baptise, confirme, absout, ordonne, unit, par le ministère de l'Église. Toutefois, il n'est pas personnellement présent dans l'eau, l'huile, sinon par son action spirituelle : il se sert de l'eau, de l'huile...

● **Dans l'eucharistie, au contraire, le Christ est présent réellement, personnellement, corporellement,** et pas seulement par son emprise spirituelle : « Ceci est mon corps... Ceci est mon sang ». Le « est » de la Parole tranche comme un glaive.

Présence réelle, absolument

Les modes principaux selon lesquels le Christ est présent à son Église se manifestent successivement lors de la célébration de la Messe, puisqu'il apparaît d'abord présent dans l'assemblée des fidèles réunis en son nom ; puis dans sa parole lorsqu'on lit et qu'on explique l'Écriture ; ensuite dans la personne du ministre; enfin et d'une façon unique, dans les espèces (= apparences) eucharistiques. Dans ce sacrement, en effet, est présent, d'une façon incomparable, le Christ total et complet, Dieu et homme, de façon substantielle et permanente. Cette présence du Christ sous les « espèces » est appelée réelle non à titre exclusif, comme si les autres présences ne l'étaient pas, mais par excellence. (Le culte du Mystère eucharistique).

Présence réelle, comment ?

Je suis le pain de vie, Celui qui vient à moi n'aura pas faim, Celui qui croit en moi, jamais n'aura soif. Je suis le pain vivant. Celui qui mangera ce pain vivra pour l'éternité. Et le pain

Quant à ceux qui voudraient n'y voir qu'une comparaison, une métaphore, comme quand Jésus dit « Je suis la vraie vigne », il leur fut répondu par le Maître lui-même dans la synagogue de Capharnaüm (Jean 6, 51 ss) :

— « Je suis le pain vivant qui descend du Ciel. Celui qui mangera ce pain vivra pour l'éternité. Et le pain que je donnerai, c'est ma chair...

— Comment celui-là peut-il nous donner sa chair à manger ?

— En vérité, en vérité je vous le dis : ma chair est vraie nourriture et mon sang vraie boisson... Celui qui mangera du pain que voici vivra pour l'éternité...

— Cette parole est rude! Qui peut continuer à l'écouter ?...

Ils ont bien compris que ce pain, c'est sa chair. Rebutés, ils partent en masse; « les disciples eux-mêmes sont scandalisés »... Jésus pourrait les retenir en disant : « Comprenez-moi : c'est façon de parler, figure de style, symbole... » Non, non. Ils ont bien compris : Jésus « en rajoute » dans le sens réaliste qui les choque... Ils ne veulent pas croire? Qu'ils partent! La vérité est trop belle : « Ceci est mon corps... Ceci est mon sang ». Présence réelle. L'affirmation du Christ est sans conteste.

Quant à expliquer son affirmation — comment est-il présent? — il n'en dit rien. Preuve que c'est de peu d'importance.

« Vraiment, réellement, substantiellement » présent, déclare le concile de Trente. Trois termes qui ont ici le même sens — un sens courant — et qui se renforcent comme pour dire : « vraiment, vraiment, vraiment »!

Quand il parle de substance et de transsubstantiation, le concile n'emploie pas ce mot — « substance » — au sens que lui donnait Aristote et que reprit la scolastique du XIIIe siècle; il l'emploie au sens traditionnel de la théologie. Heureusement, car le langage d'Aristote est affaire d'initiés et n'a plus cours chez l'homme moderne; et de toute façon, il ne peut s'appliquer à un corps glorieux. Malheureusement, la théologie post-tridentine a un peu oublié que **le corps réelle-**

ment présent dans l'eucharistie, c'est le corps du Ressuscité...

Dans la théologie du XIIᵉ siècle, dans celle du concile de Trente, comme dans le français du XIVᵉ au XXᵉ siècles, « substance » signifie ce qu'il a d'essentiel dans une chose ou une idée, la réalité profonde d'un être, au-delà des apparences. Ex : « Qu'a dit, en substance, l'orateur ? », « Servez-nous un repas substantiel »...

Eh bien, dans l'eucharistie, seule la substance du pain et du vin est « convertie » au corps glorieux de Jésus Christ.

Les éléments physico-chimiques — ce que l'on appelle les « apparences », les « phénomènes », ou encore, d'un mot démodé, les « espèces », — ne changent pas. Une analyse en laboratoire montrerait que le pain et le vin, après la consécration comme avant, appartiennent, matériellement parlant, à l'univers physico-chimique de la biologie végétale. Il est donc faux de dire : Le Christ a « remplacé » le pain et le vin. Comme si un corps glorieux pouvait « prendre la place » de cellules biologiques ! Le concile de Trente a refusé le mot de « substitution » ; il a dit : « La substance du pain et du vin est « convertie » en la substance du corps et du sang du Seigneur. »

La substance, c'est-à-dire la réalité profonde et essentielle d'un être, ce qu'il est pour vous réellement. Telle personne, pour vous, ce n'est pas 70 kg de matière albuminoïde, c'est votre femme, ou votre mari, ou votre enfant, rien d'autre. Un journal, pour vous et pour moi, c'est vraiment, réellement et substantiellement les informations du jour, et rien d'autre ; pour la poissarde qui ne sait pas lire, c'est vraiment, réellement et substantiellement un emballage pour ses poireaux, et rien d'autre ; pour les termites d'Afrique, c'est vraiment, réellement et substantiellement un comestible de choix, et rien d'autre. La substance, c'est ce qu'est un être pour nous : ce que l'on y cherche et que l'on y trouve.

Eh bien, pour les chrétiens, le pain et le vin consacrés, c'est vraiment, réellement et substantiellement Jésus ressuscité, parce qu'il l'a voulu ; c'est lui que l'on y cherche et c'est lui que l'on y trouve, rien d'autre.

que je donnerai, c'est ma chair, donnée pour que le monde ait la vie. En vérité, en vérité, je vous le dis, si vous ne mangez pas la chair du Fils de l'homme et si vous ne buvez pas son sang, vous n'aurez pas en vous la Vie. Celui qui mange ma chair et boit mon sang a la vie éternelle, et moi, je le ressusciterai au dernier jour. Ma chair est vraie nourriture et mon sang est vraie boisson : Celui qui mange ma chair et boit mon sang demeure en moi et moi en lui. Comme le Père qui est vivant m'a envoyé et que je vis par le Père, ainsi celui qui me mangera vivra par moi. Tel est le pain qui est venu du ciel. Qui mangera du pain voici vivra pour l'éternité. (Jn 6, 35-58).

**Par le don de son Amour et la puissance sacramen-
telle de sa Parole, la réalité profonde du pain et du vin
est « convertie » en une réalité d'un autre monde,
celui de la Résurrection : le Christ glorieux lui-même.**
N'alléguons pas les miracles, racontés au Moyen Age,
d'hosties saignantes ou d'enfant Jésus vu dans les mains
du prêtre. Ce ne furent là que d'autres « apparences » pour
susciter la piété. Car l'enfant Jésus n'existe plus : il a grandi,
— et son corps ne saigne plus, même dans l'hostie : il est
glorieux.

*Présence
durable*

L'eucharistie a été instituée pour être mangée, rappelle
le concile de Trente. De par la volonté de Jésus Christ, le
pain et le vin sont consacrés pour le repas. On ne peut séparer
le « Ceci est mon corps » du « Prenez et mangez tous ! »

Aussi la Tradition des premiers siècles et, encore de nos
jours, celle de l'Orient chrétien, ne connaît la réserve du
Sacrement après la messe que pour le viatique des mourants
et la communion des malades, et non pour un culte ou une
communion hors de la messe.

Cependant, cette permanence de l'eucharistie est un beau
mystère :

1) Il nous rappelle que l'Événement pascal n'est pas seulement un fait du passé, mais l'Événement permanent de la
vie céleste du Christ, ressuscité et glorifié dans l'acte suprême
de sa mort d'amour.

Quand vous ve-
nez vous pré-
senter devant ma
face, qui vous a
demandé de fou-
ler mes parvis ?
Cessez de m'ap-
porter de vaines
oblations : J'ai
en horreur l'en-
cens... Quand
vous étendez vos
mains, je ferme
les yeux pour ne

2) Il nous rappelle que notre messe du matin ou du
dimanche nous a engagés, nous aussi, de façon permanente,
dans la même vie d'amour...

Un tabernacle délaissé n'est donc pas nécessairement celui
devant lequel personne ne se trouve en adoration, mais bien
celui d'une communauté chrétienne dont aucun membre
ne se fatigue, à partir de sa communion, dans un engagement
actif d'unité et de don de soi. C'est alors qu'il faudrait parler
d'eucharistie « invalide », car **le but du Seigneur dans ce
sacrement n'est pas de « convertir » du pain et du vin,
mais de « convertir » nos cœurs et nos communautés,**

de façon que nous soyons, personnellement et comme groupe chrétien, « le Corps du Christ ».

Le vrai problème est là. Et non pas de savoir si, et combien de temps, le Christ demeure sacramentellement présent dans « le cœur » de celui qui a communié...

« L'eucharistie une fois consommée, la présence du Seigneur ne s'évanouit pas, elle se transpose. Le sacrement a joué son rôle, le Christ est donné à l'Église, le pain n'est plus à manger : il peut cesser d'être le moyen de présence du Seigneur. Nulle raison de témoigner un culte d'adoration à une eucharistie qui prolongerait quelque temps encore son existence dans le corps du communiant. Celui-ci ne devient ni ciboire ni tabernacle : **il est désormais consacré lui-même dans l'Esprit Saint ; assumé dans son Seigneur, il devient à son tour sacrement de la présence pascale du Christ au monde.** L'eucharistie transforme l'Église toujours davantage en ce qu'elle est déjà par la foi et le baptême : l'Épouse du Christ, son propre corps dans le monde » (F.-X. Durrwell).

pas vous voir ; quand vous multipliez les prières, je n'écoute pas. Vos mains sont pleines de sang. Lavez-vous, purifiez-vous ; ôtez la malice de vos actions de devant mes yeux ; cessez de mal faire, apprenez à bien faire ; recherchez la justice, châtiez l'oppresseur, faites droit à l'orphelin, défendez la veuve... (Is 1, 12-17).

« LA CERTITUDE BIMILLÉNAIRE »

Avant de clore ce chapitre, partageons ensemble la chance d'entendre le témoignage donné, dans sa Retraite au Vatican (1970), devant le Saint-Père et la Curie romaine, par le Père Jacques Loew, ancien docker, autrefois incroyant, puis chrétien, prêtre, dominicain, fondateur de la Mission Saint-Pierre-Saint-Paul et de l'École de la Foi à Fribourg :

« Je vous disais ce matin qu'étant encore incroyant, j'avais été à la Valsainte. J'avais demandé aux chartreux s'ils voulaient bien m'accueillir pour quelques jours de recherche. Je désirais véritablement savoir si Dieu existait ou non. Or, à la Valsainte, je me suis trouvé comme acculé à ce mystère de l'Eucharistie auquel je ne songeais nullement. Et si aujour-

L'Église catholique a tenu fermement non seulement dans sa doctrine, mais également dans sa vie, la foi en la présence du corps et du sang du Seigneur dans l'Eucharistie, car elle n'a jamais cessé de rendre à ce grand sacrement le culte de lâtrie, qui n'est dû qu'à Dieu. A ce propos, saint Augustin nous dit : « C'est dans sa chair même que [le Seigneur] a marché sur notre terre et il nous a donné cette même chair à manger pour notre salut ; et personne ne la prend sans l'avoir d'abord adorée... et en l'adorant nous ne péchons point, mais, au contraire, nous péchons si nous ne l'adorons pas. » (Paul VI).

Non seulement durant l'oblation du sacrifice et quand se fait le sacrement, mais encore après, tant que l'Eucharistie est gardée dans les églises et oratoires, le Christ est vraiment l'Emmanuel, « Dieu avec nous ». Car jour et nuit, il est au milieu de nous et habite avec nous, plein de grâce et de vérité ; il restaure les mœurs, nourrit les vertus, console les affligés, fortifie les faibles et in-

d'hui je suis là au milieu de vous, c'est bien à cause de lui. Le père hôtelier m'avait bien reçu. Il m'avait écouté. Je m'attendais à ce qu'il me fasse toute une apologétique et j'étais prêt à cela. Je me disais : « Tu vas chez des curés, ils vont te raconter tout un catéchisme. » Mais lui m'avait écouté et m'avait seulement dit : « C'est bien, vous êtes dans la bonne voie, continuez. » Il m'avait montré la chapelle : « Si vous voulez y aller, vous irez. » Moi, j'allais à la chapelle sans savoir, sans comprendre. Quand un office commençait, je me mettais à genoux parce que je pensais que c'était la tenue correcte : mais ces offices des chartreux n'en finissaient plus, et fatigué d'être à genoux, je m'asseyais enfin. Crac ! c'était l'élévation, tout le monde se mettait à genoux, j'allais exactement à contre-temps !

« C'était la Semaine Sainte. Un matin, pendant l'office, je vois à un moment donné les moines quitter leurs stalles et venir se ranger autour de l'autel où célébrait le Père Abbé, puis je vois les frères sortir de derrière les grilles du jubé et venir également se mettre autour de l'autel : et les retraitants enfin descendre par un escalier en colimaçon, et venir, eux aussi, participer à ce même cercle autour de l'autel. Et, moi, je me trouve seul dans un coin, loin de tous, au moment où la sainte Communion était donnée : c'était la messe du Jeudi saint. Tout seul, dans la tribune ! Et là, vraiment, j'ai senti que ou bien ces hommes, moines, frères, retraitants, étaient fous — en allant avaler je ne sais quelle pastille —, ou bien vraiment c'était moi l'aveugle et qui ne comprenais pas ce dont il s'agissait. Or, je voyais ces chartreux, je constatais leur calme, leur équilibre, je découvrais ces hommes capables de vivre une vie entière dans le silence, dans la solitude, je ne pouvais pas me dire qu'ils étaient des fous. J'étais bien obligé de penser, même inconsciemment, que véritablement il y avait là un je-ne-sais-quoi qui me dépassait, une Présence sainte au-delà du visible.

« Cela a été le point de départ : je ne croyais toujours pas en Dieu, mais désormais j'allais le chercher avec la certitude que l'invisible pouvait exister. Plus tard, Dieu s'est révélé à moi comme une certitude ; mais Jésus Christ, n'était-ce pas une légende ? Un jour, j'ai pu comprendre que si Dieu était Dieu, au-delà de toutes nos limites, il était capable d'aimer le monde jusqu'à lui donner son Fils ; que si Dieu était l'Amour, il était capable de venir parmi nous dans son Fils : alors j'ai cru au Seigneur Jésus. Mais une question se posait encore : j'avais été baptisé catholique, mais élevé vaguement dans le protestantisme ; allais-je être catholique ou protestant ? Je décidai de fréquenter la Cène protestante pour voir ce qu'il en était, mais chaque fois que je demandais à des amis protestants ou à des pasteurs de m'expliquer ce qui se passe à la Cène, chacun me donnait sa réponse personnelle : un souvenir,... une mémoire,... un repas fraternel... J'étais seul, je ne voyais aucun prêtre (j'avais quitté la Valsainte au bout de huit jours) ; mais quand je lisais dans l'Évangile : « Ceci est mon Corps ; ceci est mon Sang », je me retrouvais à la Valsainte, à la tribune, seul dans le coin gauche, en face de tous ces moines qui, depuis le temps de Jésus jusqu'à aujourd'hui, redisaient : « Ceci est mon Corps ; ceci est mon Sang » et recevaient avec adoration le corps du Christ.

« Et si, en définitive, avec la grâce de Dieu et poussé par elle bien sûr, j'ai choisi le catholicisme, si, après six mois de réflexion, je suis allé voir un prêtre en lui disant : « Je veux être catholique », c'est à cause de ce trésor unique de l'Eucharistie et parce que seule l'Église me paraissait être fidèle au : « Ceci est mon Corps ; ceci est mon Sang. » Cela a été plus fort que toutes mes difficultés car, étant incroyant, élevé dans une famille socialiste, vous pensez bien que l'Église, c'était un gros morceau à avaler, avec toutes les idées fausses qu'on peut avoir dans la tête : il y avait Galilée, il y avait les papes de la Renaissance et il y avait tant encore. Mais tout cela ne pesait guère, en définitive, devant cette fidélité de l'Église catholique à la parole : « Ceci est mon Corps ; ceci est mon Sang. » Que rien ne vienne diluer ou énerver la certitude bimillénaire de ce trésor qui porte et rassemble notre foi. »

vite instamment à l'imiter tous ceux qui s'approchent de lui, afin qu'à son exemple ils apprennent à être doux et humbles de cœur, à chercher non leurs propres intérêts, mais ceux de Dieu. Ainsi quiconque entoure le vénérable sacrement d'une dévotion spéciale, et tâche d'aimer d'un cœur disponible et généreux le Christ qui nous aime infiniment, éprouve et comprend pleinement, avec beaucoup de joie intérieure et de fruit, le prix de la vie cachée avec le Christ en Dieu ; il sait combien il est précieux de s'entretenir avec le Christ, car il n'est sur terre rien de plus doux, rien de plus apte à faire avancer dans les voies de la sainteté.
(Paul VI).

9

LA CÉLÉBRATION
DE L'EUCHARISTIE

LES CONCÉLÉBRANTS
DE L'EUCHARISTIE

La messe est la plus grande action de notre vie. La messe est la plus grande action du monde. C'est, chaque fois, un événement inépuisable. Et de cet événement, vous êtes les acteurs.

L'Eucharistie est en effet une « concélébration » : une « célébration ensemble ». Tous les chrétiens présents sont des concélébrants. En vertu de leur baptême et de leur confirmation...

Le prêtre, l'Unique Prêtre, c'est Jésus Christ.

Le sacrifice, l'Unique Sacrifice, c'est celui du Calvaire. La messe en est le « mémorial », c'est-à-dire le « rappel », mais aux deux sens du terme. On rappelle un événement du passé, et c'est un souvenir ; — on rappelle aussi un soldat sous les drapeaux, un artiste en scène, et c'est alors une présence, une re-présence. **L'eucharistie est souvenir et présence du Calvaire.**

Le prêtre ordonné est investi de la grâce et de la mission de présider et de consacrer l'Eucharistie, en vertu du sacrement de l'ordre qu'il a reçu ; il est signe, sacrement du Christ-Tête.

Donc, le Christ s'offre et nous offre avec lui ; le prêtre offre le Christ et s'offre lui-même, et l'assemblée, avec le Christ. Mais le fidèle aussi, sans consacrer le pain et le vin, offre le Christ et s'offre soi-même avec lui. Les baptisés ne sont pas séparés du prêtre ; ils ne sont pas séparés de Jésus Christ. Ils concélèbrent avec le Christ ; ils concélèbrent avec le prêtre ; ils concélèbrent entre eux. C'est pourquoi le prêtre parle au pluriel : « Prions... », « Élevons notre cœur », « Rendons grâces », « Nous aussi, tes serviteurs (c'est-à-dire les prêtres), et ton peuple saint avec nous, nous te présentons cette offrande... » etc.

Avec le Christ et le prêtre, tout le peuple « sacerdotal » est acteur du drame de la messe, célébrant de la sainte « liturgie ».

Le Christ, le prêtre, le baptisé, ensemble

Représenté par nous (évêques et prêtres), c'est le Christ qui offre en nous, puisque c'est sa parole qui consacre le sacrifice que nous offrons... Ici-bas tu vois son image (dans les célébrants de l'autel). Au Ciel, tu verras le Grand Prêtre éternel et perpétuel dont ici-bas tu voyais les images en Pierre, Paul, Jean, Jacques... (S. Ambroise).

Le mot « liturgie » (du grec *leïtos*, « public », « populaire », — et *ergon* : « œuvre ») veut dire « œuvre publique », « action du peuple ». « Le Nouveau Testament l'utilise dans différents sens, toujours en rapport avec le service cultuel accompli par la communauté » (Louis Vereecke).

La liturgie n'est donc pas l'affaire du clergé ; elle est l'affaire de la communauté chrétienne. « Celui qui préside n'est pas le propriétaire de l'Eucharistie », rappelle la Lettre des Évêques français de Lourdes 1976 : il célèbre pour une assemblée, avec elle, et elle avec lui, en communion avec l'Église universelle.

« Propriétaire de l'Eucharistie »

Il faut le dire : le prêtre était — de force — « propriétaire de l'Eucharistie » quand il la célébrait dos au peuple, au fond d'un chœur, en latin, contraignant ainsi la grande majorité de l'assistance à faire autre chose ou à s'ennuyer. Dans *La messe là-bas*, Claudel l'a crié en mots inoubliables :

« Le Curé (dans cette église de Paris que je sais), après qu'il a chanté le Credo, quand il a dit : Dominus vosbiscum,
Se retourne vers l'assistance qui est de femmes et d'enfants et il y a encore pas mal d'hommes,
Tout cela tout de même qui est là pour dire la messe avec lui et qui est son petit troupeau.
L'un fait semblant de lire dans un livre et l'autre est bien embarrassé de son chapeau.
Ce n'est pas que ce soit intéressant, et ce n'est pas positivement que l'on s'ennuie,
Chacun sait simplement qu'on est là pour attendre que ce soit fini,
Et regarde vaguement le prêtre à l'autel qui trafique on ne sait pas trop quoi.
— Le Seigneur est avec vous, mes frères! Mes frères, êtes-vous avec moi ? »

Pour dater de 1917, ce texte est encore trop actuel, surtout vis-à-vis des jeunes. « Les adolescents décrochent », constate une enquête de *La Vie* en janvier 1977. Et une personne ose interroger : « Quand les évêques vont-ils réellement se pencher sur ce problème ? »

C'est d'accord, un prêtre se comporte en « propriétaire de l'Eucharistie » quand il impose à l'assemblée des prières ou des façons de sa fantaisie. C'est un abus de pouvoir : il vole aux baptisés leur droit à concélébrer avec lui et en union avec toute l'Église.

Mais il sèvre tout autant l'assemblée de son droit à comprendre, à vivre et à participer, celui qui s'en tient juridiquement — ou paresseusement — aux textes du Missel avec une communauté qui n'est pas apte à y « entrer ». Le prêtre se comporte en « propriétaire de l'Eucharistie » chaque fois qu'il ne la « donne » pas aux baptisés concrets qu'il a devant lui.

C'est cet homme qui engendre l'ennui, l'ennui stigmatisé par Claudel, l'ennui qui vide les églises parce qu'il est antireligieux. « Rien de plus contradictoire à la religion que l'ennui, disait Alexandre Cingria. La religion peut se nourrir de souffrances, de tristesse, mais jamais d'ennui. » Pourquoi les 95 pour 100 des jeunes, élevés chrétiennement, ne vont-ils plus à la messe ?...

Une correspondante de *La Vie* répond : « Les jeunes ne sont pas associés à la messe. Ce n'est pas leur messe. Comment voulez-vous qu'ils continuent à participer ? ». Et une jeune fille de dix-sept ans écrit son désintérêt : « Je ne me sens pas du tout à l'aise, pas du tout concernée pendant les messes... Je ne supporte pas toutes ces prières répétées sans que les gens y fassent attention : credo, gloria, élevons notre cœur, etc... »

En 1934 déjà, un laïc allemand, H. Rheinfelder, militant d'Action catholique, exprimait publiquement une faim identique chez les adultes : « Il faudra bien que l'autel chrétien reprenne sa place privilégiée dans la communauté chrétienne : au centre... Le but de ma conférence est de demander instamment aux dirigeants ecclésiastiques de bien vouloir comprendre le désir que nous avons d'un culte vraiment communautaire qui soit celui du christianisme primitif et d'exaucer ce désir dans la mesure du possible. Je peux affirmer que mes désirs sont partagés par la plupart des laïcs cultivés »

Dans le cœur de ces laïcs de naguère, dans celui des jeunes d'aujourd'hui, c'est la grâce du baptême qui crie leur faim

Il n'est qu'une Eucharistie et elle est attestée par la continuité apostolique. Célébrée au IIIe siècle, au XIIe, de nos jours ou dans 10 siècles, l'Eucharistie est la même. C'est celle du Christ crucifié et ressuscité. La spiritualité chrétienne n'a pas d'autre but que de nous aider à devenir des hommes eucharistiques. En toutes choses, nous dit l'Apôtre, faites Eucharistie. En partageant le pain et le vin de l'Eucharistie, nous devenons des hommes de merci, de communion. L'Eucharistie, c'est le sacrement du frère. Quand tu viens de communier et que tu retrouves ton frère dans la rue, ton frère c'est ton Dieu, disait Jean Chrysostome. Le monde est le don de Dieu, comment peut-on se l'approprier ? (O. Clément).

de célébrer vraiment, de célébrer personnellement cette Eucharistie qui est l'existence même de ce peuple sacerdotal.

A l'Église
ce qui est
à l'Église

C'est cette volonté de l'Esprit Saint, de rendre à l'Église ce qui est à l'Église, qui a inspiré au Concile la réforme liturgique.

« Notre souci, déclarent les Pères de Vatican II, est d'obtenir que les fidèles n'assistent pas à ce mystère de la foi qu'est l'Eucharistie comme des spectateurs muets et étrangers, mais que, le comprenant bien dans ses rites et ses prières, ils participent consciemment, pieusement et activement à l'action sacrée, soient formés par la Parole de Dieu, se restaurent à la table du Corps du Seigneur, rendent grâces à Dieu ; qu'offrant la Victime sans tache, non seulement par les mains du prêtre, mais aussi ensemble avec lui, ils apprennent à s'offrir eux-mêmes et, de jour en jour, assemblés par le Christ Médiateur, ils arrivent à ne plus faire qu'un avec Dieu et entre eux, pour qu'ainsi, finalement, Dieu soit tout en tous. »

Opération réussie ? Oui et non. L'enquête de *La Vie* révèle « l'adhésion massive et chaleureuse à la messe actuelle ». Mais pas celle des jeunes... et de certains anciens : « Le Concile a poignardé sans précaution les vieux fidèles », écrit tragiquement un correspondant doué pour l'hyperbole.

La vérité, c'est que les prêtres n'ont pas assez expliqué. Alors, tentons d'expliquer, d'informer...

C'est d'autant plus nécessaire que, dix ans après le Concile, le malaise d'incompréhension diffus par tout le corps semble aujourd'hui se concentrer et mûrir en abcès de fixation.

« LA MESSE DE TOUJOURS »

Depuis le Concile Vatican II, des chrétiens se défendent contre la réforme liturgique décidée par 2 162 évêques contre 46, soit à 97 % de majorité. Ils entrent joyeusement dans l'évolution générale de leurs modes d'existence — alimentation, transports, télécommunications, techniques médicales, ordinateurs, etc., — mais ils refusent que leur religion s'exprime en des formes vivantes, donc évolutives. Ils se battent en particulier pour ce qu'ils appellent « la messe millénaire », « la messe de toujours », c'est-à-dire la messe latine et les rites promulgués par le pape saint Pie V en... 1570, ce qui ne fait jamais que quatre cents ans.

Il y faut une singulière ignorance!

La messe des origines

« La messe de toujours », si les mots ont un sens, ce ne peut être que la Cène du Seigneur et les repas pris par les Apôtres, de dimanche en dimanche, avec le Christ ressuscité. Jésus une fois « monté aux Cieux », les chrétiens ont continué à se réunir dans cette joie pascale, dans ce souvenir des derniers repas partagés avec le Christ.

Dans l'Église des origines, l'Eucharistie était donc célébrée au cours d'un vrai repas, « le Repas du Seigneur », les fidèles fraternellement assis autour des Apôtres. On l'appelait « la fraction du pain », en mémoire du geste caractéristique de Jésus : sur la montagne de la multiplication, à la Cène, à Emmaüs...

« Le repas commun leur fournissait l'occasion de renouveler le mémorial du Seigneur. C'est encore plus clair quand on se rappelle que, dans la pensée juive et dans l'imagerie des paraboles évangéliques, le repas avait une signification hautement symbolique. L'une des images de la splendeur messianique était le festin. Saint Luc enregistre la réflexion d'un des auditeurs du Christ : « Heureux celui qui pourra prendre son repas dans le Royaume de Dieu! » ; et le Seigneur acceptait cette image, car il comparait le Royaume des Cieux à un grand banquet. Il est frappant de voir combien souvent les Évangiles font mention d'un repas, à commencer par les noces de Cana. Ainsi les Apôtres ont dû se sentir tenus de conserver dans la mesure du possible le cadre d'un repas, comme le Seigneur l'avait fait en instituant l'Eucharistie. » (Joseph A. Jungmann).

Comment se déroulait ce Repas du Seigneur?... Nous n'en avons pas le rituel précis. Mais, par les Évangiles et les Actes, nous en connaissons les éléments principaux : enseignement

Jésus disait à celui qui l'avait invité : « Quand tu donnes un déjeuner ou un dîner, ne convie ni tes amis, ni tes frères, ni tes parents, ni de riches voisins, de peur qu'eux aussi ne t'invitent à leur tour et que ta politesse te soit rendue. Quand tu offres un festin, invite au contraire des pauvres, des estropiés, des boiteux, des aveugles ; heureux seras-tu alors de ce qu'ils ne sont pas en état de te le rendre! Car cela te sera rendu lors de la résurrection des justes. » A ces mots, l'un de ceux qui étaient à table avec Jésus lui dit : « Heureux qui prendra son repas dans le Royaume de Dieu! » (Lc 14, 12-15).

L'heure venue, Jésus se mit à table, et ses Apôtres avec lui. Et il leur dit : « J'ai désiré ardemment manger cette pâque avec vous avant de souffrir ; car je vous dis que je ne la mangerai jamais plus jusqu'à ce qu'elle s'accomplisse dans le Royaume de Dieu. » Puis, recevant une coupe, il rendit grâces et dit : « Prenez ceci et partagez entre vous ; car, je vous le dis, je ne boirai plus dorénavant du produit de la vigne, jusqu'à ce que le Royaume de Dieu soit venu. »

des Apôtres, Prière eucharistique, fraction du pain, partage du pain et du vin consacrés, psaumes d'action de grâces, le tout au cours d'un repas festif. A part le repas festif, chacun peut aisément y reconnaître les temps forts de la messe de dimanche dernier, selon les rites de Vatican II et de Paul VI. « La messe de toujours », elle est là.

Suivait-on le rite pascal juif, comme sans doute le Seigneur à la Cène ? Non. Il était trop compliqué pour être repris chaque jour, et même chaque semaine. Et puis, il était strictement réservé à la fête de la Pâque. Mais les Juifs pratiquaient un autre repas rituel, « le repas du sabbat », simplifié de celui de la Pâque, et qui se prêtait à la célébration eucharistique. Les Évangiles nous donnent à penser que c'était ce canevas que suivait le Repas du Seigneur dans la Tradition primitive.

Le repas commençait par des hors-d'œuvre, pris par petits groupes, debout, comme dans un préambule de rencontre, d'accueil et d'attente des retardataires. Chacun bénissait ensuite une coupe de vin : « Béni sois-tu, Seigneur notre Dieu, Roi éternel, qui as créé le fruit de la vigne! » C'est la première coupe dont parle saint Luc (22, 17) et qui n'est pas encore la coupe consacrée. On se lavait alors les mains en disant une prière et le repas proprement dit commençait : on prenait place et les retardataires n'étaient plus admis. (Est-ce péché de rêver d'un Ordre des Portiers qui fermerait l'entrée aux retardataires qui gâchent les eucharisties ?).

On apportait le pain au président. Il le bénissait — « Béni sois-tu, Seigneur notre Dieu, Roi du monde, qui de la terre fais sortir le pain! » —, il le rompait et le distribuait aux convives, en rappelant le souvenir du Christ qui avait ajouté : « Ceci est mon corps ».

A la fin du repas, comme le rappellent nos Prières eucharistiques, on remplissait la coupe pour la troisième fois. C'était « la coupe de bénédiction ». On mêlait à son vin une bonne moitié d'eau et le président commençait la grande prière :

— Rendons grâces au Seigneur notre Dieu.

— Béni soit le nom du Seigneur maintenant et à jamais.

Après un court dialogue, le président continuait seul la prière eucharistique... C'est ici que se placerait la coupe consacrée de Luc (22, 20).

« La fraction du pain au début du repas et la coupe de

bénédiction à la fin appartenaient toutes deux au rituel du repas aussi bien pour la Pâque que pour le sabbat... Cependant cette forme de la célébration eucharistique n'a pas pu durer très longtemps. Il est digne de remarquer que ni Matthieu ni Marc n'insistent sur le « après le repas » des récits de Luc et de Paul... Il semblerait que dans les communautés où ces deux évangélistes travaillaient, les deux consécrations n'étaient plus séparées par un repas. Elles étaient réunies et placées toutes deux soit avant, soit après le repas ; ces deux manières de faire semblent avoir été en usage, à en juger d'après les témoignages. Les bénédictions sur le pain et le calice furent fondues en une seule prière solennelle d'actions de grâces issue de la forme initialement employée sur le calice seul. Ainsi les consécrations furent accomplies sous une seule bénédiction. Finalement on abandonna le repas proprement dit, et ainsi apparaissent les grandes lignes de notre messe actuelle » (Jungmann).

Puis, il prit du pain, rendit grâces, le rompit et le leur donna, en disant : « Ceci est mon corps, donné pour vous ; faites ceci en mémoire de moi. » Il fit de même pour la coupe après le repas, en disant : « Cette coupe est la nouvelle Alliance en mon sang, versé en votre faveur. (Lc 22, 14-20).

La langue, bien sûr, était l'araméen dans les communautés de Palestine ; ailleurs, dans les Églises pauliniennes, et à Rome, où dominaient les immigrants venus d'Orient, le grec. Car on partageait le Repas du Seigneur dans la langue de tout le monde, la langue du peuple, celle des pauvres. Et le petit peuple chrétien, même à Rome, parlait grec, et non pas latin.

Vers l'an 150, à Rome, saint Justin nous laisse le premier « reportage » de la célébration eucharistique. C'est un laïc, professeur de philosophie ; un croyant qui témoignera jusqu'au martyre. Dans un ouvrage qu'il destine à ceux qui ne partagent pas la foi chrétienne, et tout spécialement aux empereurs, sa *Première apologie*, chapitres 65, 66 et 67, il donne une double description de la messe de son temps, telle qu'elle se célébrait à Rome et dans les pays méditerranéens d'Orient et d'Occident à travers lesquels ce chrétien d'élite avait beaucoup voyagé. Voici ces deux descriptions, que nous « superposons » en une seule pour la simplicité du déroulement :

La messe au IIᵉ siècle

« Le jour dit du soleil, tous ceux des nôtres qui habitent les villes ou les champs s'assemblent en un même lieu : on lit les mémoires des Apôtres et les écrits des prophètes, autant que le temps le permet. La lecture terminée, celui qui préside prend la parole pour avertir les assistants et les exhorter à imiter de si beaux enseignements.

Ensuite nous nous levons tous et nous adressons ensemble, à haute voix, des prières à Dieu, pour nous, pour les nouveaux baptisés et pour tous les autres chrétiens qui sont partout dans le monde.

Puis, nous nous embrassons les uns les autres en suspendant les prières.

Alors est présenté, à celui qui préside les frères, du pain et une coupe d'eau et de vin trempé. Il les prend, et il exprime louange et gloire au Père de l'univers par le nom du Fils et de l'Esprit Saint, et il fait une action de grâces abondamment — autant qu'il a de forces — pour ce que Dieu nous a daigné donner ces choses. Celui qui préside ayant achevé les prières et l'action de grâces, tout le peuple présent acclame en disant : Amen.

Celui qui préside ayant rendu grâces et tout le peuple ayant acclamé, ceux qui chez nous sont appelés diacres donnent à chacun des assistants une part du pain eucharistié et du vin mêlé d'eau, et ils en portent aux absents.

Cet aliment est appelé chez nous eucharistie... Nous ne le prenons pas comme du pain ou un breuvage vulgaires... L'aliment eucharistié par un discours de prière qui vient de Jésus Christ notre Sauveur, est la chair et le sang de ce Jésus fait chair.

Car les Apôtres, dans les mémoires qui sont d'eux et qu'on appelle Évangiles, nous ont rapporté ce qu'il leur avait ainsi prescrit : Jésus, ayant pris du pain, avait rendu grâces en disant : « Faites ceci en mémoire de moi : ceci est mon corps. » Et ayant pris la coupe semblablement il avait rendu grâces en disant : « Ceci est mon sang. »

Ceux qui sont dans l'abondance et qui veulent donner, donnent librement chacun ce qu'il entend ; ce qu'on recueille est ainsi porté à celui qui préside, et il secourt les orphelins et les veuves, et ceux qui sont dans l'indigence par suite de maladie ou pour toute autre cause, et ceux qui sont de passage ; bref, il a cure de quiconque est dans le besoin.

Nous nous assemblons tous le jour du soleil, parce que c'est

« Quand tu t'approches, ne t'avance pas les paumes des mains étendues, ni les doigts disjoints ; mais fais de la main gauche un trône pour ta main droite, puisque celle-ci doit recevoir le Roi, et, dans le creux de ta main, reçois le corps du Christ, en disant : « Amen ». Avec soin alors sanctifie tes yeux par le contact du saint corps, puis prends-le et veille à n'en rien perdre... « Ensuite, après avoir communié au corps du

le premier jour où Dieu, tirant des ténèbres la matière, fit le monde, — et Jésus Christ, notre Sauveur, le même jour, ressuscita des morts. »

A travers ce témoignage, qui, lui, est presque deux fois millénaire, nous nous repérons facilement :

L'Eucharistie est célébrée en grec, langue en laquelle Justin écrit son reportage. Elle commence par la liturgie de la Parole : proclamation des Écritures, en lecture suivie, tirées de l'Ancien et du Nouveau Testament ; homélie de l'évêque ; Prière universelle pour l'Église du monde entier ; enfin baiser de paix qui marque le passage de la Parole à l'Eucharistie proprement dite.

Suit la liturgie eucharistique. Le groupe est nombreux ; on ne s'assied plus à des tables ; debout, on entoure *(circumstantes)* un autel où préside l'évêque et son presbyterium. Et c'est l'offertoire du pain et du vin rouge mêlé d'eau, la Prière eucharistique longuement improvisée par l'évêque à partir de quelques lignes de force (louange de la Trinité, récit de l'institution eucharistique, invocation de l'Esprit Saint ou *épiclèse*), et le puissant « Amen » de l'assemblée ; enfin, la fraction du pain et la communion de tous, sous les deux espèces (le pain est donné dans les mains, le vin est bu au calice). La collecte pour les pauvres termine la messe, pour faire passer le « partage » dans la vie concrète : c'est un usage apostolique...

Voilà « la messe de toujours »...

Christ, approche-toi aussi du calice de son sang. N'étends pas les mains, mais incliné, et dans un geste d'adoration et de respect, en disant « Amen », sanctifie-toi en prenant aussi du sang du Christ. Et tandis que tes lèvres sont encore humides, effleure-les de tes mains, et sanctifie tes yeux, ton front et tes autres sens. » (S. Cyrille de Jérusalem).

Le plus ancien canevas de Prière eucharistique qui nous ait été conservé n'est pas celui du « canon romain » de la messe de saint Pie V, c'est celui de *La Tradition apostolique* de saint Hippolyte, au IIIᵉ siècle, que le pape Paul VI vient de nous rendre (la Prière II avec son admirable préface). Prêtre romain, Hippolyte l'écrit en grec, parce que l'Église de Rome prie encore en grec, la langue du peuple chrétien romain... d'hier. Hippolyte se brouille même avec le pape parce que ce dernier fait virer la liturgie au latin, pour suivre le peuple dans son évolution. Heureusement, cet « intégriste » rachètera son péché par le martyre. Saint Hippolyte, priez pour nous !...

La messe de toujours en évolution vivante

Dans la seconde moitié du IIIe siècle donc, la liturgie romaine passe doucement du grec au latin. Parce que le peuple parle de plus en plus latin.

IVe siècle : on introduit dans la messe l'*Alleluia* de l'Évangile et le Notre Père.

Ve siècle : voici qu'apparaissent les trois « oraisons », ou « collectes » que nous appelons maintenant « Prière d'ouverture », « Prière sur les offrandes » et « Prière après la communion » ; le *Kyrie eleison* — emprunté, par souci d'unité, aux frères du Proche-Orient — ponctue des prières litaniques au début de la célébration ; mais ce sera au détriment de la Prière universelle traditionnelle, qui tombera bientôt dans les oubliettes ; le baiser de paix qui scellait cette Prière universelle est reporté vers la communion... Les messes de petits groupes ne sont plus qu'un lointain souvenir ; on est passé aux messes de foule, et il faut animer cette masse : on organise un cortège d'offrande, on solennise les mouvements de la foule par des chants de procession : chant d'entrée, chant d'offertoire, chant de communion : le Graduel est né (*gradus* = marche).

VIe siècle : saint Grégoire le Grand enrichit la célébration des fêtes par l'introduction du *Gloria in excelsis Deo* (« Gloire à Dieu au plus haut des cieux »). Il privilégie et complète une Prière eucharistique qui va supplanter celle de *La Tradition apostolique* et d'autres, très nombreuses dans les liturgies de la Gaule et d'Espagne : elle sera très vite « le canon » (canon = règle), « le canon romain », que l'Occident connaîtra seul durant quatorze siècles : c'est notre Prière eucharistique I. Dès lors, on solennise la préface par le *Sanctus* et le *Benedictus*. Malheureusement, dans ce remue-ménage unificateur, on a perdu l'Esprit Saint : le canon romain ne contient pas d'épiclèse (invocation de l'Esprit pour consacrer le pain et le vin). La Tradition orientale nous le reprochera, non sans raison.

VII-VIIIe siècle : voici le luminaire — non plus simplement utilitaire — mais décoratif, et les grands encensements, et les vêtements « liturgiques » différents de ceux de la ville et de la rue, et le lavement des mains, et l'*Agnus Dei* ; le Credo de Nicée-Constantinople remplace le Symbole des Apôtres. Par contre, pour laisser place aux volutes du *Sanctus*, le « canon », jusque-là proclamé à haute voix et même en grande partie

chanté, s'enfonce dans le *sotto voce* et, bientôt, dans le silence
d'un simple remuement des lèvres : l'assistance ne saura plus
à quoi elle dit Amen...

IXe siècle : la mentalité mystique et symbolique du Moyen
Age s'en donne à cœur joie en variant les couleurs liturgiques.

X[e]-XIIe siècle : la messe est progressivement lardée de
prières que le prêtre récite à voix basse : en prenant les vêtements sacrés à la sacristie, puis au bas de l'autel, et avant
l'Évangile, et durant l'offrande, et avant la communion, et
aux ablutions, et après la messe... Le Missel de saint Pie V
en fixera l'abondant menu.

Les XIIe et XIIIe siècles voient naître l'*Orate fratres*, l'élévation de l'hostie consacrée : ne communiant presque plus,
on voulait au moins voir l'hostie ; une croyance superstitieuse
y attachait, pour ce jour ou cette semaine-là, la certitude de
ne pas mourir...

Au XIVe siècle, l'élévation du calice suivra celle de l'hostie...
et — pure contradiction — « le dernier Évangile », le Prologue de saint Jean, viendra retenir les gens après qu'on les
aura congédiés par l'*Ite missa est*. Le prêtre le récitait en se
déshabillant ; comme on lui attribuait une puissance d'exorcisme, les fidèles en réclamèrent la récitation à l'autel. C'est
saint Pie V qui le rendra obligatoire.

Le dominicain saint Pie V fut pape de 1566 à 1572. Il eut
été en nos temps un grand serviteur de Vatican II : il consacra
son pontificat à mettre l'Église à l'heure du Concile de Trente
(1545-1563). D'où, entre autres, sa réforme liturgique promulguée en 1568 et 1570 : **il imposait un bréviaire, puis
un missel uniformes à toutes les Églises occidentales
qui ne bénéficiaient pas d'une liturgie propre depuis
deux cents ans.** Son choix s'était porté sur le rite romano-
franc, parce qu'il était, de fait, le plus répandu, grâce aux
Franciscains.

Les grands rites orientaux — syriaque, chaldéen, byzantin,
arménien, copte et abyssin — étaient donc laissés à leurs traditions : aussi catholiques que nous, ils continuèrent et continuent à célébrer, en des langues et avec des rituels divers,
« la messe de toujours ».

*La messe
de S. Pie V*

Il n'existe aucune justification, aucun motif qui permette de refuser l'obéissance au Pape à cause de la réforme liturgique. Il n'est pas vrai que saint Pie V ait fixé de manière immuable le rite de la sainte Messe. L'adaptation de la liturgie aux exigences de l'époque est et sera toujours de la compétence des Souverains Pontifes.
(Conférence des évêques d'Allemagne Fédérale).

En Occident, les rites anciens — lyonnais, milanais, mozarabe, carmélitain, dominicain, cartusien — gardèrent et gardent encore leur visage propre. S. Pie V lui-même continua d'user personnellement de son rite dominicain et ne célébra peut-être jamais « la messe de saint Pie V ». Sous cette légitime diversité occidentale, tout chrétien instruit n'a pas de peine à retrouver « la messe de toujours ».

La réforme de Pie V eut un grand résultat : la fin de l'anarchie liturgique. Malheureusement, la participation réelle du peuple au sacrifice diminua de plus en plus, du fait de la survivance du latin, que comprenaient seuls clercs et élites.

Reconnaissants à saint Pie V de sa grande œuvre, ses successeurs n'en furent nullement liés. **Ce qu'a fait un pape, un autre peut le faire. Ce qu'a fait un pape, un autre peut le défaire, pour faire quelque chose de plus adapté à des temps différents...** Ainsi le bréviaire promulgué par Pie V en 1568 fut révisé et modifié par Clément VIII en 1602, par Urbain VIII en 1632, puis remanié de fond en comble par saint Pie X en 1911, doté par Pie XII d'une nouvelle traduction des psaumes en 1945, remis en chantier par Paul VI dans une élaboration qui est en cours... Quant à son missel, Pie XII, en 1956, en remodela le cœur dans sa liturgie rénovée des trois Jours saints.

Puis ce fut Vatican II.

LA RÉFORME CONCILIAIRE

Pleinement conscients d'être aussi papes que saint Pie V, ses successeurs — en chefs responsables d'une Église vivante — en ont agi avec la même souveraineté que lui.

En 1911, saint Pie X décidait : « Par l'autorité des présentes lettres, avant tout nous abolissons la disposition du psautier telle qu'elle est actuellement dans le Bréviaire romain et nous en interdisons absolument l'usage à partir du 1er janvier 1913 ».

En 1955, Pie XII à son tour : « Ceux qui observent le rite romain sont tenus à l'avenir d'observer *l'Ordo* de la Semaine Sainte tel qu'il est dans l'édition typique vaticane ».

Par Constitution apostolique du 3 avril 1969, Paul VI ordonnait, pour le 30 novembre de la même année, l'entrée en vigueur du « Missel conciliaire » dans le texte latin de l'édition typique. Il restait aux Conférences épiscopales de le traduire en langue vernaculaire et de déterminer la date où ce Missel traduit entrerait en vigueur dans chaque région linguistique. Obéissant à cette Instruction, et en vertu de ce mandat apostolique, l'Épiscopat français, par ordonnance du 12 novembre 1969, rendit les textes du nouveau Missel obligatoires à partir du premier dimanche de l'Avent 1970.

« L'obéis-sance au Concile »

Le 26 novembre, Paul VI lui-même avait déclaré : « Nous devons bien voir les motifs pour lesquels ce grave changement a été introduit : **l'obéissance au Concile.** Ce premier motif n'est pas simplement canonique, en ce sens qu'il n'y aurait là qu'un précepte extérieur ; il est lié au charisme de l'action liturgique, c'est-à-dire au pouvoir et à l'efficacité de la prière de l'Église... **C'est la volonté du Christ, c'est le soufffe de l'Esprit Saint qui appellent l'Église à cette muta-tion** ».

Qu'avait donc décidé le Concile en cette *Constitution sur la Liturgie* que Paul VI avait signée avant tous les Pères, le 4 décembre 1963, en ces termes :

« Tout l'ensemble et chacun des points de cette Constitution ont plu aux Pères du Concile. Et nous, en vertu du pouvoir apostolique que Nous tenons du Christ, en union avec les vénérables Pères, Nous les approuvons, arrêtons et décrétons dans le Saint Esprit... »?

Il avait précisé les deux axes de la réforme à mettre en chantier : simplification et restauration.

Simplifi-
cation

Le mouvement spontané de la ferveur et de l'art — et l'art est une forme de ferveur — est d'en « rajouter », jusqu'à l'excès : une belle chose par-ci, une autre par-là, et cette fioriture, et cette perle, et ce diamant, et cette splendeur par-dessus...

C'est ainsi que nos pures cathédrales gothiques du XIIIe siècle ont vu leurs sœurs plus jeunes se surcharger jusqu'au flamboyant, pour exploser finalement dans l'exubérance du baroque.

De même, on a pu comparer notre liturgie eucharistique, aux formes simples et belles, à une splendide statue que les siècles auraient parée de robes précieuses, de tuniques multicolores, de voiles en dentelles, de broderies fines... au point que l'on ne saurait plus bien ce qu'elle est sous tous ces ajouts.

Le premier souci du Concile fut donc d'épurer :

« Le saint Concile décrète ce qui suit :

« Le rituel de la messe sera révisé de telle sorte que se manifestent plus clairement le rôle propre ainsi que la connexion mutuelle de chacune de ses parties... Aussi, en gardant fidèlement la substance des rites, on les simplifiera ; on omettra ce qui, au cours des âges, a été redoublé ou ajouté sans grande utilité ».

Ainsi ont disparu : le deuxième *Confiteor* avant la communion, le triplement du *Domine non sum dignus*, la plupart des prières secrètes du prêtre qui n'étaient que des éléments de Prière eucharistique, le dernier évangile, etc. Pour retrouver la ligne.

Restauration

Par contre, poursuit le texte conciliaire,

« on rétablira selon l'ancienne norme des saints Pères certaines choses qui ont disparu sous les atteintes du temps, dans la mesure où cela apparaîtra opportun et nécessaire. »

Et il décide que l'on restitue la proclamation continue des Écritures, l'homélie même aux messes de semaine, la Prière universelle ou « Prière des fidèles », la langue du pays, la communion traditionnelle, la concélébration :

« *51*. Pour présenter aux fidèles avec plus de richesses

la table de la parole de Dieu, on ouvrira plus largement les trésors bibliques pour que, dans un nombre d'années déterminées, on lise au peuple la partie la plus importante des Saintes Écritures.

« *52*. L'homélie par laquelle, au cours de l'année liturgique, on explique à partir du texte sacré les mystères de la foi et les normes de la vie chrétienne, est fortement recommandée comme faisant partie de la liturgie elle-même ; bien plus, aux messes célébrées avec concours de peuple les dimanches et jours de fête de précepte, on ne l'omettra que pour un motif grave.

« *53*. La « prière commune », ou « Prière des fidèles », sera rétablie après l'évangile et l'homélie, surtout les dimanches et fêtes de précepte, afin qu'avec la participation du peuple, on fasse des supplications pour la sainte Église, pour ceux qui détiennent l'autorité publique, pour ceux qui sont accablés par diverses souffrances, et pour tous les hommes et le salut du monde entier.

(On remarquera ces intentions « universelles » qui doivent habituellement être prises en charge dans toute Prière des fidèles : la Sainte Église, les dirigeants des affaires publiques, une grande catégorie de souffrants, le salut du monde entier. Ce n'est qu'après, et secondairement, que viendront les problèmes de la communauté locale.)

« *54*. On pourra donner la place qui convient à la langue du pays dans les messes célébrées avec concours de peuple, surtout pour les lectures et la « prière commune », et selon les conditions locales, aussi dans les parties qui reviennent au peuple...

« *55*. On recommande fortement cette parfaite participation à la messe qui consiste en ce que les fidèles, après la communion du prêtre, reçoivent le corps du Seigneur avec des pains consacrés à ce même sacrifice.

(Car le fidèle doit « participer à l'autel », comme dit le canon romain, et non pas au tabernacle ! C'est presque toujours facile à réaliser, quoique tant de prêtres ne l'accordent pas, hélas !)

« La communion sous les deux espèces peut être accordée, au jugement des évêques...

« *57*. La concélébration manifeste heureusement l'unité du

sacerdoce. Le concile a décidé d'étendre la faculté de concélébrer...

Telles étaient les volontés du Concile auxquelles Paul VI
veut que nous obéissions. Six ans après la *Constitution sur la
Liturgie* dont nous venons de lire les directives, il avait la joie
de promulguer le nouveau Missel par Constitution apostolique
du 3 avril 1969. Il y écrivait en outre :

« Dans cette révision du Missel romain, on n'a pas seulement changé les trois parties dont nous venons de parler, à
savoir la Prière eucharistique, l'*Ordo* de la messe et celui des
lectures, mais d'autres parties ont aussi été revues et considé-
rablement modifiées : le temporal (= les temps liturgiques :
Avent, Temps de Noël, Carême, Temps pascal, Temps
ordinaire), le sanctoral (= le calendrier des saints), le commun des saints, les messes rituelles (= pour un mariage, une
profession religieuse, une sépulture, etc.) et les messes
votives. On a apporté un soin particulier aux oraisons. Leur
nombre a été augmenté, soit à partir des sources liturgiques
anciennes, soit pour répondre aux besoins nouveaux. C'est
ainsi qu'une oraison propre a été attribuée à chacun des jours
des temps liturgiques principaux, à savoir ceux de l'Avent, de
la Nativité, du Carême et de Pâques... On a restauré, en vue
de la participation du peuple, l'usage du psaume respon-
sorial (après la première lecture), dont saint Augustin et saint
Léon le Grand font souvent mention...

« Pour terminer, nous voulons donner force de loi à tout
ce que nous venons d'exposer sur le nouveau Missel... Nous
ordonnons que les prescriptions de cette Constitution entrent
en vigueur le 30 novembre prochain, premier dimanche de
l'Avent (1969) ».

« *Tu es
Pierre* »

L'Église, dans les
domaines qui ne
touchent pas la
foi ou le bien de
toute la commu-

Il n'y a qu'une Église. Elle est « bâtie sur Pierre », c'est-à-
dire sur le pape actuellement en charge. La Palisse dirait que
sans obéissance il y a anarchie. « Anarchie », cela veut dire, éty-
mologiquement, que l'on n'a « plus de chef », que l'on « perd
la tête ». Cela se fait de deux façons : en gardant les anciens
textes et les anciens rites, qui ne sont plus ceux de l'Église
d'aujourd'hui, — ou en se livrant à sa fantaisie sans égard

pour l'assistance et l'Église universelle. Entre les deux s'étend le vaste champ de libres choix explicitement prévus par la réforme, et aussi les adaptations occasionnelles que la charité pastorale inspire à des prêtres respectueux, à la fois, et du Mystère, et des participants.

Rares sont les prêtres qui jouent les papes ou se prennent personnellement pour un mini-concile. Les dénonciations tapageuses, sans noms de personnes et de lieux, relèvent de la méchanceté et du roman : littérature de latrines !

Fraternellement avec leurs prêtres, l'immense majorité des fidèles — du moins chez les simples et les pauvres — est entrée joyeusement dans la nouvelle liturgie et s'en déclare heureuse dans les sondages.

Ce qui a manqué ici et là, c'est l'information. Mais il n'est jamais trop tard pour bien faire... Ce qui est plus difficile, et encore plus indispensable, c'est l'effort quotidien pour se renouveler tous les jours dans l'accueil, dans la Parole, dans la prière, dans l'amour : le péché mortel de la liturgie, c'est la routine, sous quelque rite qu'elle somnole...

nauté, ne désire pas, même dans la liturgie, imposer la forme rigide d'un libellé unique ; bien au contraire, elle cultive les qualités et les dons des divers peuples et elle les développe ; tout ce qui, dans leurs mœurs, n'est pas indissolublement solidaire de superstitions et d'erreurs, elle l'apprécie avec bienveillance et si elle peut, elle en assure la parfaite conservation.
(Vatican II).

CETTE FOI DES PAUVRES, QUI NOUS FAIT HONTE

Dans les rites sacramentels, le Seigneur cherche la foi, le Seigneur regarde le cœur. Dépourvu de prêtre mais non de péchés, le chevalier mourant confessait ses fautes devant son épée ou son cheval ; et Dieu souriait à sa foi et se le réconciliait avec tendresse... Combien de nos messes, avec prêtre ordonné, pain et vin dûment convertis au corps et au sang du Christ, nous laissent nous-mêmes inconvertis parce que nous sommes de peu de foi ! Par contre, lisez ce récit d'une célébration pascale où tout manque pour faire un vrai sacrement eucharistique — le ministre, le pain et le vin, tout — mais où la foi est grande à la dimension de ce vide. Cette foi des pauvres nous fait honte, à nous qui ne manquons de rien...

Un jour de Pâques en Amérique latine. Un témoin raconte :

*C'est
aujourd'hui
le dimanche
de Pâques*

« C'est aujourd'hui le dimanche de la Résurrection. Mes premières Pâques en prison... Seront-ce les dernières, ou y en aura-t-il encore d'autres comme celles-ci ?... L'emprisonnement est infiniment plus dur à supporter quand on ne sait combien de temps il doit durer. La situation politique devient de plus en plus difficile. Par divers canaux, des bribes d'information nous parviennent, nous laissant entendre que l'horizon s'assombrit dans notre pays. Que feront-ils de nous ? Il n'y a pas de réponse optimiste. Chacun s'efforce cependant de ne pas créer une atmosphère déprimante.

« Certainement que le régime ne peut pas continuer à garder près de dix mille prisonniers politiques dans ses geôles : le contact entre soldats et prisonniers pourrait être fatal au gouvernement, car soldats et officiers découvrent, sur la situation économique, politique et sociale, des perspectives qui leur étaient totalement inconnues auparavant. Par ailleurs, il est tout simplement impossible au pouvoir de libérer autant de détenus en un jour.

« Confrontée à une telle impasse et dans l'épais brouillard d'un avenir incertain, la foi chrétienne prend une importance irremplaçable.

« Il est beaucoup plus facile ici de comprendre les sentiments des hommes de la Bible se dénudant de tout le superflu. Nous avons l'impression d'avoir tout perdu. Chaque jour amène de nouveaux déchirements. Nombre de prisonniers ont déjà appris qu'ils ont perdu leur foyer, leurs meubles, tous leurs biens. Nos familles sont brisées. Beaucoup de nos enfants errent dans les rues, leur père étant dans une prison, leur mère dans une autre.

« Que peut nous dire la Résurrection de Jésus Christ ?... C'est curieux, mais dans ce genre de situation faite d'incertitudes et de dénuement, l'expérience religieuse trouve une résonance que je n'ai jamais expérimentée à l'extérieur. Ici, nous n'avons rien si ce n'est notre foi. Nos vies elles-mêmes sont précaires et incertaines. Mais le Christ est ressuscité des morts, et aujourd'hui, c'est le dimanche de Pâques !

« Ce jour m'invite à jeter un regard critique sur ma vie

passée... J'ai de nombreuses raisons d'être reconnaissant à Dieu et à mes frères les hommes. J'ai pu voir sous son vrai jour l'ignorance et la misère intérieure et extérieure des hommes et des femmes. J'ai eu la possibilité de servir, en tant que pasteur, dans quelques paroisses. Je me demande cependant si cette communauté dynamique et qui ne cesse de changer, formée d'une masse de prisonniers, n'a pas été la meilleure occasion de ministère qui m'ait été offerte. C'est en tout cas celle où j'ai vécu le plus d'incertitudes et d'aventures. Et dans une « paroisse » » où le va-et-vient fait passer toutes espèces d'hommes et de tempéraments.

Les murs de la prison s'écroulent

« Nous vivons dans une situation où la personnalité tout entière est plus réceptive au soutien que peut apporter la foi. Je suis redevable à beaucoup de ces gens de l'aide la plus extraordinaire. Pour étudier certains problèmes à la limite de la théologie et d'autres sciences, j'avais souhaité la collaboration d'un mathématicien, d'un philosophe, ou d'un biologiste. Ici, je puis entrer en contact avec des spécialistes de tout un éventail de disciplines. Si j'ai pu donner quelque chose, j'ai aussi bénéficié d'un très riche apport intellectuel et spirituel.

« A travers tout cela, je fais l'expérience de la puissance de la Résurrection. Notre mort à la liberté civile, notre captivité, notre exil loin de toute activité politique et missionnaire, sont enrichis par la vie puissante et dynamique que procurent les rencontres humaines.

« Tout ce qui arrive à ce peuple captif traduit les signes des souffrances de l'enfantement d'une nouvelle vie. La Rédemption est une nouvelle création. Au cœur du dénuement, la liberté donnée par Dieu aux captifs acquiert un pouvoir indescriptible. De même que la tombe du Christ fut violemment ouverte par la puissance incoercible de la vie, de même les murs de la prison s'écroulent sous la force de la foi et de la communion des frères. Le déferlement d'une Présence sur laquelle on ne peut se méprendre ouvre les portes des prisons, et nous découvrons la lumière d'une liberté qui ne peut nous être arrachée, car elle est la liberté de Dieu.

« C'est Pâques. Par instant je sens dans notre baraque l'at-

mosphère des catacombes de Rome et je peux voir sur le
visage de chaque prisonnier, dans la lumière de ses yeux, le
reflet de la foi qui est lumière et espoir. Nous devons nous
rencontrer malgré les interdictions. Cette ambiance qui nous
entoure exige que nous nous rencontrions, quelles qu'en
soient les conséquences.

« On nous a tout confisqué. Nous n'avons sous la main que
nos lits de camp, nos couvertures et les habits que nous avons
sur nous. Il n'y a pas une seule tasse : celui qui veut boire doit
le faire directement au robinet du lavabo. Un grand nombre
de prisonniers chrétiens ont cependant ressenti la joie de la
célébration eucharistique — sans pain ni vin. La communion
les mains vides, celle des captifs, des démunis, des exilés et des
opprimés. Jamais auparavant cependant nous n'avions ressenti
si clairement le poids de l'éternité faisant irruption dans notre
temps historique.

Communion
sans pain
ni vin

« Les non-chrétiens nous avaient dit : « Nous vous aide-
rons : nous bavarderons tranquillement afin que vous puissiez
vous réunir ». Ils formèrent un groupe autour des gardiens et
fournirent ce rideau de conversations ordinaires qui nous a
permis de nous rassembler. Un silence trop épais aurait attiré
l'attention des gardiens aussi sûrement que la voix isolée d'un
prédicateur. Nous avions été avertis que toute rencontre qui
n'était pas une simple conversation serait sévèrement punie.

— Nous n'avons pas de pain, leur dis-je. Nous ne pouvons
même pas employer de l'eau à la place du vin...

« Un garçon qui n'avait pas plus de dix-neuf ans, membre
d'un groupe de militants condamnés à plus de trente ans de
prison, dit :

— C'est comme quand nous étions gosses : dans ma ville,
nous nous « rendions visite » et nous « buvions du maté »
des heures durant.

— Ce sera ainsi, répondis-je. Tu sais que le Christ nous
demande d'agir avec la simplicité des petits enfants.

« Près de nous, assis sur un lit de camp, un prisonnier
suivait le gardien d'un œil attentif, prêt à nous avertir si la
porte grillagée, que nous ne pouvions voir, venait à s'ouvrir.

— Le Christ acceptera notre célébration, dit un de nos nouveaux frères qui était comme notre animateur liturgique. Peu importe que nous n'ayons pas les éléments qui conviennent. Ce qui compte, c'est que nous agissions avec sincérité.

« Je commençai :

— Ce repas auquel nous prenons part nous rappelle l'emprisonnement, la torture, la mort et la victoire finale dans la Résurrection de Jésus Christ. Il nous demande de nous souvenir de lui en répétant cet acte dans un esprit de fraternité. Le pain que nous n'avons pas aujourd'hui, mais qui est présent dans l'esprit de Jésus Christ, est le corps qu'il a donné pour l'humanité. Le fait que nous en manquions maintenant représente fort bien le manque de pain de tant de millions d'êtres humains frappés par la famine. Quand le Christ a distribué le pain à ses disciples ou quand il a nourri les foules, il a révélé la volonté de Dieu que tous soient rassasiés. Ce vin que nous n'avons pas est son sang, présent dans la lumière de notre foi. Le Christ l'a versé pour nous conduire vers la liberté, dans cette longue marche pour la justice. Dieu a fait tous les hommes d'un seul sang, ainsi qu'il est écrit dans la Bible. Le sang du Christ représente notre rêve d'une humanité unifiée, d'une société juste, sans différence de races et de classes...

« Je demandai si l'un de nos camarades voulait s'exprimer. Un homme d'environ soixante ans, dont la fille avait été tuée en combattant dans la guérilla, dit :

— Je crois que cet acte de communion veut dire que nos morts sont vivants. Ils ont donné leurs corps et leur sang, faisant leur le sacrifice du Christ. Je crois en la Résurrection de nos morts et je sens leur présence parmi nous...

« Il y eut un silence que personne n'osa rompre...

« Après un moment, je repris :

— Cette communion n'est pas seulement une communion entre nous, ici, mais la communion avec tous les frères membres de l'Église qui sont hors de ces murs ; pas seulement les vivants, mais aussi les morts ; de plus, c'est une communion avec tous ceux qui viendront après nous et seront fidèles à Jésus Christ.

« Je tendis la main vide à la première personne à ma droite et la plaçai sur sa main ouverte :

— Prenez et mangez : ceci est mon corps livré pour vous ; faites ceci en mémoire de moi.

« Puis je fis de même avec les autres.

« Alors, tous ensemble, nous élevâmes nos mains à notre bouche, recevant le corps du Christ en silence...

— Prenez, buvez : ceci est le sang du Christ versé pour sceller la Nouvelle Alliance de Dieu avec son peuple... Rendons grâces, certains que le Christ est présent au milieu de nous pour nous fortifier...

« Nous rendîmes grâces à Dieu puis, nous étant levés, nous nous sommes embrassés les uns les autres.

« Un peu plus tard, un autre prisonnier non chrétien me dit : « Vous avez, vous, quelque chose de spécial que j'aimerais posséder. Je voudrais vous voir. »

« Le père de la fille décédée vint à moi et dit : « Pasteur, ce que nous venons de vivre est vrai. Je crois qu'aujourd'hui j'ai découvert ce qu'est la foi. Par le passé, j'avais assisté à des cultes, mais ils ne m'avaient rien apporté. Maintenant, je crois que je suis sur le chemin. »

— « Deux hommes pour chercher des gamelles ! » hurla un soldat à travers les barreaux... »

10

LE SACREMENT
DE LA RÉSURRECTION

« LE PREMIER JOUR DE LA SEMAINE »

« Le premier jour de la semaine (juive), de grand matin »,
— donc, le lendemain du sabbat — les disciples, enfin
libérés du repos sabbatique, courent amoureusement au
tombeau du Christ. Stupeur : il est vide ! (Luc 24, 1 ss ; Jean
20, 1 ss). Ils ne savent pas encore que **c'est le Jour de la
Résurrection !**

« Et voici que ce même jour », à quelque 12 km de là, le
Ressuscité célèbre l'eucharistie — la deuxième — avec les
disciples d'Emmaüs. En trois « moments » à bien remarquer :

— D'abord, il leur a longuement commenté l'Écriture,
expliquant à sa lumière l'événement du jour ; et sa parole,
sur le chemin, a mis leur cœur en feu. Liturgie de la Parole.

— Puis, « quand il se fut mis à table avec eux, il prit le
pain, prononça la bénédiction, le rompit et le leur donna.
Alors leurs yeux s'ouvrirent et ils le reconnurent ». Liturgie
du Repas eucharistique.

— Enfin, « à l'instant même », ils remontent le chemin
de leur désespoir, retournent à Jérusalem, racontent ce qui
s'est passé et comment ils l'ont reconnu à la fraction du pain
(Luc 24, 13 ss). Liturgie de la vie et de la Mission.

Or, « le soir de ce même jour, qui était le premier de la
semaine, alors que les disciples étaient ensemble au Cénacle,
Jésus vint et se tint au milieu d'eux ». D'une autre façon,
adaptée aux circonstances différentes, il vit avec eux les
trois moments de sa rencontre eucharistique avec les disciples d'Emmaüs : Parole, Repas, Mission :

— « Il leur parle en montrant ses mains et son côté » :
toujours et d'abord, la Parole qui allume la foi.

— Puis il mange avec eux : c'est le Repas du Seigneur,
la fraction du pain.

— Enfin, il les envoie en Mission — « Comme mon Père
m'a envoyé, je vous envoie » — et souffle sur eux : « Recevez
le Saint Esprit : les péchés seront remis à ceux à qui vous les
remettrez... » (Luc 24, 36-49 ; Jean 20, 19-23).

Au lever du jour, Jésus parut sur le rivage de la mer de Tibé-riade ; mais les disciples ne sa-vaient pas que c'était lui. Jésus leur dit : « Les enfants, avez-vous du pois-son ? » Ils lui répondirent : « Non ! » — « Je-tez le filet à droite de la barque et vous trouverez », leur dit-il. Ils le jetèrent donc et ils ne parvenaient plus à le relever, tant il était plein de poissons. Le disciple que Jésus aimait dit alors à Pierre :

« C'est le Seigneur! »...
Une fois descendus à terre, ils aperçoivent un feu de braise, avec du poisson dessus, et du pain. Jésus leur dit : « ... Venez déjeuner. » Aucun des disciples n'osait lui demander : « Qui es-tu ? », car ils savaient bien que c'était le Seigneur. Alors Jésus s'approche, prend le pain et le leur donne ; et de même le poisson. Ce fut là la troisième fois que Jésus se montra à ses disciples, une fois ressuscité des morts.
(Jn 21, 4-14).

C'est le premier dimanche de l'Église et du monde...

« La Résurrection du Christ d'entre les morts, sa manifestation dans l'assemblée des siens, le repas messianique pris par le Ressuscité avec ses disciples, le don de l'Esprit et l'envoi missionnaire de l'Église, telle est la Pâque chrétienne dans sa plénitude. Tel est l'événement central de l'histoire du salut, qui a marqué pour toujours « le premier jour de la semaine ». Tout le mystère que célébrera le dimanche est déjà présent au jour de Pâques ; le dimanche ne sera rien d'autre que la célébration du mystère pascal » (Pierre Jounel).

Le Ressuscité lui-même fait un pas de conduite à la jeune Église pour lui apprendre ce jour et ce rythme hebdomadaire :

« Huit jours après, les disciples se trouvaient de nouveau à l'intérieur... Jésus se tint au milieu d'eux et il dit : « La paix soit avec vous! » Puis, à Thomas : « Avance ton doigt ici, et vois mes mains ; avance ta main et mets-la dans mon côté ; et ne sois pas incrédule, mais croyant » (Jean 20, 24-29).

C'est de nouveau « le premier jour de la semaine » ; l'Église est là : elle a compris qu'elle devait se rassembler ; le Seigneur vient au milieu d'elle ; il célèbre avec elle sa passion-résurrection : « Voici mes plaies glorieuses. » Il revigore, à travers Thomas, la foi de tous. Et notre foi à nous : « Heureux ceux qui croiront sans avoir vu! »

Le Jour du Seigneur

Le dimanche chrétien — qui n'est autre que le jour de la Résurrection du Christ — a donc d'abord été, dans le vocabulaire des disciples, ce qu'il était en fait : « le premier jour après le sabbat », « le premier jour de la semaine » juive. Mais il s'est appelé « dimanche », *dominica dies*, « jour du Seigneur », dès avant la fin du premier siècle, comme en témoigne l'Apocalypse 1, 10 :

« Je fus saisi par l'Esprit au jour du Seigneur, et j'entendis derrière moi une puissante voix... »

Il faut lire attentivement la « note » dont la TOB accompagne ce texte :

« L'expression « Jour du Seigneur » apparaît maintes fois dans l'AT pour désigner une intervention particulière de

Dieu dans l'histoire ; dans le judaïsme postexilien, elle prend de plus en plus une signification eschatologique. Pour les chrétiens, les temps eschatologiques sont inaugurés par la résurrection du Christ ; l'expression « Jour du Seigneur » désigne à la fois la commémoration du triomphe pascal et l'annonce de la Parousie qui en sera la manifestation plénière et définitive. Très tôt, les communautés chrétiennes ont célébré cultuellement, « chaque dimanche », cette commémoration et cette attente (cf. Ac 20, 7 ; 1 Co 11, 26 et 16, 2). »

Nous savons comment. Ce sont les textes inspirés eux-mêmes qui nous l'apprennent. Les Actes, 2, 42 nous montrent les tout premiers chrétiens de Jérusalem « assidus » — et tant pis pour les soi-disant chrétiens des quatre saisons — « assidus à l'enseignement des Apôtres, fidèles à la communion fraternelle, à la fraction du pain et aux prières ». La liturgie de la Parole pour l'approfondissement de la foi, le partage fraternel dans le « un cœur et une âme », l'eucharistie, et la prière de louange et de demande. C'est notre messe de chaque dimanche. Idyllique ou pas, ce tableau de la primitive Église n'est inspiré par l'Esprit pour rien d'autre que pour « inspirer », justement, les baptisés de toujours et de partout.

Sans quitter les textes de l'Écriture, un bel exemple nous en est fourni par la communauté de Troas (Actes 20, 7 ss) : « Le premier jour de la semaine, nous étions réunis pour rompre le pain. Paul, qui devait partir le lendemain, s'entretenait avec les fidèles et il prolongea son discours jusqu'au milieu de la nuit. »

Nous le savons, il s'agit ici de l'eucharistie. Le contexte indique que cette réunion a lieu le soir du samedi et se prolonge tard dans la nuit : les jours, pour les Juifs, commençaient au coucher du soleil de la veille. Donc, à Troas, Paul parle, parle... « La Parole de Dieu n'est pas enchaînée » — pas encore ! — par les trois quarts d'heure fatidiques qu'il ne nous est plus permis de dépasser pour la messe ! Mais il fait chaud ; le jeune Eutyque s'endort sur le bord de la fenêtre où il a cherché un peu de fraîcheur. Il tombe du troisième étage et se tue. Paul interrompt la Parole, descend, le ressuscite, puis remonte célébrer « la fraction du pain ».

Quant à la collecte en faveur des saints, suivez, vous aussi, les règles que j'ai tracées aux églises de Galatie. Que chaque premier jour de la semaine, chacun de vous mette de côté chez lui ce qu'il aura pu épargner, en sorte qu'on n'attende pas mon arrivée pour recueillir les dons. Une fois chez vous, j'enverrai, munis de lettres, ceux que vous aurez jugés dignes, porter vos libéralités à Jérusalem ; et s'il vaut la peine que j'y aille aussi, ils feront le voyage avec moi.
(1 Cor 16, 1-4).

N'est-on pas au cœur du jour que saint Augustin appelle
« le sacrement de la Résurrection » ?

**« Sacrement de la Résurrection, le dimanche est la
mémoire et la présence active de la Résurrection du
Seigneur. Il est la communion au Seigneur ressuscité »**
(Yves Congar). **Il est donc aussi la figure et l'aurore
du monde à venir, le « huitième jour », qui ne finira
pas...**

Il ne faut pas dormir pendant ce temps-là ; il ne faut pas
être ailleurs pendant ce temps-là.

*« Parce que
je suis
chrétienne »*

C'est bien ce que comprit l'Église des Apôtres et des
Pères. Faut-il citer ici les textes archi connus — et archi
oubliés — de la Tradition apostolique ?

« Le jour du Seigneur, assemblez-vous pour la fraction
du pain » (*La Didachè*, IIe siècle).

« Ceux qui vivaient sous l'ancien ordre des choses sont
venus à la nouvelle espérance, n'observant plus le sabbat,
mais le dimanche, jour où notre vie s'est levée par le Christ »
(Saint Ignace d'Antioche, IIe siècle).

« Nous nous assemblons tous le premier jour où Jésus
Christ notre Sauveur ressuscita des morts » (Saint Justin,
IIe siècle).

« Ne mettez pas vos affaires temporelles au-dessus de la
parole de Dieu, mais abandonnez tout au jour du Seigneur,
et courez vite à vos églises... Sinon, quelle excuse auront
auprès de Dieu ceux qui ne se réunissent pas au jour du
Seigneur pour entendre la parole de vie et se nourrir de la
nourriture divine qui demeure éternellement ? » (*La Didascalie des Apôtres*, IIIe siècle).

Et ces émouvants martyrs tunisiens d'Abitène — trente-
et-un hommes et dix-huit femmes — arrêtés pour « rassemblement illicite ». Le 12 février 304, ils répondent de leur crime
devant le proconsul de Carthage. Le prêtre Saturninus :
« Nous devons célébrer le jour du Seigneur, c'est notre loi. »
Le lecteur Emeritus : « Oui, c'est bien dans ma maison que
nous avons célébré le jour du Seigneur. » La vierge Victoria :
« J'ai été à l'assemblée parce que je suis chrétienne. »

C'est pourquoi la Pâque de l'Église primitive est hebdo-madaire, et non pas annuelle : le dimanche est célébré par l'eucharistie plus de cent ans avant qu'il ne soit question de la fête annuelle de Pâques. Ce n'est que vers le milieu du deuxième siècle que Pâques sera instituée par des Églises particulières comme une « solennité », *solemnitas*, c'est-à-dire une fête qui ne revient qu'une fois par an. Tandis que le Seigneur et les Apôtres ont mis en route une *perennitas :* une fête ininterrompue tout le temps de l'année. Dans leur esprit, le retour cyclique hebdomadaire est assez rapproché pour réaliser une véritable continuité, « celle d'un fleuve dont la pérennité tient au fait qu'il ne s'assèche pas en été, mais coule toute l'année, *per annum* » (saint Augustin). Alors seulement le mystère pascal devient une vie, non une solennité ; la fête chrétienne est une continuité, non une parenthèse.

Faut-il souligner combien ils contredisent l'Écriture et la Tradition apostolique, ceux qui se prétendent chrétiens par le fait qu'ils vont à la messe « les grands dimanches », ou, comme on entend dire aussi, « les bons dimanches ». Le dimanche — chaque dimanche — est tellement « le symbole de la vie nouvelle » (Dom Casel), que **les Pères, convaincus de sa « sacramentalité », ne songent même pas à le distinguer du mystère lui-même : ils l'appellent « Résurrection ».** Comme font toujours les chrétiens en russe.

Le chrétien véritablement « festif » n'est pas celui dont la vie morne s'éclaire de quelques fêtes religieuses, mais celui dont la vie même est tout entière nouvelle, festive, parce que irriguée de Résurrection : vie « dominicale », c'est-à-dire « seigneuriale ».

De préceptes, alors, il n'y en avait pas. Mais bien une loi écrite dans le cœur des baptisés par la Tradition du Seigneur lui-même et des Apôtres.

C'est à cette Tradition apostolique que nous renvoie fermement Vatican II dans la *Constitution sur la Sainte Liturgie,* 106 :

« L'Église célèbre le mystère pascal, en vertu d'une Tradition apostolique qui remonte au jour même de la Résurrection du Christ, chaque huitième jour, qui

Pérennité ou solennité ?

Dès les premiers jours de son existence, l'Église célèbre l'eucharistie en mémoire de son Seigneur. Elle affirme par là sa relation à l'événement Jésus Christ. Elle proclame qu'elle n'est pas née du peuple juif par une simple évolution dont rendraient compte des raisons sociologiques, mais qu'elle est née d'un appel : l'appel de Dieu en Jésus Christ, rassemblant son nouveau peuple par la puissance de l'Esprit Saint, désormais répandu dans le cœur des hommes qui l'accueillent. Elle proclame qu'elle dépend de son Seigneur qui est avec elle jusqu'à la consommation des siècles. (Mgr Robert Coffy).

est nommé à bon droit le jour du Seigneur, ou dimanche. Ce jour-là, en effet, les fidèles doivent se rassembler pour que, entendant la parole de Dieu et participant à l'Eucharistie, ils se souviennent de la passion, de la Résurrection et de la gloire du Seigneur Jésus, et rendent grâces à Dieu qui les « a régénérés pour une vivante espérance par la Résurrection de Jésus Christ d'entre les morts » (1 Pierre, 1, 3). Aussi, le jour dominical est-il le jour de fête primordial qu'il faut proposer et inculquer à la piété des fidèles, de sorte qu'il devienne aussi jour de joie et de cessation du travail. »

L'ÉGLISE EST UNE COMMUNION

Le mystère de l'Église est d'une telle richesse, d'une telle complexité aussi, que la théologie n'en finit pas de « penduler » d'un pôle à l'autre dans ses espaces infinis. Avant-hier l'Église était vue comme essentiellement hiérarchique ; hier, comme plus spirituelle (Corps mystique) ; avec Vatican II elle est présentée comme un peuple, le peuple de Dieu, « sacrement », c'est-à-dire « signe et instrument d'intimité avec Dieu et d'unité entre les hommes ».

L'Église est une communion.

Le 22 décembre 1975, au cours d'une table ronde à Radio-Monte-Carlo, Mgr Coffy disait : « C'est une obligation première pour l'Église comme telle de se rassembler. »

« Église » ne signifie-t-il pas « assemblée » ?

Est-ce par hasard si le Seigneur nous ramène à une vision de l'Église qui est celle de la Pentecôte et de la communauté des chapitres 2 et 4 des Actes : un cœur et une âme dans le partage de la foi, de la Parole, de la prière, des biens, de l'Eucharistie, de la joie rayonnante ? L'Église primitive, sortie toute neuve des mains du Christ, était une communion ; et

à ce titre, elle « faisait signe » : « Voyez comme ils s'aiment ! »
Nous voilà loin, bien sûr, de la casuistique autour d'un
« précepte dominical » plus ou moins obligatoire ! La loi du
Christ, loi d'amour, peut-elle être une loi de facilité ?

Le rassemblement dominical de la communauté chrétienne
n'a jamais été facile. Aux premiers temps — temps du travail
du dimanche et des persécutions — moins qu'aujourd'hui.
Aussi l'auteur de l'Épître aux Hébreux écrit-il :
« Ne désertons pas nos assemblées, comme certains en
ont pris l'habitude, mais encourageons-nous, et cela d'autant
plus que vous voyez s'approcher le Jour. » (Hébr 10, 25).
Et pourtant, ceux qui avaient « pris l'habitude » de rester
chez eux avaient des excuses. Les versets suivants laissent
entendre qu'ils avaient subi, pour leur foi, un lourd et douloureux combat, des injures et des persécutions, la prison
et les spoliations de leurs biens...
Malgré tout cela, « ne désertons pas nos assemblées » :
l'abandon des réunions générales est donné comme le premier
pas sur la voie de l'apostasie. Le chrétien, c'est celui qui ne
cesse de s'approcher du Sinaï nouveau de l'unique sacrifice : « Approchons-nous donc avec un cœur droit et dans la
plénitude de la foi, du prêtre éminent établi sur la maison
de Dieu... Sans fléchir, continuons à affirmer notre espérance,
car il est fidèle celui qui a promis » (21-22).

L'Épître aux Hébreux

Vous avez soutenu un long et douloureux combat, tantôt exposés publiquement aux outrages et aux tribulations, tantôt vous faisant solidaires de ceux qui avaient à les subir. Oui, vous avez partagé les souffrances des prisonniers et vous avez accepté joyeusement qu'on vous dépouillât de vos biens.
(Hebr 10, 32-34).

Toujours en pleine persécution, au début du IIᵉ siècle,
saint Ignace d'Antioche, s'en allant mourir à Rome sous la
dent des lions, ne cesse de reprendre la même exhortation
dans ses lettres aux Églises qui lui envoient des messagers
durant son voyage :
Aux Éphésiens, il écrit : « Que personne ne s'égare : si
quelqu'un n'est pas à l'intérieur du sanctuaire, il se prive
du pain de Dieu. Car si la prière de deux personnes ensemble
a une telle force, combien plus celle de l'évêque et de toute
l'assemblée. **Celui qui ne vient pas à la réunion commune, celui-là s'est jugé lui-même.** »

Saint Ignace d'Antioche

Ignace avait esquissé sa théologie de l'Église : Jésus Christ uni à son Père ; les évêques unis à Jésus Christ ; les prêtres unis à l'évêque ; les chrétiens unis à l'évêque et aux prêtres (III et IV). Ici, il achève et précise sa pensée : **c'est autour de l'autel, lorsque la communauté des frères est rassemblée, que l'unité de l'Église s'exprime. Ne pas venir habituellement à cette réunion, c'est se couper de l'Église, c'est donc se séparer de Dieu.**
Aussi écrit-il aux Magnésiens :
« N'essayez pas de faire passer pour raisonnable votre obstination à rester à part, mais venez à la réunion générale : qu'il n'y ait là qu'une seule prière, une seule supplication, un seul esprit, une seule espérance, dans la charité, dans la joie irréprochable ; cela, c'est Jésus Christ, à qui rien n'est préférable. »

La « Première Apologie » de saint Justin

Martyrisé vers 165, saint Justin est le grand témoin de ce que vivait l'Église au milieu du second siècle. Nous lisons au chapitre 46 de sa *Première Apologie :*
« Le jour qu'on appelle le jour du soleil, tous, dans les villes et à la campagne, se réunissent dans un même lieu : on lit les mémoires des apôtres et les écrits des prophètes, autant que le temps le permet. Quand le lecteur a fini, celui qui préside fait un discours sur... ces beaux enseignements. Ensuite nous nous levons tous et nous prions ensemble à haute voix. Lorsque la prière est terminée, on apporte du pain avec du vin et de l'eau...
« Puis a lieu la distribution et le partage à chacun des choses consacrées et l'on envoie leur part aux absents par le ministère des diacres...
« Nous nous assemblons tous le jour du soleil, parce que c'est le premier jour où Dieu, tirant la matière des ténèbres, créa le monde, et que, ce même jour, Jésus Christ notre Sauveur ressuscita des morts. »
Pour Justin et pour l'Église de son temps, le dimanche c'est, d'abord, « le premier jour » : le jour de la création et le jour de la Résurrection. L'Eucharistie est l'admirable « anamnèse » (mémoire) de l'une et de l'autre : le pain et le vin, fruits de la création et du travail de l'homme, deviennent

le sacrifice et la personne du Ressuscité. Toute la trajectoire du Salut est là. La messe est la Rédemption même. Aussi, secondement, toute la communauté chrétienne doit être là. Il n'y a pas de véritable repas eucharistique s'il y a des absents. Tous ne sont pas là, mais tous sont « présents » : on porte le pain et le vin consacrés à ceux qui n'ont pu venir. Communauté ecclésiale et communauté eucharistique se recouvrent exactement. Chaque dimanche. Malgré les persécutions. Malgré que le repos dominical ne facilitera la présence qu'à partir du IVe siècle.

C'est toujours cet esprit qui anime ce correspondant de presse du XXe siècle, père de quatre enfants, du diocèse d'Arras, qui écrit : « Je vais à la messe le dimanche pour participer au sacrifice du Christ avec les autres chrétiens de ma paroisse. Je prie avec les chrétiens qui sont là. Je veux faire partie du peuple chrétien. »

« Je veux faire partie du peuple chrétien. » Ce fidèle a conscience de n'être plus en chrétienté. Il a conscience qu'il ne suffit plus d'être Français, Belge ou Suisse, Malgache ou Canadien pour faire partie du peuple de Dieu. Qu'il ne suffit pas d'être matériellement baptisé pour être du peuple de Dieu. Avec Vatican II, il retrouve l'Église sacrement, « signe ». Rien dans l'Évangile ne nous permet de penser que le Christ a prévu, comme normale, une chrétienté. « Petit troupeau »... « vous serez mes témoins ». L'Église est signe du Ressuscité. Les baptisés, ensemble, ont à « faire signe ». A qui? Au monde. Car elle est dans le monde, l'Église, pour le monde, mais pas du monde. Nous avons à retrouver cette vision primitive du Seigneur lançant dans un monde pluraliste sa petite Église de disciples dans une société non chrétienne (Jean 15, 18 ss ; 17, 6 ss).

Cette dualité Église-monde s'est naturellement perdue, quand dans notre Occident, par l'avènement de l'ère constantinienne, tout le monde a été théoriquement chrétien. Les communautés locales ont perdu conscience d'être signes. Chacun se sentait réellement attaché à l'Église sans figurer à la messe tous les dimanches, loin de là, puisque **toute la société était à l'intérieur de l'Église.** Tirer aujourd'hui argument des découvertes plutôt décevantes des sociologues du passé sur

Faire partie du peuple chrétien

Notre dernier mot est un appel pressant à tous les responsables et animateurs des communautés chrétiennes : qu'ils ne craignent pas d'insister à temps et à contretemps sur la fidélité des baptisés à célébrer dans la joie l'Eucharistie dominicale. Comment pourraient-ils négliger cette rencontre, ce banquet que le Christ nous prépare dans son amour ?...

C'est le Christ, crucifié et glorifié, qui passe au milieu de ses disciples, pour les entraîner ensemble dans le renouveau de la Résurrection. (Paul VI).

les pourcentages de pratique religieuse d'autrefois, c'est méconnaître que ces temps sont révolus où il suffisait de ne pas se jeter à la mer par l'apostasie pour être toujours du « bâtiment ». « Que ces temps sont changés ! »

Mais la mentalité n'a pas changé. On raisonne pour un monde qui n'existe plus...

Concrètement, aujourd'hui, l'Église est une communauté locale vivante, ou elle n'est pas.

L'Église est d'abord une communauté locale

Paul, appelé à être apôtre du Christ Jésus par la volonté de Dieu, ainsi que Sosthène, le frère, à l'église de Dieu établie à Corinthe, à ceux qui ont été sanctifiés dans le Christ Jésus, appelés à être saints avec tous ceux qui en quelque lieu que ce soit invoquent le nom de Jésus Christ, notre Seigneur, le leur et le nôtre ; à vous grâce et paix de par Dieu, notre Père, et le Seigneur Jésus Christ ! (1 Cor 1, 1-3).

L'Église est l'assemblée de ceux qui croient en Jésus Christ Sauveur. Le baptême introduit dans cette communauté. De plus en plus on revient de ces baptêmes « privés », sur semaine. On tient à solenniser, le dimanche, l'entrée et l'accueil des néophytes dans l'assemblée dominicale. Le baptême « adjoint à la communauté » (Actes 2, 41 et 47).

L'Église est la communauté locale de la Cène. C'est le partage de l'Eucharistie qui est le signe et le ciment de la communion de foi et d'amour, définition même de l'Église. Le Nouveau Testament parle de l'Église de Jérusalem ou de Thessalonique, des Églises qui sont en Judée, en Samarie, en Galatie...

Bien sûr, l'Église locale est en communion avec toutes les autres pour former l'Église universelle ; mais elle est « l'Église de Dieu qui est à Corinthe » (1 Cor 1, 2), ou ailleurs.

Cependant, ne voyons pas cette Église universelle comme une multinationale spirituelle qui aurait établi des stations-service un peu partout. La FIAT par exemple, avec sa constellation mondiale de concessionnaires, n'a jamais formé une communauté. Le Christ est venu « rassembler les enfants de Dieu dispersés » ; l'*ecclesia*, c'est d'abord le rassemblement local des croyants. Peut-il se prétendre « fidèle » celui qui, sans un motif lourd, est absent de l'assemblée ?

En ces temps d'amenuisement, chez nous, de l'Église visible, en ces temps de montée de l'incroyance, va-t-on dire au « petit reste » : Vous êtes moins qu'autrefois tenus de vous serrer les coudes autour du Ressuscité ?

S'il se sent membre de l'Église, membre du Christ, le baptisé a-t-il le droit d'être absent du Repas où, précisément, le peuple de Dieu se consomme en Corps

du Christ par l'Eucharistie, ne faisant qu'un avec son corps personnel par la communion ?

On a fait du catéchisme sur les « notes » de l'Église. Pour farcir des têtes de gamins ou pour interpeller notre conscience commune de baptisés ?...

L'Église « une »

L'Église « une ». Ce signe de l'Église-sacrement a été requis par le Seigneur autour de la première table eucharistique ; il y enjoint un amour qui relie en premier « les uns les autres » les participants de la Cène ; à leur charité, on les reconnaîtra pour ses disciples (Jean 13, 34-35).

Un signe peut être menteur. Un signe peut être illisible. Ou à demi effacé. Ou encore, dérisoire.

Chaque chrétien est responsable, personnellement, de la qualité du signe qu'il donne — ou ne donne pas — avec les frères baptisés de son secteur. Les absences multipliées rendent une Église méprisable. Ces assemblées (?) hebdomadaires où les enfants des catéchismes, requis d'office, ne voient pas leurs parents, ces messes fantomatiques où ils constatent l'absence des hommes vivants, sont des contre-signes criants. « Église, que dis-tu de toi-même ? »

On demande une Église-sacrement, une Église qui « signifie » quelque chose, qui soit signe de Quelqu'un.

OBLIGATION, OUI OU NON ?

Nous l'avons vu, la pratique de l'assemblée eucharistique dominicale s'enracine solidement dans la Tradition apostolique d'une part, d'autre part dans la théologie de l'Église-communion, signe de Jésus Christ.

Quelles conclusions en tirer relativement à l'« obligation » de la messe du samedi-dimanche ?

Nous avons vu se rassasier de pain les affamés du monde,
Nous avons vu entrer pour le festin les mendiants de notre terre :
Reviendra-t-il marcher sur nos chemins, changer nos cœurs de pierre ?
Reviendra-t-il semer au creux des mains l'amour et la lumière ?
(Michel Scouarnec).

On fait grand état aujourd'hui des situations renouvelées, nées de la mutation de notre civilisation. Toute affirmation dans le sens de la Tradition risque de provoquer un « oui mais ». Et cependant... Nos difficultés de l'ère industrielle sont-elles plus paralysantes que celles de la civilisation rurale où le « gouvernage » du bétail, la garde des nombreux enfants, l'impossibilité de communier à la grand-messe (à cause du jeûne), les distances, créaient des handicaps de poids ? Sommes-nous plus mal placés qu'aux trois premiers siècles où l'assemblée « pascale » ne pouvait être que nocturne du fait que le repos hebdomadaire n'existait pas ?

La Commission épiscopale française de Liturgie, dans une note du 16 janvier 1969, donnait ce qui me semble l'essentiel des « considérants » et des conclusions :

« Répondre à l'appel du Ressuscité et réaliser ensemble le signe de l'Église visible sont deux perspectives qui font saisir que l'importance de la célébration du dimanche ne relève pas d'abord d'une loi ou d'un précepte à satisfaire, mais bien plutôt d'une nécessité vitale et d'une exigence intérieure de la foi de tous les chrétiens, du peuple chrétien en tant que tel. C'est pourquoi l'Église n'a jamais cessé de se réunir chaque dimanche, quel qu'ait été le danger que cela lui a fait courir au long de son histoire. »

Chaque mot serait à souligner.

«Obligation», qu'est-ce à dire ?

Dites-moi, vous qui voulez être sous la Loi, ne l'entendez-vous pas, cette Loi ? Il est écrit en effet qu'Abraham eut deux fils, l'un de l'esclave, l'autre de la femme libre.

« La célébration du dimanche ne relève pas d'abord d'une loi ou d'un précepte ». Brandir un commandement, la foudre du péché mortel, c'est, pour les prêtres et les parents, se donner bonne conscience à tort et à bon compte. A tort, parce que ceux qui n'ont pas la conviction personnelle de l'importance vitale de la messe dominicale, pour eux et pour l'Église, ne commettent pas de péché mortel en la manquant : chacun n'est coupable que selon sa conscience. A bon compte, car il est plus facile de menacer de l'enfer que de communiquer la foi en l'eucharistie et de donner le goût d'y prendre part. Notre tâche est d'en faire saisir « la nécessité vitale », d'en créer « l'exigence intérieure », non de parler d'obligation.

Il n'y aurait donc pas d'obligation ?

Le mot est ambigu. On distingue « l'obligation-objet » et « l'obligation-sujet ».

« L'obligation-objet », c'est la loi du groupe. Elle marque la prédominance de la société. L'organisation politique ou religieuse met en place un certain ordre pour assurer la meilleure manière de vivre ensemble. Le code de la route est le type de l'obligation-objet. Il ne nous laisse pas libres. Il est contraignant.

« L'obligation-sujet » est une obligation morale : elle marque la prédominance de l'intériorité, de l'exigence de foi et d'amour. J'ai une certaine idée du chrétien, de l'Église, de l'eucharistie, de Jésus Christ ; si je ne la vis pas, je suis en contradiction avec moi-même, je me condamne moi-même. Ainsi, le dimanche, je sais que Dieu me convoque à l'assemblée, une communauté m'attend, le Christ a une parole à me dire, une vie à m'infuser...

L'insoumission à l'obligation-objet est rupture avec la société, ce qui est déjà redoutable. L'insoumission à l'obligation-sujet est rupture avec soi-même, ce qui est mortel.

Le mot « obligation » prête donc à confusion. « Obligé » par qui, à l'égard de quoi et de qui ? De plus, il évoque la contrainte extérieure plus que l'exigence intérieure. Il maintient à l'Église ce masque légaliste qu'elle n'a que trop porté... Ne faudrait-il pas s'entendre pour le réserver à l'obligation-objet, visant l'aspect social, juridique, des comportements : « Le groupe vous oblige à... », — et appeler « exigence » cette loi intérieure qui pousse chacun à être fidèle à son cœur et à sa conscience, cette loi qui s'identifie à la qualité de la foi et qui n'est autre que « le cœur neuf, l'esprit neuf et le cœur de chair que l'Esprit donnera au peuple de Dieu » (Ez 36, 25 ss).

On rejoint ainsi les catégories de saint Paul sur la loi et la liberté. Le Christ a mis fin, pour nous, non seulement à la loi judaïque, mais à tout régime de loi extérieure (Gal 3 et 4). La loi du Christ se ramène à l'amour, c'est-à-dire à « se laisser conduire par l'Esprit... Et si vous êtes conduits par l'Esprit, vous n'êtes plus soumis à la loi » (5, 16-18). Mais l'Esprit vous conduira à la messe.

Ne parlons donc plus de « précepte dominical ». Cette expression nous ramène avant 1789, pardon : avant Jésus Christ. Que pourrait d'ailleurs signifier cette prétention de

Mais celui de l'esclave était né selon la chair, celui de la femme libre en vertu de la promesse. Il y a là une allégorie : ces femmes sont les deux alliances. L'une, celle du mont Sinaï, enfante pour la servitude : c'est Agar — le Sinaï en effet est une montagne d'Arabie —. Elle correspond à la Jérusalem actuelle, laquelle est esclave avec ses enfants. Mais la Jérusalem d'en haut est libre, et c'est notre mère... Ainsi donc, frères, nous ne sommes pas les enfants d'une esclave, mais de la femme libre.

C'est pour être libres que le Christ nous a libérés : tenez donc ferme, et n'allez pas vous remettre sous le joug de l'esclavage. Oui, c'est moi, Paul, qui vous le dis... Pour vous, frères, c'est à la liberté que vous avez été appelés. Seulement, ne faites pas de cette liberté un prétexte pour satisfaire la chair ; faites-vous plutôt par la cha-

rité les serviteurs les uns des autres.
(Gal 4, 22-26.31 ; 5, 1-2.13).

« Église » veut dire « rassemblement »

l'Église, des prêtres, des parents, des éducateurs, d'imposer, de l'extérieur, sous peine de péché mortel, d'aller à la messe à ceux que leur loi intérieure n'y conduirait pas ?...

Mais attention ! « Loi intérieure » ne veut pas dire « sentiment » — « j'ai envie... j'ai pas envie » — non : c'est affaire de foi : foi au Christ ressuscité et rassembleur des hommes, foi à l'Église-communion.

Dans cette table ronde déjà évoquée du 22 décembre 1975 sur Radio-Monte-Carlo, Mgr Coffy disait : « C'est une obligation première pour l'Église comme telle de se rassembler. » Or, les « obligations » de l'Église comme telle tombent sur chacun ou sur personne.

De son côté, le cardinal Marty, lors d'une conférence pastorale à la suite du comptage effectué en mars 1975 dans toutes les églises parisiennes : « L'Église ne peut pas ne pas se rassembler pour rendre grâce, offrir le sacrifice. L'Église doit — c'est une exigence interne à son être propre — se réunir pour signifier, ensemble et en espérance, le don de Dieu, faire le royaume de frères réconciliés... Personne ne se sauve seul. Personne ne peut vivre de la foi pascale sans la célébrer *in ecclesia*. **C'est le jour du dimanche, par sa démarche eucharistique et sa rencontre avec l'Église apostolique et universelle, que le croyant réalise son identité chrétienne.** »

Il ne faut donc pas aborder le problème de l'assistance à la messe par l'individu. « L'individuel, ça ne fonctionne plus, disait encore Mgr Coffy. Mais, collectivement, tu dois participer au rassemblement ». Sinon, l'Église se trouve amputée par ton absence. Si tout le monde se comportait comme toi, il n'y aurait plus d'Église. C'est le cas de rappeler le principe de Kant : personne ne peut adopter pour soi une conduite qui n'est pas généralisable.

Migrations et rythmes vitaux

On affirme souvent que la migration hebdomadaire des citadins vers leurs résidences secondaires porte une grave atteinte à la messe dominicale en tant qu'habitude régulière.

Il est vrai que les paroisses des villes se vident par l'exode massif des week-ends. Mais, dans la mesure où ces migrants sont chrétiens, c'est au profit des paroisses de grande banlieue. Cette transhumance est régulière des mêmes gens vers les mêmes lieux. Ainsi, les mêmes paroisses rurales des diocèses de Chartres et d'Évreux retrouvent les mêmes Parisiens, non seulement comme fidèles, mais comme animateurs liturgiques habituels. Combien de bourgs des grandes ceintures n'auraient plus qu'à fermer leur église sans l'appoint régulier des métropoles.

On met aussi en cause les rythmes vitaux de l'homme moderne : la vitesse généralisée, les cadences du monde industriel, la hâte qui est partout, rétréciraient le temps psychologique. La « fréquence » hebdomadaire de la messe serait donc trop « haute ». Comme le champion cycliste au pouls lent, le chrétien d'aujourd'hui se retrouverait mieux dans un rassemblement eucharistique espacé : mensuel, ou même trimestriel ? Qu'en est-il ?

Vraiment, il faut tout entendre !... Il suffit de regarder les travailleurs le vendredi soir pour saisir combien ce point de vue est *a priori*. La semaine de cinq jours leur a paru longue ; ils ont « tiré » les journées jusqu'à cette fin de semaine attendue. Qui pourrait leur parler de faire, de trois week-ends sur quatre, des ponts de travail, pour n'arrêter qu'une fois le mois ? Il n'y a que pour Dieu que les fréquences sont trop rapprochées !... Le rythme des assemblées est la respiration de la foi et de la vie chrétienne ; il est vital ; il est « perenne » : quand un malade ne tire plus son souffle que de loin en loin, il est à la mort. Si tu veux vivre, « tu dois participer au rassemblement tous les dimanches » (Mgr Coffy).

« Tous les dimanches »... Faut-il vraiment maintenir que cette eucharistie aura lieu le samedi-dimanche, comme dans la Tradition apostolique maintenant deux fois millénaire ? D'aucuns, surtout dans les lycées, prônent une messe, hebdomadaire peut-être, mais n'importe quel jour de la semaine...

Interrogé sur ce point, Mgr Coffy répondit : « Comme évêque, je me battrai pour le dimanche ». Et le cardinal Marty : « **Je ne crois pas que l'on puisse remettre en**

Se battre pour les dimanches ?

« Un homme donnait un grand dîner auquel il convia beaucoup de monde. Il envoya son serviteur, à l'heure du dîner, dire aux invités : Venez, car maintenant tout est prêt. Et tous, unanimement, se mirent à s'excuser. Le premier lui dit : J'ai acheté une terre et il me faut aller la voir ; je t'en prie, tiens-moi pour excusé. Un autre dit : J'ai acheté cinq paires de bœufs et je pars les essayer ; je t'en prie, tiens-moi pour excusé. Un autre dit : Je viens de me marier et, pour cette raison, ne puis venir.
« A son retour, le serviteur rapporta cela à son maître. Le maître de maison, courroucé, dit à son serviteur : Va-t'en vite par les places et les rues de la ville, et amène ici les pauvres, les estropiés, les aveugles et les boiteux. »
(Lc 14, 16-21).

cause le dimanche, selon l'Évangile, le jour du Seigneur. Toutes les adaptations ne sont pas possibles... à moins d'accepter de se perdre et de disparaître. » Plus que tout autre sacrement, l'eucharistie est « indexée » sur le Christ mort et ressuscité, sur l'événement pascal. En semaine, l'eucharistie n'est célébrée qu'en référence à la *feria prima* — au « jour chômé » —, le jour du Seigneur. Faut-il dire, à la limite, qu'une Église qui ne convoquerait plus le dimanche ne serait plus l'Église du Seigneur ? Il faut le dire.

En semaine d'ailleurs, on ne peut guère « faire l'Église, l'Assemblée ». On réunit de petits groupes : une classe, une équipe de foyers, une famille élargie... Les petits groupes font toujours plus ou moins cénacle fermé ; ils ne peuvent constituer l'Assemblée du Seigneur, totalisante du peuple de Dieu, diverse et pluraliste, qui fasse signe, parce que accueillante à tous. « L'Église professe que le Salut est ouvert à tous. Sans camoufler les conflits, et en reconnaissant les différences, les chrétiens doivent s'accueillir en frères ; ils ne peuvent s'enfermer dans des groupes spirituels taillés à leur mesure » (Card. Marty). « Les petits groupes qui ignoreraient le grand groupe sont des sectaires » (Mgr Coffy).

Cependant, « pas de politique du tout ou rien ». Mieux valent quatre messes sincères par an que pas de messe du tout. Mieux vaut une messe en semaine qu'une semaine sans messe... Mais le devoir des responsables dans l'Église est d'empêcher que le « religieux » cesse d'être « ecclésial », c'est-à-dire rassembleur. Nous assistons à une dangereuse marginalisation de la vie religieuse : elle est passée du public au privé. Or le christianisme ne peut devenir individuel : les communautés doivent exister, et tendre à être visibles, dans la vie sociale. Se résigner à la marginalisation, c'est accepter que l'Église ne soit plus signe...

Ne disons donc pas : il n'y a plus d'obligation de la messe de tous les dimanches. C'est faux. Et le résultat certain sera d'étonner, de scandaliser et d'être mal compris. Cela ramènerait le sacrement central, vital, qui fait l'Église et refait le chrétien, à un problème superficiel de pratique, hier imposée, aujourd'hui facultative, comme le maigre du vendredi. L'eucharistie ne relève pas du permis et du défendu, de l'obligation et du facultatif. Elle ne relève pas davantage de la fantaisie et du goût du moment. **L'Église ne peut renoncer à être elle-même : l'assemblée pascale et festive de ceux qui croient au Ressuscité.**

LE SACREMENT DE LA PAROLE

Nous voici, je suppose, à la messe... Nous sommes venus pour quoi?... pour qui?... A la sortie, pourrons-nous dire que nous avons rencontré quelqu'un?... Coudoyé des gens, oui ; croisé d'autres passants dans le va-et-vient des rues et des routes, oui ; mais « rencontré » qui?... Rencontré Dieu?... Rencontré Jésus Christ?... Rencontré des frères?...

Dieu, nous le « croisons » à tout instant et dans toutes les réalités du monde, puisque c'est lui qui nous les donne. Dès notre premier réveil, ce matin : cette vie dans notre cœur et nos artères, ce soleil à nos yeux, cet air à nos poumons étaient don d'amour de Dieu. Puis cette faim matinale, ce copieux petit déjeuner étaient une faim de Dieu qui seul est vie, une communion au don de Dieu « qui remplit tout être vivant de la bénédiction » de sa nourriture (Ps 144)...

Mais qui de nous reconnaît Dieu dans ses dons et lui rend grâces? Qui de nous, au lieu de le « croiser » sans un regard, le « rencontre » et le bénit?...

Nous avons tracé des « parcs » de « religion » dans nos existences, comme on crée une « réserve » nationale — c'est notre messe du dimanche, courte, rapide — et nous y avons « parqué » Dieu...

Et nous n'y rencontrons pas Dieu. Parce qu'il n'y est pas plus qu'ailleurs...

Il voudrait y être autrement qu'ailleurs, mais il ne peut pas y être plus qu'en toute notre vie, tout notre Univers, puisqu'il est pleinement en tout, pour tout nous donner.

Mais qui le rencontre en tout?

En Jean 6, nous voyons les Juifs ne pas arriver à recon-

« Que nous faut-il faire pour travailler aux œuvres de Dieu ? » — « L'œuvre de Dieu, leur répondit Jésus, c'est de croire en celui qu'Il a envoyé. » — « Mais, lui dirent-ils, quel signe fais-tu, toi, pour qu'à sa vue nous te croyions ? Quelle œuvre accomplis-tu ? Nos pères ont mangé la manne au désert, ainsi qu'il est écrit : Il leur a donné à manger un pain venu du ciel. » Jésus leur répondit : « ' En vérité, en vérité je vous le dis : ce n'est pas Moïse qui vous a donné le pain venu du

ciel ; c'est mon Père qui vous le donne, le vrai pain du ciel, car le pain de Dieu c'est celui qui descend du ciel et donne la vie au monde. » Ils lui dirent alors : « Seigneur, donne-le nous toujours, ce pain-là. »
(Jn 6, 28-34).

Heureux qui écoute la Parole

Jésus répondit aux Juifs : « Je suis le Pain de Vie ; celui qui vient à moi n'aura pas faim, celui qui croit en moi n'aura jamais soif. Mais je vous l'ai dit : Vous m'avez vu et vous ne croyez point. Tout ce que me donne le Père viendra à moi, et celui qui vient à moi, je ne le rejetterai pas ; car je suis descendu du ciel non pour faire ma volonté, mais la volonté de Celui qui m'a envoyé. Or la volonté de Celui qui m'a envoyé, c'est que

naître un « signe » de Dieu dans la multiplication des pains! Parce que ce pain ne tombe pas « d'en haut », comme la manne.

Jésus leur répond qu'il ne s'agit pas de tomber du ciel, mais de venir de Dieu — car le vrai ciel, c'est Dieu, et il n'est ni en haut ni en bas, puisqu'il est partout. Mais les Juifs — comme nous peut-être — n'avaient pas la foi de le voir partout. Ils ne consentaient à le reconnaître que dans le Temple et dans l'extraordinaire.

Sans le préalable de la foi, on ne rencontre pas Jésus Christ ; on ne reconnaît pas le pain eucharistique, même si on le mange matériellement...

Or la foi naît de la Parole de Dieu.

Jésus explique à cette foule pourquoi elle ne peut venir à lui pour le reconnaître comme le vrai Pain de Vie : « Tout homme qui écoute les enseignements du Père vient à moi... Instruit qu'il sera par Dieu lui-même » (Jean 6, 45-46).

Et nous, quel temps donnons-nous à l'instruction de notre foi ? quelle oreille à l'enseignement du Père répercuté par l'Église ? quel cœur à la Parole de Dieu ?...

Tenez, que de paroissiens arrivent en retard à la liturgie de la Parole de Dieu qui remplit la première partie de la messe! Pensent-ils que la messe commence à la préparation des offrandes ?...

Elle commence au rassemblement qui précède le signe de la croix initial ; elle commence au chant d'entrée, comme le mot le dit. Ceux qui se permettent d'arriver après la Parole manquent autant de la messe que ceux qui partiraient alors... Ils mettent la liturgie de la Parole de Dieu en dehors et au-dessous de la liturgie du Sacrement eucharistique!...

— Mais justement, direz-vous, l'Eucharistie n'est-elle pas au-dessus de tout ? N'y aurait-il pas une sorte de sacrilège à mettre le sermon de mon curé aussi haut que le Corps et le Sang du Seigneur ? Jésus ne dit-il pas : « Moi, je suis le pain qui est descendu du ciel ? » (41) Et encore : « Ce pain-là, qui est descendu du ciel, celui qui en mange ne mourra pas... Il vivra éternellement (50-01)? Le Pain eucharistique avant tout!

— Non, justement! Veuillez d'abord remarquer que toute la première moitié du Discours du Pain de Vie, en saint Jean, concerne la foi et non la communion (Jean 6, 35-47). C'est d'abord comme Parole du Père que Jésus est le Pain de Vie : croire en lui, c'est, sans autre, participer à la vraie Vie. Tandis que communier sans foi, n'a aucun sens et reste sans effet.

— Veuillez ensuite remarquer que la « liturgie de la Parole » ne comprend pas que la prédication, mais d'abord la proclamation, par trois fois, des Écritures inspirées. Vous permettrez-vous de dire équivalemment au Christ : « Seigneur, vous parlez... Ça ne m'intéresse pas. J'entrerai à la messe quand vous voudrez bien vous taire ? »

Veuillez remarquer surtout que le Christ dit : « Tout homme qui écoute les enseignements de mon Père, vient à moi... Et si le Père l'attire vers moi, moi je le ressusciterai au dernier jour » (54 et 44). Le passage est immédiat de la foi à la Vie éternelle. Alors, ne faut-il pas dire : La Parole de Dieu avant tout! La foi avant tout!

Ce n'est pas le Seigneur qui nous donnerait tort, lui dont vous vous rappelez la réaction le jour où une femme enthousiaste s'écria : « Heureux le sein qui vous a porté! » : le Seigneur rectifia : « Heureux bien plutôt ceux qui écoutent la parole de Dieu et l'observent! » (Luc 11, 28).

C'est le saint Curé d'Ars qui commentait ainsi : « Notre Seigneur semble estimer plus une instruction que la sainte Communion. Lui, qui est la vérité même, il ne fait pas moins cas de sa parole que de son corps. Je ne sais pas si c'est plus mal d'avoir des distractions pendant la messe que pendant les instructions. Je ne vois pas de différence. Pendant la messe, on laisse perdre les mérites de la passion et de la mort de notre Seigneur ; et pendant l'instruction, on laisse perdre sa parole qui est lui-même. Saint Augustin dit que c'est autant mal faire que de prendre le calice après la consécration et de le répandre sous ses pieds. »

Comprenons-nous bien : la foi vivante en Jésus Christ, c'est le fondement par quoi tout commence, c'est la porte d'accès aux sacrements. Les sacrements sont une célébration de la foi, sinon ils ne sont rien. Saint Thomas déclare : « Le sacrifice de la messe ne produit d'effet qu'en ceux qui sont

je ne perde rien de tout ce qu'Il m'a donné, mais que je le ressuscite au dernier jour. Car la volonté de mon Père, c'est que quiconque voit le Fils et croit en lui possède la Vie éternelle ; et moi, je le ressusciterai au dernier Jour. » Cependant les Juifs murmuraient à son sujet, parce qu'il avait dit : « Je suis le Pain descendu du ciel. » Jésus, reprenant, leur dit : « Ne murmurez pas entre vous. Nul ne peut venir à moi, si le Père, qui m'a envoyé, ne l'attire ; et moi, je le ressusciterai au dernier Jour. Il est écrit dans les Prophètes : Tous seront instruits par Dieu. Quiconque a entendu le Père et reçu son enseignement vient à moi. Non que quelqu'un ait vu le Père, si ce n'est celui qui vient d'auprès de Dieu ; celui-là a vu le Père. En vérité, en vérité, je vous le dis, celui qui croit possède la Vie éternelle. » (Jn 6, 35-47).

unis à ce sacrement par la foi et la charité. » Or, nous dit saint Paul : « La foi nous rentre par les oreilles, les oreilles où retentit la parole du Christ » (Rom 10, 17).

Deux Tables, Deux Pains

« Je suis le pain de vie. Vos pères ont mangé la manne au désert et sont morts ; ce pain est celui qui descend du ciel pour qu'on le mange et ne meure pas. Je suis le pain vivant descendu du ciel. Qui mangera ce pain vivra à jamais. Et le pain que moi, je donnerai, c'est ma chair pour la vie du monde... »
« En vérité, en vérité, je vous le dis, si vous ne mangez la chair du Fils de l'homme et ne buvez son sang, vous n'aurez pas la vie en vous. Qui mange ma chair et boit mon sang a la vie éternelle et je le ressusci- terai au dernier jour. (Jn 6, 48 ss).

Le Christ-Parole-de-Dieu, le Christ-Verbe-du-Père est déjà pleinement « Pain vivant descendu du ciel ». Aussi, quand notre évangile poursuit : « Celui qui en mange ne mourra pas », rien ne nous dit qu'il s'agisse de l'Eucharistie plus que de la Parole. « Croire en Jésus Christ, dit saint Augustin, c'est déjà communier, car c'est adhérer à lui par la foi, s'incorporer à lui par l'amour. »

Et cependant, Jésus annonce aussi que bientôt (il parle alors au futur), à l'Heure de sa glorification, « Le pain que je donnerai, c'est ma chair », et non plus seulement sa Parole (Jean 6, 48-58).

La Parole et le Pain, l'Évangile et l'Eucharistie, telles sont les deux tables où le disciple du Christ vient puiser force et vie pour tout son être et pour le monde, « pour la vie du monde ». Ces deux tables, à la messe, sont dressées ensemble parce que l'une ne va pas sans l'autre : table de la Bible et de la prédication, chargée du Pain de la parole de Dieu, — table de l'Eucharistie, chargée du Pain de sa chair et du Vin de son sang. Le Christ sème d'abord sa Parole, sinon, à quoi bon semer des hosties ?

J'ai dit : ensemble. Car il est illusoire de prétendre couper la messe en deux parties successives — avant l'offertoire, « service de la Parole » ; après l'offertoire, « service eucharis- tique » ou sacrement.

Le Concile interdit cette dissociation : « La liturgie de la parole et la liturgie eucharistique sont si étroitement unies entre elles qu'elles constituent un seul acte du culte. Aussi le saint Concile exhorte-t-il vivement les pasteurs à enseigner activement aux fidèles qu'il faut participer à la messe entière. »

Car toute la messe est sacrement. Comme toute la messe est parole de Dieu.

Comment penser qu'à « l'offertoire » — toc! — se produise une mutation qui mettrait Dieu au silence pour faire place à son Sacrement? Ouvrez un missel, ou simplement vos oreilles, et vous constaterez que jusqu'au renvoi final, la Parole continue, sur les lèvres du prêtre, sur celles de l'assemblée, qui chantent et prient la louange même de Jésus, la prière même de Jésus dans son Église. Toute proclamation de l'Église dans son culte public, comme le Credo, toute prière liturgique de l'Église, même si elle n'est pas tirée de l'Écriture, est inspirée par l'Esprit de Jésus. Elle est donc parole de Dieu.

Toute la messe est parole de Dieu

Même ce sommet du sacrement eucharistique qu'est la consécration, ce n'est rien d'autre qu'un récit évangélique comme celui que l'on vient de proclamer, un fragment de la parole de Dieu : « Jésus, la veille de sa passion, prit du pain... »

Tout sacrement d'ailleurs est parole de Dieu : Le Christ est présent, par l'Église, et il parle : « Je te baptise... Je te pardonne tes péchés... » et c'est sa parole qui agit avec puissance.

C'est donc la parole de Dieu qui, d'un bout à l'autre, fait l'Eucharistie, comme elle fait tout sacrement. Alors, ne séparons pas Parole et Sacrement. Toute la messe est parole de Dieu.

— Avouez tout de même que les paroles de la consécration sont plus formidables que celles du sermon, et plus efficaces!

Toute la messe est sacrement

— Oui et non. Cette parole de Dieu qui éclate depuis le début de la messe par cette assemblée, par l'Écriture, par le prêtre, c'est le Christ qui parle de façon sensible, et sa parole est efficace : elle est une grâce, une présence active de l'amour du Christ. Eh bien! c'est cela un sacrement : un signe sensible et efficace du tout-puissant amour de Dieu...

Pourquoi les lectures ou la prédication sont-elles — peut-être — moins efficaces que la consécration?

Parce que, à la consécration, les paroles du prêtre touchent des choses — du pain et du vin — dépourvues de liberté :

elles ne résistent pas, elles deviennent le Corps et le Sang du Christ. Mais les mêmes paroles de la consécration touchent aussi des fidèles de l'assistance : « Prenez et mangez... » et beaucoup ne prennent ni ne mangent... parce que ce sont des personnes : des êtres libres et qui peuvent dire non, même à la toute-puissante parole de Dieu.

Les mêmes peuvent dire non à l'Écriture, non à la prédication... d'abord en arrivant en retard...

Alors que de chacun, et de toute l'assemblée, la parole de Dieu voudrait et pourrait faire « le Corps du Christ », le « sacrement » rayonnant de l'amour du Christ parmi les hommes...

« Le Christ est présent dans la Parole, car c'est lui qui parle tandis qu'on lit dans l'Église les saintes Écritures » (Vatican II). Et il parle efficacement.

Le sacrement de la Parole

Voici venir des jours, oracle du Seigneur Yahvé, où j'enverrai la faim dans le pays, non pas une faim de pain ni une soif d'eau, mais d'entendre la Parole de Yahvé. (Am 8, 11).

Quand tes paroles se présentaient, je les dévorais ; ta Parole était mon ravissement et l'allégresse de mon cœur. (Jr 15, 16).

Comme est douce à mon

Il y a, chez la plupart des chrétiens, une grande conversion à faire à la reconnaissance de la Parole de Dieu. Pesons cette affirmation inouïe de Vatican II :

« L'Église a toujours vénéré les divines Écritures comme elle l'a fait aussi pour le Corps même du Seigneur. Elle ne cesse pas, surtout dans la sainte Liturgie, de prendre le pain de vie sur la table de la Parole et celle du Corps du Christ pour l'offrir aux fidèles. »

Les « évangéliaires » ont été couverts d'or, d'ivoire et de pierres précieuses à l'égal des tabernacles. Ils présidaient aux conciles — magnifiquement à Vatican II — comme sacrement de la présence et de la présidence du Christ. Ils ont droit, à l'égal du Saint Sacrement, à l'exposition sur l'autel...

« Vous qui assistez habituellement aux divins mystères, expliquait Origène († vers 253) à ses chrétiens, vous savez avec quelle précaution respectueuse vous gardez le corps du Seigneur lorsqu'il vous est remis dans la communion, de peur qu'il n'en tombe quelque parcelle et qu'une part du trésor consacré ne soit perdue. Car vous vous croiriez coupable, et en cela vous avez raison, si par votre négligence quelque chose s'en perdait. Que si, lorsqu'il s'agit de son

Corps, vous apportez à juste titre tant de précaution, pourquoi voudriez-vous que la négligence de la Parole de Dieu mérite un moindre châtiment que celle de son Corps? »

Ne sont-ils pas l'un et l'autre — et le Pain grâce à la Parole! — Sacrements de la Vie Ressuscitée?

palais ta Parole, plus que le miel à ma bouche. (Ps 119, 103).

En vision, Ezéchiel est invité à manger un livre d'oracles : « je le mangeai, et il fut dans ma bouche doux comme le miel. (Ez 3, 3).

11

LE SACERDOCE
CHRÉTIEN

JÉSUS CHRIST, LE SEUL PRÊTRE

Le dimanche est le roi des jours, parce qu'il « fait l'Église », l'assemblée, dans l'eucharistie. L'eucharistie est le roi des sacrements parce qu'il est aussi sacrifice, le Sacrifice de l'Alliance pascale, divinisante. Le sacrifice exige un prêtre. Qu'est-ce que le prêtre chrétien ?

Il nous faut partir de Jésus Christ. Il n'y a qu'un prêtre : c'est lui. Qu'un sacerdoce : le sien.
Et cependant, toute religion — païenne, bouddhique, islamique, ou autre — a toujours ses ministres du culte, ses « prêtres ». Le peuple juif avait même sa tribu sacrée, la tribu de Lévi, qui ne vivait pas d'une terre, mais du service du Temple auquel elle était affectée. Moïse et Aaron appartenaient à cette caste sacerdotale. Le premier, Aaron fut oint comme grand-prêtre (Ex 29) et confirmé d'En-Haut dans cette fonction par la floraison miraculeuse du bâton de Lévi-Aaron (Nomb 17).
Au temps de Jésus, prêtres et lévites, descendants d'Aaron, se relayaient donc au Temple de Jérusalem pour y présider les liturgies et offrir les innombrables sacrifices. Ce rôle d'ailleurs n'engageait en rien leurs personnes, puisqu'ils offraient, non pas leur vie, mais des dons divers ; puisqu'ils sacrifiaient, non pas leur être propre, mais des animaux. Ils n'étaient que les fonctionnaires du culte d'Israël, d'un culte extérieur, rituel, toujours à recommencer, parce que toujours inefficace à sanctifier l'homme (Hébr 10, 1-4). « Rites humains, admis (par Dieu) jusqu'au temps du relèvement » (9, 10).

Ne possédant en effet que l'ombre des biens à venir, non la réalité des choses, la Loi mosaïque demeure à jamais incapable, avec les mêmes sacrifices qu'on offre indéfiniment d'année en année, de rendre parfaits ceux qui vont à Dieu. Autrement, n'aurait-on pas cessé de les offrir, puisque purifiés une fois pour toutes, les fidèles de ce culte n'auraient plus conscience d'aucun péché ? Au contraire, par ces sacrifices on rappelle chaque année le souvenir des péchés, car il est impossible que le sang de taureaux et de boucs enlève les péchés. (Heb 10, 1-4).

L'auteur du relèvement, le Sauveur Jésus, ne continuera donc pas le sacerdoce d'Aaron, transmis par héritage dans la lignée de Lévi. Tout au contraire. Il ne sera pas prêtre à la manière d'Aaron, mais, comme dira l'Épître aux Hébreux après le psaume 110, « il est prêtre à jamais à la manière de Melchisédek » (Melchisédek, vous vous rappelez : ce roi de Salem qui apparaît devant Abraham, sans ascendants ni

Jésus, ce « laïc »...

Si la perfection avait été atteinte par le sacerdoce lévitique, quel besoin y avait-il encore d'instituer un autre prêtre selon l'ordre de Melchisédek, au lieu de l'ordre d'Aaron ? De fait, celui à qui s'appliquent ces paroles appartient à une autre tribu, dont nul n'a jamais servi à l'autel. Il est notoire en effet que notre Seigneur est issu de Juda, tribu dont Moïse ne parle jamais à propos de sacerdoce. L'évidence ne fait qu'augmenter, si, à la ressemblance de Melchisédek, un autre prêtre est institué, qui l'est devenu non d'après la disposition d'une loi charnelle, mais d'après la puissance d'une vie impérissable. (Heb 7, 11-16).

descendants. Fils de David, de la tribu de Juda, Jésus « fait partie d'une tribu dont aucun membre n'a été affecté au service de l'autel » (cf. Hébr 7, 13-15).

Dans sa jeunesse, Jésus a fréquenté la synagogue de Nazareth, mais en tant que simple fidèle. De toute sa vie, il n'a jamais accompli de fonction cultuelle. Quand un jour il fait la lecture et commente Isaïe dans l'assemblée sabbatique de son village (Luc 4), c'est au titre de ce que nous appellerions aujourd'hui un « laïc ». De son temps, les prêtres ne fonctionnaient qu'au Temple de Jérusalem ; dans les synagogues, il ne s'offrait pas de sacrifice ; la bourgade s'y rassemblait chaque sabbat pour prier les psaumes, lire l'Écriture et en entendre l'explication de la bouche des « rabbis », des « maîtres », qui étaient des « laïcs ».

Jésus ne prend donc jamais le titre de prêtre. Loin de se présenter comme un personnage sacré, un « séparé », un pur, il accueille les pécheurs et mange avec eux, sans se soucier de l'impureté légale qu'il contracte ainsi. Il se mêle à la foule. Il vit comme tout le monde, d'égal à égal avec les pauvres, avec ses apôtres. Ceux-ci n'auraient jamais eu l'idée de lui donner le titre de prêtre. A part l'Épître aux Hébreux, aucun des écrits du Nouveau Testament ne le lui attribue jamais.

Il n'y a donc pas de confusion possible entre le sacerdoce du Christ et celui que les premiers chrétiens voyaient exercer par les prêtres juifs ou païens.

Quant à la caste sacerdotale juive, non seulement elle ne le considéra jamais comme l'un des siens, mais ses principaux représentants le prirent en chasse dès le début de sa vie publique, et n'eurent pas de repos qu'ils ne l'eussent fait condamner et exécuter.

Et c'est ainsi qu'elle contribua à l'Unique Sacrifice de l'Unique Prêtre !

... et pourtant le seul prêtre

Jésus n'a donc jamais exercé de fonction cultuelle pour « offrir » ou « sanctifier » ceci ou cela : son sacerdoce ne s'accomplit pas dans des cérémonies, il est sa personne même. Le Christ se présente en effet comme « celui que le Père a sanctifié — consacré — et envoyé dans le monde » (Jean 10, 36). Il dit encore : « Je me

consacre moi-même pour mes disciples, afin qu'ils soient eux aussi consacrés dans la vérité » (17, 19). Cette « sanctification », cette « consécration », c'est le sacrifice de sa propre vie, c'est l'offrande de sa propre mort, vie et mort glorifiées dans sa Résurrection, pour la sanctification, la divinisation de ses disciples.

Et pas seulement de ses disciples, « car le Fils de l'homme est venu pour donner sa vie en rançon pour la multitude des hommes » (Marc 10, 45).

« Cette mort qu'on lui inflige, il l'accepte ; il l'offre lui-même comme le prêtre offre sa victime ; et c'est pourquoi il en attend l'expiation des péchés, l'instauration de la nouvelle Alliance, le salut de son peuple. Bref, il est le prêtre de son propre sacrifice » (VTB).

L'Épître aux Hébreux, écrite vers l'an 70, est consacrée à démontrer que le sacerdoce judaïque a été mis de côté pour laisser place au vrai et unique sacerdoce du Christ. Dans ses pages, la confusion n'est donc plus possible entre le prêtre juif et le Sauveur. Aussi peut-elle l'appeler, fois sur fois, « prêtre » et « grand-prêtre ». « L'apôtre et le grand-prêtre en qui nous pouvons mettre notre foi, c'est Jésus » (3, 1).

Mais alors, les mots « prêtre », « sacerdoce », « sacrifice » n'ont plus du tout le même sens. On passe des figures à la réalité. Plus question de tourner autour d'un autel, mais d'être Fils de Dieu ; plus question de rites, mais d'amour ; plus question de sacrifier des dons et d'immoler des animaux, mais de se donner et de se sacrifier soi-même :

« C'est lui qui, au cours de sa vie terrestre, offrit prières et supplications avec grand cri et larmes à Celui qui pouvait le sauver de la mort, et il fut exaucé en raison de sa soumission. Tout Fils qu'il était, il apprit, par ses souffrances, l'obéissance, et, conduit jusqu'à son propre accomplissement, il devint pour tous ceux qui lui obéissent cause de salut éternel, ayant été proclamé par Dieu grand-prêtre à la manière de Melchisédek » (5, 7-10).

« C'est en effet par le sang, non pas des boucs et des veaux, mais par son propre sang, qu'il est entré une fois pour toutes auprès de Dieu et qu'il a obtenu une libération définitive. Le sang des animaux conférait la pureté rituelle extérieure aux

« Je leur ai donné ta parole, et le monde les a pris en haine, parce qu'ils ne sont pas du monde, de même que moi je ne suis pas du monde. Je ne demande pas que tu les retires du monde, mais que tu les gardes du Mauvais. Ils ne sont pas du monde, de même que moi je ne suis pas du monde. Consacre-les dans la vérité : ta parole est vérité. Comme tu m'as envoyé dans le monde, moi aussi je les ai envoyés dans le monde. Et pour eux je me consacre moi-même, afin qu'ils soient, eux aussi, consacrés en vérité. » (Jn 17, 14-19).

Juifs qui avaient contracté une souillure légale. Combien plus le sang du Christ qui, par l'Esprit éternel, s'est offert lui-même à Dieu comme une victime sans tache, purifiera-t-il notre conscience des œuvres mortes pour servir le Dieu vivant. Voilà pourquoi il est **médiateur d'une Alliance nouvelle...** » (9, 11-15).

« Médiateur d'une Alliance nouvelle »

« Médiateur », voilà le grand mot lancé !

Rappelons-le, le péché est rupture : rupture de l'homme avec Dieu (Gen 3, 17-24), rupture d'homme à femme, de frère à frère (4), de peuple à peuple (11, 1-9). L'arbre humain est coupé de sa Racine ; et il gît, ébranché comme à la serpe, en rameaux épars et morts... Le péché est rupture.

Le Salut, à l'inverse, est communion : communion avec la Source qu'est Dieu, et c'est la Vie ; communion avec les autres, et c'est l'Amour. La Vie et l'Amour éternels.

Seul un Dieu, seul le Fils éternel peut nouer cette communion. Seul il peut être le « ministre », le « serviteur » efficace de cette Vie, de cet Amour...

De fait, il en devient donc le parfait Médiateur en s'incarnant en Jésus de Nazareth, pleinement Dieu, pleinement homme, unissant ainsi Dieu et l'homme en sa personne.

« Après avoir, à bien des reprises et de bien des manières, parlé autrefois à nos pères par les prophètes, Dieu, en la période finale où nous sommes, nous a parlé à nous par un Fils qu'il a établi héritier de tout, par qui aussi il a créé les mondes. Ce Fils est resplendissant de sa gloire et expression de son être, et il porte l'univers par la puissance de sa parole. Après avoir accompli la purification des péchés, il s'est assis à la droite de la Majesté dans les hauteurs » (Hébr 1, 1-3).

Le sacerdoce du Christ, le seul sacerdoce, c'est cette triple médiation :

— Dieu le Père l'envoie à la rencontre des hommes (médiation « apostolique »),

— pour rassembler tous les hommes entre eux en un seul « bercail » (médiation « pastorale »),

— et les emmener dans son « passage », sa « pâque », vers le Père (médiation « sacrificielle »).

Suivons pas à pas ces trois étapes dont les démarches constituent en Jésus, puis dans l'Église, tout le Sacerdoce.

LE MÉDIATEUR DES RENCONTRES

Envoi aux hommes, radicalement tuer la haine et rassembler tous les hommes, retour au Père c'est donc le périple du Christ, « Médiateur de l'Alliance nouvelle ».

Il faut nous arrêter à approfondir ce triple « service » de médiation qu'assure le Christ-Prêtre. Il nous fera ensuite comprendre l'Église, puis, en elle, le ministère du prêtre.

Le premier temps du service sacerdotal du Christ, c'est son envoi par le Père. Il est notre « apôtre et grand-prêtre ». « Apôtre » veut dire « envoyé »...

« Quand donc les temps (des préparations) furent accomplis, Dieu envoya son Fils naître d'une femme, sous la loi juive, pour que nous naissions de Dieu » (Gal 4, 4).

● Le Christ-Apôtre, c'est le Samaritain qui vient de loin et qui, pris aux entrailles, s'approche après que, précisément, le prêtre et le lévite juifs ont passé à bonne distance de cette Humanité à moitié morte, — et qui se compromet personnellement tout entier à bander les plaies, à y verser son vin et son huile, à charger le malheureux « sur sa propre monture », à « prendre soin de lui », à le mettre dans un lit et entre bonnes mains (« Prends soin de lui ! »), à payer d'avance et à ouvrir un crédit illimité (Luc 10, 25 ss)... C'est moins simple et moins court que de saigner un agneau pour l'offrir en sacrifice !

● Le Christ-Apôtre, c'est le Bon Pasteur — remarquons déjà ce mot et cette image — qui ne peut rester au bercail du Ciel et de ses anges, parce que sa pauvre Brebis, l'Humanité, s'est égarée. Il part à sa recherche en descendant sur la terre... « Jusqu'à ce qu'il la retrouve »... Il la charge joyeux, sur ses épaules et la ramène (Luc 15).

● Ainsi, en l'homme Jésus Médiateur, c'est tout l'amour du

La médiation « aposto-lique » du Christ

Jésus s'écria : « Qui croit en moi, ce n'est pas en moi qu'il croit, mais en Celui qui m'a envoyé ; et qui me voit voit Celui qui m'a envoyé. Moi, lumière, je suis venu dans le monde pour que quiconque croit en moi ne reste pas dans les ténèbres. Et, si quelqu'un entend mes paroles et ne les observe pas, ce n'est pas moi qui le juge ; car je ne suis pas venu pour juger le monde, mais pour sauver le monde...

C'est Celui qui

m'a envoyé, le Père, qui m'a prescrit Lui-même ce que je devais dire et annoncer. Et je sais que son ordre est vie éternelle. Ainsi donc, ce que je dis, je le dis comme mon Père me l'a dit. » (Jn 12, 44-50).

La médiation « pastorale » du Christ

« Lequel d'entre vous, s'il a cent brebis et vient à en perdre une, n'abandonne les quatre-vingt-dix-neuf autres dans le désert pour s'en aller après celle qui est perdue, jusqu'à ce qu'il l'ait retrouvée? Et, quand il l'a retrouvée, il la met, tout joyeux, sur ses épaules et, de retour chez lui, il assemble amis et voisins et leur dit : ' Réjouissez-vous avec moi, car je l'ai retrouvée, ma brebis qui était perdue! ' » (Lc 15, 4-6).

Père qui s'épanche au milieu des hommes, car « c'est Dieu qui nous a aimés le premier ». Présence tangible de la tendresse de Dieu, tel est notre grand-prêtre : « Celui qui m'a vu, dit-il lui-même, a vu le Père... c'est le Père qui, demeurant en moi, accomplit ses œuvres. Croyez-moi : je suis dans le Père et le Père est en moi » (Jean 14, 9-11).

Dans un premier temps, le Christ-Médiateur rétablit donc la communion de Dieu aux hommes en se faisant homme par son Incarnation.

Envoyé du Père, le Christ-Médiateur poursuit sa mission sacerdotale dans une deuxième dimension, horizontale : il se fait médiateur entre les hommes divisés. C'est l'aspect « pastoral » du sacerdoce de Jésus : « réunir dans l'unité les enfants de Dieu, qui sont dispersés » (Jean 11, 52).

● « Le fondement scripturaire de cette doctrine, vous le connaissez. Vous connaissez la parabole du Bon Pasteur (Jean 10)... Il n'y a quasi pas un seul auteur du Nouveau Testament qui n'emploie ce titre pour l'appliquer au Christ, ou aux Apôtres dont il a fait d'autres Lui-même. Vous le trouverez dans Luc, dans Marc, dans Matthieu, dans Pierre, etc., dans l'Épître aux Hébreux — l'épître sacerdotale — qui a cette formule étonnante : « Celui qui est devenu par le sang d'une alliance éternelle le grand Pasteur des brebis : notre Seigneur Jésus Christ » (13, 20). L'Apocalypse, qui croise la métaphore de l'Agneau et du Pasteur : « L'Agneau les fera paître et les conduira aux sources de vie » (7, 17). Vous connaissez les textes de saint Pierre : « Paissez le troupeau de Dieu qui vous est confié jusqu'à ce que paraisse le Chef des pasteurs, Jésus » (1 Petr 5, 2-4) » (François Bourdeau).

Sans doute est-il anachronique, en notre monde industriel urbanisé et macadamisé, d'insister sur l'image gazonnée du berger. Mais il ne peut être non plus question d'abandonner le thème du pasteur : l'Écriture en est pleine. Ce symbole nous conduit à une idée profonde :

« Le titre plus formel, et d'ailleurs plus rare, de « médiateur » l'exprime fort bien : « Prêtres = pasteurs ou médiateurs », à condition que médiation signifie pour nous la réconciliation entre Dieu et les hommes, mais aussi, selon l'intention dominante de la parabole du Pasteur, le rassemblement des hommes entre eux, leur unité, leur harmonie divine. C'est en vertu du même office que Jésus rassemble toutes les brebis dans la main du Père et que, du même coup, il les rassemble divinement entre elles. Voilà la richesse de ce thème ! Si nous y regardions de près, en effet, si nous faisions appel à toute une théologie scripturaire, nous verrions qu'à partir de l'Ancien Testament auquel Jésus se réfère, en Ézéchiel, en Jérémie, etc., l'idée prédominante de ce thème du pasteur, c'est l'idée de rassemblement : « rassembler les brebis dispersées », ne pas les laisser s'égarer, « s'égailler », comme dit Jérémie, ou bien alors Dieu lui-même viendra les rassembler de toutes les collines où on les a laissé se disperser.

« Voilà l'arrière-plan des formulations de Jésus lorsqu'il parle d'un seul troupeau, d'un seul pasteur ; et le grand malheur au moment de la passion qui est l'heure des ténèbres, le symbole de tout le mal, n'est-ce pas que, « le pasteur étant frappé, les brebis soient dispersées » (Mt 26, 31)? » (F. Bourdeau).

Mais elles ne seront dispersées que pour un temps. La mort du Bon Pasteur, qui va « donner sa vie pour ses brebis » rassemblera son troupeau bien au-delà des « brebis perdues de la maison d'Israël ». « Car il a plu à Dieu de faire habiter en lui toute la plénitude et de tout réconcilier par lui et pour lui, et sur la terre et dans les cieux, ayant établi la paix par le sang de sa croix » (Col 1, 19-20).

● Reste que, cette paix acquise, les hommes — libres — doivent accepter d'en accueillir la grâce et de la « faire entre eux »... Le Prêtre-Rassembleur en a amorcé le travail dès les premiers pas de sa vie publique... Il ne se perd pas en théories sur l'Église : il rassemble de fait une première communauté de base, « pour être avec lui » (Marc 3, 14). Il leur laisse « le sacrement de l'unité » qui sera, après sa Résurrection, le sacrement « qui fait l'Église », c'est-à-dire « le rassemblement » — l'Eucharistie — ; le sacrement de l'Alliance : alliance avec lui (« Mangez mon corps, buvez mon sang! »), alliance entre eux (« Prenez le même pain rompu, partagez entre vous la même

Or voici qu'à présent, dans le Christ Jésus, vous qui jadis étiez loin, vous avez été rendus proches par le sang du Christ. C'est lui, en effet, qui est notre paix : de ce qui était divisé il a fait une unité. Dans sa chair, il a détruit le mur de séparation : la haine... pour créer en sa personne un seul homme nouveau ; faire la paix et les réconcilier avec Dieu, tous en un seul corps... Et c'est grâce à lui que les uns et les autres, dans un seul Esprit, nous avons accès auprès du Père. (Eph 2, 13-18).

Je vous exhorte donc, moi le prisonnier dans le Seigneur, à mener une vie digne de l'appel que vous avez reçu, en toute humilité et douceur, avec longanimité. Supportez-vous par charité les uns les autres ;

appliquez-vous à garder l'unité d'esprit par le lien de la paix. Il n'y a qu'un corps et qu'un Esprit, puisque aussi bien vous avez été appelés par votre appel à une seule espérance. Il n'y a qu'un Seigneur, une foi, un baptême ; il n'y a qu'un Dieu et Père. (Eph 4, 1-6).

coupe »). La loi qu'il leur donne : « Aimez-vous les uns les autres »... Sa prière pour eux : « Qu'ils soient un, Père, comme nous sommes un, Toi et moi »... Son ultime exemple aux responsables : « Lavez les pieds de vos frères, des petits »... Sa marque : « On vous reconnaîtra pour les miens à votre charité mutuelle »... Sa consigne de « propagande » : « Aimez vos ennemis... Allez vers toutes les nations... ». Ainsi est amorcé, pour grandir, le noyau initial de l'unique Corps mystique, le Royaume en expansion.

Par son retour au Père, à travers la Croix et la Résurrection, le Christ sera, personnellement, le Centre et le Chemin de ce Rassemblement : « Une fois élevé de terre, j'attirerai à moi tous les hommes ».

La médiation « sacrificielle » du Christ

Cette élévation, cette exaltation du Christ-Prêtre est le troisième temps de son voyage de Médiateur : le retour au Père, avec toute l'Humanité à sa suite, à travers la croix, et la mort, et la Résurrection... D'un mot, à travers le « sacrifice ».

Alors là, de grâce, ne ramenons pas une théologie bâtarde de compensation, expiation, satisfaction, substitution d'une Victime infinie à la place d'une Humanité insolvable! Le Père n'est pas sanguinaire. Le sacrifice de Jésus n'est pas un plateau de souffrance présenté, pour l'apaiser, à un Dieu vengeur... Il faut se laver le cerveau de ces idées fausses qui ont empoisonné sermons et livres d'une époque où l'on était coupé des Écritures.

« Je suis le bon berger. Le bon berger livre sa vie pour ses brebis. Le mercenaire, celui qui n'est point berger, à qui n'appartiennent pas les brebis, à peine

Dieu n'a pas besoin d'être « apaisé » : c'est lui qui nous apporte la paix! « Dieu a tant aimé le monde qu'il a donné son Fils, son unique, pour que tout homme qui croit en lui ne périsse pas, mais ait la vie éternelle. Car Dieu n'a pas envoyé son Fils dans le monde pour juger le monde, mais pour que le monde soit sauvé par lui... » (Jean 3, 16-17).

Sauvé comment?... « Il convenait que Dieu, voulant conduire à la Gloire un grand nombre de fils, rendît parfait par des souffrances le pionnier de leur Salut. Car celui qui sanctifie et ceux qui sont sanctifiés sont solidaires » (Hebr 2, 10-11).

Le sacrifice du Christ, c'est son amour, son obéissance jusqu'à en mourir. Ce sacrifice, il l'a commencé à l'Incarnation. Mais il ne devient prêtre parfait que par sa mort, mort accueillie par le Père et transformée en Résurrection. Chef des hommes, Tête du Corps, Jésus ouvre pour tous le chemin. Il dégage et inaugure ce « passage » d'accès à Dieu, de communion parfaite avec Dieu, par son sacrifice « pascal ». Il devient pour nous le guide et l'entraîneur sur ce chemin vers le Père. Notre premier de cordée. « Je suis le Chemin »...

Chemin de croix... C'est là la grande nouveauté du sacerdoce chrétien : le prêtre ne se dérobe pas en allant planter le couteau dans une victime autre que lui-même. C'est sa personne, — son existence, sa vie, sa mort — qui est tout entière compromise dans son sacrifice. Ce n'est pas une cérémonie, c'est un drame, un drame d'amour. Non pas un rite extérieur, mais la réalité de la vie et de la mort. Il y a sang versé, et c'est le sien...

Chemin de Gloire... « A cause de la mort qu'il a soufferte, Jésus se trouve couronné de gloire et d'honneur... Le Père lui a soumis toutes choses... Ainsi, par la grâce de Dieu, c'est pour tout homme qu'il a goûté la mort » (Hebr 2, 8-9). Parce que l'offrande d'amour de Jésus est « agréable » et « agréée », le Père, par l'Esprit, ressuscite Jésus. Il le « sacri-fie » en l'intromisant à sa droite. Notre Prêtre « entre pour nous en précurseur dans le Ciel (au-delà du voile), devenu ainsi grand-prêtre pour l'éternité » (6, 19-20). « C'est là qu'il est toujours vivant pour intercéder en notre faveur » (7, 25).

Personne ne fut prêtre avant lui. Personne ne lui succédera. Il est, à jamais, le Prêtre.

« Dire que le Christ seul est prêtre, c'est affirmer que lui seul réalise la pleine communion de l'homme avec Dieu. Il n'est pas seulement un chemin possible, il est le Chemin ; il n'apporte pas seulement une vérité, il est la Vérité ; il n'est pas seulement un vivant, pour nous et pour tous les hommes, il est la Vie. La communauté chrétienne, depuis les origines, a voulu affirmer tout cela en disant que le Christ est seul médiateur. » (Centre Jean-Bart.)

voit-il venir le loup qu'il laisse là les brebis et s'enfuit ; et le loup les emporte et les disperse. C'est qu'il est mercenaire et ne se met pas en peine de brebis. Je suis le bon berger ; je connais mes brebis et mes brebis me connaissent, comme le Père me connaît et que je connais le Père. Et je livre ma vie pour mes brebis. J'ai encore d'autres brebis qui ne sont pas de ce bercail ; celles-là aussi, il faut que je les conduise ; elles écouteront ma voix, et il n'y aura qu'un troupeau, qu'un berger. Si le Père m'aime, c'est que je livre ma vie pour la reprendre. Personne ne me l'enlève, mais je la livre de moi-même. J'ai pouvoir de la livrer et j'ai pouvoir de la reprendre : tel est l'ordre que j'ai reçu de mon Père. » (Jn 10, 11-18).

LE PEUPLE SACERDOTAL

« Approchez-vous du Christ,
pierre vivante, rejetée par les hommes,
mais choisie et précieuse devant Dieu.
Et vous aussi, comme des pierres vivantes,
vous êtes construits en maison habitée par l'Esprit
pour constituer une communauté sacerdotale,
pour offrir des sacrifices spirituels,
agréables à Dieu par Jésus Christ...
    Car il est dit dans l'Écriture :
‹ Voici que je pose en Sion une pierre angulaire,
choisie et précieuse ;
qui s'appuie sur elle ne croulera pas ›.
Et encore :
‹ La pierre rejetée des bâtisseurs est devenue pierre d'angle,
une pierre d'achoppement, qui fait tomber ›.
Ils achoppent, ceux qui refusent de croire à la Parole.
Mais vous, vous êtes la famille élue, la résidence royale,
la communauté sacerdotale, la nation sainte,
le peuple que Dieu s'est acquis pour que vous proclamiez
les hauts faits de Celui qui vous a appelés des ténèbres
à sa merveilleuse lumière ;
vous qui jadis n'étiez pas un peuple,
mais qui maintenant êtes le peuple de Dieu :
vous qui n'aviez pas obtenu miséricorde,
mais qui maintenant avez obtenu miséricorde. » (1 Petr 2, 4-10).

Saint Pierre — ou plutôt l'Esprit Saint — s'adresse aux chrétiens de Rome et du monde, de son temps et de notre temps. Aux fidèles comme aux chefs de communautés. Et il leur dit : « Approchez-vous du Christ-Prêtre... »

« Et vous aussi, pierres vivantes »

« Approchez-vous du Christ. » C'est lui l'élu de Dieu, « précieux et choisi » parce qu'il est le Fils, l'Unique.

Ainsi Jésus est à jamais le bien-aimé et, à ce titre, le Médiateur irrésistible, le Prêtre unique, « la pierre d'angle » par qui tient debout et en un seul bloc toute la maison de Dieu, l'Église. Pour dire par une autre image la même réalité : il est la Tête du Corps, Tête qui en fait l'unité, la cohérence, et qui l'entraîne dans sa Gloire, dans « la Gloire du Fils unique du Père » (Jean 1, 14).

Mais tous les chrétiens ne sont-ils pas ses membres ?...

Si la Tête est « choisie et précieuse devant Dieu », ses membres seront-ils méprisables et rejetés ?

Si le Fils bien-aimé est la tête, les membres ne seront-ils pas les membres du Fils, membres bien-aimés, « agréables à Dieu par Jésus Christ » ?

Certes ils le seront, tous et chacun, « choisis » comme lui, « précieux » comme lui. Mais « choisis et précieux » à cause de lui : « agréables à Dieu par Jésus Christ », notre Médiateur divinement agréé. « Nous rendons notre culte par l'Esprit, nous plaçons notre gloire en Jésus Christ, nous ne nous confions pas en nous-mêmes » (Phil 3, 3).

C'est le baptême qui nous « cimente » ainsi en Jésus Christ en une seule et même construction, qui nous « incorpore » à lui en Église, nous rendant vivants de tout ce qu'il est, participants de tout ce qu'il a.

Si le Christ-Prêtre est la « pierre de fondation » sur laquelle s'édifie toute la maison — l'Église —, s'il est la « pierre d'angle » par laquelle tient ensemble toute la bâtisse, chaque pierre ne fait-elle pas qu'un avec lui ?... S'il est « la pierre vivante » — ressuscitée et ressuscitante à la Vie de Dieu —, vous aussi, construits sur lui et liés par lui, « vous aussi, êtes des pierres vivantes », ressuscitées déjà avec lui, composant ensemble avec lui cette « maison qu'habite l'Esprit Saint », l'Église, l'Église des baptisés, « communauté sacerdotale ».

Traitant des sacrements, il n'est pas possible de ne pas s'attarder à considérer ce sacerdoce des baptisés :

— d'abord parce qu'il prend racine lui-même dans un sacrement : le baptême et sa confirmation ;

— puis parce qu'il s'exerce dans tous les sacrements, spécialement l'Eucharistie,

— enfin parce que le sacerdoce des « ordonnés » —

Frères saints, qui avez part à un appel céleste, considérez l'apôtre et grand prêtre de notre profession de foi, Jésus : il est accrédité auprès de Celui qui l'a institué, comme Moïse le fut dans toute sa maison. De fait, il a été jugé digne d'une gloire supérieure à celle de Moïse, dans la mesure même où l'architecte de la maison l'emporte en dignité sur celle-ci. Toute maison en effet a un architecte, et l'architecte de l'univers, c'est Dieu (et donc aussi le Christ). De plus, Moïse a été fidèle dans toute sa maison en qualité de serviteur d'élite, pour témoigner de ce qui devait être dit ; le Christ, lui, l'a été en qualité de fils à la tête de sa maison. Et sa maison, c'est nous, si nous gardons fermement jusqu'au bout l'assurance et la fierté de l'espérance.
(Heb 3, 1-6).

évêques, prêtres, diacres — ne se comprend qu'à l'intérieur du « sacerdoce commun », à son service, et à sa place, c'est-à-dire dans le respect et la promotion du sacerdoce des fidèles.

Reprenons donc point par point le texte inspiré de saint Pierre, charte du « sacerdoce commun à tous les baptisés ».

« Communauté sacerdotale... et royale »

Tandis que s'écoulait le jour de la Pentecôte, les disciples étaient tous réunis dans le même lieu. Tout à coup vint du ciel un bruit semblable à celui d'un fort coup de vent, qui remplit toute la maison où ils se tenaient. Et ils virent apparaître, semblables à du feu, des langues qui se divisaient, et il s'en posa une sur chacun d'eux. Tous furent alors remplis de l'Esprit Saint et ils se mirent à parler en d'autres langues, selon que l'Esprit leur donnait de s'exprimer. (Act 2, 1-4).

Saint Jean écrit aux Églises d'Asie : « Celui qui nous aime — Jésus Christ, le témoin fidèle, le premier-né d'entre les morts et le prince des rois de la terre — nous a délivrés de nos péchés par son sang, et il a fait de nous un royaume, des prêtres pour Dieu son Père » (Apoc 1, 5-6).

« Un royaume, des prêtres... », transposé en nos temps où les structures politiques ne sont plus, comme alors, exclusivement monarchiques, cela veut dire : « un peuple de prêtres », « une communauté sacerdotale ».

Cette expression risque d'évoquer pour nous l'assemblée de la messe. Or il s'agit de l'Église universelle ; — et, d'autre part, c'est au baptême plus qu'à l'Eucharistie qu'il faut référer la dignité sacerdotale des laïcs. « Ce qui fait que le laïc est prêtre, c'est son baptême », dit saint Jérôme. Spécialement l'onction du saint chrême qui suit l'immersion. « Ce n'est pas seulement la Tête (du Corps mystique) qui a reçu l'onction, mais aussi le corps, et le corps c'est nous. Jésus nous incorpore à lui, nous fait ses membres, afin qu'en lui nous soyons aussi le Christ. C'est pourquoi l'onction qui constitue roi et prêtre appartient à tous les chrétiens » (S. Augustin).

La réalité première du Peuple de Dieu ne réside donc pas dans les différences : clercs et laïcs, haut clergé et bas clergé... « Pas plus qu'il n'y a deux degrés d'appartenance au Christ, il ne saurait y avoir deux espèces de chrétiens. Il n'y a même pas deux degrés de sacerdoce. Le sacerdoce conféré par le sacrement de l'ordre n'est pas un degré supérieur de sacerdoce. Être chrétien et être prêtre, c'est tout un : on est chrétien et l'on est prêtre par le baptême » (François Varillon).

Bien sûr, tous les baptisés n'exercent pas le même ministère — nous reviendrons longuement sur les ministères « ordonnés » : épiscopat, presbytérat, diaconat — mais tous les baptisés ont la même dignité : celle d'enfants de Dieu, — la même liberté : celle que donne l'Esprit Saint, — la même mission : celle d'annoncer l'Évangile ».

L'Esprit Saint n'est-il pas tombé en langues de feu sur chacune des quelque cent vingt personnes, femmes et hommes, qui priaient au Cénacle avec les Apôtres ?... « Dieu ne fait pas de partialité », dit saint Paul (Rom 2, 11).

Mais il dit aussi longuement que le corps est diversifié. Le don de l'Esprit à chaque membre du Peuple de Dieu est le fondement de la commune responsabilité de tous les chrétiens et, en même temps, de la diversité de leurs ministères :

« Il y a diversité de dons spirituels, mais c'est le même Esprit, diversité de ministères, mais c'est le même Seigneur, divers modes d'action, mais c'est le même Dieu qui produit tout en tous. Chacun reçoit le don de manifester l'Esprit en vue du bien de tous... C'est le seul et même Esprit qui agit, distribuant à chacun ses dons selon sa volonté » (1 Cor 12, 4-11).

C'est que le premier animateur, le premier responsable de ce Peuple, c'est celui dont Jésus disait, citant Isaïe : « L'Esprit du Seigneur est sur moi ». Tout baptisé est, normalement, possédé par l'Esprit.

Par l'Esprit qui habite en lui depuis que Jésus expirant et ressuscité le lui a donné, chaque baptisé peut aller, sans huissier, droit au Père. Il est enfant de la maison. « C'est grâce à Jésus Christ que les uns et les autres, dans un seul Esprit, nous avons l'accès auprès du Père » (Éph 2, 18).

« Le « parler au Père », la prière, devient donc, normalement, sa vie même. Comme le Christ, n'est-il pas, lui aussi, un Temple habité par l'Esprit qui crie vers Dieu le cri filial de l'adoration : Père ? « Par Jésus, offrons donc sans cesse à Dieu un sacrifice de louange, c'est-à-dire le fruit de lèvres qui confessent son nom » (Hébr 13, 15).

« Le Peuple saint de Dieu participe aussi de la fonction prophétique du Christ... La collectivité des fidèles, ayant l'onction qui vient du Saint (cf. 1 Jean 2, 20 et 27), ne peut se tromper dans la foi. Ce don particulier qu'elle possède, elle le manifeste moyennant le sens surnaturel de la foi qui est celui du peuple tout entier lorsque, des évêques jusqu'au dernier

« Maison habitée par l'Esprit »

Mes enfants, nous sommes tous à la dernière heure. L'Anti-Christ, comme vous l'avez appris, doit venir ; or il y a dès maintenant beaucoup d'anti-christs ; nous savons ainsi que nous sommes à la dernière heure. Ils sont sortis de chez nous, mais ils n'étaient pas des nôtres ; s'ils avaient été des nôtres, ils seraient restés avec nous. Mais pas un d'entre eux n'est des nôtres, et cela devait être manifesté. Quant à vous, celui qui est saint vous a consacrés par l'onction, et ainsi vous avez tous la connaissance. (I Jn 2, 18-20).

des fidèles laïcs, elle apporte un consentement universel aux vérités concernant la foi et les mœurs. Grâce à ce sens de la foi qui est éveillé et soutenu par l'Esprit » (Vatican II).

Enfin, « les fidèles incorporés à l'Église par le baptême ont reçu un caractère qui les délègue pour le culte religieux chrétien » (Vatican II), spécialement pour l'Eucharistie. Nous avons eu ou nous aurons l'occasion de le voir à propos de chaque sacrement.

Prière, foi, culte... on pourrait craindre que l'Esprit Saint ne calfeutre la communauté sacerdotale dans un partage intimiste de ses trésors. C'est tout le contraire! Le Feu de la Pentecôte fait sauter les verrous du Cénacle et jette ses peureux à la rue... « Comme mon Père m'a envoyé, je vous envoie », leur a dit Jésus. « Vous serez mes témoins jusqu'au bout du monde... » (Act. 1, 8).

C'est dire que les chrétiens ne peuvent honorer leur sacerdoce commun qu'en assumant à leur compte la triple médiation du Christ-Prêtre : aller de Dieu aux hommes, — rejoindre et rassembler les hommes, — monter au Père ensemble dans le sacrifice pascal de toute sa vie et de sa mort assumée. Ce sera l'objet des pages suivantes.

... SACERDOTAL ET MÉDIATEUR

Le Christ est à jamais le seul prêtre; mais son Corps, l'Église, est tout entier sacerdotal avec lui. Le Christ-Prêtre est l'unique médiateur; mais c'est avec et par son Corps qu'il veut exercer sa médiation. « Dieu avec nous », c'est son nom; nous avec lui, c'est son projet d'amour. « Partager sa nature divine » (2 Petr 1, 4), c'est partager sa tâche médiatrice.

Cette tâche — on ne l'a pas oublié — fut triple : rejoindre les hommes, rassembler les hommes, les entraîner vers le Père à travers son sacrifice pascal. Sur ses pas, animés par le même Esprit, les chrétiens ont même tâche et même chemin. En le montrant brièvement, nous ne changeons pas de sujet : nous approfondissons la méditation du texte de Pierre donné en page 264.

Première médiation du Christ-Prêtre : son envoi par le Père aux hommes, son Incarnation, sa naissance dans la lumière de la nuit de Bethléem... Elle doit continuer dans l'Église. « Comme mon Père m'a envoyé, je vous envoie ». « Je suis la lumière du monde... Vous êtes la lumière du monde » (Jean 8, 12 - Mt 5, 14).

« Pour que vous proclamiez »

« Agissez sans compromission, enfants de Dieu sans tache au milieu d'une génération dévoyée et pervertie, où vous apparaissiez comme des sources de lumière dans le monde, vous qui portez la parole de vie. » Saint Paul parle ainsi aux fidèles de Philippes (2, 15-16). Non aux évêques ou aux prêtres, mais au « peuple que Dieu s'est acquis pour qu'il proclame les hauts faits de celui qui l'a appelé des ténèbres à sa merveilleuse lumière ».

● Chez le baptisé que je suis, et qui n'est pas le Fils éternel descendu du Père, cet envoi missionnaire suppose un temps d'accueil, une découverte constante et émerveillée. Celui qui était auprès du Père, dans un mystère inaccessible, Vie et Lumière insaisissables, celui-là est apparu, et il a habité parmi nous, et nous avons vu sa gloire, c'est-à-dire d'abord son amour, sa grâce et sa vérité (Jean 1, 1-14)... L'Église cesserait d'être l'Église le jour où elle cesserait d'être l'« Émerveillée », la « Ravie », la « Surprise », la « Rassemblée » autour du « Verbe qui s'est fait chair et a habité parmi nous ». Les fêtes liturgiques, les dimanches, la convoquent toute l'année à son point de jaillissement dans l'histoire.

Vous vous êtes approchés de la montagne de Sion, de la cité du Dieu vivant, de la Jérusalem céleste, de myriades d'anges, de la réunion solennelle et de l'assemblée des premiers-nés qui sont inscrits dans les cieux, d'un Dieu juge universel, des esprits des justes parvenus à la perfection, de Jésus médiateur d'une alliance nouvelle, et d'un sang puri-

● Mais c'est pour l'envoyer « annoncer la bonne nouvelle qui sera une grande joie pour tout le peuple des hommes » (Luc 2, 10). Comme les bergers de Bethléem : « Après avoir vu, ils firent connaître ce qui leur avait été dit au sujet de cet enfant. Et tous ceux qui les entendirent furent dans l'éton-

ficateur qui parle plus éloquemment que celui d'Abel. Prenez garde ; ne refusez pas d'écouter Celui qui vous parle.
(Heb 12, 22-25).

nement » (17-18). Comme Anne la prophétesse — tiens! une femme! — qui « se mit à parler de l'enfant à tous ceux qui attendaient la libération » (38). Comme la Samaritaine à tout son village : « Venez voir un homme qui m'a dit tout ce que j'ai fait. Ne serait-ce pas le Christ ? » (Jean 4, 29). Comme Pierre et Jean après la Résurrection de Jésus : « Nous ne pouvons pas taire ce que nous avons vu et entendu » (Act 4, 20).

« *Sacer-dos* » : « donner le (message) sacré » ; « *pontifex* » : « faire pont » entre Dieu et les hommes, et entre les hommes, voilà le rôle des baptisés-confirmés. « Chrétiens de tous les temps et de tous les lieux, uns et divers, tous ensemble réunis, il leur faut être ce « pont » de Dieu à l'homme par lequel le don de Dieu se rend sans cesse présent au cœur de l'humanité. Il leur faut être au service du Dieu qui aime, du Dieu qui se propose ; au service du Dieu qui vient et qui s'incarne et qui marche sur notre terre, du Dieu qui parle et se révèle » (Centre Jean-Bart).

La Bonne Nouvelle est un feu. « C'est un feu que je suis venu apporter sur la terre, disait Jésus, et comme je voudrais qu'il soit (partout) allumé » (Luc 12, 49). C'est la tâche missionnaire des chrétiens : « Ce que nous avons vu et entendu, nous vous l'annonçons, à vous aussi, afin que vous aussi, vous soyez en communion avec nous » (1 Jn 1, 3).

« *Constituer une communauté* »

« Que vous soyez en communion avec nous » : **rassembler les hommes dans le Christ, c'est la deuxième responsabilité du Peuple sacerdotal en continuation du Christ Pasteur.**

Mais il faut commencer par le commencement : former entre nous un seul corps malgré nos diversités. « En effet, le corps est un, et pourtant il y a plusieurs membres ; mais tous les membres du corps, malgré leur nombre, ne forment qu'un seul corps : comme la personne du Christ. Car nous avons tous été baptisés dans un seul Esprit pour être un seul corps (1 Cor 12, 12-13). « Le Christ est-il divisé ? » (1, 13)...

Hélas! des chrétiens sont divisés... sur du latin, sur des rites... plus réellement, sur l' « économique ». Pendant qu'on se disputait autour du Veau d'Or, cet anti-Dieu stigmatisé par le Pauvre de Nazareth, on a jeté à la poubelle ces mots si

évangéliques : « socialisme », « communisme », « humanité »...
Des témoins scandalisés en ont perdu la foi et sont venus les
ramasser... Puisque ces termes sont désormais piégés, qui
fondera, dans le sillage de Paul et de Jésus Christ, le mouvement des « Chrétiens pour l'égalité »?... « Notre Seigneur, de
riche qu'il était, s'est fait pauvre... Ce qu'il faut, c'est l'égalité »
(2 Cor 8, 9-13). C'est la condition pour n'avoir, comme la
primitive Église, « qu'un cœur et qu'une âme ».
     Alors, les autres disent : « Voyez comme ils s'aiment! ».
Alors « on justifie notre espérance devant ceux qui nous en
demandent compte » (1 Petr 3, 15). Alors on donne envie de
Jésus Christ. Alors on est accueilli sans barbelés et crédible
sans autre preuve.
     C'est par une telle contagion que « le Seigneur adjoint
chaque jour à la communauté ceux qui y découvrent le
Salut » (Act 2, 47).

**Mais le Christ ne rejoint et ne rassemble l'Humanité
que pour en venir à son troisième mouvement sauveur :
le retour pascal, eschatologique, « sacri-ficiel », vers le
Père. Ce mouvement doit sous-tendre toute l'existence
du Peuple sacerdotal : c'est le sommet de son sacerdoce.**

*« Offrir des
sacrifices
spirituels »*

● Son « sacrifice », redisons-le, le Christ-Prêtre l'a vécu dans
le don de soi, à longueur de vie ; et non le don d'un autre, à
travers une cérémonie d'un moment. Il a pris « un corps pour
faire la volonté de Dieu » dans l'amour, et c'est alors que son
sacrifice commence. Durant toute sa vie il a fait « de la volonté
de son Père, sa nourriture », et c'est ainsi que son sacrifice
continue. Enfin, cette obéissance le conduit « jusqu'à la mort,
et la mort de la croix ». A son « accomplissement ». Il devient
ainsi le prêtre parfait : « C'est à cause de cela que Dieu l'a
exalté », c'est-à-dire « ressuscité », « sacri-fié », « sancti-fié »,
autant de termes équivalents pour dire qu'il a été pleinement
accueilli en Dieu et, comme homme, « établi dans sa pleine
puissance de Fils de Dieu » (Rom 1, 4).
     Voilà le sacrifice de Jésus Christ : non une offrande « maté-

Quand il eut pris
le livre, les quatre
Animaux   et
les vingt-quatre
Vieillards   se
prosternèrent de-
vant   l'Agneau,
tenant   chacun
une harpe et des
coupes d'or plei-
nes de parfums,
qui sont les priè-
res des saints. Et
ils chantent un
cantique nou-
veau : « Tu es
digne, disent-ils,

de prendre le livre et d'en ouvrir les sceaux, car tu as été égorgé, et tu as acheté pour Dieu dans ton sang des hommes de toute tribu, langue, peuple et nation, et tu as fait d'eux pour notre Dieu un royaume et des prêtres, et ils règneront sur la terre. » (Ap 5, 8-10).

rielle » de choses ou d'animaux, mais le don de soi-même. Un sacrifice « spirituel ».

● C'est en prenant le même chemin, à longueur d'heures et de vie, que le Peuple chrétien devient prêtre et prêtre parfait. Bien sûr, par Jésus Christ, avec lui et en lui.

Son sacrifice, comme celui du Seigneur, ce n'est pas d'abord trois quarts d'heure de messe. La messe prendra sens et poids de ce qu'il aura vécu à longueur de jours et de semaines, dans la volonté de Dieu. Le Peuple de Dieu devient Peuple sacerdotal en avançant, à travers toute son existence concrète, dans le même amour obéissant que Jésus Christ. Voilà les « sacrifices spirituels ». Du simple, du concret : le verre d'eau, la poignée de main, le coup de main : « N'oubliez pas la bienfaisance et l'entraide communautaire, car ce sont de tels « sacrifices » qui plaisent à Dieu » (Hebr 13, 16).

Toute l'existence chrétienne est appelée à culminer dans la même mort à soi-même et le même « passage » vers le Père. Le Christ, notre Prêtre, une fois pour toutes, nous en a acquis la grâce. « Il s'agit de le connaître, lui, et la puissance de sa Résurrection, et la communion de ses souffrances, de devenir semblable à lui dans sa mort, afin de parvenir, s'il est possible, à la Résurrection d'entre les morts » (Phil 3, 10-11)... Le « s'il est possible » n'exprime d'ailleurs pas un doute, mais la vigueur de l'effort et la tension de l'espérance.

« Je vous exhorte donc, frères, au nom de la miséricorde de Dieu, à vous offrir vous-mêmes en sacrifice vivant, saint et agréable à Dieu : ce sera là votre culte spirituel » (Rom 12, 1).

12

LE SACREMENT DE L'ORDRE

SOUS LES MOTS

Le baptisé-confirmé qui participe à l'Eucharistie est un chrétien complet, équipé pour la sainteté. A part entière il prend place parmi le peuple des fidèles.

Mais, pour le service de la communauté et du monde, l'Église peut l'appeler à recevoir l'imposition des mains qui l' « ordonnera » à participer à la charge des apôtres.

Le sacrement de l' « ordre », c'est le rite qui, d'un simple fidèle, fait un diacre, un prêtre, un évêque.

Le sacrement de l'ordre est à la source de tous les sacrements : normalement, c'est le diacre, le prêtre ou l'évêque qui baptise, confirme, consacre, etc... Surtout le prêtre.

Mais qu'est-ce qu'un prêtre ?...

Qui n'a pas sa petite idée du prêtre ? Idée souvent toute faite à partir de son catéchisme, de son expérience, de ses rêves, des images imposées par sa culture et son milieu... Le prêtre homme de la messe, du sacré, homme d'Église, ministre du culte, professeur de religion, maître de morale... Le célibataire, séparé du monde, ensoutané, en aube et dentelles, « clerc » du savoir, notable au pouvoir, aristocrate aux mains blanches ; ou, au contraire, pauvre ami des pauvres, homme parmi les hommes, salopette et mains calleuses, militant de l'égalité, de la justice, de la paix... Le fonctionnaire des sacrements, des « pompes » joyeuses ou funèbres de la vie et de la mort... Celui qui fait trio avec les pouvoirs civil et militaire parce qu'il détient « l'autorité religieuse », la hiérarchie... L'homme de la contemplation, de l'intercession, médiateur entre Dieu et les hommes...

Nos idées du prêtre se superposent ainsi, s'entrecroisent, se cachent, se nient les unes les autres, comme si l'on s'était enfilé tout un vestiaire bigarré et écrasant.

Commençons, voulez-vous, par nous déshabiller de tout ce que nous croyons savoir sur le prêtre, pour nous rhabiller ensuite sobrement des certitudes que nous présente la Tradition apostolique, de Jésus Christ à Vatican II.

Comme il a choisi autrefois les Apôtres, le Christ choisit aujourd'hui encore des ministres qu'il charge de rassembler son Église dans la prière et de l'animer dans sa mission. La préséance de l'un d'eux, serviteur de la Parole et du Sacrement, au sein de l'assemblée eucharistique, signifie que le Christ lui-même préside ce repas où il se donne en nourriture.
(Groupe des Dombes).

Partons des mots usuels et... empoussiérés : Ordre, Hiérarchie, Église, Sacerdoce, Ministère.

L'Ordre

Tout en étant immuable dans son rapport au Christ et dans l'institution que le Christ lui a donnée, l'Église se modifie nécessairement en fonction des époques et des lieux où elle vit. Au temps de sa fondation, l'Église a emprunté des éléments judaïques. Saint Paul s'en est dégagé et s'est inspiré d'éléments gréco-latins. Au Concile de Nicée, l'Église greffe son organisation sur l'empire romain. En Occident, elle se calquera plus tard sur la féodalité, enfin sur la monarchie absolue. Aujourd'hui, elle se confronte à un monde issu de la Révolution française, de la science et de la technique. Mais l'Église ne sera pas plus une démocratie qu'elle n'a été

Quand on parle de « l'Ordre », il s'agit du sacrement de l'ordination, et aussi de la catégorie de personnes qui sont transformées par ce sacrement et constituent ce qu'on appelle « la Hiérarchie » de l'Église.

Or, aucun de ces deux mots n'est biblique. La théologie pourrait donc s'en passer. Elle peut aussi en user, à condition de prendre garde au dérapage qu'ils ont subi l'un et l'autre.

Le terme « ordre » nous vient des institutions civiles de la Rome antique. Au plan social, il peut désigner l'organisation de toute la société : une nation où tout le monde a sa juste place et dont les services fonctionnent bien (un pays « en ordre », sans pagaille) ; il peut désigner aussi une classe d'hommes, une caste : chez les Romains, l'ordre sénatorial, l'ordre des chevaliers. Précisément, dans l'Empire où grandissait la jeune Église, « ordre » n'avait que ce second sens : il s'appliquait aux seules catégories sociales privilégiées dans lesquelles la plèbe, la foule anonyme n'avait pas de place ; elle n'appartenait à aucun ordre.

L'Église a toujours tendance à calquer son organisation, son vocabulaire et sa théologie sur l'organisation de la société humaine dans laquelle elle est implantée. C'est ainsi que Tertullien, vers l'an 200, parla d' « ordre sacerdotal », d' « ordre ecclésiastique », ou même d' « ordre » tout court, pour désigner ceux qui avaient reçu l'imposition des mains, évêques, prêtres et diacres. C'était créer une caste sacerdotale. Tout le contraire de ce que le Christ a voulu et inauguré en instituant les Douze.

Il nous faudrait donc reprendre ce terme d' « ordre », appliqué à l'Église, dans son premier sens social : organisation de toute la société. Saint Paul emploie l'image et le mot de « corps ». Il est impossible de penser un corps sans l'ordre interne de tous ses organes, même les plus petits ou les plus cachés. De même il est impossible de penser l'Église sans un ordre propre où chaque baptisé trouve place, honneur et fonction. Le Seigneur parle de bercail où chaque « tête » a un visage et un nom.

Il est dommage que l'expression « sacrement de l'ordre » semble réserver une existence reconnue et une mission propre aux seuls « ministres ordonnés ».

Il n'est pas question de mettre au panier ce mot reçu, mais de bien savoir... ce qu'il ne veut pas dire.

un empire, une féodalité ou une monarchie absolue. Elle est d'un autre ordre.
(Fernand Boillat mai 1971).

Le terme de « hiérarchie » a subi la même infortune.

Le Petit Robert le définit : « Ordre et subordination des divers degrés de l'état ecclésiastique ». Or l' « état ecclésiastique » désigne, en français, depuis le XIIIe siècle, la condition, dans l'Église, des hommes qui ne sont pas laïcs, mais clercs : les membres du clergé. « Hiérarchie d'ordre (Évêques, prêtres, ministres : diacres, etc...); hiérarchie de juridiction (Pape, évêques, curés) », poursuit *Le Petit Robert*, bien informé, sauf pour ce qui est des curés (ils n'entrent pas dans la hiérarchie de juridiction).

Mon *Petit Robert* parle comme le concile de Trente : « Si quelqu'un dit que Dieu n'a pas institué dans l'Église catholique une hiérarchie comprenant les évêques, les prêtres et les ministres, qu'il soit anathème » (Denzinger, 966).

Les Pères de Trente, comme le francophone moyen depuis le XIIIe siècle, parlent le langage de leur temps. Pour eux, dans l'Église, la « hiérarchie », ce sont les « curés », l'échelle des prêtres, depuis le pape jusqu'au vicaire le plus neuf.

Et c'est ainsi que l'on en est venu à dire : l'Église, ce sont les « curés ». Pourquoi?... Parce que, originairement, au VIe siècle où il apparaît pour la première fois, le terme « hiérarchie » désignait toute l'Église en tant que société vivant des relations admirablement ordonnées dans la communion des saints : la hiérarchie, c'était les divers éléments du Corps chrétien, chacun à son rang : les catéchumènes, les baptisés, les confirmés, les mariés, les consacrés, les ministres, chacun à sa grâce et à sa tâche. De cette hiérarchie, les laïcs étaient de loin l'élément le plus nombreux, puisqu'il s'agissait du « corps tout entier, coordonné et bien uni grâce à toutes les articulations qui le desservent, selon une activité assignée à chacun ».

Hélas! Constantin, puis Charlemagne — c'est-à-dire la

La Hiérarchie, l'Église

C'est le Christ qui a donné aux uns d'être apôtres, à d'autres d'être prophètes ou encore évangélistes, pasteurs ou docteurs, organisant ainsi les saints pour l'œuvre du ministère, en vue de la construction du corps du Christ, jusqu'à ce que nous parvenions tous ensemble à l'unité dans la foi et la connaissance du Fils de Dieu, à l'état d'homme parfait, à la taille même qui convient à la plénitude du Christ. Ainsi, par la pratique d'une charité sincère, nous grandirons de toute manière en nous élevant vers celui qui est la tête, le Christ, dont le corps tout

entier, grâce à
tous les ligaments
qui le desservent,
tire cohésion et
unité, et selon
l'activité assignée
à chacun de ses
organes, opère sa
croissance pour
s'édifier lui-
même dans la
charité.
(Eph 4, 11-16).

structure impériale de la société — ont déteint sur la vie et la
théologie des chrétiens et nous ont légué une idée pyramidale
de l'Église : l'Église c'est la Hiérarchie, et la Hiérarchie ce
ce sont le pape et les évêques. Donc, l'Église, ce sont le pape et
les évêques et, à la rigueur, les prêtres...

Et les fidèles, alors !...

**« Église » veut dire « assemblée ». Qu'est-ce que cette
assemblée sans peuple ? Qu'est-ce que cette armée
sans soldats ? On ne sait plus ce que sont les baptisés ?
Dans cette hiérarchie de notables, dans cette Église
d'ecclésiastiques, on a perdu les laïcs !...**

*Le
Sacerdoce*

Heureusement, la théologie traditionnelle du Peuple de
Dieu, tout entier Église, tout entier sacerdotal, refait lentement
surface depuis les années 40.

Au concile Vatican II, le schéma préparatoire avait été
rédigé dans l'optique myope d'une Église des évêques et des
prêtres : Chapitre 1 : Le mystère de l'Église, — Chapitre 2 :
La Hiérarchie, — Chapitre 3 : Les laïcs...

Inspirés par l'Esprit, les Pères conciliaires créèrent un
chapitre sur « le Peuple de Dieu » et l'intercalèrent entre
l'Église et la Hiérarchie, parce que, **avant toute distinction
entre évêques, prêtres et laïcs, ils ont tous entre eux
l'égalité foncière de la condition « chrétienne » qui les
fait tous, ensemble, un seul Peuple sacerdotal :**

« Le Christ Seigneur, grand prêtre pris d'entre les hommes,
a fait, du peuple nouveau, un royaume, des prêtres, pour son
Dieu et Père (cf. Apoc 1, 6 ; 5, 9-10). Les baptisés, en effet,
par la régénération (du baptême) et l'onction du Saint Esprit,
sont consacrés pour être un sacerdoce saint » (Vatican II).

Le « sacerdoce » n'est donc pas réservé aux prêtres...

Résultat : ce n'est plus le laïc qui a besoin d'une définition :
— Qu'est-ce que le laïc dans l'Église ? —, c'est le prêtre :
Qu'a donc de particulier le prêtre ordonné dans ce peuple
sacerdotal ? Qu'est-ce que le sacrement de l'ordre ?

D'autant que les « ministères », dans l'Église, ne sont pas non plus réservés au clergé. Le retour à l'Écriture et les directives du concile et du pape nous poussent hors du cléricalisme, si vivace encore au début du siècle (N'est-ce pas saint Pie X qui écrivait, en 1906, dans l'encyclique *Vehementer* : « La multitude (des fidèles) n'a d'autre droit que de se laisser conduire et, troupeau docile, de suivre ses pasteurs »?). Le Christ est venu pour servir. Son Église est donc tout entière au service des hommes. Parce qu'elle doit être toute amour, elle doit être toute en « ministères ». Un « ministère » (du latin *ministrare* : servir), c'est un « service ». Les ministères de l'Église sont assurés solidairement par tous les chrétiens.

Aussi, Pierre et Paul enseignent, de façon convergente, que l'ensemble des chrétiens, chacun selon la grâce reçue, est responsable de la construction de l'Église. Ceci est bien connu depuis l'Action catholique. Mais on a moins compris que ces responsabilités sont des « ministères » quand la communauté y délègue l'un des siens. Certains ministères pourront même être officiellement institués, sans ordination : proclamer la Parole de Dieu, distribuer la communion, assurer la catéchèse d'un lycée, la pastorale des malades ou la visite des personnes âgées, etc... **D'autres ministres seront consacrés à vie par « l'ordination » sacramentelle. Ainsi le ministère des prêtres, ou « presbytérat », implique le sacrement de l'ordre avec le rite de l'imposition des mains.** Mais il n'est qu'un ministère parmi d'autres. Et tous les ministères n'impliquent pas l'ordination : plus de cent paroisses au Brésil sont gérées par des religieuses, une soixantaine au Chili, à Paris quatre religieuses sont aumôniers de lycée, dans le Nord de la France une religieuse assure l'onction des malades dans l'hôpital où elle travaille, une mère de famille préside le Conseil exécutif de l'Église catholique de Genève...

Mais alors, redisons-le, qu'est-ce que sacrement de l'ordre ? Et pourquoi ?... Pourquoi un « ministère presbytéral » ?

Les ministères

Il y a diversité de dons, mais c'est le même Esprit ; diversité de ministères, mais c'est le même Seigneur ; divers modes d'action, mais c'est le même Dieu qui produit tout en tous. Chacun reçoit le don de manifester l'Esprit en vue du bien de tous... En effet le corps est un, et pourtant il y a plusieurs membres... mais tous les membres, malgré leur nombre, ne forment qu'un seul corps... Or vous êtes le corps du Christ, et vous êtes ses membres, chacun pour sa part. Et ceux que Dieu a établis dans l'Église sont premièrement des apôtres, deuxièmement des prophètes, troisièmement des hommes chargés de l'enseignement ; vient ensuite le don des miracles... etc. (1 Cor 12, 4-28).

DES PRÊTRES, POURQUOI?

Veille de Noël 1976. Sur les ondes de France-Inter, Jacques Chancel achève son émission intitulée « Radioscopie ». Son invité de ce soir est Dom Helder Camara, archevêque de Recife, au Brésil. Il est 18 heures, le dialogue meurt sur ces mots :

« Merci... Monseigneur?... Comment faut-il dire?...
— Dites : mon frère.
— Merci, mon frère. »

Qui osera dire : « Mon frère évêque »?... Et pourtant évêque et prêtres nous disent : « Mes frères »... Faut-il les prendre au mot?...

Voici environ huit cents ans, la théologie s'est évertuée à étiqueter les idées et les personnes. Pour les définir avec précision, elle les a distinguées des ensembles où elles s'inséraient, isolant ainsi le pape des évêques, les évêques des simples prêtres, la consécration religieuse de la consécration du baptême, le prêtre du fidèle, la Sainte Vierge des autres saints et de l'Église en général, les sept sacrements de l'ensemble des actes sacramentels de l'Église... On « démontait la mécanique » pour mieux comprendre chaque pièce.

Maintenant, c'est le mouvement inverse : on remonte la machine en replaçant les pièces dans leurs ensembles : le pape dans le collège des évêques et dans l'Église (Pierre est l'un des Douze, et les Douze sont aussi la totalité du Peuple de Dieu), le prêtre (évêque ou simple prêtre) dans la communauté des fidèles, la vie religieuse dans la vie baptismale, les sacrements dans l'Église, tout entière sacramentelle, la Vierge Marie dans le mystère du Christ et de l'Église... Mouvement sain, qui nous ramène à l'Évangile, à la pensée des Pères et des grands conciles, à l'organisme vivant.

Prêtre,
mon frère ?   Pour le prêtre en particulier, l'évolution actuelle de l'histoire se joint à la théologie pour le faire « rentrer dans le rang ».

D'une part, le laïc voit son rôle réévalué à l'intérieur de la société et de l'Église. Avec la généralisation de la culture, le prêtre n'est plus, comme naguère, le seul détenteur du savoir. Le laïc aussi est un « clerc », c'est-à-dire quelqu'un d'instruit et de compétent. Même en théologie, en science biblique, des fidèles sont bardés de diplômes supérieurs. Quant à la spiritualité, des baptisés non-prêtres y sont reconnus comme des maîtres : ils (ou elles) animent groupes de base ou retraitants avec une autorité et un rayonnement que bien des prêtres peuvent leur envier.

D'autre part, dans notre société sécularisée, le prêtre n'a plus de rôle social : il n'est plus un rouage de la communauté humaine. Plus d'existence reconnue à « la gent sacerdotale », plus de place réservée sur le podium, ni même dans le rang. Et le prêtre n'en pleure pas, au contraire! Il est heureux de vivre dans la vie de son peuple de frères, comme le Christ. Il n'est plus un notable, et ne veut point l'être. Il n'accepte pas que son ordination sacerdotale l'ampute de ses droits d'homme : droit au travail, droit au choix politique (sans faire de son ministère un instrument partisan!), droit à s'habiller au prêt-à-porter, etc. Comme le Christ, il refuse d'être un séparé. « Le Père a envoyé son Fils dans le monde » (Jean 3, 17) ; le Christ « a envoyé ses apôtres dans le monde » (17, 18), hommes parmi les hommes.

Le prêtre est donc mon frère ; je suis son frère, sa sœur, en humanité et en chrétienté. Avec lui, membre du Christ. Comme lui, temple du Saint Esprit. Ensemble, Peuple sacerdotal dans la grâce et la médiation du Prêtre unique, Jésus :

« Car, il n'y a qu'un seul Dieu,
qu'un seul Médiateur entre Dieu et les hommes,
l'homme Christ, Jésus,
qui s'est donné en rançon pour tous » (1 Tim 2, 5-6).

Tous les autres — évêques, prêtres, diacres et baptisés — ne font que participer à l'unique sacerdoce du Christ.

Il apparaît peu douteux que la prise de conscience d'une certaine coresponsabilité déjà acquise et que la valorisation de cette coresponsabilité dans les structures d'une Église proche de tous, ne représentent une condition nécessaire de l'approfondissement spirituel. La prise en charge de l'action caritative, un partage de l'enseignement et de la recherche théologique, une participation accrue au culte ne constituent pas des « droits » que tout catholique aurait à revendiquer. Ce sont bien plutôt autant de « devoirs » que devrait exiger — qu'aurait dû exiger depuis longtemps — l'Église entière, de la part de chacun de ses membres. La fonction crée l'organe. La meilleure pédagogie consiste à faire participer.

→

L'Église n'est pas un protozoaire

La maturation spirituelle des laïcs est au prix d'efforts, dont plusieurs jusque là étaient dévolus aux seuls prêtres. Il s'agit de rompre la complicité occulte entre les deux tendances qui s'épaulaient : d'un côté, une autorité spirituelle prenant ombrage d'avoir à partager, et de l'autre, une obéissance discrètement heureuse de la léthargie où elle se confinait. (Jean-Luc Piveteau).

C'est vrai, mais attention ! On risque de tomber d'un fossé dans l'autre, de la séparation à la confusion.

Par le fait que l'on est tous du même corps, on n'exerce pas pour autant la même fonction. L'oreille n'est pas l'œil ; le cœur n'est pas le cerveau... Sous prétexte que l'on est le même organisme divin, on n'est pas tous la même cellule vivante. L'Église n'est pas un protozoaire, c'est-à-dire un animal rudimentaire composé d'une seule cellule, tels les amibes ou les infusoires... Hier, à force de distinguer l'évêque, le prêtre, le fidèle, on risquait de les séparer, de les opposer même, et donc, de disloquer le Corps vivant du Christ. Aujourd'hui, en voulant tout unifier, on risque de tout confondre et paralyser.

Dans l'Église peuple de Dieu, corps du Christ, temple du Saint Esprit, tous les baptisés font tout, mais pas de la même manière ni au même titre. Les simples fidèles agissent au titre de leur baptême et des dons de nature et de grâce — les « charismes » — dont le Seigneur les a pourvus pour le service de la communauté. Des ministres « ordonnés » mettent en œuvre ces mêmes dons humains et chrétiens au même titre que tout autre baptisé ; mais ils agissent aussi, proprement, au titre de leur ordination sacramentelle. Saint Paul (Éph 4, 11-13) donne à ce sujet une formule lumineuse :

« C'est le Christ qui a donné certains comme apôtres, d'autres comme prophètes, d'autres encore comme évangélistes, d'autres enfin comme pasteurs et chargés de l'enseignement, afin de mettre les saints (tous les baptisés) en état d'accomplir le ministère (qui est le leur) pour bâtir le corps du Christ... jusqu'à sa pleine taille. »

Tous concourent à construire l'Église, c'est-à-dire à la rendre plus nombreuse et meilleure. C'est là, pour tous, l'œuvre du ministère. Le ministère spécifique du chrétien « ordonné » diacre, prêtre ou évêque, c'est d'équiper, d'organiser, de sanctifier, d'entraîner cette communauté de service et de travail : « mettre les saints en état d'accomplir leur ministère » de parents, d'éducateurs, d'époux, de responsables, de chrétiens, parmi les joies, les espoirs et les luttes des hommes. (Cf. *Tous responsables dans l'Église ? Lourdes 1973*).

Mais pourquoi des ministères spéciaux pour mettre ainsi les fidèles « en état de bien accomplir leur service » de baptisés ? Ne peuvent-ils s'y disposer eux-mêmes ? ou mutuellement ?

Non. Aucun homme ne peut se sauver soi-même ; aucun homme ne peut en sauver un autre, c'est-à-dire le mettre en état de chrétien. Le Christ seul le peut, parce qu'il est le Fils. « Il est la Tête dont le corps tout entier reçoit concorde et cohésion » (Éph 4, 15-16). Il est la Tête dont le corps tout entier reçoit l'Esprit : l'Esprit qui fait fils ou fille de Dieu, l'Esprit qui rassemble en un seul corps en Christ.

Une communauté ne peut se constituer elle-même comme assemblée « chrétienne » ; elle est constituée telle par le « Christ », et par lui seul. Elle ne peut se recevoir « chrétienne » que du « Christ » ; elle ne peut se recevoir sauvée que du Sauveur ; elle ne peut être en communion avec le Père que par le Médiateur. Ainsi faut-il que le Christ Tête soit personnellement présent comme Tête à son Église. Il l'est par le prêtre.

Le prêtre est le signe de Celui dont la présence est invisible depuis son Ascension. Il en est le signe efficace en ce sens que quand le prêtre annonce la Parole, c'est le Christ qui parle ; quand le prêtre consacre le pain et le vin, c'est le Christ qui, par son Esprit, consacre le pain et le vin ; quand le prêtre réconcilie, c'est le Christ qui réconcilie... Le prêtre n'est pas un autre Christ : il est le signe du Christ présent, le sacrement de Celui qui habite son Église et agit personnellement en elle, spécialement dans les sacrements.

Aussi, le prêtre, tiré de la communauté, reconnu par elle, choisi peut-être par elle, n'est cependant pas délégué par elle. Il n'est délégué que par Dieu.

« Si le prêtre n'est pas désigné par la communauté des baptisés, c'est que ce n'est pas l'humanité qui « monte » vers Dieu, mais Dieu qui « descend » à elle pour la ramener à Lui. Il n'y a pas de chemin que l'humanité puisse ouvrir entre elle et Dieu... Le Christ, suprême Médiateur, n'est pas un homme qui s'est « élevé » jusqu'à Dieu pour y hausser avec lui ses frères humains. Il est le Verbe « descendu » jusqu'à la chair pour ramener toute chair au Père » (François Varillon).

C'est toujours lui, personnellement, qui descend dans le

L'Église est habitée par un Autre

Ayez à cœur de faire toutes choses dans une divine concorde, sous la présidence de l'évêque qui tient la place de Dieu... De même donc que le Seigneur n'a rien fait, ni par lui-même, ni par ses apôtres, sans son Père avec qui il est un, ainsi vous non plus ne faites rien sans l'évêque et les presbytres... Mais faites tout en commun : une seule prière, une seule supplication, un seul esprit, une seule espérance dans la charité, dans la joie irréprochable ; cela, c'est Jésus Christ, à qui rien n'est préférable. Tous, accourez pour vous réunir comme en un seul temple de Dieu, comme autour d'un seul autel, autour du seul Jésus Christ, qui est sorti du Père un, et qui était en lui l'unique, et qui est allé vers lui. (St Ignace d'Antioche).

prêtre par l'ordination. Et le « service » que nous rend ensuite le ministre ordonné, c'est de le faire descendre personnellement dans son Église.

Il est bon d'insister sur ce « personnellement »... La communauté ne peut confondre et noyer les personnes. Jusque et d'abord dans l' « un seul Dieu » de la Trinité, les Trois Personnes restent distinctes, sinon il n'y aurait plus « personne » ! De même, dans l'unité du Corps du Christ qu'est l'Église, un membre n'est pas l'autre ; à plus forte raison, aucun membre n'est personnellement la Tête. Ce ministère du Christ Tête ne peut être, évidemment, le ministère de tout le Corps. Le diacre, le prêtre, l'évêque y sont « ordonnés » par la volonté du Christ, par la puissance de l'Esprit, dans l'imposition des mains au sacrement de l'ordre.

Par leur baptême, comme chrétiens, ils sont bien « un » de la communauté, ni plus ni moins parfaits que vous et moi, nés d'elle, instruits par elle, baptisés, confirmés, « eucharistiés », absous, ordonnés en elle par le ministère d'un autre. Ils ne sont pas médiateurs entre le Christ et les chrétiens : ils sont membres du Corps, parmi les autres, dans la diversité des fonctions. Ils n'ont pas bénéficié de leur petite Pentecôte individuelle : autour des Apôtres, l'Esprit, en langues de feu, est tombé sur chacun des frères et sœurs.

Mais par leur ordination, ils sont aussi « l'Autre » de la communauté : Celui qui lui dit son origine divine et qui lui garantit son authenticité ; Celui qui lui donne naissance et croissance. C'est aux Douze (moins Judas), et non à tous les disciples, que le Ressuscité a donné rendez-vous sur une montagne de Galilée :

« Jésus s'approcha d'eux et leur adressa ces paroles : Tout pouvoir m'a été donné au ciel et sur la terre. Allez donc : de toutes les nations faites des disciples, les baptisant au nom du Père et du Fils et du Saint Esprit, leur apprenant à garder tout ce que je vous ai prescrit. Et moi, je suis avec vous tous les jours jusqu'à la fin des temps » (Mt 28, 16-20).

REMONTONS A LA SOURCE

Tout a commencé à l'aube, avec cet appel des Douze par Jésus, après une nuit de prière dans la montagne (Luc 6, 12 ss). « Douze, c'est la totalité d'Israël, les douze tribus du Peuple de Dieu. L'Église est l'Israël nouveau ; dans les Douze elle est déjà tout entière en germe. Les Douze sont le noyau qui a permis à l'Église de naître, à toute l'Église : celle qui transcende (dépasse) déjà l'histoire, celle qui est déjà virtuellement l'Église de la plénitude, celle de l'immense foule de l'Apocalypse, douze mille de chacune des douze tribus » (Philippe Béguerie).

Dimension totale, universelle, du nouvel Israël, les Douze en seront les agents dans une tâche proprement divine : la mission personnelle du Christ Prêtre, du Christ Pasteur, deviendra la leur. Soyons attentifs.:

A travers l'Ancien Testament, le peuple hébreu ne connaît que Dieu ; celui que nous identifierons « Dieu le Père ». Israël attend bien un Messie, mais il ignore qu'il sera Fils éternel du Père. Il perçoit bien, dans ses rois et ses prophètes, le souffle de Dieu, mais il ne sait pas encore qu'il est une Personne, l'Esprit.

Dieu le Père, Jésus Christ, les Douze...

Arrive Jésus, le Fils, et tout s'éclaire, et tout éclate... Dans un premier temps, il assume personnellement les fonctions majeures jusque-là attribuées à Dieu (le Père). Dans un deuxième temps, il « choisit et institue » les Douze, pour les en investir à leur tour. Comme dans une mise en eau, le Fleuve de puissance et d'amour passe, du Père dans l'Homme-Dieu, et de celui-ci dans les Douze...

Exemple. Dans l'A.T. (Ancien Testament), Dieu (le Père) seul est le Bon Pasteur de son Peuple. Voici le Christ : il se présente comme le Bon Berger (Jean 10), celui qui cherche la Brebis perdue — toute l'Humanité — jusqu'à ce qu'il la retrouve (Luc 15). Puis il dit aux siens : « Qu'aucun de ces

petits ne se perde! » (Mt 18, 10-14), et à Pierre : « Pais mes
agneaux... Pais mes brebis » (Jean 21, 15 ss).
Autre exemple. Dans l'A.T. (Éz 12, 13 ; 17, 20 ; 32, 3),
Dieu seul fait le jugement, ramasse ses ennemis d'un grand
coup de filet. Voici le Fils incarné : le Royaume commence et
c'est un immense filet jeté à la mer (Mt 13, 47 ss). Puis il dit
aux siens : « Je vous ferai pêcheurs d'hommes ».
Ainsi encore : dans l'A.T. Dieu seul fait la Moisson, autre
image du Jugement final. Voici le Christ : il est le Moisson-
neur des paraboles. Et il fait des siens « des ouvriers pour la
Moisson ».

« On peut dire que c'est une constante de la pensée de
Jésus de faire siennes les prérogatives divines de l'A.T. et de
les confier à ses disciples. Les pouvoirs, les fonctions, les
missions spécifiquement divines de l'A.T., Jésus se les
attribue à lui-même et aux siens. C'est là un retentissement de
l'Incarnation » (Augustin George).

**En somme, Dieu le Père rassemblait Israël, germe
du Salut ; — Dieu le Fils commence à rassembler tous
les hommes en son bercail de Salut, l'Église ; — enfin,
il « choisit et institue » les Douze au service exclusif de
ce rassemblement du Royaume.**

« Jésus établit les Douze »

Jésus gravit la montagne et appelle à lui ceux qu'il voulait. Ils vinrent à lui, et il en institua douze pour être avec lui et les envoyer prêcher, avec pouvoir de chasser les démons. Il institua donc les Douze : Simon, à qui il

● Parmi les disciples « qui viennent à lui, Jésus en établit **douze pour qu'ils soient avec lui** ». Donc, pour constituer un « collège », c'est-à-dire un groupement organisé dont Jésus soit le nœud... C'est à bien noter : la première tâche du Salut, c'est d'être sauvé soi-même ; la première fonction des Douze, c'est d'être rassemblés par Jésus, autour de Jésus... Le premier ministère des évêques, des prêtres, sera donc de constituer un collège, autour du Seigneur.

● Et voici le deuxième : la mission, « l'envoi » : « Jésus établit les Douze pour être avec lui, **et pour les envoyer prêcher, avec pouvoir de chasser les démons** ». Désormais, les Douze suivent Jésus, ils ne se séparent ni de lui, ni les uns des autres, sinon pour être envoyés de Jésus comme Jésus est l'envoyé du Père ; envoyés crier la Bonne Nouvelle en chassant les démons, c'est-à-dire en expulsant le mal, le Mauvais et ses œuvres de péché.

Le cercle des « disciples », beaucoup plus large, aura aussi Jésus pour centre ; il rayonnera aussi Jésus en criant joyeusement ce qu'il aura vu et entendu. Mais les Douze, eux, sont appelés personnellement ; ils sont mis à part à vie ; ils suivront désormais Jésus ; ils seront envoyés personnellement par lui ; envoyés avec sur les lèvres le message de Jésus ; avec dans les mains les pouvoirs de Jésus contre le Mal et le péché.

● Vient le Jeudi Saint. Alors que le repas pascal se prenait en famille, Jésus rompt avec la sacro-sainte tradition et célèbre la Cène avec les Douze. Eux tous. Eux seuls... Jésus souligne : « Ce n'est pas vous qui m'avez choisi, c'est moi qui vous ai **choisis et institués** » (Jean 15, 16). Et c'est à ces Douze qu'il dit, après l'Eucharistie : « Faites ceci en mémoire de moi »... C'est à eux déjà qu'il avait donné de distribuer les pains miraculeux dans le désert.

● Enfin, c'est aux Douze que le Christ annonce : « Quand le Fils de Dieu siégera sur son trône de gloire, vous qui m'avez suivi, vous siégerez vous aussi sur douze trônes pour juger les douze tribus d'Israël » (Mat 19, 28)... Ces termes apocalyptiques veulent dire qu'**ils participeront à la royauté de leur Maître**, qu'ils auront part à sa responsabilité, dépositaires avec lui de la loi nouvelle à proposer, à interpréter et, bien sûr, à manifester dans leur propre vie. Mais aussi qu'ils seront, comme leur Seigneur, l'occasion de ce jugement gravé jour après jour dans l'histoire par ceux qui s'ouvriront — ou se fermeront — au Message et aux messagers : « **Qui vous écoute m'écoute**, et qui vous repousse me repousse ; mais qui me repousse repousse Celui qui m'a envoyé » (Luc 10, 16).

● Ce que les évangélistes ne peuvent encore dire, puisqu'ils rapportent les faits et gestes de Jésus avant sa mort, c'est que, de même que le Christ est le Grand Témoin du Père auprès des hommes, les Douze seront, essentiellement, **les grands témoins qualifiés du Christ** (Act 1, 8 ; 10, 34-43) : non seulement du Christ ressuscité et enlevé aux cieux, mais aussi

donna le nom de Pierre ; Jacques, fils de Zébédée, et Jean frère de Jacques, auxquels il donna le nom de Boanergès, c'est-à-dire fils du tonnerre, André, Philippe, Barthélemy, Matthieu, Thomas, Jacques fils d'Alphée, Thaddée, Simon le Cananéen et Judas Iscarioth, celui-là même qui le livra.
(Mc 3, 13-19).

« Il faut que parmi les hommes qui nous ont accompagnés pendant tout le temps que le Seigneur Jésus a vécu avec nous, depuis le baptême de Jean jusqu'au jour où il nous a été enlevé, il y en ait un qui devienne avec nous témoin de sa résurrection » dit Simon-Pierre. (Act 1, 21-22).

du Christ qui a partagé notre histoire (1, 21-22), parce que, dans cette histoire, ils l'auront suivi.

Tous donneront le témoignage du sang, y compris Jean qui survivra au martyre.

Il consacre les Douze

« Je prie pour eux, pour ceux que tu m'as donnés, ... Je ne suis plus dans le monde, mais eux sont dans le monde. Moi, je viens à toi. Père saint, garde en ton nom ceux que tu m'as donnés, pour qu'ils soient un comme nous...
Je leur ai donné ta parole et le monde les a pris en haine, parce qu'ils ne sont pas du monde, comme moi, je ne suis pas du monde. Je ne te prie pas de les retirer du monde, mais de les garder du Mauvais. Ils ne sont pas du monde, comme moi je ne suis pas du monde.
Consacre-les dans la vérité : ta parole est vérité. Comme tu m'as envoyé dans

Il n'est pas parti sans les consacrer pour leur mission pastorale.

La formule d'institution de Marc 3, 13-19 trouve son complément et son sommet dans la « prière sacerdotale » — la prière eucharistique — par laquelle le Christ termine la Cène (Jean 17). Il s'y présente comme le grand-prêtre. La structure de sa prière solennelle est en effet celle de la fête du Grand Pardon (le fameux *Yom Kippour*) dans laquelle le grand-prêtre, prononçant le nom de Dieu, priait pour lui-même, pour les prêtres, pour tout le peuple. Jésus prie pour les Douze afin qu'ils soient consacrés dans la vérité : c'est-à-dire consacrés d'un sacerdoce qui n'est plus celui des ombres et des figures, — et consacrés d'abord pour la Parole, la Parole de Dieu :

« Je leur ai donné ta parole... Consacre-les dans la vérité : ta parole est vérité. Comme tu m'as envoyé dans le monde, je les envoie dans le monde. Et pour eux je me consacre moi-même, afin qu'ils soient eux aussi consacrés en vérité » (14-19).

Ainsi achève de s'opérer ce passage du Père au Fils et du Fils aux Douze. Le Père a consacré de divinité l'homme Jésus à l'instant de sa conception ; puis il l'a consacré d'Esprit Saint lors de son baptême ; ce Fils va « se consacrer lui-même » dans sa passion et sa mort volontaires ; enfin le Père le consacrera, le « sacri-fiera » dans la Résurrection. A son tour, « celui que le Père a consacré et envoyé dans le monde » (Jean 10, 36), Jésus, consacre les Douze et les envoie dans le monde.

Il ne les envoie pas faire du tourisme ou de la représentation. Il les envoie, serviteurs du troupeau, donner leur vie pour les brebis... Très joli, les discours de première messe sur « la meilleure part »! Jacques et Jean qui, comme les dix autres, rêvaient fauteuils et gloire, sont brutalement rappelés à la réalité : « Vous ne savez pas ce que vous demandez! Pouvez-vous boire la coupe (de souffrances) que je vais boire!? Ou être baptisés du baptême (de sang) dont je vais être baptisé?» (Marc 10, 38)... Refuser d'être « le mercenaire qui n'est pas vraiment berger » (Jean 10, 12), affronter dangereusement le voleur et le loup, nourrir son troupeau de vie et d'abondance (10), « se dessaisir pour lui de sa propre vie » (15), c'est cela être bon berger. Il y faut la consécration de Jésus Christ, le sacrement de l'ordre... Il se presse davantage d'amateurs pour gagner le tiercé ou la loterie nationale! Et pourtant...

le monde, moi aussi, je les ai envoyés dans le monde. Et pour eux je me consacre moi-même, afin qu'ils soient eux aussi consacrés en vérité. » (Jn 17, 9-19).

Dans l'Église, le Christ n'a rien institué d'autre que les Douze, avec, parmi eux, la primauté de Pierre. Et, bien évidemment, le mandat de se multiplier pour être « ses témoins jusqu'au bout du monde », et « jusqu'à la fin du monde ». D'autant qu'ils vont disparaître très vite. Dans leur propre sang de martyrs. Mais les Douze vont « engendrer » les apôtres, et les apôtres engendreront les évêques et les prêtres et les diacres... Voyons brièvement cela.

*Les douze,
les apôtres...
et leurs
successeurs*

● Après l'Ascension, les Douze se comptent au Cénacle (At 1, 13). Manque Judas, et pour cause. Pierre — et pas un autre — propose à l'assemblée de le remplacer. Ce premier pape leur dit « frères ». Et il rappelle ce que doit être « un Douze » : avoir été témoin de la vie publique du Christ et de sa Résurrection. Ils élisent — tous élisent — deux candidats : le peuple est associé au choix. Mais le choix restera au Seigneur : on n'est pas en démocratie, les titulaires ne sont pas délégués de la base. On fait donc cette prière : « Toi, Seigneur, indique celui des deux que tu as choisi ». Et le sort — pardon : le Seigneur — désigne Mathias. Il est, dès lors, adjoint aux onze Apôtres (Act 1, 15-26). Ainsi reconstitués, les Douze font corps avec Pierre quand, à la Pentecôte, celui-ci — et pas un autre — rend au monde le premier témoignage solennel à la Résurrection (2, 14).

Les Douze restent à jamais, personnellement et collégialement, le corps des témoins qualifiés du Ressuscité. A ce titre, ils furent et ils restent le fondement de l'Église : « Le rempart de la ville repose sur douze assises portant chacune le nom de l'un des douze Apôtres de l'Agneau » (Ap 21, 14). Ce privi-

Alors, du mont des Oliviers, ils s'en retournèrent à Jérusalem ; la distance n'est pas grande : celle d'un chemin de sabbat. Rentrés en ville, ils montèrent à la chambre haute où ils se tenaient habituellement. C'étaient Pierre, Jean, Jacques, André, Philippe et Thomas, Barthélemy et Matthieu, Jacques fils d'Alphée et Simon le Zélote et Jude fils de Jacques. Tous d'un même cœur étaient assidus à la prière avec quelques femmes, dont Marie mère de Jésus, et avec ses frères (les cousins de Jésus). (Act 1, 12-14).

lège est intransmissible. A ce point de vue, il ne faut pas confondre les Douze avec les « apôtres ». Bien sûr, les Douze sont les Apôtres par excellence, les premiers « envoyés » de Jésus ; mais tous les apôtres ne sont pas des Douze ; ils sont « envoyés » par les Douze.

« De même que Jésus, « l'apôtre de Dieu » (Hébr 3, 1), a voulu instituer un collège privilégié qui multiplie sa présence et sa parole, de même les Douze communiquent à d'autres... l'exercice de leur mission apostolique... Jésus a voulu que la charge pastorale confiée aux Douze continue au cours des siècles : tout en conservant un lien spécial avec eux, sa présence de Ressuscité débordera infiniment leur cercle étroit... **L'apostolat, représentation officielle du Ressuscité dans l'Église, demeure à jamais fondé sur le collège « apostolique » des Douze, mais il s'exerce par tous les hommes auxquels ceux-ci confèrent autorité »** (VTB, Apôtres).

Ensuite, au bout de quatorze ans, je montai de nouveau à Jérusalem avec Barnabé ; j'emmenai aussi Tite avec moi. J'y montai à la suite d'une révélation, et je leur exposai l'Évangile que je prêche parmi les païens, et séparément aux autorités : je voulais savoir si je courais ou avais couru pour rien... Les autorités reconnues, — ce qu'elles pouvaient bien être, peu m'importe! Dieu ne regarde pas aux personnes — les au-

● L' « Apôtre » — tout court —, c'est Paul. Sa vocation, il l'a reçue de Jésus. Avec son « parrain » l'apôtre Barnabé (qui n'est pas des Douze), il est envoyé en mission par l'Esprit Saint dans l'imposition des mains des « prophètes et des docteurs » de l'Église d'Antioche (Act 13, 2-4). **Il va à Jérusalem la faire reconnaître par les Douze, « garants de l'unité »,** et y recevoir d'eux la Tradition (Gal. 1, 18 et 2 1-10). Lui-même ne se fixe dans aucune communauté ; il leur donne des responsables — Tite, Timothée, Sylvain... — en leur imposant les mains, lui et le conseil des « anciens » avec lui (1 Tim 4, 14 ; 2 Tim 1, 6).

Dans ses lettres, quand il évoque l'organisation de l'Église, Paul énumère les ministères qu'il a connus à Antioche : « Dieu a placé dans l'Église premièrement des apôtres, deuxièmement des prophètes, troisièmement des docteurs... » (1 Cor 12, 28). Les « apôtres » sont des missionnaires envoyés par une communauté chrétienne annoncer la Bonne Nouvelle là où elle n'est pas encore connue ; quand la marcotte a pris racine, l'apôtre reprend la route pour aller marcotter plus loin. Il laissera sur place des « prophètes » pour annoncer la Parole de Dieu dimanche après dimanche et proclamer la « prière eucharistique ». Des « docteurs » les aident pour un enseignement systématique : la catéchèse. Dans ce genre de communauté, les « prophètes » sont donc les responsables permanents qui correspondent en gros à nos évêques et à nos prêtres.

● **Cependant, toujours avec l'Eucharistie comme centre, d'autres communautés s'organisent suivant d'autres modèles.** A Jérusalem, où la persécution a décapité Jacques frère de Jean, chassé Pierre, Jean et les Hellénistes (Act 8 et 12), la fraternité qui reste est essentiellement formée d'Hébreux. Suivant le modèle des communautés juives, elle institue à sa tête un collège de « presbytres » (ce mot veut dire « anciens ») présidé par Jacques « le cousin du Seigneur », qui n'était pas des Douze. C'est suivant ce type d'encadrement presbytéral que se structurent les communautés judéo-chrétiennes : un groupe de presbytres présidé par l'un d'eux.

Les communautés pagano-chrétiennes sont plutôt dirigées, elles, par des « épiscopes » (= surveillants), secondés de « diacres » (= serviteurs, ministres). Ici, les « épiscopes » (évêques) sont exactement ce que sont ailleurs les « presbytres » (prêtres) ou les « prophètes » : ils sont les pasteurs de la communauté locale, y assurant le service de l'autorité, de la Parole et de l'Eucharistie. L'ordination des « presbytres », avec imposition des mains, est clairement attestée.

● Dès le début du second siècle, par une évolution sur laquelle les documents sont très rares, les structures s'affirment et s'unifient, les mots se différencient : on voit les communautés autour d'un évêque, entouré d'un collège de presbytres (prêtres) — le « presbytérium » — et assisté par un ou plusieurs diacres. **L'Église est ainsi dotée d'un « ordre » hiérarchique à trois degrés : les évêques, les prêtres, les diacres.**

L'Église est gérante des sacrements. Cette hiérarchie à trois échelons superposés est de sa création, sous la gouverne de l'Esprit. Elle peut la modifier ou la diversifier suivant les époques et les besoins. Seul est d'institution divine, au cœur du Peuple sacerdotal, un collège de pasteurs en communion sous le primat du pape...

torités, dis-je, ne m'imposèrent rien des observances judaïques. Bien au contraire, elles virent que l'évangélisation des incirconcis m'avait été confiée comme à Pierre celle des circoncis — car Celui dont l'action a fait de Pierre l'apôtre des circoncis a fait aussi de moi l'apôtre des païens —, et en reconnaissant la grâce qui m'a été donnée, Jacques, Céphas et Jean, qu'on regarde comme des colonnes, nous tendirent la main à Barnabé et à moi en signe de communion : à nous les païens, à eux les circoncis. (Gal 2, 1-9).

L'ORDRE DES ÉVÊQUES

Vatican I fut le concile de la théologie du Souverain Pontife. La guerre de 1870 l'empêcha d'aller plus loin. Vatican II, reprenant la tâche, fut celui de la théologie du Peuple de Dieu et de l'Épiscopat : il consacra à l'ordre des évêques le chapitre III de la *Constitution dogmatique sur l'Église « Lumen Gentium »*, et un long *Décret sur la charge pastorale des évêques*. Ce second document découle du premier ; il en est comme la loi-cadre : c'est un décret. Le premier — une « constitution dogmatique » — creuse aux racines de la foi. En voici les données maîtresses :

Les évêques successeurs des apôtres

« 18 — Le Christ Seigneur a voulu assurer au Peuple de Dieu des pasteurs qui pourvoiraient à sa prospérité. Il a donc institué dans son Église des services variés pour le bien de tout le Corps. En effet, c'est au service de leurs frères chrétiens que les ministres sacrés reçoivent leur pouvoir : pour qu'ils parviennent au Salut dans un effort commun, libre et concerté, vers une même fin.

« **Ce saint Concile, comme Vatican I, enseigne et déclare que Jésus Christ, Pasteur éternel, a construit la sainte Église en envoyant ses apôtres comme lui-même avait été envoyé par le Père. Il a voulu que les successeurs de ces apôtres, les évêques, soient les pasteurs de son Église jusqu'à la fin du monde. Et pour que l'Épiscopat fût lui-même un et indivis, il a donné à saint Pierre la primauté sur les autres apôtres ; il instituait ainsi en sa personne un principe fondamental d'unité dans la foi et la charité...**

« 20 — Cette mission divine confiée aux apôtres doit durer jusqu'à la fin des siècles. La Bonne Nouvelle n'est-elle pas à jamais pour l'Église le principe de toute sa vie ? Or c'est précisément leur charge de la transmettre. C'est pourquoi, dans cette société organisée, les apôtres prirent soin d'instituer leur succession... Aussi, **par la volonté de Dieu, les évêques succèdent aux apôtres comme pasteurs de l'Église; qui les écoute, écoute le Christ, qui les rejette, rejette le Christ et Celui qui a envoyé le Christ : voilà ce que, réunis en Concile, nous enseignons.**

« **21 — Ainsi donc, en la personne des évêques assistés des prêtres, c'est le Seigneur Jésus Christ, Pontife suprême, qui est présent au milieu des croyants. Assis à la droite de Dieu le Père, il ne cesse pas pour autant d'être présent au collège de ses pontifes :**

1) c'est par eux en tout premier lieu — service éminent! — qu'il prêche la Parole de Dieu à toutes les nations et administre continuellement aux croyants les sacrements de la foi;

2) c'est par eux — fonction paternelle — qu'il intègre à son Corps des membres nouveaux qui naissent à la vie divine;

3) c'est, enfin, par leur sagesse et leur prudence qu'il guide et pourvoit le peuple du Nouveau Testament dans son pèlerinage vers l'éternelle béatitude...

« Pour de si hautes charges, les apôtres furent enrichis par le Christ d'une effusion spéciale de l'Esprit Saint descendu sur eux (cf. Act 1, 8 ; 2, 4 ; Jean 20, 22-23). Eux-mêmes, par l'imposition des mains, transmirent à leurs collaborateurs le don spirituel qui s'est communiqué jusqu'à nous à travers la consécration épiscopale.

« **Le saint Concile enseigne donc que, par la consécration épiscopale, est conférée** LA PLÉNITUDE DU SACREMENT DE L'ORDRE, **le sacerdoce suprême, la réalité totale du ministère sacré. La consécration épiscopale confère les charges de sanctifier, d'enseigner et de gouverner, en communion avec le chef du collège des évêques et ses autres membres...**

« En effet, voici l'enseignement évident de la Tradition à travers les rites liturgiques et l'usage de l'Église, en Orient comme en Occident : **par l'imposition des mains et les**

L'Épiscopat est un sacrement

Le Concile prenait ainsi position dans un débat théologique où certains voyaient l'évêque doté seulement, par rapport aux simples prêtres, d'un pouvoir *juridique* supérieur, comme le pape par rapport aux évêques. Non. L'évêque, par

294 LE SACREMENT DE L'ORDRE

la consécration épiscopale, reçoit un ordre supérieur de plénitude sacramentelle.

paroles de la prière d'ordination, la grâce de l'Esprit Saint est donnée et le caractère sacré est imprimé. De telle sorte que les évêques tiennent éminemment, visiblement, la place du Christ lui-même, Maître, Pasteur et Pontife : ils agissent comme étant sa Personne même.

Les évêques forment un collège

« 22 — Le Seigneur l'a ainsi voulu : saint Pierre et les autres apôtres constituent un seul collège apostolique. Semblablement, le Pontife romain, successeur de Pierre, et les évêques, successeurs des apôtres, forment entre eux un seul collège.

« En effet, les évêques établis dans le monde entier ont toujours vécu en communion de charité et de paix entre eux et avec l'évêque de Rome ; toutes les questions les plus importantes se discutaient et se décidaient en des conciles. Tout cela signifiait le caractère et la nature collégiale de l'Ordre épiscopal. Collégial, aussi, l'usage très ancien d'appeler plusieurs évêques pour conférer ensemble à un nouvel élu l'ordination épiscopale.

« L'Ordre des évêques, qui succède au Collège apostolique dans l'enseignement et le gouvernement pastoral — bien mieux : dans lequel se perpétue le corps apostolique — l'Ordre des évêques constitue, lui aussi, en union avec son chef le Pontife romain, le sujet d'un pouvoir suprême et plénier sur toute l'Église...

« Le pouvoir suprême dont jouit ce collège à l'égard de l'Église universelle s'exerce solennellement dans le Concile œcuménique...

Évêque pour toute l'Église

Quant aux onze disciples, ils se rendirent en Galilée, sur la montagne que Jésus leur avait désignée...
Et Jésus, leur parla en ces

« 23 — Le Pontife romain, en tant que successeur de Pierre, est le point d'ancrage et le fondement, perpétuel et visible, de l'unité qui lie entre eux soit les évêques, soit la totalité des fidèles.

« Les évêques sont, chacun pour sa part, le point d'ancrage et le fondement de l'unité dans leurs Églises particulières. Chacune de ces Églises diocésaines est constituée comme une présence de l'Église universelle : en elles et à partir d'elles existe toute l'Église catholique, et elles ne forment ensemble qu'une seule Église catholique.

« Chaque évêque n'exerce son autorité pastorale que sur son Église particulière. Mais il est d'abord membre du collège épiscopal et légitime successeur des apôtres : à ce titre, de par l'institution et le précepte du Christ, il est tenu d'avoir souci de l'Église universelle. Il doit donc être partie prenante dans toute entreprise commune à l'ensemble de l'Église, surtout en vue du progrès de la foi et pour que la lumière de la pleine vérité se lève sur tous les hommes...

« Le soin d'annoncer l'Évangile sur toute la terre revient donc au corps des Pasteurs : à tous le Christ en a donné le mandat commun, à tous il en a imposé la responsabilité commune... Ils doivent donc de toutes leurs forces contribuer à fournir aux missions, et des ouvriers pour la moisson, et des secours spirituels et matériels. Qu'ils apportent enfin volontiers un secours fraternel aux autres Églises, surtout les plus proches et les plus pauvres...

termes : « Tout pouvoir m'a été donné au ciel et sur la terre. Allez donc ; de toutes les nations faites des disciples, les baptisant au nom du Père, du Fils et du Saint Esprit, leur apprenant à garder tout ce que je vous ai prescrit. Et voici que moi, je vais être avec vous toujours jusqu'à la fin du monde. » (Mt 28, 16-20).

« 25 — **Parmi les charges principales des évêques, la première est la prédication de l'Évangile. Ils sont en effet les annonciateurs de la foi pour amener au Christ de nouveaux disciples, — et d'autre part ils en sont les docteurs authentiques, c'est-à-dire qu'ils ont l'autorité du Christ et la lumière de l'Esprit Saint pour dire au peuple qui leur est confié la foi qui doit éclairer leur pensée et leur conduite...** Les évêques qui enseignent en communion avec le Pontife romain ont donc droit, de la part de tous, au respect qui convient à des témoins de la vérité divine et catholique. Lorsqu'ils s'accordent entre eux et avec le successeur de Pierre pour enseigner qu'une doctrine concernant la foi et les mœurs s'impose de manière absolue, alors, c'est la doctrine du Christ qu'infailliblement ils expriment.

Les ministères des évêques

Le Christ ne m'a pas envoyé baptiser, mais annoncer l'Évangile. (1 Cor 1, 17).

« 26 — **L'évêque est revêtu de la plénitude du sacrement de l'ordre ; c'est donc de lui qu'émane la grâce du suprême Sacerdoce, la sanctification :**
— **éminemment, par l'Eucharistie —** celle qu'il offre lui-même, celles qu'il fait offrir (par ses prêtres) — et d'où vient

continuellement à l'Église vie et croissance... Chaque fois que la communauté de l'autel se réalise en dépendance du ministère sacré de l'évêque, se manifeste le symbole de cette charité et de cette unité du Corps mystique qui est le Salut même...

— par les sacrements, dont il lui revient d'organiser la distribution régulière et féconde, il sanctifie aussi les fidèles...

— enfin il doit donner à ceux qu'il conduit le bénéfice de son exemple.

Que personne ne fasse en dehors de l'évêque rien de ce qui regarde l'Église. Que cette eucharistie seule soit regardée comme légitime qui se fait sous la présidence de l'évêque ou de celui qu'il en aura chargé. Là où paraît l'évêque, que là soit la communauté, de même que là où est le Christ Jésus, là est l'Église catholique. Il n'est pas permis en dehors de l'évêque ni de baptiser ni de faire l'agapè, mais tout ce qu'il approuve, cela est agréable à Dieu aussi. (St Ignace d'Antioche).

« 27 — **Chargés des Églises particulières comme vicaires et légats du Christ, les évêques ont aussi une autorité et un pouvoir sacré pour les diriger dans la vérité et la sainteté...**

« **Ce pouvoir qu'ils exercent personnellement au nom du Christ est un pouvoir propre, ordinaire et immédiat... La charge pastorale, c'est-à-dire le soin habituel et quotidien de leurs ouailles, leur est pleinement remise : on ne doit pas les considérer comme les vicaires des Pontifes romains, car ils exercent un pouvoir qui leur est propre** et, en toute vérité, ils sont, pour les populations qu'ils gouvernent, des chefs. Ainsi, leur pouvoir n'est nullement effacé par le pouvoir suprême et universel du pape ; au contraire, il est, par lui, affermi, renforcé et défendu. Car la forme établie par le Seigneur pour le gouvernement de son Église est indéfectiblement assurée par l'Esprit Saint.

« L'évêque doit garder devant ses yeux l'exemple du Bon Pasteur... Qu'il écoute volontiers ceux qui dépendent de lui... Que sa sollicitude s'étende également à ceux qui ne sont pas encore de l'unique bercail ; il doit les considérer comme lui étant confiés dans le Seigneur. Comme l'apôtre Paul, il se doit à tous. Qu'il soit donc prompt à annoncer l'Évangile à tous (Rom I, 14-15) et engage tous ses fidèles dans l'activité apostolique et missionnaire.

« Quant aux fidèles, ils doivent s'attacher à leur évêque comme l'Église à Jésus Christ et comme Jésus Christ à son Père, afin que tout converge vers l'unité, pour la plus grande gloire de Dieu. »

L'ORDRE DES PRÊTRES

Ainsi donc, au Ier siècle, « au sein d'une même Église, le ministère pastoral est assumé dans sa diversité par un groupe de personnes agissant collégialement (Act 14, 23 ; 1 Tim 4, 14). Les termes d'épiscopes et de presbytres qui désignent ces personnes sont alors équivalents. Mais l'une d'entre elles fut vraisemblablement désignée pour présider ce collège, selon l'usage dans la synagogue...

« L'épiscopat exercé par une personne se généralisera au cours du deuxième siècle et deviendra bientôt une règle pour toutes les Églises » (Groupe des Dombes).

Chaque Église locale a donc à sa tête un évêque assisté d'un collège de prêtres, le *presbytérium*.

Le moule sociologique des structures impériales donna malheureusement sa forme à la hiérarchie de l'Église : les évêques trônèrent bien au-dessus de leurs prêtres ; les prêtres prirent leurs distances par rapport aux fidèles et tendirent à s'en distinguer, à commencer par le costume (contre quoi protesta le pape Célestin Ier en 428). Mais la vérité théologique reste :

« **Au sein de l'Église, l'épiscope et les presbytres vivent la même réalité ministérielle et sacramentelle. La distinction des fonctions, qu'atteste une différence traditionnelle dans l'ordination, peut s'exprimer ainsi : le premier exerce le ministère pastoral de présidence et d'unité, avec la totalité de ses responsabilités au regard de l'Église particulière et de l'Église universelle ; les seconds exercent le même ministère dans le cadre des Églises particulières en communion avec leur épiscope et dans la reconnaissance de leur autorité »** (Groupe des Dombes).

Cette subordination affirmée, on pourrait reprendre tout ce que nous avons lu de l'ordre des évêques pour l'appliquer à l'ordre des prêtres : **les prêtres sont les coopérateurs de l'Ordre épiscopal.** Avec leurs évêques et en prolongement

Que personne ne méprise ton jeune âge ; montre-toi plutôt un modèle pour les croyants par la parole, la conduite, la charité, la foi, la pureté. En attendant que je vienne, applique-toi à la lecture, à l'exhortation, à l'enseignement. Ne néglige pas le don spirituel qui est en toi, qui t'a été conféré par voie prophétique avec l'imposition des mains du collège presbytéral. (1 Tim 4, 12-14).

Le ministère des prêtres

Quant aux anciens qui sont parmi vous, voici les recommandations que je leur adresse, moi, ancien comme eux et témoin des souffrances du Christ, et qui dois participer aussi à la gloire qui va se révéler. Paissez le troupeau de Dieu qui vous est confié, non à contre-cœur mais de bon gré, dans l'esprit de Dieu, non pour de honteux profits, mais de plein cœur. Ne faites pas peser votre autorité sur ceux qui vous sont échus en partage, mais montrez-vous les modèles du troupeau. Et quand paraîtra le souverain Berger, vous recevrez la couronne de gloire qui ne se flétrit pas. (1 Pierre 5, 1-4).

d'eux, ils rendent personnellement présent le Christ Médiateur, le Christ Pasteur : **envoyé** du Père pour annoncer la Bonne nouvelle, — **rassembleur** des hommes haineux ou au moins dispersés, — consacré dans son **sacrifice** et entraînant l'humanité dans sa consécration pascale.

Cette médiation, nous l'avons expliquée au chapitre 11, p. 258-263 et 268-277. Et dans les pages précédentes, qu'avons-nous dit d'autre de la mission des Douze, des apôtres, des évêques ? Les ministères du sacrement de l'ordre se ramènent à ces tâches qui s'enchaînent et se compénètrent : annoncer l'Évangile à toute créature, — rassembler les hommes et en conduire la communauté, — la sanctifier par les sacrements, spécialement l'Eucharistie où la vie et la mort du chrétien deviennent « sacrifice spirituel », sacrifice pascal.

Après avoir lu dans cette optique les textes de Vatican II sur les évêques, faites la même découverte au sujet des prêtres : *Constitution sur l'Église*, n° 28, *Décret sur le ministère et la vie des prêtres*.

Et vous remarquerez que, dans cette trilogie — annoncer, rassembler, sanctifier —, priorité est toujours donnée à la proclamation de la Parole de Dieu. Avant les sacrements. Avant même l'Eucharistie...

Et que, dans cette annonce de l'Évangile, le prêtre est d'abord envoyé aux « plus loin », aux non-croyants, quitte à revenir cultiver les « belles âmes » s'il lui reste de la force et du temps. Car ses fidèles, s'ils sont « beaux » et bons, doivent aussi courir avec lui — « con-courir » — à rejoindre les plus loin. Sont-ils le Peuple sacerdotal, oui ou non ?... le Peuple missionnaire ?...

Plutôt que de vous lasser en redites, nous préférons proposer à votre méditation l'essentiel des rites et paroles de l'ordination des prêtres ; vous y repérerez les mêmes axes :

L'ordination au presbytérat

Après l'homélie, l'évêque interroge le candidat devant l'assemblée :

Fils-bien aimé, voulez-vous devenir prêtre, collaborateur des évêques dans le sacerdoce, pour servir et guider le Peuple de Dieu sous la conduite de l'Esprit Saint ? — R. Oui, je le veux !

— Voulez-vous accomplir fidèlement le ministère de la Parole, c'est-à-dire annoncer l'Évangile et exposer la foi catholique ? — R.

— Voulez-vous célébrer avec foi les mystères du Christ, selon la Tradition de l'Église, pour la louange de Dieu et la sanctification du Peuple chrétien ? — R.

— Voulez-vous, de jour en jour, vous unir davantage au Souverain Prêtre Jésus Christ qui s'est offert pour nous à son Père, et avec lui vous consacrer à Dieu pour le Salut des hommes ? — R.

— Promettez-vous de vivre en communion avec votre Évêque dans le respect et l'obéissance ? — R.

L'ordinand a fait cette dernière promesse agenouillé devant l'évêque, les mains jointes entre ses mains. Il se prosterne alors et l'assemblée chante sur lui les litanies des saints : tout le Ciel est de ce rassemblement et de cette prière.

Sans rien dire, l'évêque impose ensuite les mains, en silence, sur la tête du candidat. Tout le collège presbytéral présent en fait autant. Silencieuse coulée de l'Esprit Saint... Puis, les mains étendues, entouré du presbytérium, l'évêque prononce la prière consécratoire :

Sois avec nous, Seigneur, Père très saint ; sois avec nous, Dieu éternel et tout-puissant, Toi qui confies à chacun sa part de service et de responsabilité ;

Toi, la source de toute vie et de toute croissance, tu donnes à ton Peuple de vivre et de grandir, et tu suscites en lui les divers ministères dont il a besoin...

Lorsque ton Fils Jésus, le Grand Prêtre et l'Apôtre, que notre foi confesse, envoya en mission ses Apôtres, tu leur as donné des compagnons dans l'enseignement de la foi pour que l'Évangile soit annoncé dans le monde entier.

Aujourd'hui encore, Seigneur, donne-nous les coopérateurs dont nous avons besoin pour exercer le sacerdoce apostolique.

Donne, nous t'en prions, Père tout-puissant, la dignité de prêtre à ton serviteur que voici ; répands une nou-

Au sujet des contacts avec le milieu ouvrier, on a beaucoup parlé de l'importance du vocabulaire. On a peut-être moins parlé du danger que représente une certaine langue morte en usage pour tout ce qui touche au plan religieux, car on ne peut parler de la vie avec des mots morts. Annoncer l'Évangile avec le langage des gens avec lesquels on parle n'est pas suffisant. Il faut annoncer l'Évangile dans le langage de l'Évangile, dans le langage de Jésus Christ. Le langage de l'Évangile est tout accompagné par les mots de la bonté, de la bonté de Jésus Christ. Nous n'oublions pas que, même si la nouvelle que nous annonçons retentit aux oreilles de nos frères comme une nouvelle, comme une actualité, ce n'est pas cela qui en fera une bonne nouvelle. Cette nouvelle paraîtra bonne si elle est annoncée par quelqu'un qui fait les gestes de la bonté de Jésus Christ, gestes visibles et gestes invisibles. (Madeleine Delbrêl).

velle fois au plus profond de lui l'Esprit de sainteté ; qu'il reçoive de toi, ô Dieu, la charge de seconder l'ordre épiscopal, et qu'il incite à la dignité de vie par l'exemple de sa conduite.

Qu'il soit un fidèle collaborateur des évêques pour faire parvenir à toute l'humanité le message de l'Évangile, et que toutes les nations rassemblées dans le Christ soient transformées en l'unique Peuple de Dieu.

L'évêque fait une onction du saint Chrême dans les mains du nouveau prêtre :

Que le Seigneur Jésus Christ, lui que le Père a consacré par l'Esprit Saint et rempli de puissance, vous fortifie pour sanctifier le Peuple chrétien et pour offrir à Dieu le sacrifice eucharistique.

Il lui met dans les mains le pain et la coupe préparés pour la messe :

Recevez l'offrande du Peuple saint pour la présenter à Dieu. Prenez conscience de ce que vous ferez, vivez ce que vous accomplirez, et conformez-vous au mystère de la croix du Seigneur.

La liturgie eucharistique se poursuit. Le nouveau prêtre et tout le presbyterium concélèbrent autour de l'évêque. Tous les fidèles sont invités à communier au calice.

Le caractère sacramentel

L'Église compte un prêtre de plus. A vie... Comme le baptême et la confirmation, l'ordination est un charisme qui reste : Dieu ne reprend jamais ses dons. Une pierre de l'immense carrière humaine, une fois taillée par l'Esprit et insérée dans la construction du Corps du Christ, même si elle en tombe, y gardera toujours sa place et n'aura pas à être retaillée. C'est ce que la doctrine latine moderne appelle « le caractère sacramentel ».

L'ORDRE DES DIACRES

Il faut être sérieux... Vatican II, après plus de mille ans d'interruption dans l'Église latine, a rétabli l'ordre du diaconat permanent, laissant « à la compétence des conférences épiscopales de décider de l'opportunité de cette institution ». Or, avant que nos évêques n'aient rien décidé, d'aucuns écrivaient : « Il y a des vocations au diaconat... »

— Non. Il n'y a pas de « vocation » au diaconat tant que l'Église n'y « appelle » pas quelqu'un. Le diaconat n'est pas le rassasiement d'une soif pieuse. Ni le rattrapage consolateur de ceux qui ont autrefois abandonné le chemin de la prêtrise. Pas davantage une récompense pour vieillard méritant : il existe pour ces poitrines une médaille *Bene merenti* et même de grands cordons décoratifs...

Soyons sérieux aussi avec l'Écriture... Les termes grecs *diakonos, diakonia* ont donné, en français, *diacre, diaconie*. Ce qui veut dire *serviteur* et *service*, ou, en termes moins clairs, *ministre* et *ministère*. Or le Christ se présente comme le serviteur, le « diacre » ; il apprend aux Douze à se faire les « diacres » de tous (Marc 10, 42 ss) ; Mathias est appelé à remplacer Judas dans sa « diaconie » (Act 1, 17) ; souvent Paul appelle son apostolat une « diaconie »...

Définir l'ordre du diaconat par le « service », c'est donc ne rien dire du tout : sur les pas du Christ serviteur, tout pape, évêque, prêtre, chrétien est serviteur, essentiellement serviteur, serviteur à longueur de journée...

A condition que parler veuille dire quelque chose et que les mots passent de la langue aux mains...

Les mains de Jésus, ce soir où, « sachant que son Heure est venue..., et que le Père lui a tout remis dans les mains... », les mains du Christ s'appliquent à ce service qu'on n'avait pas le droit de demander à un esclave hébreu : laver les pieds des Douze, lui le Seigneur et le Maître !... Il faut donc chercher ailleurs que dans le « service » l'origine « spécifique » de l'ordre des diacres. Mais où ?

L'Écriture

Il s'éleva aussi entre les Apôtres une contestation : lequel d'entre eux pouvait être tenu pour le plus grand ? Jésus leur dit : « Les rois des païens leur commandent et ceux qui exercent l'autorité sur eux se font appeler Bienfaiteurs. Mais pour vous il n'en va pas ainsi ; au contraire, que le plus grand parmi vous se comporte comme le plus jeune, et ce-

lui qui gouverne comme celui qui sert. Quel est en effet le plus grand, celui qui est à table ou celui qui sert? N'est-ce pas celui qui est à table? Et moi, je suis au milieu de vous comme celui qui sert! »
(Lc 22, 24-27).

Dans l'institution des Sept — un des deux chiffres de la plénitude — auxquels on impose les mains pour le service de la communauté des Hellénistes et dont Étienne est le leader (Act 6, 3)?... Les Sept ne sont pas appelés diacres; et s'ils forment bien une institution, c'est une structure occasionnelle qui s'éteindra avec l'occasion : les Hellénistes vont être chassés de Jérusalem par la persécution. Philippe, « l'un des Sept », y gagnera de pouvoir porter la Parole en Samarie et jusqu'à Césarée, où on l'appellera « Philippe l'Évangéliste » (Act 21, 8).

La première mention des « diacres », distingués des « épiscopes », se lit en Philippiens 1, 1. Et la Première à Timothée (3, 8-13) pose des règles pour le choix des diacres. « Il s'agit alors d'un ministère inférieur dont il n'est pas aisé de préciser les fonctions » (VTB, Ministère). On sait simplement que le diaconat est exercé aussi par des femmes (Rom 16, 1), mais pas forcément dans les mêmes tâches (cf. 1 Cor 11, 1-16; 14, 33 ss).

L'histoire

● Aux IIe-IIIe siècles, le diacre est ordonné au service de l'évêque. Aussi, comme aujourd'hui d'ailleurs, l'évêque seul lui impose les mains, et non le presbyterium.

● Au IVe siècle, avec la liberté, la communauté chrétienne locale prend des assises élargies. Une concentration des pouvoirs s'est faite entre les mains de l'évêque. « Ce qui donne désormais encore plus de poids à son autorité, c'est la responsabilité financière de la caisse de la communauté qui permet de subvenir aux besoins des veuves et des pauvres et de payer les ministres de l'Église... Les diacres sont la voix et l'oreille de l'évêque : ils administrent..., veillent à la distribution des secours aux pauvres » (André Lemaire).

Chacun sait que le seul pouvoir est l'économique... La réaction contre l'influence des diacres amena vite, en Occident, la disparition du diaconat comme situation permanente.

● 1964 : le Concile établit le diaconat avec des attributions élargies. Il les détaille ainsi :

« administrer solennellement le baptême,
conserver et distribuer l'Eucharistie,
assister au mariage au nom de l'Église et le bénir,
porter le Viatique aux mourants,
proclamer la Sainte Écriture,
instruire et exhorter le peuple,
présider au culte et à la prière des fidèles, aux rites funèbres
et à la sépulture ».

La mise en œuvre du diaconat restauré connaît des fortunes très diverses suivant les pays. Fin septembre 1977, l'Église comptait, aux États-Unis, 1 800 diacres permanents, dont 90 % de mariés, et 2 057 candidats en phase de préparation. On en trouvait plus de six cents en Belgique, contre 48 en France, 60 en Italie, 406 en Allemagne, 75 au Canada, plus de 400 en Amérique latine.

Comme celle des prêtres, l'ordination des diacres est conférée par l'évêque au cours d'une messe. Après l'appel, par l'évêque, des futurs diacres et leur engagement à accomplir avec sérieux la charge qui leur est confiée, l'assemblée chante la grande litanie des Saints.

Puis **l'évêque seul impose les mains** aux futurs diacres et dit la prière consécratoire dont voici les principaux passages :

Sois avec nous, Seigneur, Père très saint, sois avec nous, Dieu éternel et tout-puissant qui répartis les services et les charges et confies à chacun sa part de responsabilité... Tu donnes à ton Église, qui est le corps du Christ et le Temple nouveau, de grandir et de se développer dans la diversité de ses charismes, la variété de ses membres et le lien de l'Esprit...

Les Apôtres de Jésus, ton Fils, sous la conduite de l'Esprit Saint, ont choisi sept hommes connus pour la qualité de leur vie qui les aideraient dans le service de chaque jour et leur permettraient de se livrer tout entiers à la prière et à la prédication ; en imposant les mains à ces disciples et en priant sur eux, ils leur confièrent le service des tables.

L'ordination au diaconat

Unis au successeur de Pierre, les Évêques, successeurs des Apôtres, reçoivent, par la force de leur ordination épiscopale, l'autorité pour enseigner dans l'Église la vérité révélée. Ils sont les maîtres de la foi. Aux Évêques sont associés les ministres de l'évangélisation, comme responsables à un titre spécial, ceux qui par l'ordination sacerdotale tiennent la place du Christ, en tant qu'éducateurs du

Peuple de Dieu dans la foi, prédicateurs, tout en étant ministres de l'eucharistie et des autres sacrements.
Nous donc, Pasteurs, ... ce qui constitue la singularité de notre service sacerdotal, ce qui donne une unité profonde aux mille tâches qui nous sollicitent au long de la journée et de la vie, ce qui confère à nos activités une note spécifique, c'est ce but présent à toute notre action : « annoncer l'Évangile de Dieu ». (1 Thes 2, 9).
... C'est une œuvre d'évangélisation que nous réalisons, nous comme Pasteur de l'Église universelle, nos frères Évêques à la tête des Églises particulières, les prêtres et diacres liés à leurs Évêques, dont ils sont les collaborateurs, par une communion qui prend sa source dans le sacrement de l'ordre et dans la charité de l'Église. (Paul VI).

Et maintenant, nous te demandons de regarder avec la même bienveillance ces hommes que nous ordonnons diacres pour le service de ton autel. Envoie sur eux, Seigneur, ton Esprit Saint : Qu'il les fortifie de tous les dons de ta grâce pour l'accomplissement de leur ministère. Qu'ils aient... une vraie charité, le souci des malades et des pauvres, une autorité discrète, une parfaite droiture et une vie obéissante à l'Esprit Saint. Que la fidélité à tes commandements apparaisse dans toute leur conduite... En vivant ici-bas comme Jésus, ton Fils, qui est venu pour servir et non pour être servi, ils obtiendront de régner avec lui dans le ciel.

L'Évangile, comme pour l'évêque et le prêtre, est le premier de leurs services :

Recevez l'Évangile du Christ que vous avez la mission d'annoncer ; soyez attentifs à croire à la Parole que vous lirez, à enseigner ce que vous aurez cru, à vivre ce que vous aurez enseigné.

La liturgie eucharistique se poursuit. Les nouveaux diacres assistent l'évêque.

13

LE SACREMENT
DE LA RÉCONCILIATION

LAISSEZ-VOUS RÉCONCILIER

Repartons du centre : Dieu est Amour. Dieu crée donc par amour : pour donner à l'Homme, sa créature, tout ce qu'il est et tout ce qu'il a ; pour nouer avec l'Homme une relation de communion, une alliance ; d'un mot : pour épouser l'Humanité... C'est ce que l'Écriture appelle l'*agapè* de Dieu, c'est-à-dire son amour.

Annoncée, amorcée dans l'Ancien Testament — le temps des fiançailles —, cette tendresse se réalise, se révèle pleinement en Jésus : Dieu se fait homme pour que l'Homme devienne Dieu.

Sans la révélation de ce mystère d'amour, l'homme ne serait pas pécheur... Il serait imparfait, égoïste, orgueilleux, violent, pourri, et tout, et le reste. Mais il ne serait pas pécheur. Parce qu'il ne saurait pas combien Dieu l'aime ; il ne saurait pas qui est Dieu ; il ne saurait pas qui il est lui-même.

Le chrétien est pécheur

C'est en ce sens que Jésus déclare, en parlant du monde qui l'a méconnu : « Si je n'étais pas venu, si je ne leur avais pas adressé la parole, ils n'auraient pas de péché ; mais à présent, leur péché est sans excuse... Si je n'avais pas fait au milieu d'eux ces œuvres que nul autre n'a faites, ils n'auraient pas de péché » (Jean 15, 22-24).

Le péché, c'est le refus devant la révélation de l'amour incroyable que Dieu nous porte ; le refus, ou du moins l'échec partiel et provisoire de notre vocation divine. Le péché, c'est n'avoir pas un cœur, une conduite, à la hauteur de notre destinée. C'est n'avoir pas un cœur de fils, un cœur de Dieu.

● Dès lors, en cette vie, **tout chrétien est pécheur,** parce que chacun, si saint soit-il, reste loin en retrait de l'amour fou de Dieu, vécu et manifesté en Jésus Christ. Tout baptisé fervent est donc aiguillonné, par sa foi même, dans une démarche de conversion jamais achevée en ce monde : « L'amour du Christ nous presse » (2 Cor 5, 14). Nul n'est

Jésus dit un jour : « Un homme avait deux fils. Le plus jeune dit à son Père : — Père, donne-moi la part de fortune qui me revient —. Et le Père leur partagea son bien. Peu de jours après, le plus jeune fils, rassemblant tout son avoir, partit pour un pays lointain et y dissipa son bien dans une vie de prodigue. Quand il eut tout dépensé, une grande famine survint en ce pays et il commença à sentir la privation. Il alla se mettre au service d'un des habitants de la contrée, qui l'envoya dans ses champs garder les cochons. Il aurait bien voulu se remplir le ventre des caroubes que mangeaient les cochons, mais personne ne lui en donnait. (Lc 15, 11-16).

Mais Dieu est miséricorde

Rentrant alors en lui-même, le Prodigue se dit : — Combien de journaliers de mon Père ont du pain en abondance, et moi je suis ici à mourir de faim! Je veux partir, retourner vers mon Père et lui dire : « Père,

clairvoyant sur son péché autant que le saint ; nul autant que lui n'en est contrit ; il est plus que tout autre un fervent du sacrement de la réconciliation. Et ses confessions hebdomadaires sont moins routinières que celles du pascatin.

● Mais, tout à l'opposé de cette délicatesse, voici **le péché grave : la rupture entre l'homme et Dieu.** Du fait de la foi du chrétien qui le commet en pleine lumière, c'est véritablement la rupture du conjoint adultère, du fils prodigue qui claque la porte et s'en va. C'est **le péché mortel...**

« Mortel » en ce sens qu'il « tue » la relation d'amour : sciemment, délibérément, le pécheur s'est coupé de Dieu, lui tournant le dos, et s'en allant chercher sa vie vers d'autres sources lointaines...

« Mortel » en ce sens que son être même, comme un rameau que la taille a retranché du tronc, ne reçoit plus de sève divine, ne donne plus de fruit de salut, et se dessèche à terre pour le feu. Tel un fil arraché où le courant ne passe plus...

Sans images : le pécheur, dans **son être** même, n'est plus « participant de la nature divine », parce qu'il a choisi de rompre **sa relation** d'Alliance avec Dieu. Drame de la relation, le péché dé-grade, il dé-divinise la personne elle-même. Le fils de lumière est déchu fils de ténèbres.

Cette relation vitale à Dieu, le pécheur ne peut pas plus la renouer que la branche coupée ne peut se regreffer elle-même au tronc. Il s'est jeté dans la plus irrémédiable des misères...

Mais **Dieu est Miséricorde.** Dieu aime les pécheurs ; il aime ses ennemis ; il tend l'autre joue à qui le soufflette ; il pardonne soixante-dix fois sept fois...

Le prodigue est pardonné avant qu'il ne revienne : il est pardonné à l'heure même où il prend la porte, il est pardonné au temps même où il gaspille ignoblement le bien amassé par son père, puisqu'il est toujours aimé.

La brebis perdue est aimée jusque dans ses égarements, pour ses égarements, puisque c'est précisément alors que le Bon Berger quitte toutes les autres pour s'épuiser à la chercher. Jusqu'à ce qu'il la trouve.

En d'autres termes : **Dieu est l'Amour inconditionnel.**
Il n'aime pas, comme nous, parce qu'il est aimé. « Les païens
n'en font-ils pas autant! » Il aime même s'il n'est pas aimé.
C'est cela la gratuité, la « grâce »... Plus : il aime parce qu'il
n'est pas aimé. C'est cela la miséricorde, car il n'y a pas plus
grande misère que de ne pas aimer Dieu.

Dieu est un amour sans autre cause que sa bonté. Une
bonté qu'aucune ingratitude ne décourage. Rien ne peut sous-
traire à Dieu le fondement d'un amour qui n'a pas de fondement hors de Lui.

Ainsi Dieu, libre de cette liberté de l'amour parfait qui
ne se reprend pas, Dieu ne change pas dans son amour. Il
aime toujours, même ses ennemis. Il répand son soleil et sa
pluie, symboles de son inaltérable tendresse, sur les champs
du blasphémateur comme dans le jardin des carmélites. Il
n'est pas cet Époux qui choie son épouse aimante, puis la
déteste infidèle, quitte ensuite à pardonner à la repentie. Son
amour n'est pas une réponse, un simple écho. Il n'a pas à
changer d'attitude : il est toujours tout aimant ; il est toujours
pardonnant, même à l'obstiné.

C'est l'homme qui change, dans l'inconsistance de sa liberté
vacillante et de son fond pécheur. Il aime, puis il n'aime
plus ; il se donne, et il se reprend ; il promet, et il se parjure ;
il ratifie le « oui » de son baptême, puis ce peut être le « non »
du fils fugueur, du conjoint qui a changé d'amour. C'est alors
la rupture, le péché mortel.

Mais Dieu, lui, ne rompt jamais. Il ne réagit pas à la rupture en verrouillant sa porte du dedans. Il ne coupe pas la
communication. Père du prodigue, Époux de la vagabonde, il
reste toujours en état de pardon, d'attente, d'accueil. Le
pécheur est toujours au bénéfice de l'amour inconditionnel de
Dieu. Il est donc toujours pardonné, d'avance pardonné. Il
tient en main un chèque en blanc sur l'inépuisable miséricorde de Dieu. Car, **pour pardonner, il suffit d'être un.**
Mais pour se réconcilier, il faut être deux.

Sa fragile liberté d'aimer a éclaté, chez le pécheur, en
refus grave et délibéré de l'amour de Dieu. Qu'il accepte de
l'ouvrir maintenant à l'accueil du pardon et ce sera la réconciliation aussitôt :

« Comme le prodigue était encore loin, son père l'aper-

j'ai péché contre le ciel et contre toi ; je ne mérite plus d'être appelé ton fils, traite-moi comme l'un de tes journa-liers » —. Il partit donc et s'en re-tourna vers son Père. Comme il était encore loin, son Père l'aper-çut et fut touché de compassion. Il courut se jeter à son cou et l'em-brassa longue-ment. Le fils alors lui dit : — Père, j'ai pé-ché contre le ciel et contre toi, je ne mérite plus d'être appelé ton fils —. Mais le Père dit à ses ser-viteurs : — Vite, apportez la plus belle robe et l'en revêtez ; mettez-lui un anneau au doigt et des chaussures aux pieds. Amenez le veau gras, tuez-le, mangeons et festoyons, car mon fils que voilà était mort et il est revenu à la vie ; il était perdu et il est retrouvé! —. Et ils se mirent à festoyer.
(Lc 15, 17-24).

çut et fut ému de miséricorde : il courut se jeter à son cou et le couvrit de baisers » (Luc 15, 20).

Nous réconcilier avec Dieu

Du côté de Dieu, comme le pardon est constant, la réconciliation est donc toujours offerte à l'homme. Elle est offerte en Jésus Christ, notre Sauveur :

« L'amour du Christ nous presse, à cette pensée qu'un seul est mort pour tous... Le monde ancien est passé, voici qu'une réalité nouvelle est là. Tout vient de Dieu, qui nous a réconciliés avec lui par le Christ et nous a confié » — à nous, les Apôtres — « le ministère de la réconciliation. C'est au nom du Christ que nous sommes en ambassade, et par nous, c'est Dieu lui-même qui, en fait, vous adresse un appel. Au nom du Christ, nous vous en supplions, laissez-vous réconcilier avec Dieu. Celui qui n'avait pas connu le péché, il l'a, pour nous, identifié au péché, afin que, par lui, nous devenions justice de Dieu » (2 Cor 5, 14-15 et 17-21), c'est-à-dire identifiés à la sainteté de Dieu.

Nous réconcilier entre frères

« Dieu est Amour : vous voyez maintenant qu'agir contre l'amour c'est agir contre Dieu. Que personne n'aille dire : c'est contre un homme que je pèche quand je n'aime pas mon frère. Comment ne pécherais-tu pas contre Dieu, quand tu pèches contre l'Amour ? Tu entends l'Es-

Mais comment se réconcilier avec le Père sans faire la paix avec ses autres enfants ? Comment rentrer à la Maison sans y embrasser tous ses frères et sœurs ?

« Dieu nous a fait connaître le mystère de sa volonté, le dessein bienveillant qu'il a d'avance arrêté en lui-même pour mener les temps à leur accomplissement : réunir l'univers entier dans le Christ... C'est lui en effet qui est notre paix : de ce qui était divisé, il a fait une unité. Dans sa chair, il a détruit le mur de séparation : la haine... **Il a voulu créer en lui un seul homme nouveau, en établissant la paix, et réconcilier avec Dieu tous les hommes en un seul corps au moyen de la croix. Là, il a tué la haine. Et il est venu annoncer la paix...** C'est grâce à lui que les uns et les autres, dans un seul Esprit, nous avons l'accès auprès du Père » (Éph 1, 9-10 et 2, 14-18).

Et saint Paul poursuit cette idée essentielle : nous avons, ensemble, à nous ajuster les uns aux autres pour former le temple du Seigneur dans l'unité du Saint Esprit (21-22) ; tous, nous sommes membres du même corps, associés à la même

promesse, en Jésus Christ (3, 6). Par conséquent, conclut-il :
« Je vous exhorte dans le Seigneur : accordez votre vie à
l'appel que vous avez reçu ; en toute humilité et douceur, avec
patience, supportez-vous les uns les autres dans l'amour ;
appliquez-vous à garder l'unité de l'esprit par le lien de la paix.
Il y a un seul Corps et un seul Esprit, de même que votre
vocation vous a appelés à une seule espérance... » (4, 1-4).

D'un même mouvement, **la pénitence est donc aussi le
sacrement de l'humanité réconciliée.** Pas simplement
accordée, mais « réconciliée ». Le plan éternel de Dieu n'est
pas seulement la communion des hommes dans la fraternité,
le rassemblement des frères dans l'amour ; mais le renversement des murs de séparation, la communion des ennemis,
l'accord fraternel des hommes naturellement marqués par une
loi instinctive d'inimitié les opposant à Dieu, les dressant les
uns contre les autres et les déchirant à l'intime d'eux-mêmes.
**Le plan de Dieu, c'est « la paix », ce miracle qui ren-
verse un état de guerre.** « La paix du Christ » met fin à la
triple brisure — avec Dieu, avec les autres, avec soi-même —
qui n'est autre que le péché. Non seulement le Christ « est
victime d'expiation pour nos péchés » (1 Jean 2, 2 ; 4, 10),
mais il nous refait d'un tissu d'amour et de pardon : « Si quelqu'un est dans le Christ, il est une nouvelle créature. Le monde
ancien est passé ; une réalité nouvelle est là » (2 Cor 5, 17).

Cette « réalité nouvelle qui est là », c'est d'abord Jésus
lui-même au cœur du monde des hommes : Fils de Dieu
incarné, devenu l'homme pour les autres, le crucifié priant
pour ses tueurs, mort au péché pour nous tous, ressuscité
pour notre divinisation.

Ressuscité, il peut nous rejoindre tous, pour venir briser
nos prisons, nous arracher à nos enfermements égoïstes, nous
attirer à lui par les sacrements, de façon à ne former avec lui
qu'un seul Corps tous ensemble, **« un seul Homme Nouveau »** (Eph 2, 15) : « Si quelqu'un est dans le Christ, il est une
nouvelle créature. »

● **Le baptême** fait naître en nous cette « réalité nouvelle »
et qui ne devrait plus mourir : il est notre naissance à l'existence réconciliée ; il nous soude comme membre au Corps du

prit de Dieu te
dire : « Dieu est
Amour. » « Désor-
mais, si tu l'oses,
agis contre Dieu
et refuse d'aimer
ton frère. »
(St Augustin).

Nous nous re-
fusons à penser
que des Églises
qui se ré-
clament toutes
du Prince de la
Paix ne puissent
consentir à leur
commun Sei-
gneur ce mini-
mum d'obéis-
sance de coor-
donner leur ac-
tion dans le do-
maine de la paix,
afin de ne pas
rendre vaine sa
grâce.
(Synode national
de l'Église réfor-
mée de France).

*Les
sacrements
de la
réconciliation*

Christ qui est l'Église. Baptisé, si je prends mon baptême au sérieux, je suis le Christ, homme pour les autres, pardonnant à mes bourreaux, mourant pour mes ennemis...

● **L'eucharistie** me fait vivre la réconciliation en plénitude : elle me plonge en communauté, et elle plonge cette communauté dans l'humanité pascale du Seigneur. Ensemble nous mangeons le Christ pour ne plus faire qu'un avec lui. Et le pain que nous rompons n'est-il pas le corps donné pour tous ? La coupe que nous partageons n'est-elle pas le sang de l'Alliance ? Le sang « versé pour la multitude », sans exception ? Le sang répandu pour la rémission des péchés, pour le pardon général ? Et donc pour la paix de tous avec Dieu et avec tous ?

Nous avons vu s'ouvrir les bras de Dieu devant le fils prodigue, Nous avons vu jaillir du cœur de Dieu la fontaine de la vie : Reviendra-t-il marcher sur nos chemins, changer nos cœurs de pierre ? Reviendra-t-il semer au creux des mains l'amour et la lumière ? (Michel Scouarnec).

● Mais le baptisé peut encore pécher lourdement ; il peut revenir à des péchés de vraie malice impliquant un mépris formel de Dieu ou de ses frères. C'est alors qu'intervient normalement **le sacrement de la réconciliation :**

« Dans le sacrement de la pénitence,

— Dieu le Père reçoit son fils repentant qui revient à lui,

— le Christ prend sur ses épaules la brebis égarée et la ramène au bercail,

— l'Esprit Saint sanctifie de nouveau le Temple de Dieu et habite en lui plus abondamment.

« Ce retour à Dieu se manifeste enfin dans une participation renouvelée et plus fervente à la table du Seigneur, et c'est une grande joie au banquet de l'Église de Dieu du fait que le fils revient de loin » (Nouvel *Ordo Paenitentiae*, 6).

« Le fils qui revient de loin », « la brebis égarée », « le temple à sanctifier de nouveau » : ces expressions n'évoquent pas la peccadille ni l'imperfection de routine. La « réconciliation », ce ne peut jamais être une petite affaire courante. On n'a rien gagné à l'oublier...

CE QUE LE CHRIST A INSTITUÉ

L'Église, c'est bien connu, a vécu trois régimes pénitentiels fort différents. Une nouvelle fois la barque de Pierre est pro-

voquée à tendre sa voile au souffle de l'Esprit et aux signes
des temps. Pour garder le cap, il ne faut s'ancrer ni sur le
concile de Trente, ni sur la pénitence de telle ou telle époque,
mais, **avec Vatican II, revenir d'abord à l'Évangile.**
Qu'est-ce que le Christ a institué? C'est cela qui doit être
cherché et vécu, à travers toutes les variations des temps et des
formes.

Près du Jourdain, Jean le Précurseur baptise (Jean 1, 28).
Il baptise des pécheurs, des files de pécheurs qu'il apostrophe
de mots terribles : « Race de vipères! » et à qui il annonce
« la colère prochaine » (Mat 3, 7)...

La première « Église » : des pécheurs

Or, au lieu de colère, qui est-ce qui vient? Jésus. Jésus
au milieu des pécheurs. Jésus, comme un pécheur parmi
d'autres, vient se faire baptiser. Telle est la première démarche
publique du Fils de Dieu : une démarche de pécheur, une
démarche de confession publique, de pénitence publique. Et
Jean en proclame aussitôt la signification : « Voici l'Agneau de
Dieu, voici celui qui ôte le péché du monde » (Jean 1, 29).

Jean-Baptiste est jeté en prison. Jésus reprend sa prédication : « Le règne de Dieu approche : faites conversion! ».
Mais il n'annonce plus de « colère qui vient », ni de « cognée à
la racine de l'arbre ». Il lance, au contraire, à tous les pécheurs :
« Croyez à la Bonne Nouvelle! » (Marc 1, 14).

C'est au point que Jean, dans son cachot, en sera déconcerté
et lui enverra demander : « Es-tu Celui-qui-vient, ou devons-
nous en attendre un autre? » Jésus guérira son « scandale »
en répétant, se référant à Isaïe : Il y a une Bonne Nouvelle
pour les pauvres — aveugles, boiteux, lépreux, sourds,
morts — pour les pauvres pécheurs symbolisés par ces misères
(Luc 8, 18 ss).

Quelle Bonne Nouvelle?

« Jésus vit un homme assis au bureau de la douane, un
certain Matthieu » (Mt 9, 9). Un publicain dans l'exercice de
ses fonctions d'exploiteur du peuple et de « collaborationniste »,
en train de guetter les passants comme une araignée au coin
de sa toile. Un pécheur en flagrant délit. Et sans vergogne.
Et sans la moindre idée d'en sortir.

Mon peuple!
ils s'accrochent
à leur apos-
tasie... Comment
te traiterai-je,
Ephraïm? te
livrerai-je, Is-
raël?... Mon
cœur est boule-
versé en moi ; en
même temps ma
pitié s'est émue.
Je ne donnerai
pas cours à l'ar-
deur de ma co-
lère, je ne revien-
drai pas détruire
Ephraïm. Car je
suis Dieu, et non
pas un homme ;
au milieu de toi
je suis saint : je
ne viendrai pas
avec rage.
(Osée 11, 7-9).

Si vos péchés sont comme l'écarlate, ils deviendront blancs comme la neige ; s'ils sont rouges comme la pourpre, ils deviendront comme de la laine...
... J'étendrai ma main sur toi, et je fondrai toutes tes scories comme avec la potasse...
(Is 1, 18-25).

L'idée d'en sortir, c'est Jésus seul qui la donne. C'est lui qui l'a donnée à la Samaritaine, qui la donnera à la femme adultère, à Marie de Magdala, à Zachée, à Pierre, au larron. C'est Jésus seul qui la donne. Comment ? Par la bouleversante révélation de la Miséricorde...

Devant ce bureau honni, devant cet homme universellement détesté, la main dans le sac de son argent mal acquis, les gens passent à distance et comme en se bouchant le nez... Mais Jésus, lui, s'approche... Sa démarche, son regard, sa main tendue, tout est attention et amour, tout est pardon au nom de Dieu et des hommes. Et le premier mot éclate, mot d'estime et de confiance, mot d'amitié et de choix : « Suis-moi ! »...

Du coup, Matthieu n'en revient pas. Le prophète Jésus le connaissait. Jésus s'adressait à lui sur le lieu même de sa honte, dans l'exercice de son infâme métier. Jésus désirait sa présence à lui, l'exclu, méprisé de tout ce qui, en Israël, avait quelque sens de la justice et de la fidélité à Dieu... Jésus lui révélait que Dieu l'aimait, lui, l'indigne...

Matthieu n'en peut plus de surprise et de joie. Sur-le-champ, il se lève et suit Jésus. Tout de suite. Devant tout le monde. Devant les « gens bien », scandalisés. Devant les pécheurs, étonnés, puis bouleversés...

Et c'est, tout d'un coup, un grand rush de pécheurs vers Jésus. Matthieu donne un festin dans sa maison parce que **la Bonne Nouvelle a éclaté dans sa vie et dans le monde. Jésus est au centre, avec ses premiers disciples. Et, tout autour, un tas de pécheurs — « une foule » — qui se sentent concernés. On est entre pécheurs ; on se confesse ensemble ; parce qu'on est pardonnés ensemble. Et on festoye... Parce que « Dieu nous a réconciliés avec Lui par le Christ » (2 Cor 5, 18).**

Telle est la première image de l' « assemblée » autour du Christ, la première image de « l'Église », que nous présente l'Évangile.

Les forces de l'ordre légaliste — scribes et pharisiens — crient au scandale. Ils s'attirent cette mise au point du Seigneur lui-même : « Ce ne sont pas ceux qui se portent bien qui ont besoin du médecin, mais les malades. Je ne suis pas venu appeler les justes, mais les pécheurs » (Mc 2, 13-17).

Si Jésus a connu des échecs, c'est précisément auprès des soi-disant justes de son temps, ces pharisiens qui pouvaient pointer avec satisfaction la liste entière de leurs « obligations » religieuses accomplies.

Un jour ces, « gens bien », rouges d'indignation, traînent à ses pieds une femme prise en flagrant délit d'adultère. (Pourquoi elle seule ? Pourquoi pas aussi son partenaire ? Mais ceci est une autre question). Cette femme est convaincue de son péché, mais eux ne sont pas du tout conscients du leur. Jésus les renvoie donc à leur propre conscience : « Que celui d'entre vous qui est sans péché lui jette la première pierre » (Jean 8, 7)...

Dans ce silence, devant cette Parole de Dieu, chacun découvre soudain sa dureté, sa méchanceté, sa suffisance et même — horreur — sa complicité réelle, mais profonde, avec le péché de cette adultère : sa poutre dans son œil à soi... Et il s'en va, tête basse.

Lorsque tous les accusateurs de la femme adultère s'en sont allés, en silence, l'un après l'autre, « en commençant par les plus vieux », Jésus constate : « Personne ne t'a condamnée ». C'est proclamer que tous ont fini par se reconnaître pécheurs, qu'aucun ne s'est finalement reconnu meilleur que cette femme... Le départ, sur la pointe des pieds, de chacun de ces hommes, c'est un aveu, c'est une confession, c'est une conversion. Et voici, de la part de Jésus, une absolution : « Personne ne t'a condamnée ? Alors personne n'est plus à condamner, ni eux, ni toi, parce que votre cœur à tous a changé... Va, et désormais, ne pèche plus. »

C'est ainsi que l'Évangile nous donne la première célébration communautaire de la pénitence.

Mais il y a fallu le rassemblement de ceux qui se croyaient justes autour de celle qui se savait pécheresse. Et surtout, il a fallu, au milieu d'eux tous, la conscience filiale et fraternelle de Jésus pour révéler à chacun l'écart entre son attitude et celle d'un fils de Dieu : il a fallu la Parole de Dieu.

Saint Jean, à qui nous devons ce récit, y pensera sans doute quand il écrira dans sa première Épître : « Si nous nous prétendons sans péché, nous nous trompons nous-mêmes et la vérité n'est pas en nous. Si nous confessons nos péchés, Dieu,

Une célébration communautaire de la pénitence

Dès l'aurore, Jésus parut de nouveau dans le Temple, et tout le peuple venait à lui. Il s'assit donc et se mit à les enseigner. Les scribes et les Pharisiens lui amènent alors une femme surprise en adultère et, la plaçant bien en vue, ils disent à Jésus : « Maître, cette femme a été surprise en flagrant délit d'adultère. Moïse nous a prescrit dans la Loi de lapider ces femmes-là. Et toi, qu'en dis-tu ? » Ils disaient cela pour lui tendre un piège, afin de pouvoir l'accuser. Mais Jésus, se baissant, se mit à écrire avec son doigt sur le sol. Comme ils insistaient, il se redressa et leur dit : « Que celui de vous qui est sans péché lui jette la première pierre ! » Et se baissant de nouveau, il se remit à écrire sur le sol. A ces mots, ils se retirèrent un à un, à commencer par les plus vieux ; et Jésus resta seul avec la femme, qui était toujours là.

Le sacrement de l'amour

Alors, se redressant, il lui dit : « Femme, où sont-ils ? Personne ne t'a condamnée ? » — « Personne, Seigneur », répondit-elle. — « Moi non plus, lui dit Jésus, je ne te condamne pas. Va, désormais ne pèche plus. » (Jn 8, 2-11).

Supportez-vous les uns les autres et pardonnez-vous mutuellement, si l'un a contre l'autre

fidèle et justificateur, nous remettra ces péchés et nous purifiera de toute iniquité... (1, 8-9). Mes petits enfants, je souhaite que vous ne péchiez point, mais si quelqu'un vient à pécher, nous avons près du Père un défenseur, Jésus Christ le juste. C'est lui qui est propitiation pour nos péchés... » (2, 1-2).

Nous voici au cœur de la révélation sur le péché et la rémission des péchés...

Peut-on faire un pas de plus vers le sacrement ? C'est-à-dire : à partir des gestes sauveurs de Jésus, passer à ceux qu'il a donné à l'Église de continuer en son nom ?

A travers tout le Nouveau Testament, il n'est question directement et exclusivement du sacrement de la pénitence que dans un texte de Matthieu 18. Parole de Dieu où éclatent merveilleusement l'exigence chrétienne dans le respect des personnes, et la tendresse de Dieu provoquant la tendresse de l'homme. Oh! si les juristes et les pouvoirs pouvaient se taire pour rendre l'écoute à cette Parole de Dieu!...

Le sacrement ici esquissé est une célébration de l'Amour. Il comprend deux pôles inséparables : « Si ton frère (ou ta sœur) a péché contre Dieu... Si ton frère a péché contre toi... », car un malheur ne va jamais seul : toute rupture avec Dieu est rupture avec l'autre, et, inversement, pécher contre son frère, c'est pécher contre Dieu. Lisons :

« Si ton frère vient à pécher, va le trouver et reprends-le, seul à seul. S'il t'écoute, tu auras gagné ton frère. S'il ne t'écoute pas, prends encore avec toi un ou deux autres, pour que toute affaire soit décidée sur la parole de deux ou trois témoins. Que s'il refuse de les écouter, dis-le à la communauté. Et s'il refuse d'écouter même la communauté, qu'il soit pour toi comme le païen et le publicain. En vérité je vous le dis : tout ce que vous lierez sur la terre sera tenu au ciel pour lié, et tout ce que vous délierez sur la terre sera tenu au ciel pour délié.

« Alors Pierre, s'avançant, lui dit : « Seigneur, si mon frère vient à pécher contre moi, combien de fois devrai-je pardonner ses offenses ? Irai-je jusqu'à sept fois ? » Jésus lui répond : « Je ne dis pas jusqu'à sept fois, mais jusqu'à soixante-dix fois sept fois. » (Mt 18, 15-18 et 21-22).

Il s'agit, bien sûr, de péchés graves. Ton frère a péché : fais-le rentrer en lui-même et gagne-le à Dieu dans le repentir, et tout est dit... Tu as échoué ? Choisis des frères, des sœurs (pas forcément des prêtres, encore moins des supérieurs) et reprends avec eux une démarche d'amour et de lumière... Vous avez échoué ? Alors, la communauté (évêque, prêtres et fidèles) y mettra le poids de son cœur... ou de son autorité : elle « liera » l'obstiné en l'excluant de la communion, avec l'espoir et le pouvoir de le « délier », c'est-à-dire de le réadmettre dans une Réconciliation.

Mais toi aussi, tu as péché contre tel de tes frères... Ou c'est lui qui a péché contre toi... Comment aborderais-tu le pécheur si tu es toi-même en rupture avec un frère ?... Et comment obtiendrais-tu ton propre pardon de Dieu si tu ne pardonnes pas à ton frère ?

Le sacrement — le signe — de la réconciliation avec Dieu, c'est la réconciliation fraternelle et, au besoin, son retentissement communautaire.

quelque sujet de plainte. Si le Seigneur vous a pardonné, faites de même à votre tour. Et puis, par-dessus tout, ayez la charité, en laquelle se noue la perfection. Avec cela, que la paix du Christ règne dans vos cœurs : tel est bien le terme de l'appel qui vous a rassemblés en un même corps. Enfin vivez dans l'action de grâces ! (Col 3, 13-15).

Un pas encore, vers d'ultimes clartés.

Jésus vient de donner son sang, « le sang de la Réconciliation, versé pour la multitude en vue de la rémission des péchés » (Mt 26, 28). Au soir de Pâques, lors de son tout premier retour vers ses Apôtres en son état de Ressuscité, « il vient au milieu d'eux et leur dit : « Paix à vous! » » Il leur montre ses mains, son côté. La joie les envahit à la vue du Seigneur. Et aussitôt c'est la mission : « Paix à vous! Comme le Père m'a envoyé, moi aussi je vous envoie ». Il souffle alors sur eux et ajoute : « Recevez le Saint Esprit ; les péchés seront remis à ceux à qui vous les remettrez, et ils seront retenus à ceux à qui vous les retiendrez » (Jean 20, 19-23).

Voici donc le Christ, au sommet de sa mission, « constitué par sa Résurrection dans sa pleine puissance de Fils de Dieu » (Rom 1, 4), et qui réunit en quelque sorte en ses mains l'essentiel de cette mission du Père pour la transmettre à ses apôtres, à ses prêtres. Et quelle est cette mission ? La rémission des péchés.

Ainsi, le don pascal de Jésus Christ à son Église et au monde, c'est la rémission des péchés.

Le don pascal de Jésus aux pécheurs, à l'Église et au monde

« Que toute la maison d'Israël le sache donc avec certitude : Dieu l'a fait Seigneur et Christ ce Jésus que vous, vous avez crucifié. » D'entendre cela, ils eurent le cœur transpercé et ils dirent à Pierre et aux apôtres : « Frères, que devons-nous faire ? » Pierre leur répondit : « Repentez-vous, et que chacun de vous se fasse baptiser au nom de Jésus Christ pour la rémission de ses péchés, et vous recevrez alors le don du Saint Esprit. Car c'est pour vous qu'est la promesse, ainsi que pour vos enfants et pour tous ceux qui sont au loin en aussi grand nombre que le Seigneur notre Dieu les appellera. » (Act 2, 36-39).

— Nous avons donc ici l'institution par le Sauveur du sacrement de la pénitence et du pouvoir divin de l'absolution.

— Beaucoup plus : **le Seigneur institue l'Église comme lieu, pouvoir et instrument de la rémission des péchés.** Elle est d'abord cela. Elle est uniquement cela. Car si elle a une Bonne Nouvelle à porter à toute créature, cette Bonne Nouvelle n'est autre que la rémission des péchés, et, par elle, la Résurrection de la chair et la vie éternelle.

Le pouvoir d'absolution dans l'Église prend donc racine dans ce soir de Pâques et, avec le baptême et l'Eucharistie, il n'y a pas de sacrement qui ait été plus explicitement ni plus solennellement institué par Jésus Christ que le sacrement de la réconciliation.

Malheureusement, si grande que soit l'absolution sacramentelle, notre tort a été de réduire progressivement « la rémission des péchés » au sacrement de la pénitence, et le sacrement de la pénitence à la confession, c'est-à-dire à l'accusation, la communauté au prêtre. La rémission des péchés, c'est tellement plus vaste en ce premier soir de Pâques, et désormais !

La rémission pascale des péchés, c'est, d'abord, le baptême : « Je reconnais un seul baptême pour le pardon des péchés. »

La rémission des péchés, c'est aussi tout acte d'amour suscité par le Saint Esprit dans le cœur du plus petit : « Si quelqu'un m'aime, mon Père l'aimera, et nous viendrons en lui... » (Jean 14, 23).

La rémission des péchés, c'est tout ce qui se vit de bien dans l'Église et hors de l'Église...

La rémission des péchés, c'est, tout particulièrement et en premier, la réconciliation entre frères, car, dit Jésus, « si vous remettez aux hommes leurs manquements, votre Père céleste vous remettra aussi les vôtres » (Mt 6, 14).

La rémission des péchés, c'est toute « la largeur, la longueur, la hauteur et la profondeur » de l'amour de Dieu dans le mystère pascal qui « travaille » l'Église et le monde :

« Au soir de Pâques, Jésus ouvrit l'intelligence des Apôtres pour comprendre les Écritures, et il leur dit : « C'est comme il a été écrit : le Christ souffrira et ressuscitera des morts le troisième jour, **et on prêchera en son nom le pardon des péchés à toutes les nations** » (Luc 24, 46-47).

CE QUE L'ÉGLISE DOIT CONTINUER

Le Christ, réconciliant le monde au Père par sa mort et sa Résurrection, lui laisse l'Église comme lieu et signe — comme sacrement — de la réconciliation. Mais quelle Église? Vatican II nous a fait retrouver le sens de l'Église comme peuple de Dieu. Ce retour à la communauté se marque en tous les domaines, y compris celui des sacrements. Pour la pénitence, nous découvrons que le don divin de la réconciliation ne passe pas exclusivement par le service des ministres ordonnés : le « confessez vos péchés les uns aux autres » de saint Jacques (5, 16) nous renvoie à nos frères les simples fidèles.

Il n'empêche que, dans cette « sainte Église des pécheurs », les prêtres ont été miséricordieusement investis d'un ministère plus spécial : « Dieu nous a confié, dit saint Paul, le ministère de la réconciliation ».

Dès lors, ce pouvoir des clefs, ce don de l'Esprit pour la rémission des péchés, comment l'exercer, sinon en essayant de continuer le Christ ? Plutôt que de s'accrocher à des habitudes tardives que l'Évangile met peut-être en question.

Dieu nous a réconciliés avec Lui par le Christ et nous a confié le ministère de la réconciliation. Car c'était Dieu qui dans le Christ se réconciliait le monde, ne tenant plus compte des fautes des hommes et mettant sur nos lèvres la parole de la réconciliation. Nous sommes donc en ambassade pour le Christ ; c'est comme si Dieu exhortait par nous. Nous vous en supplions au nom du Christ : laissez-vous réconcilier avec Dieu. (2 Cor 5, 18-21).

Dans *La loi du Christ*, le Père Bernard Haering écrit : « Après le salut reçu au baptême, le chrétien ne devrait pas avoir besoin d'un autre sacrement de conversion. La consécration baptismale, l'union au Christ dans la sainte Eucharistie sont de soi absolument irrévocables (1 Jean 3, 9 ; 5, 18). Les renier, se dérober entièrement au Christ après avoir reçu le baptême et les autres sacrements d'initiation, une telle chute semble irréparable — à moins d'un miracle étonnant de la miséricorde divine. »

Ce miracle nous est donné dans le sacrement de la pénitence, mais respectons-nous le don du Christ en le vouant aux vétilles et à la routine ?

Pendant les premiers siècles, l'Église ne l'accordait qu'une fois dans la vie. Soucieuse de perpétuer une miséricorde qui cherche la brebis folle chaque fois qu'elle s'égare, elle en vint

Un événement, non une routine

ensuite à donner l'absolution à tout péché grave, une fois accompli le « tarif » d'une dure pénitence. Alors, que penser de la confession fréquente des péchés véniels introduite dans les temps modernes ?...

Que prêtre et pénitent en fassent un « événement », comme dans l'Évangile. Se réconcilier, c'est un événement.

Le Christ réconcilie le publicain Lévi, le super-publicain Zachée, la pécheresse publique, la femme adultère, le larron homicide, Pierre le renégat... Il s'agit vraiment de « brebis perdues », de « fils qui étaient morts ». La confession fréquente des péchés dits véniels suppose un grand sens de Dieu et du péché, ou alors elle tourne à la dévotion rituelle et « in-signifiante ».

Jacques Maritain écrivait : « Je crois que ceux qui — fort justement — tenaient la fréquente confession pour une coutume normale dans la vie spirituelle, ressentaient de plus en plus péniblement la discordance entre l'idée que le péché du monde a fait mourir Dieu sur la croix et la confession hebdomadaire d'une liste de fautes courantes, toujours pareilles, à avouer sans rien oublier, qui ressemble un peu trop à une liste de provisions à acheter au marché. Ne serait-il pas souhaitable que tous ces péchés, toujours les mêmes, deviennent l'objet d'une formule de confession périodiquement récitée par la communauté, et suivie d'une absolution publique, la confession privée étant réservée aux péchés qui tourmentent vraiment l'âme du pénitent ? »

Dans une ligne plus traditionnelle et plus théologique, qui laisse au sacrement son caractère d'événement, le Père Congar souhaite « pour les péchés quotidiens de fragilité, les moyens quotidiens de pardon... sans se priver du bienfait de les confesser de temps en temps explicitement », réservant « la pénitence particulière pour les péchés plus graves, surtout ceux qui ont un impact social ».

Dans une *Instruction sur la pénitence et la confession* du 5 novembre 1970, les évêques suisses prenaient cette position : « La confession personnelle ne devrait pas être si fréquente qu'il s'y glisse le danger de routine ; elle ne devrait pas non plus être si rare qu'on perde l'exercice et le goût du sens de sa responsabilité devant ses péchés. De ce point de vue on pourrait alterner célébrations pénitentielles et confessions individuelles ».

Les évêques suisses comme Jacques Maritain nous renvoient à une célébration communautaire de la pénitence. C'est nous ramener à la pratique pastorale du Seigneur Jésus. Tous les pardons accordés par lui engagent un groupe, une famille, une communauté. Et toutes les paraboles du pardon (Luc 15) se terminent par un partage de la joie et une fête « avec les amis et les voisins », sans préjudice de la joie, elle aussi collective, du Ciel...

Célébrations communautaires

Rien à voir avec « l'usage du meuble cocassement sinistre appelé confessionnal » (Jacques Maritain) et le caractère très « privé » de ce qui devrait être une célébration, comme tout sacrement. C'est Vatican II qui le dit :

« Une célébration commune, avec fréquentation active des fidèles, doit l'emporter, dans la mesure du possible, sur la célébration individuelle et quasi privée. Ceci vaut surtout... pour l'administration des sacrements. »

On retrouve ainsi la réconciliation-événement communautaire, celle que nous propose à tout coup l'Évangile :

● L'épisode du paralytique de Capharnaüm : « Tes péchés te sont remis » (Luc 5, 17 ss ; Marc 2 ; Mt 9).

Rien d'un dialogue intimiste : « Il y avait tant de monde qu'on ne pouvait trouver place même devant la porte » (Marc 2, 2). Mais surtout, cet homme, c'est un groupe qui l'apporte ; et c'est la foi de ce groupe qui amène Jésus à annoncer le pardon du pécheur : les trois évangélistes le soulignent avec une unanimité qui veut bien dire quelque chose : « Jésus, voyant leur foi, dit au paralytique : « Tes péchés te sont remis. » A partir de là, le Christ proclame son « autorité souveraine » devant toute l'assistance et spécialement devant les scribes et les pharisiens. Et, finalement, « tous partent stupéfaits et rendant gloire à Dieu ».

Sans la communauté, à divers degrés d'ailleurs, il ne se serait rien passé.

● La femme adultère : « Va et ne pèche plus » (Jean 8, 1-11). C'est l'évangile idéal pour les célébrations communautaires de la pénitence. Tant il engage une assemblée. Dans cette « horde », tous sont pécheurs, sauf le Christ. Une seule en a conscience, l'adultère. La parole du Christ, publique, va changer tous les cœurs et donner lieu, publiquement, à un aveu de tous et au pardon de tous.

● La conversion-vocation du publicain Lévi-Matthieu, amorcée dans ce lieu public qu'était le bureau de la douane, se célèbre dans un festin auquel prend part la « grande foule » des gens « du milieu » (Lc 5, 27 ss ; Marc 2, 13 ss ; Mt 9, 9 ss). Ce sont ces célébrations avec « l'ensemble » des pécheurs qui scandalisent les pharisiens et amènent le Seigneur à s'expliquer dans les paraboles de Luc 15 : la brebis perdue et retrouvée, la drachme perdue et retrouvée, l'enfant prodigue, où sont conviés « voisins et voisines », domesticité (dans le sens de « toute la maison ») et corps de musique...

● La pécheresse de chez Simon (Luc 7, 36 ss), avec son vase de parfum, célèbre très publiquement sa réconciliation avec Jésus, avec Simon, avec l'assistance ; et le pardon du Seigneur éclate non moins publiquement. Comme pour la femme adultère, toutes les mentalités du groupe sont retournées (cette pécheresse est réhabilitée aux yeux de tous, le pharisien — et chacun avec lui — est contesté), parce qu'un groupe est réuni et que Jésus est au centre avec sa Parole.

● De même,
    c'est tout le village de la Samaritaine qui sera retourné (Jean 4, 39 ss) ;
    c'est au cœur de la célébration de l'unique Sacrifice à la face du monde que le larron est réconcilié (Luc 23, 39-43) ;
    c'est devant un groupe de disciples que se déroule la pénitence et la réconciliation de Simon-Pierre (Jean 21, 15 ss)...

Le Christ ne posait pas de questions

Mais que devient alors l'aveu des péchés et la discrétion dont elle fut toujours entourée, même au temps de la pénitence « publique » ?

Voici deux témoignages qui aideront à retrouver l'Évangile et la sérénité, si besoin en est :

1) Une chrétienne, citée par la revue *Catéchèse*, n° 37, p. 474 :

« Beaucoup de chrétiens disent : « Ce qui compte dans la confession, c'est l'aveu : il faut que ça fasse mal d'avouer ses fautes ». Non, c'est du masochisme. Le pardon ce n'est pas ça. Le pardon, on l'éprouve en face de quelqu'un qu'on aime. La personne qui vous aime ne pose pas de questions. C'est son amour qui suscite la confidence.

« J'ai cherché à travers l'Évangile les attitudes du Christ en face de l'homme qui a fait le mal. Il y a une extrême délicatesse et une extrême discrétion de sa part. Si Zachée a eu le désir de changer de vie, c'est parce que le Christ est venu à lui sans rien lui demander. Marie-Madeleine se jette aux pieds de Jésus et il ne lui en demande pas plus ; il sait à quoi ce geste correspond. La Samaritaine, si elle parle de sa vie, c'est librement, et non poussée par des questions tatillonnes. »

2) Une grande enquête de *Témoignage chrétien*, présentée et publiée sous le titre : *La confession en contestation*, fait écho à l'angoisse d'une correspondante, affolée par la corvée de l'accusation « intègre », avec, « pour couronner le tout, les questions posées par le confesseur ». Cette pénitente conclut :

« Dire que le Christ ne confessait jamais personne : la femme adultère, la femme pécheresse, la Samaritaine, Marie-Madeleine, le larron, saint Pierre... n'ont jamais rien confessé et ils ont été pardonnés ! Si Jésus était dans le confessionnal, il ne poserait pas de questions et il lui suffirait de lui montrer notre peine, nous serions pardonnés avant d'avoir ouvert la bouche ! »

Oui, « si Jésus était dans le confessionnal, il ne poserait pas de questions », sauf pour répondre à un appel ou pour aider un aveu qui se cherche.

Oui encore, « la personne qui vous aime ne pose pas de questions ». Aussi le Christ, dans l'Évangile, ne pose pas de questions ; il n'oblige jamais personne à s'accuser de ses péchés, ni à lui, ni aux Apôtres, ni à leurs successeurs. L'exhortation de Jacques 5, 16 : « Confessez vos péchés les uns aux

L'un des malfaiteurs suspendus à la croix insultait Jésus en disant : « N'es-tu pas le Christ ? Sauve-toi toi-même, et nous aussi. » Mais l'autre, le reprenant, déclara : « Tu n'as même pas crainte de Dieu, alors que tu subis la même peine ! Pour nous, c'est justice ; nous payons nos actes, mais lui n'a rien fait de mal. » Et il disait : « Jésus, souviens-toi de moi, quand tu viendras dans ton royaume. » Et il lui répondit : « En vérité je te le dis : aujourd'hui tu seras avec moi dans le Paradis. » (Lc 23, 39-43).

autres », vise une humilité communautaire. Le « Si nous confessons nos péchés » de saint Jean (1 Jean 1, 9) signifie : si nous reconnaissons devant Dieu que nous sommes pécheurs... C'est bien « l'amour (de Jésus) qui suscite la confidence » libre.

Mais nous constatons que **tous ceux que la bonté de Jésus amène à se reconnaître pécheurs et à se repentir, tous ceux-là se mettent spontanément en situation d'aveu.**

Cet aveu est exprimé en paroles par Zachée (Luc 19, 8) et par le larron (23, 41), en gestes par la Madeleine (7, 36-50), ou encore par l'acquiescement de l'adultère (Jean 8, 9-11) et de la Samaritaine (4, 19 et 39), par le silence peiné de Pierre (21, 17). C'est là le point de départ de la « confession » sacramentelle : un aveu personnalisé où Zachée ne s'avoue pas de la même manière que l'adultère ou le larron ; mais un aveu libre, un besoin libéré par l'Amour : car **toujours le pardon précède l'aveu...**

Et **en toute circonstance le Christ manifeste qu' « il n'est pas venu pour juger le monde, mais pour le sauver »** (Jean 3, 17 ; 12, 47). Rien d'un juge d'instruction... Prêtres, rendez grâce d'être les bénéficiaires et les ministres, non de la justice de Dieu, mais de sa tendresse.

ÉCLAIRAGE PAR L'HISTOIRE

Si nous nous prétendons sans péché, nous nous trompons nous-mêmes, et la vérité n'est pas en nous. Si nous confessons nos péchés, Il est fidèle et juste : Il nous remettra ces

L'Église primitive démarre donc avec la Mission pascale de réconcilier, et l'exemple du Maître. Rien d'autre. Rien sur les conditions et modes d'exercice de ce pouvoir. Tout ce qu'on peut dire, c'est que les paroles : « Ce que vous lierez... délierez... » supposent un discernement basé sur une certaine connaissance... Connaissance de quoi ? D'une situation pécheresse globale ? Du délit particulier ? De la foi du pécheur ? De son repentir ?... Nous n'avons pas le droit d'en rajouter entre les lignes de l'Écriture.

De ce pouvoir de « délier » que le Seigneur donne à son Église, on ne peut d'ailleurs déduire qu'il soit la seule façon d'être pardonné. Comme les cas de pardon dans l'Évangile sont toujours des cas publics, on ne peut non plus en déduire l'obligation de se confesser de choses secrètes. **Par « aveu » il faut entendre que le pécheur se reconnaît coupable devant Dieu (1 Jean 1, 8-10) et devant ses frères (Jac 5, 16) et se met dans les dispositions requises pour une vraie conversion.**

péchés et nous purifiera de toute iniquité. Si nous prétendons ne pas avoir péché, nous faisons de Lui un menteur, et sa parole n'est pas en nous. (1 Jn 1, 8-10).

La pénitence antique

Pour la période de la pénitence antique (Ier-VIe siècles), publique, « l'on imagine difficilement, pour des motifs pratiques obvies, comment les pécheurs auraient détaillé leurs manquements pendant le déroulement de l'office » (Cyrille Vogel). Pour cette époque, il ne convient donc pas de parler de « confession auriculaire » obligatoire, mais de pénitence et de réconciliation publiques et toujours collectives.

Ce qui est vécu alors, c'est le processus même de l'Évangile (Mt 18, 15-18). S'il s'agit d'une faute secrète — grave évidemment — c'est un frère, ou un groupe, qui intervient discrètement par la correction fraternelle ; éventuellement par la dénonciation de l'invétéré. Le but : faire entrer le pécheur en lui-même (c'est cela, l'aveu), et tout sera terminé, sans recours à l'évêque. Dans le cas d'obstination seulement ou s'il y a eu scandale, le délinquant est « lié » par la communauté, c'est-à-dire écarté de l'Eucharistie, de la communion avec ses frères et relégué dans « l'Ordre des Pénitents » jusqu'à ce qu'il ait accompli une satisfaction proportionnée. Après quoi il est « délié » publiquement et collectivement par l'évêque un Jeudi Saint, c'est-à-dire réadmis au sein de l'Église et à la communion. C'est l'absolution collective. **Le pécheur vit donc une réconciliation de nature ecclésiale, gage et signe du pardon divin. Ce qu'on définira mille ans plus tard comme un « sacrement ».** Mais cette réconciliation ecclésiale ne se banalise pas : c'est un « second baptême » ; on ne le réitère pas plus que le premier. La pénitence est donc interdite alors aux pécheurs encore jeunes, aux gens mariés trop verts pour vivre comme frère et sœur, aux clercs parce qu'elle les aurait retirés de leur

Mes frères, si l'un de vous s'égare loin de la vérité et qu'un autre l'y ramène, sachez que celui qui ramène un pécheur de la voie où il s'égarait sauvera son âme de la mort et couvrira une multitude de péchés. (Jac 5, 19-20).

ministère, aux moines parce que l'entrée en religion valait l'entrée en pénitence. C'était donc une affaire de veufs, de célibataires âgés, de vieillards ou de héros... Les autres? Attendre le lit de la mort. En attendant? Communier au moins à Pâques, Pentecôte et Noël (Concile d'Agde, 506), sans « réconciliation », même s'ils étaient pécheurs de péchés mortels, ce qui n'était pas plus rare qu'aujourd'hui.

Ils savaient d'ailleurs que les « dix rémissions » — reportez-vous au tome I, p. 414 — ont valeur de baptême et de martyre et obtiennent la rémission des fautes mortelles.

Ce fut donc, dans la vie des chrétiens, durant les IVe, Ve et VIe siècles, un grand vide pénitentiel, hélas!

Pénitence privée et confession « taxatrice »

Heureux l'homme pardonné, relevé de sa faute. Heureux celui que le Seigneur acquitte, le cœur libre de tout mensonge! Je me taisais mais au-dedans de moi une plainte incessante me rongeait : jour et nuit ta main pesant sur moi, je me consumais comme aux chaleurs de l'été.

Alors (VIe siècle), et contre toute la tradition, les moines irlandais proposèrent — sans l'imposer — **une pénitence privée, la pénitence « tarifiée », où l'expiation tiendra la première place.** L'aveu des fautes, la « confession », était le moyen de permettre la « taxation » : telle pénitence pour tel péché commis, suivant sa gravité; mais taxation demeurait l'essentiel, et non la confession.

Malgré la tradition, malgré les anathèmes d'un concile de Tolède (589), malgré les conciles réformateurs du IXe siècle, c'est la pénitence privée qui restera seule sur le terrain.

Mais sans encore s'imposer comme obligatoire : elle est offerte aux pécheurs.

Pendant ce temps, des conciles s'obstinent à en appeler à l'antique pénitence publique, pratiquement délaissée depuis quatre siècles, tandis que celui de Chalon-sur-Saône (813) nous rappelle placidement la confession des fautes graves à Dieu seul, pratique qui n'a jamais été contestée, ni dans l'Église ancienne, ni dans le haut Moyen Age :

« Certains disent qu'il faut confesser ses péchés à Dieu seul, d'autres qu'il faut les confesser aux prêtres : l'un et l'autre usage, en vigueur dans l'Église, sont une source de grands bienfaits. Ainsi nous confesserons nos péchés à Dieu seul — à Dieu qui seul nous les remet — et nous dirons avec David : « ... J'ai dit : Je veux confesser à Dieu mes transgressions et toi tu as remis l'iniquité de mon péché ». D'autre part, selon les instructions données par l'apôtre (Jacques), nous confesse-

rons nos fautes les uns aux autres, afin que nous soyons réconciliés. La confession faite à Dieu seul nous purifie de nos
péchés ; celle que nous faisons aux prêtres nous apprend
comment nous purifier de nos péchés. Dieu auteur et dispen-
sateur du salut et de la santé nous accorde le pardon, tantôt
par l'opération de sa puissance invisible, tantôt par l'œuvre
des médecins de l'âme (les confesseurs). »

On ne pouvait penser alors que la venue du Sauveur ait
rendu la Réconciliation plus onéreuse qu'avant.

> Alors mon péché, je te l'ai confié, ma faute, je ne l'ai plus cachée. J'ai dit : « J'irai m'accuser devant le Seigneur, et du poids de mon péché, toi tu m'as libéré. »
> (Ps 32, 1-5).

Cette confession à Dieu seul des péchés mortels ne sera
contestée qu'à partir du XIe siècle. Sans doute parce que l'aveu
au prêtre a changé de sens et est passé au premier plan.

● Au IXe siècle en effet, Raban Maur († 856), archevêque
de Mayence, amorce une nouvelle théologie de la pénitence :
l'accent n'est plus mis sur les œuvres expiatoires dont on allait
demander le « tarif » au prêtre, détenteur des livres « pénitentiels » ; — **l'accent est mis sur la confession elle-même
comme expiation par excellence, à cause de l'humilia-
tion qu'elle entraîne.** Les jeûnes sont remplacés par la
rubor, la honte.

« Un moment de honte est vite passé » dit le proverbe.
Plus vite qu'un mois, six mois ou un an de jeûne au pain et à
l'eau! (c'était les « tarifs » pénitentiels!)... Aussi la théorie
novatrice de Raban Maur gagnera progressivement : elle sera
la théologie du sacrement de la pénitence à la fin du XIIe
siècle.

En 1215 le concile de Latran IV la sanctionnera en rendant
obligatoire la confession des fautes graves.

Comme obligation, c'est alors une nouveauté. La pénitence
secrète, privée, l'a emporté, après douze siècles, sur la pénitence publique, traditionnelle... Et elle est devenue obligatoire pour les péchés « mortels », c'est-à-dire ceux qui
figuraient dans les livres pénitentiels.

● Trois cent cinquante ans plus tard, les Pères de Trente la
trouveront bien établie, de temps « immémorial » ; ils en accen-
tueront encore la « privatisation » ; contre Luther, ils insisteront

Une nouveauté : le précepte de la confession

Pitié pour moi, ô
Dieu, en ta
bonté. En ta
grande tendresse,
purifie-moi de
mon péché.
Car mon péché,
moi je le connais.
Contre toi, toi
seul j'ai péché.
Ce qui est mal à
tes yeux je l'ai
fait. Vois, pé-
cheur je suis né,
pécheur, ma
mère m'a en-
fanté.
Mais tu aimes la
vérité au fond de
l'être, instruis-
moi des profon-
deurs de la sa-
gesse. Lave-moi :
je serai blanc
plus que neige.
Rends-moi le son

de la joie et de la fête.

O Dieu, crée pour moi un cœur pur. Restaure en moi un esprit ferme. Ne retire pas en moi ton Esprit Saint. Rends-moi la joie de ton salut. Libère-moi, Dieu de mon salut. (Ps 51, 2-16).

en exclusivité sur l'absolution par le ministre ordonné, au détriment de la « réconciliation » dans la communauté ; tout en n'ayant d'autre intention que de défendre « **ce que l'Église universelle a toujours fait depuis le commencement** »... Ce serait abus théologique et injustice à l'égard du concile de Trente que de l'utiliser à l'encontre de cette visée, souvent affirmée.

● De fait, l'accusation, que l'on devait porter, au début, devant son propre curé, pour que la honte ne soit pas éludée dans l'anonymat, prendra par la suite deux chemins extrêmes : les plus pénitents n'en finiront pas de confesser au plus grand nombre de prêtres possible les fautes les plus humiliantes « de la vie passée » (mais alors, où est la réconciliation ?), — tandis que les autres, par une vraie négation du but afflictif de l'aveu, pourront s'épargner toute « rougeur » en portant leurs méfaits à un inconnu, dans le noir d'un confessionnal, à travers une grille parfois doublée d'un voile (et alors cette évacuation de toute vraie présence humaine est-elle différente de l'accusation globale d'un inconnu dans la foule ?).

Absolutiser l'absolution ou retrouver la réconciliation ?

En même temps que l'aveu privé et détaillé, le concile de Trente a « absolutisé » l'absolution. Ni l'un ni l'autre n'était cependant traditionnel. Nous venons de le voir pour l'aveu. Quant à l'absolution, elle était, dans la pénitence antique, **réconciliation avec l'assemblée, gage et signe de la réconciliation avec Dieu ;** dans la pénitence tarifiée, l'important était la satisfaction : le « tarif » une fois accompli, beaucoup ne se présentaient pas pour une absolution, revenaient simplement à la table de communion et prenaient avec toute l'assemblée l'absolution collective du Jeudi Saint.

Ce qui reste constant à travers ces avatars, c'est la certitude que Dieu pardonne, qu'il a déjà tout pardonné d'avance, et qu'il appartient au pécheur d'accueillir ce pardon en se retournant vers son Dieu par la conversion. C'est alors la réconciliation.

● Alors, qu'apportait l'absolution, puisque le pardon de Dieu l'avait précédée ?... Rien qu'une déclaration du pardon de Dieu, disaient S. Anselme, Pierre Lombard, S. Albert le Grand, S. Bonaventure...

Insatisfait, S. Thomas utilise une distinction subtile entre contrition parfaite (par amour) et attrition (où la crainte a plus de part que l'amour) : l'absolution justifie celui qui n'a que l' « attrition » et comble le vœu du cœur « contrit » d'être absous. Le concile de Trente fait sienne cette doctrine, qu'il n'est pas question de contester, mais qui nous semble aujourd'hui artificielle et pauvre, défigurée par le juridisme.

Une chose est claire : au Moyen Age, on a « perdu une pièce » : l'Église, la communauté...

Il n'y a pas de crainte dans l'amour ; au contraire, le parfait amour bannit la crainte, car la crainte suppose un châtiment, et celui qui craint n'est pas consommé en amour. Quant à nous, aimons, puisque Lui nous a aimés le premier. (1 Jn 4, 18-19).

● L'idée centrale qui commandait la pratique de la pénitence antique était celle-ci : **puisque les deux commandements — d'aimer Dieu et son prochain — sont unis au point que le second est semblable au premier, le signe (le sacrement) de la réconciliation avec Dieu, c'est la réconciliation avec la communauté ecclésiale.** Selon ce mot de 1 Jean 1, 6-7 : « Si nous prétendons être **en communion avec Dieu** tout en marchant dans les ténèbres, nous mentons... Mais si nous marchons dans la lumière comme Il est Lui-même dans la lumière, nous sommes **en communion les uns avec les autres,** et le sang de Jésus son Fils nous purifie de tout péché ». Le signe sacramentel de la Pénitence *(sacramentum)* et en même temps son premier fruit *(res)*, c'était la réconciliation avec la communauté.

« Si saint Thomas avait, selon la conception de l'Église ancienne, présenté comme signe et fruit de la pénitence la réconciliation avec l'Église, à la place de la pénitence intérieure, le développement de la doctrine pénitentielle aurait pris un tout autre chemin. Si la réconciliation avec l'Église est le but premier et le moyen indispensable pour la réconciliation avec Dieu, le sacrement conserve alors son irremplaçable importance, même avec la contrition la plus parfaite, et il n'aurait pas été nécessaire de recourir à la contrition imparfaite pour lui assurer le droit à l'existence » (B. Poschmann).

Le pardon de Dieu est offert en permanence. Le signe qu'on « tourne » son cœur à l'accueillir, c'est, du même mouvement, ouvrir son cœur à ses frères en Église.

Si quelqu'un dit : « J'aime Dieu » et qu'il déteste son frère, c'est un menteur : celui qui n'aime pas son frère, qu'il voit, ne saurait aimer le Dieu qu'il ne voit pas. Oui, voilà le commandement que nous avons reçu de Lui : que celui qui aime Dieu aime aussi son frère.
(1 Jn 4, 20-21).

« Celui qui aime Dieu aime aussi son frère » (1 Jean 4, 21). **« Pardonne-nous comme nous pardonnons. »**

En conclure à l'abolition de la confession privée ? A Dieu ne plaise ! Ce serait saboter une grande richesse et aller contre l'intention manifeste de l'Église. Elle nous suggère plutôt une alternance de l'absolution privée et de la réconciliation collective. Car il faut retrouver la « pièce » perdue : la communauté.

La célébration communautaire souligne précisément que le pardon de nos fautes implique la réconciliation avec toute l'Église, et aussi que c'est toute l'Église qui, à travers le ministère du prêtre, accorde son pardon aux pénitents :

« Ce n'est point à Pierre exclusivement mais à toute l'Église qu'a été donné le pouvoir de lier et délier les péchés » (saint Augustin). Commentant 1 Cor 6, 19 (« Ne savez-vous pas que votre corps est un temple du Saint Esprit qui est en vous et que vous tenez de Dieu ? »), saint Augustin ajoute que « Dieu habite dans son temple, c'est-à-dire dans ses fidèles, dans ses saints, dans son Église et c'est par eux qu'il remet les péchés parce qu'ils sont ses temples vivants ».

Note. — Avec l'eucharistie, la réconciliation n'est pas le sacrement d'une des grandes étapes de l'existence chrétienne ; il est un sacrement du « parcours », souvent réitéré. Il fait donc problème à beaucoup. Ces problèmes — théologiques, pastoraux, spirituels — nous les avons traités dans un petit livre simple et concret que nous nous permettons de vous signaler : TH. REY-MERMET, *Laissez-vous réconcilier... La confession aujourd'hui?*, Éditions du Centurion, Paris, sixième édition 1975.

14

CÉLÉBRER
LA RÉCONCILIATION

UN NOUVEAU RITUEL
DE LA PÉNITENCE

Daté du 2 décembre 1973, publié en latin le 7 mars 1974, le nouveau Rituel de la Pénitence devrait paraître sous peu dans son adaptation française. Déjà, par décision de Rome ou des évêques, certains de ses éléments sont en vigueur depuis 1974. Il ne faut pas passer à côté de cette richesse, à côté de l'Église.

● Le nouveau Rituel s'appelle « de la Pénitence », parce qu'il prévoit aussi des rites non sacramentels, non « réconciliants ». Mais le sacrement y est nommé « Sacrement de la Réconciliation ». On retrouve ainsi le vocabulaire antique. Il souligne mieux
— l'initiative de la tendresse de Dieu qui a déjà tout pardonné mais dans les bras duquel il faut accepter de se jeter, pour « se réconcilier »,
— son action de Salut voulant « réconcilier » le monde entier par la mort et la Résurrection de son Fils,
— la portée fraternelle du sacrement, qui ne peut être valide qu'à travers notre « réconciliation » les uns avec les autres.

● Depuis Jésus Christ, ce sacrement a été célébré, d'abord collectivement, puis privément, à travers cent formes différentes. Aujourd'hui, l'Église nous propose trois célébrations au choix :
— la célébration individuelle,
— la célébration communautaire avec confession et absolution individuelles,
— et en certains cas la célébration communautaire avec confession et absolution collectives...

● On ne nous change pas la religion : l'essentiel est toujours le même : le même depuis deux mille ans, le même dans chacune de ces formes de célébration. Le voici :

L'essentiel est toujours le même

Écris à l'ange de Laodicée : « Voici ce que dit l'Amen, le témoin fidèle et véritable, le Principe de la création de Dieu : Je sais ta conduite : tu n'es ni froid ni chaud. Plût à Dieu que tu fusses froid ou chaud! Eh bien! puisque tu es tiède, et ni chaud ni froid, je vais te vomir de ma bouche. « Tu dis : Je suis riche et me suis enrichi, je ne manque de rien. Et tu ne sais pas que c'est toi qui es le malheureux, misérable, pau-

vre, aveugle et
nu! Je te con-
seille donc de
m'acheter de l'or
purifié au feu
pour devenir ri-
che, des vête-
ments   blancs
pour te vêtir et
cacher la honte
de ta nudité, et
un collyre pour
t'enduire les yeux
et voir clair.
« Moi, tous ceux
que j'aime, je les
reprends et les
corrige ;   sois
donc généreux,
repens-toi. Voici
que je me tiens à
la porte et je
frappe. Si quel-
qu'un écoute ma
voix et ouvre la
porte, j'entrerai
chez lui ; je dîne-
rai avec lui et lui
avec moi. »
(Ap 3, 14-20).

1) Le chrétien est un pécheur, et il confesse son péché en vue de sa réconciliation avec Dieu et avec ses frères.

2) L'Église a reçu le pouvoir de remettre les péchés au nom du Père et du Fils et du Saint Esprit ; elle a toujours exercé ce pouvoir d'une façon ou d'une autre.

3) Elle en a confié l'exercice ordinaire à des ministres reconnus et ordonnés : les évêques, et les prêtres qui ont obtenu d'eux juridiction dans leurs diocèses.

4) Même au temps du « vide pénitentiel » (IVe-VIe siècle), la réconciliation a toujours été signifiée, au moins sur le lit de la mort, par des paroles et par des gestes : il y a toujours eu sacrement de la réconciliation.

5) Enfin, l'attitude intérieure demandée au pénitent a toujours été la même : un certain aveu au moins global, la contrition, l'engagement dans une vie nouvelle et la réparation du mal fait.

« Ce n'est pas la foi qui change, dit Mgr Coffy, c'est la manière de la dire, de la célébrer et de l'annoncer. Et c'est normal qu'il y ait changement sur ces points car l'Église n'est pas un musée de pratiques à conserver ; elle est un Corps vivant qui se transforme de l'intérieur sous l'action de l'Esprit Saint. Elle est le Corps du Christ qui a reçu mission de signifier et de transmettre le Salut à tous les hommes de tous les temps, de tous les pays. Elle se doit donc de vivre ce Salut en tenant compte du moment qu'elle vit ».

Le lieu, le temps, la manière...

Le confessionnal n'est pas condamné du moins dans l'immédiat : il faut ménager les transitions. Mais le nouveau rite pour la réconciliation « privée » ne peut se développer que dans un lieu qui permette de se voir, de se rencontrer vraiment, de s'asseoir même si l'on est le pénitent, de se mettre à genoux même si l'on est le confesseur. S'il est nécessaire de garder encore le confessionnal pour respecter les pénitents qui y tiennent, il l'est tout autant d'installer sans plus tarder de petits parloirs pour répondre aux requêtes du nouveau rite et de ceux qui ne souhaitent pas ce « placard à péchés » inventé au... XVIe siècle.

L'habit liturgique (aube et étole violette) s'impose au seul prêtre qui préside une célébration communautaire. Pas aux autres, à moins que l'évêque ne le demande.

L'Avent, le Carême, les grandes solennités sont des temps privilégiés de réconciliation. Mais je n'attendrai pas la veille pour ma confession privée : la trop grande affluence y nuit à la qualité des rencontres ; c'est plutôt le jour des célébrations collectives.

Surtout, il me faut aller à ce sacrement chaque fois que je veux me convertir : lourde chute à réparer, habitude grave à redresser, vie nouvelle (mariage...) à embrasser, flamme de ferveur à ranimer... Ce ne peut être une « habitude », puisque ce doit être un « événement ».

LA RÉCONCILIATION INDIVIDUELLE

Dans la mesure où l'on sera fidèle aux intentions de l'Église, on ne doit plus voir cet afflux des veilles et des matins de fêtes, où les saisonniers des sacrements défilent pour une confession-minute, pressés, jouant des coudes, « mordant » même sur la messe, quêtant une absolution anonyme et sans douleur. Il ne doit plus se trouver de prêtres complices de ce massacre.

« C'est là une des richesses de la réforme : le sacrement de pénitence ne pourra plus désormais se célébrer trop rapidement, comme à la sauvette. Son déroulement sera plus lent. Le rite aura toute sa chance. Une conversion en effet ne se fait pas en quelques minutes. Il faut du temps pour que chacun comprenne bien à quoi il est appelé et entre dans une démarche pénitentielle. Le sacrement de pénitence va heureusement cesser d'être le coup d'éponge qui satisfait à bon compte, la simple lessive, et devient le sacrement de la conversion, le lieu et le sommet où Dieu nous recrée » (Mgr Coffy).

Je me présente au confessionnal, ou mieux au parloir-confessionnal. Le prêtre m'accueille en frère : il se sait, comme *Accueil*

moi pécheur devant Dieu et devant l'Église, comme moi
pardonné par Dieu et par l'Église... Cependant il ne m'accueille pas qu'en son nom personnel, mais d'abord au nom du
Père du Prodigue et au nom de mes frères chrétiens, au nom
de l'Église que je viens rencontrer pour me réconcilier avec
elle et avec Dieu, à travers le prêtre.

Je fais alors le signe de la croix :

Au nom du Père, et du Fils et du Saint Esprit.

Le confesseur peut le faire avec moi. Il y répond en m'invitant à la confiance par une formule de ce genre :

**Que le Seigneur vous donne de connaître vos péchés
à la lumière de son amour.**

**Que Dieu vous donne sa lumière pour confesser vos
péchés en même temps que son amour pour vous.**

**Approchez du Seigneur avec confiance : Il ne veut
pas la mort du pécheur, mais qu'il se convertisse et
qu'il vive.**

**Que le Seigneur vous accueille, lui qui n'est pas venu
appeler les justes, mais les pécheurs. Ayez confiance
en lui.**

A ces mots du prêtre, je réponds : **Amen.**

Si le prêtre ne me connaît pas — surtout si je suis dans
l'obscurité du confessionnal où l'on ne distingue pas une
fillette d'une grand-mère — je me présente en quelques mots
précis : époque de ma dernière confession, situation familiale
et professionnelle, responsabilités, éventuellement âge, engagements d'Église...

*Écoute
de la parole
de Dieu*

« Le prêtre ou le pénitent, dit le Rituel, lit un texte biblique
qui évoque la miséricorde de Dieu et appelle à la conversion. »
Désormais donc, « toute célébration pénitentielle comporte
proclamation de la Parole de Dieu. Mais **il faut noter que
la lecture d'un passage de la Bible est demandée
même pour la confession privée.** La mise en œuvre de

cette exigence va comporter des problèmes concrets » (Mgr Coffy). Raison de plus pour ne pas les éluder sous prétexte qu' « il ne faut pas aller trop vite ».

Cette écoute de l'Écriture peut se faire de diverses façons.

Ou bien, en me préparant, — et c'est l'idéal —, j'ai choisi moi-même et médité tel texte biblique. Cette Parole de Dieu a frappé mon cœur et fait jaillir l'étincelle qui éclaire mon péché et enflamme mon repentir. Je dirai alors au confesseur : « Voici la Parole de Dieu à partir de laquelle je me suis inter- rogé, et qui me remet en question. » Je la lui lirai, ou du moins je l'évoquerai de mémoire en quelques mots.

Ou bien le prêtre me proclamera lui-même un passage de l'Écriture m'invitant à la confiance. A moins qu'il ne me le donne à lire. Et ce sera Parole actuelle de Dieu pour lui et pour moi.

Pour le choix du texte, il importe que la Parole de Dieu soit d'abord une attestation de son amour : nous vivons le sacrement, non du reproche, mais de la récon- ciliation.

Voici quelques passages, au choix :

Is 53, 4-6 : **C'étaient nos souffrances qu'il portait,
nos douleurs dont il était chargé.
Et nous, nous pensions qu'il était châtié,
frappé par Dieu, humilié.
Or c'est à cause de nos fautes qu'il a été transpercé,
c'est par nos péchés qu'il a été broyé.
Le châtiment qui nous obtient la paix est tombé sur lui,
et c'est par ses blessures que nous sommes guéris.
Nous étions tous errants comme des brebis,
chacun suivait son propre chemin,
mais le Seigneur a fait retomber sur lui nos fautes à nous tous.**

Is 44, 21-22 : **Mon peuple, rappelle-toi ceci : tu es mon serviteur,**

je t'ai façonné comme serviteur pour
moi ;
toi, mon peuple, tu ne me décevras
pas :
j'ai effacé comme un nuage tes révoltes,
comme une nuée, tes fautes ;
reviens à moi, car je t'ai racheté.

Joël 2, 12-13 : Revenez à moi de tout votre cœur.
Revenez au Seigneur votre Dieu,
car il est tendre et miséricordieux,
lent à la colère et plein d'amour.
renonçant au châtiment.

Lc 15, 1-7 : Les publicains et les pécheurs venaient
tous à Jésus pour l'écouter. Les pharisiens et les scribes récriminaient contre
lui : « Cet homme fait bon accueil aux
pécheurs, et il mange avec eux. » Alors
Jésus dit cette parabole :
« Si l'un de vous a cent brebis et en
perd une, ne laisse-t-il pas les quatre-
vingt-dix-neuf autres dans le désert pour
aller chercher celle qui est perdue, jusqu'à ce qu'il la retrouve ?... » Etc.

Rom 5, 8-9 : La preuve que Dieu nous aime, c'est que
le Christ est mort pour nous alors que
nous étions pécheurs. A plus forte raison, maintenant que le sang du Christ
nous a fait devenir des justes, serons-
nous sauvés par lui de la colère de Dieu.

1 Jn 1, 9 : Si nous reconnaissons nos péchés, Dieu
qui est fidèle et juste nous pardonnera
nos péchés et nous purifiera de tout ce
qui nous oppose à lui.

1 Jn 3, 18-20 : Petits enfants, n'aimons pas en paroles
et de langue, mais en actes et en vérité.
Par là nous saurons que nous sommes
de la vérité, et devant Lui nous rassu-

rerons notre cœur, quelque reproche
que le cœur nous adresse ; car Dieu est
plus grand que notre cœur, et Il connaît
toutes choses.

I Jn 4, 9-10 :   Voici comment Dieu a manifesté son
amour parmi nous : Dieu a envoyé son
Fils unique dans le monde, pour que
nous vivions par lui. Voici à quoi se
reconnaît l'amour : ce n'est pas nous qui
avons aimé Dieu, c'est lui qui nous a
aimés, et il a envoyé son Fils en expiation pour nos péchés.

Il est facile de se trouver cent autres textes de la même
veine miséricordieuse (voir ci-après le rite pour célébrations
collectives).

**Dans les cas d'affluence où le temps ne permet pas
d'envisager un partage de la Parole avec chacun des
pénitents, on se trouve dans le cas prévu pour les célébrations et absolutions collectives.** On peut aussi, peut-
être, quand la presse est moins forte, faire une rapide préparation commune avec lecture brève à des intervalles de
temps réguliers, — et rapprochés, car les pénitents de ces
« mauvais » jours sont presque toujours hâtifs, faute d'être
réellement pressés... Mais c'est un pis-aller de transition.

« Confesser », c'est déclarer, proclamer, plus encore qu'a-
vouer. La méditation de la Parole inspirée nous amènera, le
prêtre et moi, à confesser la tendresse de Dieu, d'abord... Mais
aussi à reconnaître et à avouer mes péchés.

Je puis, normalement, commencer par le « Je confesse à
Dieu », à moins que je ne l'aie déjà dit avant de me présenter.

Puis, à partir de la Parole de Dieu sur laquelle nous avons
échangé, le prêtre et moi, je reconnais et j'exprime mes
péchés, simplement, humblement ; je souligne moi-même ce
qui doit changer dans ma vie pour restaurer la pleine amitié de
Dieu et des autres.

Le prêtre, pour sa part, en écoutant le pénitent que je veux
être, m'aide à venir à la lumière en me révélant davantage

*La
confession*

Nous avons vu
les pas de notre
Dieu
croiser les pas des
hommes,
Nous avons vu
brûler comme un
grand feu
pour la joie de
tous les pauvres :

Reviendra-t-il marcher sur nos chemins, changer nos cœurs de pierre? Reviendra-t-il semer au creux des mains l'amour et la lumière? (Michel Scouarnec).

encore l'amour du Père. En même temps, il est pour moi le visage du Christ venu pour les pécheurs. Il ne peut oublier, ni moi non plus, que ce ministère lui a été confié par le Christ qui est présent par sa puissance dans le sacrement : c'est le Christ qui absout.

C'est à ce titre de ministre du Christ qu'il connaît les secrets de conscience de ses frères. Je sais qu'il est tenu, de par sa fonction, à garder inviolablement le secret sacramentel.

Ensuite le prêtre m'impose une satisfaction : un signe de conversion et de pénitence que nous pourrons chercher ensemble. Il correspondra, autant que possible, à la gravité et à la nature de mes péchés. Le confesseur me le proposera au nom de l'Église : prière, partage, effort pour sortir de moi-même, de mes habitudes, et, surtout, service du prochain et des œuvres de miséricorde.

Un temps de prière

L'effort humain à lui seul ne peut aboutir à la pleine réconciliation. La réconciliation vient du Christ et de sa Croix ; elle vient du Père ; elle vient de leur Esprit d'amour. Dieu précède notre conversion et nous ouvre à un avenir nouveau en nous invitant à collaborer à son œuvre de Salut.

Notre première collaboration, c'est la prière. C'est elle qui m'obtiendra de donner dans ma vie des signes de pénitence et de réconciliation, et d'entrer ainsi dans le mystère pascal de la passion et de la Résurrection avec le Christ. Je participerai à l'amour du Christ. Et, dans ma vie, se manifesteront les fruits de l'Esprit.

Le Notre Père et les Psaumes sont, par excellence, la prière du peuple de Dieu. En les reprenant ici, je manifeste que je prie en communion avec toute l'Église. Si le prêtre veut bien prier avec moi, cette communion sera immédiatement manifeste ; nous signifierons ainsi que nous vivons une expérience de Dieu qui nous concerne et nous dépasse l'un et l'autre.

Le prêtre et le pénitent que je suis se mettent donc dans l'attitude de la prière :

Prions ensemble comme Jésus nous a appris à le faire, et demandons au Père de nous accorder son pardon :

Notre Père qui es aux cieux...

On peut aussi ajouter quelques versets de psaumes, par exemple :

Ps 24, 6-7 : **Rappelle-toi, Seigneur, l'amitié, la tendresse**
    que tu m'as montrée depuis toujours ;
    oublie les révoltes, les péchés de ma jeunesse,
    mais, au nom de ton amour, ne m'oublie pas.

Ps 50, 3-12 : **Pitié pour moi, mon Dieu, dans ton amour ;**
    dans ta grande miséricorde, efface mes torts.
    Lave-moi tout entier de ma faute,
    et de mon péché purifie-moi.
    Oui, je reconnais mes torts ;
    j'ai toujours mon péché devant moi.
    Contre toi, et toi seul, j'ai péché ;
    ce qui est mal à tes yeux, je l'ai fait...
    Ne regarde plus mes péchés ;
    efface toutes mes fautes.
    Recrée-moi un cœur pur, ô mon Dieu ;
    refais-moi un esprit inébranlable.

Je peux aussi m'exprimer seul, comme je l'entends, spontanément, ou m'inspirer des textes suivants :

Père, j'ai péché contre le ciel et contre toi. Je ne mérite plus d'être appelé ton fils (ta fille).

Mon Dieu, prends pitié du pécheur que je suis!

Jésus, Fils de Dieu, Sauveur, aie pitié de moi, pécheur.

Jésus Christ, Sauveur du monde, comme le malfaiteur à qui tu as ouvert les portes du Paradis, je te le demande : « Souviens-toi de moi, Seigneur, dans ton Royaume ».

Mon Dieu, j'ai péché contre toi et mes frères. Mais

près de toi se trouve le pardon. Accueille mon repentir et donne-moi la force de vivre selon ton amour.

Seigneur Jésus, toi qui as voulu être appelé l'ami des pécheurs, par le mystère de ta mort et de ta Résurrection délivre-moi de mes péchés. Que ta paix soit en moi pour que je vive davantage dans l'amour, la justice et la vérité.

Seigneur Jésus Christ, Agneau de Dieu qui enlèves le péché du monde, par la grâce du Saint Esprit, daigne me réconcilier avec ton Père ; par ton sang lave-moi de toute faute, et fais de moi un homme qui vive pour célébrer ta gloire.

Esprit Saint, source d'amour, je t'invoque avec confiance : Purifie-moi, accorde-moi de vivre en fils de lumière.

Ce temps de prière personnelle — où j'exprime ma contrition et mon ferme propos — sera donc d'une grande liberté et spontanéité. Il doit être totalement vrai. C'est pour cela que ne s'impose plus telle formule apprise par cœur. Cependant, à condition de ne pas rabâcher, je puis aussi m'exprimer à travers l'acte de contrition traditionnel (Le prêtre ne donnera jamais l'absolution pendant ce temps-là, mais après).

L'absolution

Montrez-vous miséricordieux, comme votre Père est miséricordieux. Et ne jugez pas, et vous ne serez pas jugés ; ne condamnez pas, et vous ne serez pas condamnés ; remettez, et il vous sera remis... C'est une bonne

Cette prière de conversion et d'espérance nous amène au sommet de la célébration : au signe sacramentel de l'absolution. « Tes péchés te sont remis » : ce mot divin du Christ, repris sur moi par le prêtre en Son nom, accompit et scelle ma réconciliation avec Dieu.

Et pas seulement avec Dieu. Ce pardon n'est pas une petite affaire entre Dieu et moi. Il concerne aussi tous mes frères. Le prêtre m'absout aussi en leur nom, au nom de l'Église. Est-ce que je les accueille tous, absolument tous, de mon côté, dans la réconciliation et l'amour ? Mon pardon est à ce prix. « Pardonne-nous nos offenses comme nous pardonnons aussi à ceux qui nous ont offensés... »

La prière de contrition m'avait mis à genoux. Le prêtre, lui, se lève. Il étend les mains, au moins la main droite, sur ma tête, et prononce la formule d'absolution, dans laquelle les paroles essentielles sont les suivantes : « **Et moi, au nom du Père et du Fils et du Saint Esprit, je vous pardonne tous vos péchés.** » Pendant qu'il dit ces dernières paroles, le prêtre fait sur moi le signe de la croix.

Mais voici la formule entière, qui accompagne l'imposition des mains :

> **Que Dieu notre Père vous montre sa miséricorde ;**
> **Par la mort et la résurrection de son Fils**
> **il a réconcilié le monde avec lui**
> **et il a envoyé l'Esprit Saint**
> **pour la rémission des péchés :**
> **par le ministère de l'Église,**
> **qu'il vous donne le pardon et la paix.**
>
> ET MOI,
> AU NOM DU PÈRE † ET DU FILS ET DU SAINT ESPRIT,
> JE VOUS PARDONNE TOUS VOS PÉCHÉS

Je réponds : **Amen.**

Cette formule d'absolution est à méditer :

— elle indique que la réconciliation du pénitent vient de la miséricorde de Dieu ;

— elle souligne le lien entre la réconciliation du pécheur et le mystère pascal du Christ ;

— elle met en relief le rôle de l'Esprit Saint dans la rémission des péchés ;

— enfin elle met en lumière l'aspect ecclésial du sacrement, du fait que la réconciliation avec Dieu est demandée et accordée par le ministère de l'Église.

mesure, tassée, secouée, débordante, qu'on versera dans les plis de votre vêtement ; car c'est de la mesure dont vous mesurez qu'à votre tour il sera mesuré pour vous.
(Lc 6, 36-38).

Le prêtre m'invite alors à une joyeuse action de grâces. Il peut le faire par des formules de ce genre, auxquelles je serai heureux de répondre :

Action de grâces

> **Rendez grâce au Seigneur car il est bon!**
> **— Éternel est son amour!**

> **Le Seigneur a pardonné vos péchés. Allez dans la paix du Christ!**
> **— Je rends grâces à Dieu!**

**Heureux l'homme dont la faute est enlevée,
dont le péché est pardonné.
Heureux l'homme dont le Seigneur a oublié
l'offense.
Réjouissez-vous, soyez joyeux dans le Seigneur.
Allez en paix!**
— Amen.

**Que la Passion de Jésus Christ notre Seigneur,
la prière de la Vierge Marie et de tous les saints,
tout ce que vous ferez de bon et supporterez de
pénible, contribue au pardon de vos péchés,
augmente en vous la grâce, pour que vous viviez
en Dieu.**
— Amen.

Nous avons vu danser les malheureux comme au jour de la fête,
Nous avons vu renaître au fond des yeux l'espérance déjà morte :
Reviendra-t-il marcher sur nos chemins, changer nos cœurs de pierre?
Reviendra-t-il semer au creux des mains l'amour et la lumière?
(Michel Scouarnec).

Je prends congé, dans la joie et l'action de grâces. Et je regarde l'avenir, ma vie, les autres, avec un regard neuf, pour une existence renouvelée. Comme l'écrivait saint Paul aux chrétiens de Corinthe :
« Si quelqu'un est dans le Christ, il est une nouvelle créature. Le monde ancien est passé. Voici qu'une réalité nouvelle est là. Tout vient de Dieu qui nous a réconciliés avec lui par le Christ et a confié à ses apôtres le ministère de la réconciliation. Car c'était Dieu qui, dans le Christ, se réconciliait le monde, ne tenant plus compte des fautes des hommes et mettant sur les lèvres du prêtre la parole de réconciliation... Celui qui n'avait pas connu le péché, il l'a, pour nous, identifié au péché, afin que, par lui, nous soyons nous-mêmes identifiés à la sainteté de Dieu » (2 Cor 5, 17 ss).

LA CÉLÉBRATION COMMUNAUTAIRE

Dans la réconciliation pour plusieurs pénitents, que la confession et l'absolution soient individuelles ou collectives, l'ensemble de la célébration est identique et ne se diversifie qu'à la fin.

Un chant d'entrée invite à la pénitence et à la confiance. On peut préférer une entrée musicale.

Le prêtre salue ensuite l'assemblée. Il peut utiliser un des textes que voici, ou s'en inspirer :

Que Dieu notre Père et Jésus Christ notre Seigneur, qui s'est livré pour nos péchés, vous donnent la grâce et la paix.
— Béni soit Dieu maintenant et toujours!

La grâce de Jésus notre Seigneur, l'amour de Dieu le Père et la communion de l'Esprit Saint soient toujours avec vous.
— Et avec votre esprit.

A vous grâce et paix de la part de Dieu notre Père et de Jésus Christ, qui nous a aimés et nous a purifiés de nos péchés dans son sang.
— Amen.

Suit une brève introduction situant la célébration, la « climatisant » et précisant son déroulement.

Puis le prêtre invite l'assemblée à la prière. Formule possible :

Mes frères, Dieu nous appelle à nous convertir. Demandons-lui la grâce d'une authentique pénitence.

Un temps de prière silencieuse... Puis une oraison libre. Au choix :

Envoie, Seigneur, ton Esprit : qu'il nous lave aux sources pures de la pénitence; qu'il fasse de nous une vivante offrande, pour que nous puissions en tout lieu chanter ta gloire et reconnaître ta miséricorde. Par Jésus, le Christ, notre Seigneur. — Amen.

Dieu très bon et miséricordieux, tu ne veux pas la mort du pécheur mais sa conversion; viens au secours de ton peuple pour qu'il revienne à toi et qu'il vive. Donne-nous d'écouter ta parole et de reconnaître notre péché; alors nous pourrons te rendre grâces pour ton pardon et, vivant dans la vérité de l'amour, nous mar-

cherons sur les pas de ton Fils Jésus Christ, qui règne avec toi pour les siècles des siècles. — Amen.

Seigneur notre Dieu, ton amour est plus fort que nos offenses et tu accueilles celui qui s'efforce de revenir à toi ; regarde-nous avec bonté, nous reconnaissons que nous avons péché contre toi ; donne-nous de célébrer le sacrement de ta miséricorde et de changer de vie, pour connaître avec toi la joie qui ne passe pas. Par le Christ notre Seigneur. — Amen.

Dans ta bonté, Seigneur, délivre-nous de tous nos péchés : ayant reçu le pardon, nous te servirons dans la liberté du Christ, notre Seigneur. — Amen.

Dieu de tendresse et de pitié, nous le comprenons en contemplant la croix où ton Fils s'est fait péché pour nous, tu n'aimes que pardonner, tu ne veux que sanctifier :
Vois nos esprits et nos cœurs pénétrés de repentir, daigne, en ta bonté, nous purifier entièrement de nos péchés, et nous renouveler dans la joie et la force de ton Esprit Saint, pour que nous chantions ta justice et publiions à jamais ta louange. Par Jésus, le Christ, notre Seigneur. — Amen.

La Parole de Dieu

Importance de la Parole de Dieu : elle appelle à la pénitence et conduit à la véritable conversion du cœur avec une puissance déjà sacramentelle.

On pourra en faire deux proclamations, séparées par un psaume, un chant ou un temps de silence, — ou une seule, qui sera alors de préférence un évangile. Un texte profane peut préparer ou prolonger l'Écriture : le Dieu vivant est toujours actif au cœur de l'humanité.

Pour le choix des lectures, on portera spécialement l'attention sur :

1) l'annonce de la Bonne Nouvelle de Dieu qui aime et qui pardonne et, par là, invite à la conversion : Gen 18, 17-33 ; Is 43, 22-28 ; Os 2, 16-25 ; 11, 1-11 ; Mich 7, 2-7 : 18-20 ; Mat 3, 1-12 ; 4, 12-17 ; 9, 1-8 ; 9, 9-13 ; Luc 2, 8-14 ; 4, 16-21 ; 6, 36-38 ; 14, 12-24 ; 15 ; 23, 39-43...

2) le jugement de Dieu : il n'est pas condamnation, mais révélation de la présence du péché, dont Dieu veut nous sauver. Il nous révèle ainsi que le péché n'est pas le dernier acte de nos vies : le pardon de Dieu nous ouvre un avenir : Deut 9, 7-19 ; 2 Sam 12, 1-13 ; Is 5, 1-7 ; 55, 1-11 ; Ez 11, 14-21 ; 36, 23-28 ; Gal 5, 16-24 ; Apoc 2, 1-5 ; Mat 5, 1-12 ; 25, 31-46 ; Luc 13, 6-9 ; 18, 9-14 ; Jn 8, 1-11...

3) la mise en lumière du mystère de la réconciliation qui se réalise par la mort et la Résurrection du Christ, ainsi que par le don de l'Esprit Saint. Renouvelés par l'Esprit, les croyants trouvent la force de changer de vie et de témoigner de l'amour du Christ : Deut 30, 15-20 ; Is 53, 1-12 ; 58, 1-11 ; Rom 5, 6-11 ; 2 Cor 5, 17-21 ; 1 Jn 1, 1 à 2, 2 ; 3, 1-24 ; Luc 5, 17-26 ; 7, 36-50 ; 19, 1-10 ; Jn 19, 13-37 ; 20, 19-23...

A partir de l'Écriture proclamée, l'homélie amène les pénitents à examiner leur conscience, à se détourner du péché pour revenir vers Dieu et vers les autres. Le péché n'est-il pas rupture avec Dieu, avec la communauté, avec le prochain, avec soi-même? Il sera donc bon de rappeler :

1) la miséricorde de Dieu qui surpasse toutes nos iniquités et par laquelle il ne cesse de nous inviter à revenir à lui ;

2) la nécessité du repentir intérieur sincèrement disposé à réparer les dommages causés par le péché ;

3) le caractère social de la grâce et du péché, en vertu duquel les actes individuels affectent en quelque sorte tout le corps de l'Église ;

4) le devoir de la satisfaction pour le péché : bien sûr, elle tire son efficacité de la satisfaction du Christ, mais elle exige de nous, en plus des œuvres de pénitence, l'exercice de la vraie charité envers Dieu et le prochain.

Dans les petits groupes, l'homélie peut avantageusement prendre la forme d'un partage de la Parole, introduit et clos par le prêtre.

Un bon temps de silence s'impose ensuite, pour que chacun puisse examiner sa conscience et se mettre en état de contrition. Un prêtre, un autre ministre ou un membre de l'assemblée peut y aider ses frères par des phrases brèves ou une prière litanique adaptées au public.

Les foules demandaient à Jean Baptiste : « Que nous faut-il donc faire ? » Il leur répondait : « Que celui qui a deux tuniques partage avec qui n'en a pas, et que celui qui a de quoi manger fasse de même. » Des publicains aussi vinrent se faire baptiser et lui dirent : « Maître, que nous faut-il faire ? » Il leur répondit : « N'exigez rien au-delà de ce qui vous est fixé. » A leur tour, des soldats lui demandaient : « Et nous, que nous faut-il faire ? » Il leur répondit : « Ne molestez personne, ne dénoncez pas faussement et contentez-vous de votre solde. » (Lc 3, 10-14).

Le rite de la réconciliation

Les fidèles sont alors invités à se lever, — mieux : à s'agenouiller, ou à s'incliner, pour prononcer ensemble une formule de confession commune, par exemple le « Je confesse à Dieu ». Puis, debout, ils répondent à une prière litanique ou participent à un chant. On termine toujours par le Notre Père.

Le prêtre : **Frères, mettons-nous à genoux, confessons nos péchés, et prions pour le salut les uns des autres.**

Tous : **Je confesse à Dieu tout-puissant, etc...**

Le prêtre : **Implorons humblement le Christ, notre Sauveur, qui intercède pour nous auprès du Père, afin qu'il nous pardonne nos péchés et nous purifie de tout mal :**

— Toi qui as été envoyé porter la Bonne Nouvelle aux pauvres et guérir ceux qui ont le cœur brisé,

Tous : **R. — De grâce, écoute-nous!**

Le prêtre : **— Toi qui es venu appeler non pas les justes mais les pécheurs, — R.**

— Toi qui as tellement pardonné à la pécheresse qu'elle t'a montré un grand amour, — R.

— Toi qui n'as pas refusé de vivre avec les publicains et les pécheurs, — R.

— Toi qui as pris sur tes épaules la brebis perdue, pour la ramener au bercail, — R.

— Toi qui n'as pas condamné la femme adultère, mais qui l'as laissé partir en paix, — R.

— Toi qui as appelé Zachée le publicain à se convertir et à mener une vie nouvelle, R.

— Toi qui as promis le Paradis
au malfaiteur repentant, sur la croix, — R.

— Toi qui es assis à la droite du Père
où tu intercèdes pour nous, — R.

Le prêtre : **Maintenant, comme le Christ lui-même
nous l'a ordonné, prions ensemble le Père
pour qu'il nous pardonne nos péchés, comme
nous-mêmes nous pardonnons les uns aux
autres, et qu'il nous délivre de tout mal :**

Tous : **Notre Père qui es aux cieux, etc...**

Le prêtre : **Dieu, qui as préparé les secours à notre faiblesse, accorde-nous la joie de la conversion,
pour que nous puissions vivre comme tes
fils. Par Jésus, le Christ, notre Seigneur.**

Tous : **Amen.**

Si confessions et absolutions sont individuelles, ceux qui
veulent se rendre auprès des confesseurs pour faire l'aveu
de leurs fautes et recevoir l'absolution (selon la formule
sacramentelle indiquée pour la réconciliation individuelle)
sont alors invités à se répartir entre les prêtres présents.

Chacun reçoit « sa pénitence ».

Pendant les confessions individuelles, on peut créer un
fond musical, ou une reprise méditative, coupée de silences,
de quelques phrases des lectures, ou encore une prière de
l'assemblée intercédant pour les pécheurs, alternée avec des
temps de silence.

*Confessions
et absolutions
individuelles*

Les confessions terminées, tous les confesseurs se regrou-
pent autour du président de l'assemblée. Celui-ci invite à
rendre grâces.

Cette action de grâces peut se célébrer de trois façons :

— un chant de l'assemblée conclu par une oraison,

— ou, inversement, une prière du célébrant suivie d'un
chant de l'assemblée,

*Action
de grâces*

— ou enfin, une prière scandée par un refrain de l'assemblée.

Voici des oraisons au choix :

Père très saint, qui nous recrées à l'image de ton Fils, tu nous as montré ta miséricorde : accorde-nous maintenant d'être dans le monde le signe de ton amour. Par Jésus, le Christ, notre Seigneur. — R. Amen.

Seigneur, dans ta bonté, tu nous as fait éprouver la joie de ta présence et l'abondance de ton pardon! Nous voulons t'en louer et t'en remercier. Éloigne de nous ce qui pourrait nous séparer de toi et de nos frères. Nous t'en prions par Jésus, le Christ, notre Seigneur. — R. Amen.

Dieu qui as réconcilié avec toi toute l'humanité en lui donnant ton propre Fils, fais-nous goûter cette réconciliation dans la vérité de notre vie, pour que se lève sur le monde la joie de la Résurrection. Par Jésus, le Christ, notre Seigneur. — R. Amen.

Dieu qui nous fais la grâce de nous rendre justes quand nous sommes pécheurs, bienheureux quand nous sommes misérables, viens à notre aide, redouble tes dons : tu nous as justifiés par la foi, donne-nous de persévérer. Par le Christ, notre Seigneur. — R. Amen.

Dieu de qui vient toute lumière, tu as tellement aimé le monde que pour sauver les pécheurs tu as donné ton Fils unique : sa croix nous a rachetés, sa mort nous a donné le salut, et sa Résurrection, la gloire. C'est par lui que maintenant nous te supplions de nous assister en toute chose : rends-nous capables de t'aimer, mets en nos cœurs la foi, dans notre conduite, justice et bonté, sur nos lèvres, la vérité, dans toute notre vie, la sagesse : que nous puissions obtenir un jour la récompense que nous attendons de toi. Par le Christ... — R. Amen.

Certaines préfaces conviennent aussi admirablement, en tout temps ou selon les temps liturgiques : Avent I, Carême I

et II, Rameaux, Temps pascal I, II et IV, Dimanches I, IV et VIII, messes de la Réconciliation.
En conclusion le célébrant congédie l'assistance en lui donnant la bénédiction.

Les célébrations communautaires avec confession et absolution individuelles posent des questions :
— Le temps imparti à la confession individuelle se trouve, pour chacun, très réduit. L'impression de brièveté est accentuée quand un examen de conscience approfondi a provoqué des interrogations importantes et le désir de les confier au prêtre. La réduction du temps consacré à ce dialogue ne contredit-elle pas l'esprit du nouveau rituel au sujet de la réconciliation individuelle ?
— La préoccupation de l'aveu et l'examen de conscience amènent trop souvent à réduire, dans la structure de la célébration comme dans l'esprit des participants, l'importance des autres composantes : accueil mutuel, annonce de la Parole, célébration du pardon, projet de vie renouvelée, action de grâces festive...
— Le caractère communautaire est réduit trop souvent à une juxtaposition de démarches individuelles.
— Un hiatus apparaît, dans le fait qu'après avoir ensemble prié, écouté la Parole et interpellé sa conscience, on « privatise » la proclamation du pardon, alors que ce devrait être le grand partage festif.
Cette pastorale hybride a assuré la transition. Mais, de plus en plus, on choisira, soit la célébration tout entière individuelle, soit la célébration tout entière collective.

CONFESSION ET ABSOLUTION COLLECTIVES

Parlant du sacrement de la pénitence, le concile de Trente n'en a envisagé que la seule forme qu'il connaissait : celle de la confession privée. S'il n'a pas légiféré pour des célébrations

communautaires, c'est qu'elles ne se faisaient pas à son
époque. Mais jamais il n'a condamné la thèse affirmant que
l'on peut donner une absolution collective à la suite d'une
confession globale de culpabilité. C'eût été condamner la
pratique de l'Église ancienne.

Cette pratique, prévue déjà dans certaines circonstances
par les moralistes des temps modernes, a été officialisée
par les instances romaines de l'Église, dans des termes iden-
tiques, en 1944 puis en 1972. Ce sont ces termes traditionnels
que reprend le nouveau Rituel de la Pénitence.

*Conditions
requises*

Les conditions requises pour que l'absolution collective
puisse être célébrée sont les suivantes :

1) Un afflux important de pénitents pour certaines circonstances exceptionnelles : veille de grande fête, pèlerinage,
lorsque la situation ne permet pas de trouver le temps ou les
confesseurs suffisants pour la confession individuelle normale,
c'est-à-dire selon le nouveau rite. Entre dans ce cas l'afflux
d'enfants regroupés dans l'aumônerie d'un établissement
d'enseignement ou dans un catéchisme paroissial.

La célébration de l'absolution collective ne supprime pas
la nécessité de prévoir, pour les enfants, des possibilités de
confessions individuelles, tout au long des années de catéchisme. Au contraire : seule une soigneuse initiation personnelle et progressive au sacrement de la réconciliation leur
permettra de participer avec fruit à une célébration compor-
tant une absolution collective.

2) Il est réservé à l'évêque du lieu, après en avoir conféré
avec d'autres membres de la Conférence épiscopale, de juger
si les conditions mentionnées ci-dessus existent en réalité,
et par conséquent de décider quand il est permis de donner
l'absolution sacramentelle générale. Il ne s'agit pas, bien
évidemment, de recourir à l'évêque dans chaque cas, mais de
s'en tenir aux normes qu'il a établies.

3) En dehors des cas reconnus par l'évêque du lieu, s'il
se présente quelque autre grave nécessité de donner une
absolution sacramentelle collective, le prêtre est tenu de
recourir auparavant, chaque fois que c'est possible, à l'évêque,

pour donner licitement l'absolution. Si c'est trop tard, qu'il donne l'absolution collective et l'en informe après. De toute façon, cette absolution est valide.

La confession et l'absolution collectives ne sont pas un moyen de facilité. A l'homélie, il faut avertir les fidèles qui veulent en profiter de se bien disposer :

— « que chacun se repente de ce qu'il a commis,
— « qu'il se propose de ne plus retomber dans ses péchés,
— « qu'il soit décidé à réparer les scandales et les dommages qu'il aurait pu causer,
— et « qu'il ait l'intention de confesser, en temps voulu, chacun de ses péchés graves qu'il ne peut actuellement confesser de cette façon ». (Nouveau Rituel n° 33.)

Cette rencontre ultérieure ne comportera pas d'absolution : un péché absous est absous. Ce dialogue pastoral a pour but de rechercher la meilleure façon de concrétiser la conversion et d'aider à une nouvelle orientation de la vie. Il sera présenté au moment d'introduire le geste personnel de demande du pardon, par exemple en ces termes (INFO-CNPL, juin 75) :

Le signe du pardon de Dieu et de l'Église va être donné à tous ceux qui le désirent. Ce pardon ne dispense pas ceux qui le reçoivent de prendre leurs responsabilités et il ne dispense pas l'Église de les aider.

Si, dans le secret de votre conscience, vous vous reconnaissez responsables de faute grave, vous êtes invité à aller trouver un prêtre, quand vous le pourrez, pour qu'il précise avec vous, au nom de l'Église, les décisions nécessaires pour que ce pardon porte des fruits dans votre vie.

Et maintenant, à tous ceux qui désirent recevoir le pardon sacramentel de Dieu, je propose de... (préciser le geste choisi : cf. ci-après).

Jusqu'à cette demande du pardon, toute la célébration communautaire s'est développée comme dans le rite communautaire précédent.

Ici, le prêtre invite ceux qui se sentent disposés à recevoir

Dispositions requises

Cette précision a entraîné chez certains une incertitude : « Mais alors, suis-je pardonné tout de suite ou seulement après ? » La réponse officielle est nette ; c'est : tout de suite. Il ne saurait être question de voir là une absolution provisoire. Mais si je suis en situation de péché grave, je ne peux pas me payer de mots ; il faut que je prenne des décisions éclairées par un dialogue, il faut que je trouve aide, et c'est pour cela qu'il m'est demandé d'aller trouver un prêtre. (Notes de pastorale liturgique, n° 126).

Confession et absolution collectives

le sacrement à en manifester clairement la volonté dans une attitude, ou un geste, ou une démarche qui est en même temps un aveu général de culpabilité.

Il les prie, par exemple, de se lever, ou de s'incliner, ou de se mettre à genoux, ou de se frapper la poitrine au « Je confesse à Dieu... »

Autres démarches possibles :

— se présenter au célébrant en disant, les mains dans les siennes : « Père, je demande le pardon de Dieu et de l'Église » ;

— poser la main sur une Bible ouverte tenue par le prêtre ;

— recevoir de lui un cierge allumé ;

— vénérer une croix placée dans le chœur ;

— se grouper autour de l'autel.

Alors a lieu le rite de la réconciliation (cf. page 348), avec cette absolution solennelle que le célébrant récite ou chante, les mains étendues au-dessus des pénitents :

Dieu, notre Père,
ne veut pas la mort du pécheur,
mais qu'il se convertisse et qu'il vive.
C'est lui qui nous a aimés le premier :
et il a envoyé son Fils dans le monde
pour que le monde soit sauvé par lui.
Qu'il vous montre sa miséricorde et vous donne la paix.
— R. Amen.

Jésus Christ, le Seigneur,
livré à la mort pour nos fautes,
est ressuscité pour notre justification.
Il a répandu son Esprit Saint sur les Apôtres
pour qu'ils reçoivent le pouvoir de remettre les péchés.
Par notre ministère,
que Jésus lui-même vous délivre du mal
et vous remplisse de l'Esprit Saint.
— R. Amen.

L'Esprit Saint, notre aide et notre défenseur,
nous a été donné pour la rémission des péchés

et en lui nous pouvons approcher du Père.
Que l'Esprit illumine et purifie nos cœurs :
ainsi vous pourrez annoncer les merveilles
de celui qui vous a appelés
des ténèbres à son admirable lumière.
— Amen.

ET MOI,
AU NOM DU PÈRE † ET DU FILS ET DU SAINT ESPRIT,
JE VOUS PARDONNE TOUS VOS PÉCHÉS.
— R. Amen.

Le célébrant propose à tous l'accomplissement d'une « pénitence ».

Puis c'est l'action de grâces et le renvoi comme dans le rite précédent.

Sachant que la grâce abonde par-dessus le péché,
J'ai appris à ne pas rester par terre comme une pierre ou un morceau de bois.
Quand je tomberai à chaque minute, je me relèverai soixante-dix fois sept fois!
C'est dans les livres qu'on voit ces âmes d'un seul coup rincées et une seule fois pénitentes.
Si je ne puis marcher debout, eh bien! j'avancerai à plat ventre...
(Paul Claudel).

15

LE SACREMENT
DES MALADES

L'HUILE SAINTE

● On l'appelait « l'extrême onction ». Depuis le XIIe siècle seulement!

« Extrême », en quel sens?

Le Catéchisme du Concile de Trente fournit une explication qui n'a rien d'affolant : « Cette onction, on l'appelle « extrême » parce qu'elle est administrée en dernier lieu, après les autres onctions confiées par le Christ à son Église » comme signes sacramentels. « Extrême onction » veut donc désigner celle que l'on reçoit normalement après celles du baptême, de la confirmation et, éventuellement, de l'ordination. Rien, dans ce terme, de bien tragique : extrême onction = dernière de la liste.

Mais le peuple chrétien n'entendit pas cette explication du Catéchisme romain. Il en resta au sens redoutable hérité du Moyen Age. Pour lui, l'extrême onction fut quand même — et est encore souvent — l'onction du bout de la vie, le sacrement de ceux qui vont mourir; elle continua à faire partie, avec l'absolution et le saint Viatique, du lot des « derniers sacrements » destinés à ceux qui sont à toute « extrémité » : l'onction à la sauvette sur le front encore chaud d'un mort, afin de pouvoir imprimer sur les faire-part du décès le fatidique et dérisoire « Muni des sacrements de l'Église »...

● Telle n'était pourtant pas la Tradition.

L'Église ancienne d'Orient appelait ce sacrement « l'huile », tout simplement, ou « l'huile sainte », « l'huile de la prière », sans référence à la mort. L'Église d'Occident disait aussi : « l'huile sainte », ou encore : « l'huile de l'onction », « l'onction sainte », « l'onction des malades ».

C'est cette dénomination que reprend Vatican II : « l'onction des malades ». Pour revenir à la Tradition et nous orienter vers un usage plus juste de ce sacrement.

A ceux qui sentent la maladie s'installer dans leur chair et marquer dangereusement leur vie,

A ceux qui vont subir une opération sérieuse,

Aux personnes âgées dont la santé et les forces diminuent jour après jour,

Et aussi à ceux qui savent qu'aucune force humaine ne peut plus rien pour eux,

S'ils croient que Dieu s'intéresse à eux,

S'ils acceptent de se tourner vers lui dans leur épreuve,

S'ils essayent de s'en remettre à lui,

Au nom du Seigneur Jésus, l'Église propose l'onction des malades.

(« Rencontrer le Seigneur Jésus »).

L'huile et nous, « chrétiens »

Pour toi, quand tu jeûnes, parfume ta tête et lave ton visage, pour que ton jeûne soit connu, non des hommes, mais de ton Père qui est là, dans le secret ; et ton Père, qui voit dans le secret, te le rendra.
(Mt 6, 17-18).

Celui qui nous affermit avec vous pour Christ et qui nous a donné l'onction, c'est Dieu, Lui qui nous a aussi marqués d'un sceau et a mis dans nos cœurs les arrhes de l'Esprit.
(2 Cor 1, 21-22).

Le blé, la vigne, l'olivier : tels étaient les trois piliers de l'économie antique, essentiellement rurale. Le pain pour la vie ; le vin pour la joie et les chants ; l'huile pour le goût, l'éclairage, la médecine, les parfums, l'athlétisme, en deux mots : pour la splendeur corporelle et la lumière dans la nuit.

Mais, dans nos civilisations de l'éclairage électrique et de la médication chimique, dans nos démocraties où l'on ne sacre plus de rois, l'huile est déchue de son prestige d'antan : prosaïquement, elle évoque le garage, la cuisine et la basse publicité de nos écrans ; si elle peut encore désigner des personnages importants, — des « huiles » — c'est dans un langage populaire où est piétinée la splendeur des sacres et des accueils embaumés.

Force nous est donc de regarder vers une autre culture : de devenir « spirituellement des sémites » (Pie XI), de retrouver et d'accepter, au-delà de nos civilisations modernes, la profondeur de notre qualité de « chrétien », en référence au « Christ » (deux mots qui signifient « oint »), qui, de fait, s'incarna historiquement dans une civilisation de l'olivier et de technique artisanale, et dont la Mission salvatrice du monde s'exprimera à jamais dans ce titre annoncé par les prophètes : le « Christ », c'est-à-dire : celui qui a reçu l'onction.

« Le mot de « chrétien », qui qualifie les disciples de Jésus, dérive directement de « Christ », et les témoignages ne manquent pas qui montrent qu'en milieu grec il est normalement compris en relation avec l'onction. Saint Paul lui-même écrit aux Corinthiens : « Dieu nous a affermis dans l'Oint (le Christ) et nous a oints » (2 Cor 1, 21), et encore : « Nous sommes le parfum de l'Oint ». Nous voyons ainsi immédiatement l'importance des rites d'onction qui pourront être pratiqués sur le chrétien : il s'agit de manifester notre participation au Christ en cela même qui le définit » (Pierre Vallin).

Huiles saintes des sacrements

● A partir de ses emplois en culture sémitique, l'huile restera donc pour nous, chrétiens, d'abord **le symbole de la guérison et de la lumière.**

● A partir de ses propriétés — qui la rendent insaisissable, pénétrante et fortifiante — elle restera de surcroît ce qu'elle fut pour les siècles juifs et chrétiens d'autrefois : **le symbole de l'Esprit Saint.** En effet, outre les onctions médicinales, comme celle du bon Samaritain, Israël nous a appris les onctions consécratoires sur les autels, les prêtres, les rois. Ainsi, pour David, « Samuel prit une corne d'huile et lui donna l'onction au milieu de ses frères ; et l'Esprit du Seigneur fondit sur David à partir de ce jour » (1 Sam 16, 13).

● Enfin, au sommet, du fait de la divinité qui ne fait qu'un avec lui, du fait de l'Esprit Saint qui le pénètre tout entier, **Jésus est l'Oint par excellence** avant toute onction matérielle. Il est le prophète, le roi, le prêtre, le temple, l'autel de qui tout tient sa consécration, de qui tout reçoit l'Esprit. **Il est le « Christ », le « Messie », ce qui veut dire : l'Oint :** dès son Incarnation, Jésus est tout pénétré, comme d'huile fine, de Dieu et d'Esprit Saint (Act 10, 38), pour en imprégner le monde sauvé.

C'est par lui que les huiles saintes, à partir de leurs multiples symboles, communiquent aux chrétiens la grâce multiforme de l'Esprit Saint :
— Grâce de participer au sacerdoce, à la royauté, au prophétisme et au combat du Christ. C'est le baptême et la confirmation.
— Grâce d'entrer dans la fête de la réconciliation universelle par le pardon et la guérison, — et, toutes rides effacées de notre péché, de nous retrouver joyeusement dans l'Assemblée des saints de la terre ou du Ciel, soit dans notre chair revigorée, soit dans notre vêtement de Gloire. Et c'est le sacrement de l'onction des malades.

● Mais insistons sur ceci :
Jésus n'a jamais appliqué lui-même des onctions d'huile ; dans ces trois sacrements, comme dans celui de l'ordination, l'importance et le sens ultime du rite d'onction vient d'abord de ce qu'il concrétise le titre même du Seigneur, en grec « Christ », en hébreu « Messie », ce qui veut dire « l'Oint ». C'est « le Christ », « l'Oint », qui baptise, qui confirme, qui ordonne, qui pardonne et guérit les malades.

Sur l'ordre du Seigneur, Moïse composa un onguent de chrême par lequel Aaron et ses fils furent oints en signe de leur sacerdoce saint. Ensuite les rois furent sacrés du même chrême ; c'est pour cela qu'ils furent appelés christs. Mais en même temps cette onction des rois et des prêtres était figurative du Christ. Après que Notre Seigneur, vrai roi et prêtre éternel, eut été sanctifié par son Père des cieux d'un onguent mystique, alors non seulement les prêtres et les rois, mais toute l'Église fut consacrée par l'onction du saint chrême, en tant que tous en elle sont membres du Roi et Prêtre éternel. Donc, parce que nous sommes une race sacerdotale et royale, après le baptême nous sommes oints et nous prenons le nom du Christ. (S. Isidore de Séville).

« IL S'EST CHARGÉ DE NOS MALADIES »

Toute la tête est devenue malade et tout le cœur est souffrant ; de la plante des pieds jusqu'à la tête rien en lui n'est intact : blessures, meurtrissures, plaies vives, ni bandées, ni pansées, ni adoucies avec de l'huile !
(Is 1, 5-6).

L'onction des malades n'est pas un rite de consécration, comme celle du baptême et de la confirmation. C'est, de la part du Christ, un geste de guérison spirituelle et corporelle.

Dans le monde antique, en particulier dans le monde juif, comme jadis dans nos campagnes, l'huile était un remède couramment appliqué sur les blessures. Ainsi le bon Samaritain de la parabole verse sur les plaies de son pauvre Juif de l'huile pour en calmer la douleur (Is 1, 6) et du vin pour les désinfecter (Luc 10, 34). Une fois de plus le Seigneur prend un geste de la vie concrète — cet usage médicinal de l'huile — pour l'assumer en onction rituelle ordonnée à la guérison des maladies et au pardon des péchés.

Malade parce que pécheur ?

De même que par un seul homme le péché est entré dans le monde, et par le péché la mort, et qu'ainsi la mort a passé en tous les hommes, du fait que tous ont péché...
(Rom 5, 12).

Guérison et pardon sont ici associés. Serait-ce que maladie et péché sont liés ?

De fait, l'Écriture nous présente la mort comme attachée à la condition pécheresse de l'espèce humaine : « Tu pourras manger de tout arbre du jardin, prescrit à l'homme le Seigneur Dieu, mais tu ne mangeras pas de l'arbre de la connaissance du bien et du mal car, du jour où tu en mangeras, tu mourras de mort » (Gen 2, 16-17). C'est-à-dire que l'homme, tiré du sol comme tous les autres vivants, est naturellement soumis au cycle naissance, croissance et mort, mais il aurait eu la faveur d'y échapper par sa fidélité à sa vocation divine. Concrètement, saint Paul est formel, c'est donc bras dessus bras dessous que ce couple infernal — le péché et la mort — sont entrés dans le monde des hommes (Rom 5, 12-21).

Or, la maladie est le prélude, proche ou lointain, de la marche funèbre de la mort. Comme la mort, la maladie est donc un tour de Satan le Jaloux dans un milieu humain qui est un milieu de péché. Comme la mort, la maladie est apparentée au péché. Non que tel ou tel soit malade parce qu'il aurait personnellement offensé Dieu : Jésus s'insurge contre cette idée (Jn 9, 2) ; mais la maladie, comme la mort, n'atteint l'homme qu'à cause de la condition pécheresse de l'humanité.

Aussi voyons-nous le « Sauveur » guérir les malades en masse. Avec l'annonce de la Parole, c'est toute son activité. Les bras lui en tombent... A en perdre le temps de manger, note Marc (3, 20 ; 6, 31)...

« Il guérissait tous ceux que le diable tenait asservis »

D'ailleurs, la délivrance de tous ces malheureux, quelle annonce de la Bonne Nouvelle! Certes, Jésus les guérit par amour et compassion. Mais tout autant pour donner des signes de la venue du Royaume : par l'entrée en scène de Jésus, Satan, précipité sur la terre lors de sa première défaite (Apoc 12, 9), Satan y voit arriver plus fort que lui (Lc 11, 22) : « Jésus est venu partager notre condition de chair et de sang afin de réduire à l'impuissance, par sa mort, celui qui détenait le pouvoir de la mort, c'est-à-dire le diable » (Hébr 2, 14).

Avant même sa mort et sa Résurrection, il desserre l'étau de la mort en libérant paralytiques et lépreux : dans la gambade des claudicants, c'est la danse des Ressuscités qui commence. Et la défaite de Satan. Parce que péché, mort, maladie, « c'est tout du même diable », si l'on ose dire.

Aussi saint Pierre, dans son discours chez Corneille, souligne les mêmes interférences : « Ce Jésus issu de Nazareth, vous savez comment Dieu lui a conféré l'onction d'Esprit Saint et de puissance ; il est passé partout en faisant le bien, il guérissait tous ceux que le diable tenait asservis » (Act 10, 38)... Puis « on l'a supprimé en le pendant au bois, Dieu l'a ressuscité le troisième jour ..., et le pardon des péchés est accordé par son Nom à quiconque met en lui sa foi » (39-40.43).

Parce que, dans sa mort toute-puissante, « le Prince de ce monde est définitivement jeté par terre » (Jn 12, 31).

Jésus dit aux Apôtres : « Venez, vous autres, à l'écart, en un lieu solitaire, et reposez-vous un peu. » De fait, arrivants et partants étaient si nombreux qu'ils n'avaient même pas le temps de manger. Ils partirent donc dans la barque pour un lieu solitaire, à l'écart. Et on les vit s'en aller et beaucoup comprirent, et de toutes les villes on y accourut à pied et on les devança. En débarquant, il vit une foule nombreuse et il eut pitié d'eux.
(Mc 6, 31-34).

Ce point de vue profond donne le sens de tous les miracles du Christ et de ses disciples, le sens du sacrement de l'onction des malades.

Il est typiquement mis en lumière dans la guérison du paralytique de Capharnaüm (Mc 2, 1-12 et parallèles).

« Tes péchés te sont remis : lève-toi! »

Au cours du sabbat où il a guéri l'infirme de la piscine de Bethzatha, Jésus le rencontre au Temple et lui dit : « Te voilà guéri ; ne pèche plus désormais, de peur qu'il ne t'arrive quelque chose de pire. » (Jn 5, 14).

Chez Pierre, où il prend gîte, Jésus parle. La foule emplit la maison, déborde par toutes les issues. On ne passe pas... Qu'à cela ne tienne! Les porteurs du malade montent sur la terrasse avec leur patient, pratiquent une large brèche dans le plafond et le descendent avec des cordes droit devant le Seigneur. Comme un cercueil qu'on met à la fosse.

Devant tant de foi, Jésus dit au grabataire :

— Enfant, tes péchés sont remis...

Stupeur!... D'abord, y a pas de rapport : ce n'est pas cela qu'on lui demande. Et puis, les scribes de l'assistance se scandalisent :

— Il blasphème! Qui peut remettre les péchés sinon Dieu seul?...

Ah! y a pas de rapport?... Ah! Dieu seul peut remettre les péchés?...

— Eh bien, pour que vous sachiez que le Fils de l'homme détient le pouvoir de remettre les péchés, je te l'ordonne, dit Jésus au paralytique, lève-toi, prends ta litière, et marche!

Et l'infirme de se dresser, gaillard, et de soulever son brancard avec la force allègre d'un athlète olympique.

La guérison de ce malheureux souligne trois merveilles de Dieu :

Aussi les Juifs s'en prenaient-ils à Jésus de ce qu'il agissait ainsi un sabbat. Mais il leur répondit : « Mon Père travaille sans cesse, et moi aussi je travaille... De même en effet que le Père ressuscite les morts et les fait vivre, ainsi le Fils fait vivre qui il veut... En vérité, en vérité je vous le dis : celui qui écoute ma parole et croit à Celui qui m'a envoyé possède la vie éternelle ; il est passé de la mort à la vie. En vérité, en vérité je vous le dis : l'heure vient — déjà même elle est là! — où les

1) Il y existe un rapport étroit entre le péché et la maladie. On apporte à Jésus un malade, il répond : pécheur. Et voici qu'il délie ce noué, non par la puissance de l'art médical, mais par la parole même qui détruit en lui l'état de péché. Venus l'une par l'autre, maladie et péché disparaissent l'une avec l'autre par la puissance du Christ.

2) La guérison du paralytique est donnée par Jésus comme la preuve qu'il a le pouvoir de remettre les péchés, c'est-à-dire de guérir aussi spirituellement cet homme. Il est donc celui qui vivifie tout l'homme... Avec son Père, « il est à l'œuvre »,... à l'œuvre de « faire vivre qui il veut » pleinement, corps et âme si l'on peut dire,... au point que « celui qui écoute sa parole est déjà passé de la mort à la vie... » (Cf Jn 5, 14-30), à la vie divine de l'amour, qui aura raison de toute maladie et de toute mort.

3) C'est aussi cette réalité future qu'annonce le miracle :

le Sauveur apporte aux hommes la guérison définitive de tout mal, c'est-à-dire leur Résurrection de la mort à laquelle aboutit tôt ou tard la maladie. Cette « œuvre » de Vie sera accomplie par la mort et la Résurrection de Jésus Christ. (Cf. *L'onction des malades*, par Bernard Sesboüé).

morts entendront la voix du Fils de Dieu, et ceux qui l'auront entendue vivront. (Jn 5, 16-25).

Jésus n'est donc pas un guérisseur. Il est le Sauveur.
Certes, il s'est présenté comme le médecin venu pour les malades. Mais il ne dissocie pas maladies corporelles et maladies spirituelles. Le Christ n'est pas le médecin des corps, mais des personnes. Et les personnes sont souvent d'abord malades de leurs péchés : c'est la rouille de l'épée qui ronge le fourreau.

La rouille de l'épée, ce sont les péchés capitaux. Vous en connaissez la liste ? L'orgueil, l'avarice, la luxure, l'envie, la gourmandise, la colère et la paresse. Dans une large proportion, ils encombrent les hôpitaux et font vivre les pharmaciens. Lesquels m'ont moi-même rendu malade ?...

Et puis, et surtout, chacun est solidaire des péchés de l'humanité.

Forces démoniaques et maladies corporelles, les évangiles se refusent donc à les dissocier. Les unes et les autres marquent l'emprise du Mauvais. Ce n'est pas un guérisseur, c'est un Sauveur qui surgit pour les affronter les unes et les autres comme un seul bloc :

« Le soir venu, on amena à Jésus de nombreux démoniaques. Il chassa les esprits d'un mot et il guérit tous les malades, pour que s'accomplisse ce qui avait été dit par le prophète Isaïe (53) : C'est lui qui a pris nos infirmités et s'est chargé de nos péchés » (Mat 8, 16-17).

Voilà le dernier mot du mystère et sa lourde contre partie :

« En guérissant, Jésus manifeste qu'il a pris sur lui tout le mal, inséparablement physique et spirituel, de l'humanité, et qu'il est prêt à en souffrir lui-même dans sa chair et dans son esprit jusqu'à la mort » (B. Sesboüé).

Là est la source de l'onction des malades, comme d'ailleurs de tous les autres sacrements : le mystère pascal du Christ, le Christ mort et ressuscité.

« Il s'est chargé de nos maladies »

Ce sont nos maladies qu'il portait, nos douleurs dont il prenait la charge, et nous, nous l'estimions frappé, atteint par Dieu et humilié. Mais lui, c'est à cause de nos forfaits qu'il était transpercé, à cause de nos fautes qu'il était écrasé. Le châtiment qui nous vaut la paix était sur lui, et par sa meurtrissure nous avons été guéris. Nous étions tous errants comme des brebis, nous suivions chacun notre chemin, et Yahvé a fait retomber sur lui notre faute à nous tous. (Is 53, 4-6).

« Guérissez...
purifiez... »

Ce sacrement, Jésus l'annonce dès la formation du groupe des Douze. Il les envoie en mission : « En chemin, proclamez que le Royaume des cieux est tout proche. Guérissez les malades, ressuscitez les morts, purifiez les lépreux, chassez les démons » (Mat 10, 7-8).

Et Marc en effet nous raconte :

« Ils partirent et ils proclamèrent qu'il fallait se convertir. Ils chassaient beaucoup de démons, ils faisaient des onctions d'huile à beaucoup de malades et ils les guérissaient » (6, 12-13).

Ces onctions n'ont plus ici le caractère médicinal alors usuel ; sous les mains des Apôtres, elles deviennent un symbole rituel : elles sont faites, non en vertu de la puissance curative que l'on attend de l'huile, mais au nom et par la puissance du Seigneur Jésus, comme le baptême. L'onction de ces malades manifeste symboliquement la foi des Apôtres, éventuellement des malades, et en appelle à la force du Christ contre le Mal et pour la Vie.

« Se convertir » spirituellement, « être guéri » corporellement, c'est concrètement « expulser les puissances démoniaques » et ouvrir l'espace ainsi libéré au Règne de Dieu. Le sacrement ne fera rien d'autre.

Les disciples, en effet, après sa Résurrection, continueront, au nom de Jésus, la tendresse du Sauveur pour les malades, par cette prière sur eux et ce geste d'onction qu'il leur a appris, célébrés en communauté. L'Épître de Jacques en est le témoin inspiré.

L'UN DE VOUS EST-IL MALADE? »

Le sacrement de l'onction des malades, nous en avons la charte divine, promulguée dans l'Épître de Jacques. Son auteur inspiré — un judéo-chrétien, c'est-à-dire un Juif converti au Christ — nous y a collecté, dans le désordre, des enseignements de la Tradition apostolique, peut-être de l'Apôtre Jacques, « frère » du Seigneur. En fin de lettre (5, 14-15) il écrit :

« L'un de vous est-il malade ? Qu'il fasse appeler les Anciens de l'Église, et qu'ils prient sur lui après lui avoir fait l'onction d'huile au nom du Seigneur. La prière de la foi sauvera le patient ; le Seigneur le relèvera ; et, s'il a des péchés sur la conscience, il lui sera pardonné. Confessez donc les uns aux autres vos péchés et priez pour les autres afin que vous soyez guéris. »

● **L'un d'entre vous est-il malade.** Pas agonisant !... Le terme grec original *(asthénès)* désigne un infirme qui n'a plus la force d'aller et venir. Hier, il était avec vous, parmi vous, au travail, à l'Église... Le voilà arrêté, cloué à la chambre, sinon au lit, par un mal sérieux, ou une vieillesse avancée... Eh bien, puisqu'il ne peut plus se déplacer, c'est la communauté qui se déplacera ; c'est l'Église, dans la personne de ses Anciens, qui viendra à lui. C'est le Christ Jésus qui viendra à lui.

● Il en a d'autant plus besoin que le mal corporel en fait souvent un **patient.** C'est-à-dire, dans un sens plus moral que physique, quelqu'un qui risque de n'en plus pouvoir, par isolement, découragement, fatigue — « Je ne peux plus prier ! —, souffrance ; quelqu'un — paradoxe des mots ! — dont la patience précisément est mise à l'épreuve. S'il a besoin du médecin, il a plus encore besoin du Seigneur, à travers sa Communauté du Salut.

● **Qu'il fasse donc appeler les Anciens de l'Église...** C'est un conseil, non un ordre : ce sacrement n'est pas obligatoire. Quoiqu'on ne puisse que le souhaiter pour soi, en aidant les autres à le désirer et à le demander pour eux-mêmes.

Car c'est normalement au malade à le demander : c'est à lui que le conseil est adressé de faire venir les Anciens de l'Église. Ce qui le suppose conscient, lucide, et désireux de ce sacrement. L'onction n'est pas un rite magique : il ne « munit » personne automatiquement...

Cantique d'Ézéchias, roi de Juda, lorsque, malade, il guérit de sa maladie :
Je disais : Au midi de mes jours il faut que je m'en aille aux portes du chéol, je suis consigné pour le reste de mes ans.
Je disais : Je ne verrai pas Yahvé sur la terre des vivants, je ne verrai plus personne d'entre les habitants du monde.
Ma demeure est arrachée, emportée loin de moi comme une tente de bergers ; comme un tisserand j'enroulais ma vie, de la trame il me retranche, du jour à la nuit tu m'achèves !
Je crie jusqu'au matin. Comme un lion il broie tous mes os ; du matin à la nuit tu m'achèves !
Comme l'hirondelle je pépie, je gémis comme la colombe. Mes yeux s'épuisent [à regarder] en haut, Seigneur, on me fait violence, sois mon garant... Rétablis-moi et fais-moi vivre.
(Is 38, 9-16).

● **« Les Anciens de l'Église »** ne sont pas les plus âgés de la communauté ; mais « ceux que l'Esprit Saint a constitués intendants pour paître l'Église de Dieu » (Act 20, 28) : ses responsables ou ses représentants, les ministres qui en portent la charge. A cette époque, on les appelait, ici « presbytres » (d'où : prêtres), là « épiscopes » (évêques). Ils se déplaceront ensemble pour venir célébrer sur le malade et avec lui, avec aussi les proches et amis, bien sûr, une liturgie domestique assez solennelle.

● Ces Anciens vont **prier sur lui, c'est-à-dire en lui imposant les mains** dans le geste traditionnel des bras étendus. Étendus sur ce gisant que Dieu veut remettre sur pied si c'est là son bien...

Ils vont donc prier sur lui **après lui avoir fait l'onction d'huile au nom du Seigneur.** Le sacrement est dans ce geste symbolique. Comme le Seigneur touchait les yeux, les oreilles, des aveugles, des sourds, y traçant une « onction » de salive, de terre mouillée... Nous sommes de chair et de sang : notre corps est notre seul moyen de rencontre et de communication.

● **La prière de la foi,** c'est toute cette célébration suppliante, tout spécialement le rite sacramentel, dont la formule qui l'explicite se trouve être justement une supplication.

La foi ? C'est celle de l'Église, des prêtres, de l'assistance (comme à Capharnaüm). C'est tout spécialement celle du malade : sa foi habituelle et sa foi du moment. Ah! ces cris de l'Évangile — « Jésus, Fils de David, pitié pour moi!... Fais que je voie!... » — ces cris auxquels le Sauveur répondait : « Qu'il te soit fait à la mesure de ta foi »...

● **La prière de la foi,** donc, **sauvera le patient...** De quel salut ? Bien sûr, de ce Salut éternel — pardon et Résurrection — que nous a acquis le Sauveur et pour lequel, tôt ou tard, il nous faudra bien mourir avec lui. Mais d'abord, dans la mesure où le vrai bien du malade est en jeu, de cette santé physique et morale qui rendra l'infirme à ses occupations, à la compagnie fraternelle des hommes et à la joie de vivre.

« Les verbes sauver et relever peuvent désigner, soit le rétablissement du malade, soit le salut eschatologique qui n'impliquerait pas nécessairement la guérison » (TOB).

Voici que mon amertume est devenue salut! Tu as retenu mon âme loin de la fosse d'anéantissement ; car tu as jeté derrière ton dos tous mes péchés.
Car le Chéol ne te célèbre pas, la Mort ne te loue pas... Le vivant, le vivant, c'est lui qui te célèbre, comme moi aujourd'hui ; le père à ses fils fait connaître ta loyauté.

● **Le Seigneur le relèvera,** le ressuscitera, le remettra sur pied, comme il « fit se lever » le paralytique de Capharnaüm, celui de la porte de Bethzatha, la belle-mère de Simon-Pierre (Mc 1, 31), la fille de Jaïre (Mt 9, 25), le fils de la veuve de Naïm (Lc 7, 14), et tant d'autres... Comme les textes inspirés nous disent plus de vingt fois qu'il « s'est levé » lui-même de son tombeau (c'est le même verbe grec : *egeirô* : se lever, ressusciter).

« Cette continuité du vocabulaire souligne la portée messianique des guérisons opérées par Jésus : c'est parce que le Christ devait « se relever » vivant de la mort, qu'il a pu « relever » les malades et les morts (et que les apôtres le pourront à la suite), en signe du grand « relèvement » eschatologique qui sera à la fois la guérison et la résurrection de tout l'homme et de tous les hommes.

« La démarche des presbytres de l'Église s'inscrit dans cette dynamique, si la guérison physique est de fait donnée au malade, celui-ci devra y voir les arrhes de son « relèvement » total, de sa guérison eschatologique. La santé lui est rendue pour l'aider à vivre indissociablement de « la vie de cette chair » (Phil 1, 22) et de la « vie éternelle », et à vaincre tout mal et toute mort.

« Si l'heure du passage est pour lui arrivée, l'onction le marque alors pour la résurrection finale » (B. Sesboüé).

● **Et s'il a des péchés sur la conscience, il lui sera pardonné.** Ces mots mettent en relief des réflexions déjà esquissées :

1) Il peut être malade « sans avoir personnellement des péchés sur la conscience », mais par sa simple appartenance à une humanité coupable et solidaire. Comme le Christ innocent a souffert avec nous et pour nous.

2) Guérison et rémission sont liées, comme sont liés maladie et péché. La prière et l'onction portent donc le Salut en profondeur : pour le corps et pour l'esprit, pour le temps et pour l'éternité.

3) La guérison corporelle est néanmoins au premier plan, répondant ainsi loyalement à la situation : « Si l'un de vous est

Yahvé, daigne me sauver, et nous ferons résonner nos lyres tous les jours de notre vie auprès de la Maison de Yahvé. (Is 38, 17-20).

Je compte sur les grâces de ce sacrement pour avoir la force dans la maladie, la confiance en Dieu, l'amélioration de ma santé ; pour accomplir aussi toutes les tâches humaines que je pourrai remplir dans la Société et dans l'Église.

Je désire associer mon épreuve à la Passion du Christ, dans l'Espérance de notre Résurrection, en union avec toutes les souffrances des hommes de notre temps, pour le salut de tous.

Je veux être, pour mon entourage, un témoin de la foi, un messager d'espérance, un signe vivant d'unité et d'amour.

Je désire l'aide de la Communauté chrétienne pour vivre la foi, avec mon entourage. En cas d'aggravation de ma maladie, je désire la venue du prêtre à mon chevet pour recevoir la Sainte Communion en Viatique et l'aide de la Prière de l'Église. (Image-souvenir des malades de Lourdes.)

malade... » Quoi qu'il en soit des réticences d'hommes de peu de foi, on n'a pas le droit d'esquiver la pointe du texte inspiré... A condition que l'on se trouve dans les conditions que ce texte explicite lui-même : « Si quelqu'un est malade » ne signifie pas, de soi, « si quelqu'un est mourant ». Avis à ceux qui attendent « la dernière extrémité »...

« Nous pouvons maintenant conclure : le texte de Jacques met en jeu la totalité du mystère du salut apporté à la situation de l'homme malade. Si la maladie est le mal de tout l'homme (corps et esprit) et la manifestation de son mal spirituel (le péché), le remède de l'onction s'adresse à cette totalité humaine, afin de lui apporter le salut, un salut de grâce qui se réalisera selon le signe encore provisoire de la guérison, ou le salut dans la gloire par l'entrée dans l'univers de la résurrection » (B. Sesboüé).

A TRAVERS LES TEMPS

L'Église a vécu l'onction des malades, à travers les âges et les cultures, de manière très variée.

Après l'Épître de Jacques, qui date peut-être des années 80-90, comme l'Évangile de Jean, des documents des IIe et IIIe siècles mentionnent, parmi les ministères essentiels des « presbytres » et des évêques, la visite des malades. C'est une tâche importante des diacres que de les repérer pour les leur signaler.

Évêques et prêtres ont en effet à continuer le Christ : proclamer la Bonne Nouvelle, certes, mais aussi imposer les mains aux malades, prier sur eux, et les soulager. Nul doute qu'ils n'aient fait ample administration de l'huile sainte des infirmes. L'Épître de Jacques témoigne d'un usage bien établi. Mais, en ces temps où le célébrant improvisait librement la liturgie, formules et rites étaient laissés à l'inspiration. Il ne nous en reste donc pas de documents écrits.

Nous ne connaissons pas de rituels de l'**application de l'onction** aux malades avant le VIIIe siècle. Par contre, le IVe siècle nous fournit déjà des formules de **bénédiction de l'huile sainte** par l'évêque.

IVe-VIIIe siècles : les formules de bénédiction de l'huile sainte

● Dans *La Tradition apostolique d'Hippolyte*, écrite entre 218 et 235, on lit celle-ci, qui n'y fut peut-être insérée que dans une copie du milieu du IVe siècle. Elle suppose l'usage, de la part des fidèles, d'apporter de l'huile à bénir à la messe de l'évêque.
Lisons :

« Si quelqu'un présente de l'huile, que l'évêque rende grâces comme pour l'oblation du pain et du vin, dans une formule de ce genre :
« O Dieu, **tu sanctifies,** pour la mettre au service de ceux qui la reçoivent, cette huile par laquelle tu as conféré l'onction aux rois, aux prêtres et aux prophètes. Qu'elle procure de même le réconfort à tous ceux qui en goûtent, et la santé à ceux qui en font usage. »

Le destinataire de l'huile sainte est le malade, ou du moins l'infirme ; à la limite : celui qui a besoin de « réconfort » corporel, moral ou spirituel. Faut-il y inclure le pécheur ?...
Cette huile sainte ne s'applique plus seulement par onction : on peut l'absorber en potion. Elle est emportée dans les maisons. Les laïcs l'appliqueront à leurs malades. Les malades pourront s'en servir eux-mêmes. Cela n'empêche pas que ce soit un sacrement, et un sacrement de l'évêque : elle est bénite par l'évêque ; comme l'Eucharistie portée par les fidèles à un infirme est consacrée par le prêtre.
Il faut donc souligner, dans cette formule, le mot « sanctifiée » : l'action guérissante de l'Esprit Saint, dans l'application fervente de cette huile sainte, tient à la bénédiction de l'évêque, au caractère sanctifié de l'huile elle-même.

● L'*Eucologe de Sérapion de Thmuis* (milieu du IVe siècle) nous fait entendre la voix de l'Orient à travers cette admirable prière de bénédiction « pour l'huile des malades », précise son titre :

« Nous te prions d'envoyer du haut des cieux la vertu curative de ton Fils unique sur cette huile... afin qu'elle éloigne toute maladie et toute infirmité..., qu'elle accorde aux malades bonne grâce et rémission des péchés, qu'elle soit pour eux un remède de vie et de salut, leur apporte santé et intégrité de l'âme, du corps et de l'esprit, et vigueur parfaite..., afin que soit glorifié le nom de Jésus Christ qui a été crucifié et a été ressuscité pour nous, qui a porté nos maladies et nos faiblesses et qui viendra juger les vivants et les morts. »

La vertu curative du sacrement est le plus fortement soulignée. Mais avec la rémission des péchés, la sainteté et le salut global. Le tout dans le mouvement de Vie éternelle où nous entraîne Jésus ressuscité pour avoir « porté nos maladies et nos faiblesses ».

● Et voici la formule romaine *Emitte*, du Ve siècle. Elle aura une telle influence sur tous les rituels occidentaux qu'elle peut suffire à notre information sur les rituels de bénédiction :

« Envoie, Seigneur, du haut des cieux, l'Esprit Saint, dans cette huile de l'olivier que tu as daigné tirer de cet arbre vigoureux en vue de soulager nos corps, afin que, par ta bénédiction, elle devienne, pour quiconque s'en oint, l'absorbe ou se l'applique, un remède de l'esprit et du corps, qui chasse toute douleur, toute faiblesse, toute maladie... »

Même accent sur le soulagement du corps, sans oublier le remède de l'esprit. La pratique occidentale est réaffirmée de conserver l'huile sanctifiée dans sa maison et de se l'appliquer soi-même selon le mode, externe ou interne, le plus indiqué.

Ve-VIIIe siècles : deux documents

Parallèlement à ces formulaires, voici deux documents qui ont fortement contribué à fixer la doctrine et la discipline de l'onction, durant le premier millénaire chrétien, en Occident :

● *La lettre du pape Innocent Ier* en 416. Jusqu'au XIe siècle elle sera prise comme référence au Magistère de l'Église. Parlant de l'Épître de Jacques : « Si quelqu'un de vous est malade, etc... », ce pape écrit :

« Ce texte, cela n'est pas douteux, doit s'entendre des fidèles malades, ceux qui peuvent être oints de la sainte huile d'onction. De cette huile préparée par l'évêque, non seulement la hiérarchie sacerdotale, mais encore tous les chrétiens ont la faculté d'user pour faire l'onction, quand la maladie les presse, eux ou les leurs... Il appartient à l'évêque de confectionner cette huile. Il va de soi que l'on ne peut l'appliquer aux « pénitents », car elle appartient au genre « sacrement » : à ceux en effet à qui on refuse les autres sacrements, comment penser que l'on puisse accorder une chose de ce genre ? »

Quatre notations :
— C'est l'huile sainte qui appartient au « genre sacrement ». C'est elle qui est porteuse de la vertu divine.
— Cette vertu lui est conférée par la bénédiction. L'évêque opère cette « sanctification » de l'huile. C'est lui qui « confectionne » le sacrement.
— Cette huile sainte, comme tous les autres sacrements, est réservée aux « fidèles », aux baptisés, — et aux fidèles non « liés » par la « pénitence » publique, c'est-à-dire qu'elle doit être refusée à ceux qui ne seraient pas d'abord « réconciliés ».
— Cette huile est destinée aux malades,
— Les laïcs ont la faculté de faire l'onction, pas seulement les prêtres.

● *Les sermons de saint Césaire d'Arles*, au VIᵉ siècle, s'adressent à des chrétiens qui courent les devins et les sorciers. « Vous cherchez la santé des corps, leur dit-il, et trouvez la mort de l'âme... » Et il met en valeur, ensemble, l'efficacité corporelle de l'Eucharistie et de l'onction :

« Toutes les fois qu'une maladie quelconque sera survenue, que le malade reçoive le corps et le sang du Christ, qu'humblement et fidèlement il réclame l'huile bénite par les prêtres, qu'ensuite il oigne son corps pour que ce qui est écrit s'accomplisse en lui *(citation de Jac 5, 14-15)*. Vous constatez, frères, que celui qui, dans une maladie, s'empresse de s'adresser à l'Église, méritera la santé du corps et la rémission de ses péchés » (Sermon 13).

Césaire pense que c'est l'union au Christ, maître de la vie et de la mort, qui conduit à la guérison : c'est lui « l'auteur de la santé ».
Les effets de l'onction sont la santé du corps et la rémission

des péchés, la santé totale. « Tout péché est par lui-même une atteinte à la santé, car l'homme ne peut être en harmonie quand il est séparé de Dieu » (Bernard Haering).

Notons que la bénédiction est attribuée par Césaire aux prêtres et non réservée aux évêques. Mais les laïcs peuvent toujours appliquer eux-mêmes cette huile ainsi « sanctifiée » par le prêtre.

Césaire d'Arles aura une immense influence sur toute la pastorale européenne des siècles suivants...

A partir du VIIIᵉ siècle : vers cette impasse : l'extrême onction

1) Césaire d'Arles avait donné l'alarme : au fur et à mesure que le Christianisme s'enfonça dans la forêt païenne, on assista à la disparition progressive de l'onction des malades au profit de rites magiques. Alors la hiérarchie sacerdotale commence à prendre en main cette pratique sacramentelle tombée de celle des laïcs. Pour lui donner plus d'importance. Par fidélité aussi à l'Épître de Jacques qui « fait venir au malade le groupe des Anciens » pour une liturgie solennelle. De ce fait, apparaissent alors un peu partout des rituels, non plus seulement de la bénédiction, mais de l'onction d'huile sainte.

2) Toujours en réaction contre la magie — cette rouille qui ronge toutes les pratiques religieuses, même les sacrements — on donne de plus en plus d'importance à l'effet purificateur de l'onction : la rémission des péchés. La « guérison du corps » passe au second plan... progressivement... pour n'être plus qu'un vague « soulagement du corps ». Ceci, à travers les VIIIᵉ, IXᵉ, Xᵉ siècles. Le sacrement bascule vers le pur spirituel.

3) Mais ce sont les rituels qui vont amener l'évolution la plus importante. Un véritable dérapage.

La pénitence publique était encore la seule officielle, jusqu'au IXᵉ siècle. Or elle était invivable. Les pécheurs — et ils ne manquaient pas plus que maintenant — n'avaient donc que deux ressources : ou recourir aux « rémissions » et communier, ou se passer des sacrements leur vie durant.

Mais venait l'heure de la mort... Il fallait vite se faire mettre en état de pénitence publique et demander la réconciliation, afin de mourir avec l'absolution et le saint Viatique. Cette pratique de la pénitence sur le lit de mort était devenue courante. Elle a entraîné dans son sillage l'onction des malades. Comment cela ?

Innocent Ier avait écrit que l'on ne peut appliquer l'onction aux pécheurs non réconciliés, parce qu'ils sont privés des sacrements... Les pénitents ne pouvaient donc être administrés de l'onction qu'après leur réconciliation au lit de la mort. La pénitence à la mort entraîna l'onction à la mort.

Même quand la pratique de la pénitence privée aura ramené la réconciliation « dans la vie », l'huile des malades restera au lit de la mort : à partir des XIe et XIIe siècles, on n'administre plus l'onction que sur le lit de la mort. Et même, on l'applique après la pénitence et le Viatique, pour que la réconciliation soit parfaite. Ainsi, l'onction est devenue « le dernier sacrement », « l'extrême onction ».

C'est sur cet état de fait que les théologiens scolastiques vont réfléchir, sur cette ruine que va se construire la première théologie des sacrements... De là la doctrine de saint Thomas : « Il est manifeste que ce sacrement est le dernier et, d'une certaine manière, la consommation de toute la cure spirituelle : par lui, pour ainsi dire, l'homme est préparé à recevoir la gloire. D'où son nom d'extrême onction. Il est manifeste en conséquence que ce sacrement ne doit pas être conféré à n'importe quels malades, mais seulement à ceux que leur maladie semble rendre proches de leur fin ».

De cette doctrine « classique » sur l'onction des malades est née la pastorale de son administration « à l'article de la mort ».

La proposition du sacrement est donc ressentie comme un arrêt de mort. L'entourage retarde de plus en plus le moment de faire venir le prêtre. On attend que l' « intéressé » (!) soit inconscient... qu'il soit dans le coma... qu'il soit mort... Privant ainsi de « son sacrement » le malade qui en aurait besoin pour bien « vivre ».

Le concile de Trente pourtant ne s'était pas laissé entraîner dans ce fossé, malgré les schémas qui l'y tiraient. Il réagit autant qu'il pouvait le faire pour l'époque. Voici ses quatre canons :

Le concile de Trente

1) L'extrême-onction est un sacrement, institué par le Christ, défini et promulgué par saint Jacques.

2) L'effet du sacrement est de conférer la grâce, remettre les péchés et soulager le malade.

3) La pratique de l'Église romaine n'est pas « en contradiction » avec la pensée de Jacques. (Remarquez la tournure gênée. Elle revient à dire : Jacques n'a jamais interdit de donner l'onction aux mourants... Pour sûr!).

4) Les « presbytres » dont parle Jacques sont bien des « prêtres » ordonnés ; c'est pourquoi le prêtre est le seul ministre de l'onction.

Des chapitres doctrinaux commentent ces décrets :

— La matière du sacrement sera l'huile d'olive bénite par l'évêque. C'est la pratique latine. Mais la tradition orientale selon laquelle l'huile est bénite par le prêtre au moment de donner l'onction n'est pas réprouvée. Elle sera admise par plusieurs papes et... par notre nouveau rituel.

— L'effet du sacrement c'est évidemment « la grâce de l'Esprit Saint ». Mais à quelles fins ?... a) Effacer péchés et séquelles des péchés (la débilité spirituelle) ; b) soulager et fortifier l'âme du malade ; c) Parfois lui rendre la santé corporelle, quand cela est utile au salut. Timide marche arrière : la santé reste en profond retrait, petite et tremblante. Mais elle est là!

— Enfin, le sujet du sacrement est tout malade sérieux : « Cette onction doit être donnée aux malades, à ceux-là surtout dont l'état est si dangereux qu'ils semblent arrivés à la fin de leur vie. » Dans les sessions disciplinaires, on condamne comme une erreur la mentalité courante qui fait retarder l'onction à toute extrémité et donner souvent l'onction à des « demi-morts ».

Incohérence pratique

Le rituel romain de Paul V, publié en 1614, en application du concile de Trente, et utilisé jusqu'à Vatican II, ne put réagir contre le poids d'une pratique incohérente. Et l'on récita sur des « demi-morts » — mais en latin! — les prières que voici :

Guérissez, ô notre Rédempteur, par la grâce du Saint Esprit, les infirmités de ce malade. Pansez ses blessures, pardonnez ses péchés, chassez tout ce qui fait souffrir son âme et son corps. Rendez-lui pleinement, par votre miséricorde, la santé spirituelle et corporelle, afin que, guéri par le secours de votre bonté, il soit capable de reprendre ses tâches habituelles...

Nous vous en supplions, Seigneur, regardez avec bonté votre serviteur dont le corps est accablé par la maladie, et rendez la force à ce vivant que vous avez créé. Que l'épreuve le purifie et qu'il se trouve par vos soins rendu à la santé...

Seigneur..., délivrez votre serviteur de la maladie, rendez-lui la santé ; que votre main le relève, que votre force l'affermisse, que votre puissance le protège et, avec toute la prospérité qu'on peut désirer, rendez-le à votre sainte Assemblée...

« L'ONCTION DES MALADES »

Depuis la guerre, un mouvement grandissant de prêtres, d'aumôniers d'hôpitaux spécialement, s'est insurgé contre ces « administrations » hâtives sur des inconscients, contre cette dénomination d' « extrême-onction » que le concile de Trente utilisa parce qu'elle était usuelle, tout en refusant de la déclarer satisfaisante. Il demande que soit rendu aux malades « leur » sacrement, que la pancarte « danger de mort » en soit arrachée, tant elle rend traumatisante la rencontre prêtre-malade...

Dans sa Constitution sur la Liturgie, le concile Vatican II, en trois articles brefs (73-74-75), a pris position dans le débat :

« L'extrême-onction, que l'on peut appeler aussi — et mieux — l'onction des malades, n'est pas seulement le sacre-

« L'onction des malades »

ment de ceux qui se trouvent au terme de leur vie. Aussi, le temps de le recevoir est-il déjà certainement arrivé quand le fidèle commence à être en danger de mort par suite de la maladie ou de la vieillesse » (73).

Le « sacrement des mourants », c'est le saint Viatique : on le donne aux condamnés à mort, aux naufragés sans recours, aux soldats qui partent à l'assaut... Mais l'onction n'est pas pour eux : elle est réservée aux « malades ».

Or toute maladie sérieuse met « en danger de mort » au moins lointain. L'onction est opportune dès que le patient « commence » à être en danger...

Avouons-le : la pensée de la mort possible est présente à toute maladie. A plus forte raison est-elle présente au grand âge : il est en lui-même une infirmité sérieuse et sa fragilité est pleine de risques.

Le nouveau rituel, dans son introduction pastorale, précise donc que :

— « avant une intervention chirurgicale, l'onction peut être donnée toutes les fois qu'une maladie sérieuse est la cause de cette intervention » ;

— de même, « à un vieillard dont les forces déclinent, même si aucune maladie sérieuse n'est diagnostiquée chez lui» ;

— « à un enfant qui a assez de raison pour être réconforté par ce sacrement » : en somme, à un enfant capable de communier fructueusement ;

— « aux malades qui ont sombré dans l'inconscience ou la déraison, si ce que l'on connaît de leur foi permet de penser que, conscients, ils l'auraient vraiment demandé ».

— Mais « pas lorsque le prêtre est appelé auprès d'un malade qui est déjà mort ; son rôle est alors de prier Dieu de pardonner les péchés du défunt et de l'admettre dans son Royaume ».

« Ce sacrement peut être réitéré si le malade a guéri de la maladie au cours de laquelle il avait reçu l'onction, ou si, la maladie se prolongeant, la situation devient de nouveau préoccupante. »

Le nouveau rituel

Les articles 74 et 75 de la *Constitution sur la Sainte Liturgie* ordonnaient en conséquence :

1) « On créera un rituel de l'onction seule, un autre du Viatique seul, et enfin un rituel continu prévoyant, pour les mourants, de donner l'onction après la confession et avant le Viatique » (74).

Le Concile prévoit donc trois rites :
— « un rite de l'onction seule », sans le saint Viatique, car l'onction est le sacrement des malades, non des mourants ;
— « un autre rite, le Viatique seul » qui est, lui, le sacrement des mourants ; précédé d'une ultime réconciliation, il constitue « les derniers sacrements » ; normalement, ce mourant a demandé et reçu l'onction des semaines ou des mois plus tôt ;
— « enfin, un rituel continu — absolution, onction, Viatique — » pour les ruptures de santé brusques et graves : infarctus, congestion, accident...
C'est le retour à « l'ordre ancien, plus conforme à l'économie profonde des sacrements dont l'eucharistie est le centre et la fin, et qui reproduit à sa manière l'ordre des sacrements de l'initiation (baptême-confirmation-eucharistie). Il est normal que l'eucharistie soit reçue en dernier lieu » (B. Sesboüé).

2) « On adaptera le nombre des onctions aux circonstances, ajoutait le Concile, et on révisera les oraisons de telle sorte qu'elles correspondent aux diverses situations des malades qui reçoivent l'onction » (74).
Les onctions sur les yeux, les oreilles, les narines, les lèvres, les pieds ont été supprimées. Elles sont remplacées par une onction sur le front et une autre à l'intérieur de chaque main ouverte, avec cette formule (dite une seule fois) :

N., par cette onction sainte, que le Seigneur, en sa grande bonté, vous réconforte par la grâce de l'Esprit Saint ;
R. — Amen.

Ainsi, vous ayant libéré de tous vos péchés, qu'il vous sauve et vous relève.
R. — Amen.

Le front, les mains ouvertes, c'est tout l'homme : la pensée, l'action...

*Et
maintenant,
que faire ?*

Jésus sortait de
Jéricho. Barti-
mée, un mendiant
aveugle, se mit à
crier : « Fils de
David, Jésus, aie
pitié de moi ! »
Beaucoup le ru-
doyaient pour le
faire taire, mais
il n'en criait que
de plus belle :
« Fils de David,
aie pitié de moi ! »
Jésus, s'arrêtant,
dit : « Appelez-
le. » On appelle
donc l'aveugle,
on lui dit : « Cou-
rage ! Debout ! Il
t'appelle ! » Et lui,
jetant son man-
teau, d'un bond
fut près de Jésus.
Prenant la parole,
Jésus lui dit :
« Que veux-tu
que je te fasse ? »
— « Rabbouni,
lui répondit l'a-
veugle, que je
voie ! » Jésus lui
dit : « Va, ta foi
t'a sauvé. » Et
aussitôt il recou-
vra la vue, et il
le suivait sur le
chemin.
(Mc 10, 46-52).

● **Ce sacrement est d'abord, comme tous les autres,
un sacrement de la foi. De ma foi...**

Je suis sérieusement éprouvé par l'âge ou la maladie ?
Je crois que Dieu s'intéresse à moi, je me tourne vers lui
dans mon épreuve, essayant de m'en remettre à lui. C'est
donc à moi de « faire venir les prêtres de l'Église », comme il
m'est demandé dans l'Épître de Jacques... Si je suis assez
peu lucide, assez peu croyant, pour le faire, que mes parents
et amis veuillent bien m'aider. A ce signe je saurai qu'ils
m'aiment...

● **Ce sacrement est aussi, comme tous les autres, une
célébration communautaire.**

Il doit susciter un rassemblement fraternel de la « famille »
humaine et chrétienne autour d'un de ses membres souffrants.
Les « presbytres » de l'Église primitive venaient en nombre
au nom de tous. Cette réunion ne s'improvise pas : il faut
choisir le jour et l'heure qui pourra convenir aux parents,
amis, soignants, voisins...

Mieux encore : on organise des célébrations collectives de
l'onction des malades, quand on peut les déplacer vers une
salle ou une église d'accueil, et l'on y vit, dans la joie partagée,
la fraternité et la prière de la communauté chrétienne.

La communauté, celle de la terre et du Ciel : c'est le dernier
mot de ce sacrement, comme de tous les autres :

« Par l'onction sacrée des malades et la prière des prêtres,
c'est l'Église tout entière qui recommande les malades au
Seigneur souffrant et glorifié, pour qu'il les soulage et les
sauve. Bien plus : elle les exhorte à s'associer librement à la
passion et à la mort du Christ pour contribuer au bien du
peuple de Dieu » (Vatican II).

L'Église tout entière pour les malades, les malades pour
l'Église tout entière, dans le Christ souffrant et ressuscité...

16

LE SACREMENT DE MARIAGE

SURVOL HISTORIQUE

S'ils sont évangélisés, les chrétiens ont une vision profondément originale du mariage : ils y voient le Mystère même de l'union de Dieu avec l'Humanité dans la personne incarnée de l'Homme-Dieu, le Mystère des épousailles du Christ et de l'Église en un seul Corps. Ils savent que leur amour conjugal, à eux baptisés, a mission et grâce d'être le signe et la réalité partielle de ce « grand Mystère » (Éph 5, 32). En ce sens, on peut parler de mariage « chrétien ».

Mais il serait plus exact de parler de mariage des chrétiens, car c'est le mariage tout court, le mariage naturel qui, chez les baptisés qui ont la foi, est sacrement.

Le concile de Trente anathématise quiconque dit que le mariage n'est pas institué par le Christ, mais qu'il est une invention des hommes.

Il faut l'entendre d'abord du mariage de la Création, « au commencement, où **tout fut fait par le Verbe** et sans lui rien ne fut » (Jean 1, 1-3).

Il faut l'entendre ensuite du mariage de la Rédemption, de ce côté ouvert de l'Adam nouveau d'où est tirée son épouse, l'Église, avec **l'eau et le sang des sacrements, mariage y compris.**

Mais ce mariage irrigué par l'eau du baptême et le sang de la Passion n'est autre que le mariage « naturel », cette réalité première telle que Dieu l'a instituée en créant l'homme masculin et féminin. Nulle part, en effet, nous ne voyons le Christ instituer le mariage « chrétien ». Nulle part, il ne parle du mariage chrétien. Interpellé par des Juifs sur le mariage, il répond à des Juifs et les renvoie au mariage naturel, au plan primitif du Dieu créateur de tout mariage.

Nous n'y sommes pas assez attentifs. Trop habitués à ne reconnaître de valeurs que celles qui sont explicitement sacralisées par l'Église, nous oublions que c'est au mariage naturel que le Seigneur renvoie Juifs et disciples, que c'est du mariage naturel du « commencement » — c'est-à-dire du dessein initial

Le mariage naturel

Au commencement, Dieu dit : « Faisons l'homme à notre image, à notre ressemblance. Qu'il soit le maître des poissons de la mer, des oiseaux du ciel, des animaux domestiques, de toutes les bêtes sauvages et de tout ce qui va et vient sur la terre. » Dieu créa l'homme à son image, à l'image de Dieu il le créa, il le créa homme et femme. Dieu les bénit et leur dit : « Vous serez féconds et vous deviendrez nombreux ; vous remplirez la terre et vous la soumettrez... » Dieu vit tout ce qu'il avait fait : c'était vraiment très bon. (Gen 1, 26-31).

« *Ils se marient comme tout le monde* »

Frères, notre corps est pour le Seigneur Jésus et le Seigneur est pour le corps. Et Dieu, qui a ressuscité le Seigneur, nous ressuscitera aussi, par sa puissance. Ne savez-vous pas que vos corps sont des membres du Christ ?... Celui qui s'unit au Seigneur n'est plus qu'un seul esprit avec lui. Fuyez l'impureté. Tous les péchés que l'homme peut commettre sont extérieurs à son corps ; mais l'impureté est un péché contre le corps lui-même. Ne le savez-vous pas ? Votre corps

et universel de Dieu — qu'il affirme : « Ce que Dieu a uni, que l'homme ne le sépare pas ».

Aussi Léon XIII déclare : « Le mariage a été dès le principe comme une image de l'incarnation du Verbe... C'est pour cela qu'Innocent III et Honorius III, nos prédécesseurs, ont pu affirmer sans témérité et avec raison que le sacrement de mariage existe parmi les fidèles et parmi les infidèles » (Encycl. *Arcanum*).

Aussi saint Paul — qui porte à son sommet la révélation du « Grand Mystère » où un homme et une femme sont appelés à s'aimer « comme le Christ a aimé l'Église » (Éph 5, 22-33) — saint Paul ne voit aucune raison de toucher aux formes familiales et culturelles du mariage juif ou païen de son temps. Les rites laïcs du mariage coutumier ne sont pas récusés par lui au profit d'un rite liturgique chrétien ; ils ne sont même pas doublés d'une bénédiction religieuse.

Pour Paul, **si un homme ou une femme est membre du Christ, il est tout entier « dans le Christ »**, tout ce qu'il vit de bien est « dans le Christ », son mariage est « dans le Christ ». « Soit le monde, soit la vie, soit la mort, soit le présent, soit l'avenir, tout est au chrétien, mais lui est au Christ et le Christ est à Dieu » (1 Cor 3, 22-23). Du seul fait de sa foi et de son baptême, le fidèle est « une créature nouvelle » (2 Cor 5, 17), soit qu'il mange ou qu'il boive (1 Cor 10, 31), soit qu'il vive ou qu'il meure (Rom 14, 8), soit qu'il se marie, il est du Christ, « il est au Seigneur ».

Aussi les premiers chrétiens « se marient comme tout le monde » (*Lettre à Diognète*, V, 6), c'est-à-dire comme les païens qui les entourent : en continuant à suivre les mêmes rites matrimoniaux, sans schéma chrétien, sans la présence du prêtre ni de l'évêque, sans cérémonie religieuse spéciale. C'est par contresens littéraire et en dépit de l'histoire, qu'on affirmerait le contraire en invoquant saint Ignace d'Antioche et Tertullien.

Le mariage des chrétiens n'en est pas moins ce que l'on appellera, bien plus tard, « sacrement ». Pour le moment, ils ne savent pas ce qu'est un sacrement. Il faudra attendre la scolastique pour inventorier, classer, étiqueter le jardin de la théologie. Mais la vie chrétienne n'attend pas les étiquettes pour faire pousser et grandir toutes les richesses plantées par le Seigneur dans son Église.

est le temple de l'Esprit Saint, qui est en vous et que vous avez reçu de Dieu;

Dans les groupes clandestins d'une Église persécutée, le sentiment communautaire était attisé par le partage du danger commun. L'évêque connaissait tout son monde et l'attachement pastoral était vif et réciproque. Il arrivait donc souvent que l'évêque ou l'un de ses prêtres fût invité aux noces des fidèles, comme le Christ à Cana. Il y venait sans risque, aucun habit spécial ne marquant alors son « personnage »; il partageait un moment la joie commune, signait, avec les autres témoins, le contrat de mariage. Souvent, si la sécurité ne l'interdisait pas, il était prié de bénir les jeunes époux, après le père de famille. Il faisait alors une invocation improvisée, ou silencieuse, avec peut-être imposition des mains. Ce geste avait un caractère privé; ce n'était pas une bénédiction nuptiale.

L'Église entre aux noces des chrétiens

vous ne vous appartenez plus à vous-mêmes; car le Seigneur vous a achetés très cher. Rendez gloire à Dieu dans votre corps. (1 Cor 6, 13-20).

Mais, une fois l'ère des persécutions close, vers la fin du IVe siècle, il devint lui aussi « coutumier ». Et voilà comment le mariage des baptisés, « ecclésial » depuis ses débuts (c'est-à-dire : affaire entre chrétiens), quoique totalement « profane » (c'est-à-dire : hors de l'église), va lentement se muer en liturgie et devenir « ecclésiastique » (c'est-à-dire : sacralisé par une cérémonie à l'église). Petit à petit, des formules de bénédictions et de messes nuptiales se fixeront. A partir du VIIe siècle, elles prendront place dans les livres liturgiques officiels des chrétientés régionales, les « sacramentaires ».

Cependant, même alors, ce n'est pas l'Église qui « fait » les mariages. Elle accueille et bénit le mariage « coutumier », noué par le seul consentement mutuel et régi alors par les seules lois du pouvoir civil. Il en sera ainsi durant tout le premier millénaire chrétien.

Le mariage clandestin, quoique interdit, restera valide jusqu'au concile de Trente, au XVIe siècle.

Le Droit
matrimonial
passe à
l'Église

L'un de vous vit
avec la femme
de son père!...
Et vous n'avez
pas plutôt pris
le deuil, pour
qu'on enlevât du
milieu de vous
l'auteur d'une
telle action! Eh
bien! moi, absent
de corps, mais
présent d'esprit,
j'ai déjà jugé,
comme si j'étais
présent, l'auteur
d'un tel forfait.
Il faut qu'au
nom du Seigneur
Jésus nous nous
assemblions vous
et moi, avec
la puissance de
notre Seigneur
Jésus...
(1 Cor 5, 1-5).

Bien qu'on ne se mariât pas non plus « devant l'État »,
mais en famille, il y avait un Droit matrimonial (empêche-
ments, etc...) et des tribunaux qui tranchaient les litiges
relatifs aux époux.

Mais, « autres les lois de César, autres les lois du Christ »
(saint Jérôme).

La communauté chrétienne avait donc ses lois à elle et
sa juridiction ecclésiastique entre les mains de l'évêque, pour
assurer une vie évangélique au sein de l'Église. Pouvoir
spirituel sur les consciences, peines spirituelles excluant de la
« communion ». Qu'on se rappelle saint Paul sévissant contre
l'incestueux de Corinthe (1 Cor 5, 1-5).

Mais voici qu'en 318 l'empereur Constantin donne valeur
publique à la juridiction épiscopale : les fidèles pourront porter leurs problèmes et leurs différends aussi bien devant
l'évêque que devant l'administration impériale. La juridiction
épiscopale est ainsi amenée à faire appliquer les lois civiles,
à juger des causes matrimoniales au nom du pouvoir séculier
et selon le code impérial. Le résultat en sera, avec le temps,
l'effacement du pouvoir impérial et l'annexion par l'Église de
la législation et de la juridiction du mariage.

A partir des xie-xiie siècles, il n'y aura plus, pour les
baptisés, de mariage « licite » que « devant l'Église ». Et le
concile de Trente imposera sa forme canonique sous peine
d'invalidité. Au xvie siècle seulement.

Le
« sacrement »
de mariage

xiie siècle. Le mariage des chrétiens est donc devenu
« ecclésiastique », affaire de l'Église, aussi bien au plan juridique qu'au plan liturgique.

Les responsabilités canoniques de l'Église vont
réveiller et activer sa théologie.

● Jusque-là, elle évangélisait le mariage coutumier, elle le
protégeait, le bénissait, le conduisait devant l'autel. Mais
c'était les lois et les tribunaux de l'État qui, de droit, réglaient
et protégeaient cette réalité naturelle (de plus en plus, il est
vrai, par juridiction ecclésiastique interposée).

De ce fait, la théologie du sacrement de mariage était encore la Belle au bois dormant. On se contentait de dire ceci : le Christ à Cana a béni la vie conjugale et l'a introduite dans l'ordre de la Rédemption (les Pères grecs) ; c'est Lui qui par sa présence réalise le lien conjugal entre deux baptisés (Tertullien) ; Lui qui leur confère alors une grâce d'harmonieuse union (Origène), union dont celle qui lie le Christ et l'Église est le « modèle » (sans plus).

● Mais voici l'Église maîtresse du mariage. A elle désormais de le faire et de le défaire. A elle donc de savoir le point de non-retour d'un engagement matrimonial. Ce point de non-retour est-il l'échange des consentements ? Ou y faut-il, en plus, la consommation charnelle ?...

Le consentement fait le mariage, mais seule la consommation en scelle l'indissolubilité absolue : ainsi tranche le pape Alexandre III.

● Deux siècles seront nécessaires (XIe-XIIIe) pour que mûrisse la conscience que ce mariage est un sacrement : qu'**il symbolise et confère l'amour qui unit le Christ et l'Église.**

C'est particulièrement dans la liturgie de la consécration des Vierges que l'Église a pris cette conscience de la sacramentalité du mariage des baptisés : la mariée, la vierge consacrée, — deux voiles, deux participations complémentaires aux mêmes Noces, fécondes et virginales à la fois, de l'Église avec le Christ.

● Dès lors, le sacrement, c'est bien plus que l'instant du « oui » échangé. **« Le mariage n'est pas le consentement lui-même, mais cette communion de vie et de projet inaugurée par le consentement »** (saint Thomas). Le sacrement, c'est « la communauté profonde de vie et d'amour » dont parlera Vatican II dans *Gaudium et Spes* : un amour étonnant, durable, visible et campé devant les hommes comme un signe quotidien du Christ...

Le point de rupture où casse l'indissolubilité du mariage, ce n'est donc pas le second mariage des divorcés, c'est déjà le divorce lui-même : « séparer ce que Dieu a uni », rompre la « communauté profonde de vie et d'amour »...

La communauté profonde de vie et d'amour que forme le couple a été fondée et dotée de ses lois propres par le Créateur ; elle est établie sur l'alliance des conjoints, c'est-à-dire sur leur consentement personnel irrévocable. Une institution, que la loi divine confirme, naît ainsi, au regard même de la société, de l'acte humain par lequel les époux se donnent et se reçoivent mutuellement. En vue du bien des époux, des enfants et de la société, ce lien sacré échappe à la fantaisie de l'homme. (Vatican II).

LE MARIAGE, POUR QUOI?

C'est l'épineux problème des « fins » du mariage. Se marier pour faire des enfants? Ou pour l'épanouissement des époux? Ou pour endiguer ses passions?...
Beaucoup de célibataires avaient leur idée là-dessus. Les gens mariés n'étaient guère entendus. L'Écriture elle-même fut moins écoutée que la philosophie platonicienne et le Droit romain...

La parole est à l'Écriture

Au commencement, Dieu dit : « Il n'est pas bon que l'homme soit seul. Je vais lui faire une aide pareille à lui. » Avec la terre, le Seigneur Dieu façonna toutes les bêtes des champs et tous les oiseaux du ciel, et il les amena vers l'homme pour voir quel nom il leur donnerait... L'homme donna donc leurs noms à chacun. Mais il n'en trouva aucun pareil à lui pour l'aider.
Alors le Seigneur Dieu fit tomber sur lui un profond sommeil, et l'homme s'en-

● La Genèse nous rapporte deux récits de la création.
Dans le plus ancien (2, 18-24), elle nous présente, au milieu d'une nature foisonnante, un célibataire esseulé.
« Il n'est pas bon que l'homme soit seul », dit Dieu; et il crée lui-même, et il lui présente lui-même **« une aide semblable à lui ».**
Une aide pour quoi? D'après le contexte, pour peupler sa solitude. C'est d'ailleurs dans ce sens que va la réaction exultante d'Adam : « A ce coup, voici l'os de mes os et la chair de ma chair! » : voici la « moitié » du Tout que « nous » sommes désormais indivisiblement.
« C'est pourquoi l'homme quittera son père et sa mère pour ne faire qu'un avec sa femme au point que **les deux ne seront qu'une seule chair »,** « **un seul être incarné »,** tant sera intime entre eux l'union des pensées, des cœurs et des corps, l'union totale des personnes.
Bilan de ce premier récit inspiré de l'institution du mariage « au commencement » : faire deux amoureux et les combler dans le don mutuel et la fusion intime de tout leur être. Aucune allusion à la procréation, il faut le noter loyalement.

● Dans l'autre récit, plus récent, quoique inséré au chapitre premier de la Genèse (26-28), « l'homme » (au singulier collectif englobant les deux sexes) :
l'homme est présenté comme **l'image d'un Dieu unique à plusieurs personnes,** d'un Dieu qui parle au pluriel : « Faisons l'homme... »;
l'homme est défini comme **« un tout »** à deux moitiés

complémentaires, un couple sexué : « Dieu créa l'homme à son image : masculin-féminin il les créa ».

Cette fois Dieu ajoute : « Soyez féconds, multipliez-vous ». Mais cette « bénédiction » est un des refrains de tout ce chapitre (cf. versets 22 et 28). De plus, elle est liée à l'axe même de ce récit : la vocation cosmique de l'homme : « Faisons l'homme à notre image et à notre ressemblance, et qu'il domine sur les poissons, les oiseaux, etc... » (26).

Le Créateur trinitaire fait donc le couple humain procréateur : de lui surgira une trinité d'amour — père, mère, enfant — qui nous révélera que Dieu est Amour et Amour créateur.

● Mais il y eut le péché. Avant, tous deux étaient nus et sans honte l'un devant l'autre (Gen 2, 25). Après, « ils connurent qu'ils étaient nus » (3, 7) : l'harmonie des relations interpersonnelles est brouillée jusque dans le domaine sexuel. Pardon! surtout dans ce domaine : selon le proverbe *(corruptio optimi pessima)*, ce qu'il y a de meilleur en l'homme, sa puissance d'amour qui le fait image de Dieu, c'est cela même qui sera le plus dégradé par la corruption du péché. L'amour est inversé en convoitise au niveau du sexuel. Là s'installe despotiquement, non pas la jouissance — qui est don de Dieu — mais l'asservissement au désir et au plaisir, « la concupiscence de la chair » (1 Jean 2, 16).

Dans ce désordre des sentiments et des sens s'enracinent la méfiance du sexuel, la honte de ses activités (« je me suis caché parce que je suis nu »), et comme une incompatibilité des rapports sexuels avec la proximité de Dieu (cf. Ex 19, 15 ; 1 Sam 21, 4). Ce « complexe » instinctif et non critiqué va marquer l'Église beaucoup plus que « la ressemblance de Dieu », beaucoup plus que le Cantique des cantiques et le Nouveau Testament...

● Le Cantique des cantiques est un poème inspiré où se trouvent franchement exprimés tous les aspects de la joie amoureuse, depuis le plaisir sexuel jusqu'à l'union des cœurs. Exaltation, dans le couple amoureux, de l'égalité et de la valeur unique de la personne totale. Mais aucune mention de la fécondité!

dormit. Le Seigneur Dieu prit de la chair dans son côté, puis referma. Avec ce qu'il avait pris à l'homme, il forma une femme et il l'amena vers l'homme. L'homme dit alors : « Cette fois-ci, voilà l'os de mes os et la chair de ma chair. On l'appellera : femme. » (...) A cause de cela l'homme quittera son père et sa mère, il s'attachera à sa femme, et tous deux ne feront plus qu'un. (Gen 2, 18-24).

Par contre, c'est vrai que tout l'Ancien Testament est nataliste, contre la stérilité, contre le célibat, contre la virginité. Mais :

1) ce petit peuple juif ignorait la vie éternelle et la Résurrection ; chacun pensait donc ne pouvoir survivre que dans ses enfants ;

Vivez dans l'amour comme le Christ : il nous a aimés, il s'est livré pour nous. Il a aimé l'Église, il s'est livré pour elle, il voulait la rendre sainte en la purifiant par l'eau du baptême et la Parole de Vie. Il voulait se la présenter à lui-même, cette Église, resplendissante, sans ride, tâche ni rien de tel, il la voulait irréprochable. C'est comme cela que le mari doit aimer sa femme : comme son propre corps. Celui qui aime sa femme, s'aime lui-même. Jamais personne n'a méprisé son propre corps : au contraire, on le nourrit, on en prend soin. C'est ce que fait le Christ pour l'Église, parce que nous sommes les membres de son Corps. Comme dit l'Écriture : à

2) il se croyait seul chargé de remplir la terre des descendants d'Abraham au sens physique et racial du mot. Deux perspectives qu'éliminera la venue et la Révélation du Christ.

● Voici, en effet, le Christ. « La mort est morte ». Il révèle un Au-delà de vivants, non de morts ; il inaugure « la Résurrection où l'on ne prend ni femme ni mari » (Mat 22, 30-32) ; il inverse les valeurs mariage-virginité...

Et cependant, loin de réduire la dignité du mariage, il en restaure l'image et ressemblance du Dieu Trinité, l'amour inconditionnel, l'accueil de l'autre à égalité, le « deux en une seule chair »... sans allusion à la procréation. Sauf peut-être (?) en une touche d'une infinie discrétion, par le « laissez venir à moi les petits enfants » après la discussion sur la répudiation (Mat 19 ; Marc 10).

● C'est saint Paul qui nous dévoile le sommet de la Révélation sur le mariage.

Dans Éph 5, 22-32, la Révélation initiale est reprise, comme l'avait fait Jésus ; elle y est singulièrement exaltée, mais toujours sans allusion à la fécondité.

Dans 1 Cor 6, 12-20, « le corps est pour le Seigneur et le Seigneur est pour le corps » (13) ; « vos corps sont les membres du Christ » même dans l'acte qui, si vous étiez fornicateurs, les rendraient « membres d'une prostituée » (15).

Dans le chapitre suivant, (texte en marge ci-après), le mariage monogame est, tout comme le célibat, « un don particulier » de Dieu, un « charisme » (7). Il est, bien sûr, remède à la concupiscence (2, 5, 9). Il est surtout don mutuel des personnes totales, corps compris, don charnel qu'un faux mysticisme est exposé à restreindre (3, 6).

Et les enfants, dans ce mariage ?... Des époux l'un pour

l'autre ; et, ensemble, pour le Christ ; mais pas d'allusion à la fécondité.

Ni Paul, ni le Christ, ni l'Ancien Testament ne donnent la procréation comme « fin première » au mariage et à l'union charnelle.

Ce n'est qu'à partir du IIe siècle que l'Église, face aux débordements païens d'une part, pénétrée de philosophie dualiste d'autre part (l'esprit est bon, le corps est mauvais), durcira sa théologie conjugale dans un sens biologique et pessimiste.

cause de cela, l'homme quittera son père et sa mère, il s'attachera à sa femme, et tous deux ne feront plus qu'un. Ce mystère est grand : je le dis en pensant au Christ et à l'Église. (Eph 5, 21-38).

Voici, à travers l'histoire, les principales évolutions de la théologie des fins du mariage :

● **La procréation.** Le « pacte conjugal » romain, publiquement lu et signé lors des mariages païens, puis chrétiens, portait que les fiancés se mariaient *liberorum procreandorum causa* : « pour procréer des enfants ». C'est le seul but qui justifie le mariage et l'acte charnel aux yeux des Pères des IIe et IIIe siècles. Saint Ambroise et saint Jérôme leur feront largement écho. Logiquement, ce dernier condamne durement les rapports pendant la grossesse. Durement, *la Didascalie des Apôtres* les avait assimilés à la sodomie, à la bestialité et à l'adultère !...

● **Le « remède à la concupiscence ».** Saint Paul avait insisté sur cet aspect, sans d'ailleurs le donner comme une fin du mariage. Saint Chrysostome, lui, dira : « Il y avait deux raisons à l'institution du mariage : elle existe pour que nous vivions chastement et pour que nous ayons des enfants ». Mais aujourd'hui, après le Christ et la Résurrection, plus besoin d'avoir des enfants : on peut aussi engendrer spirituellement. Donc « il ne reste plus qu'une raison de se marier : ne pas commettre la fornication ». Selon le mot de Paul : « Mieux vaut se marier que de brûler » (1 Cor 7, 9).

Saint Augustin sera d'accord. Il concédera « trois biens » au mariage : la fécondité, la fidélité et l'indissolubilité. Mais la fécondité, à quoi bon ? « De nos jours, dira-t-il, il n'est personne dont la piété soit parfaite et qui cherche à avoir

La parole est aux théologiens

Il est bon pour l'homme de s'abstenir de la femme. Mais, pour éviter tout dérèglement, que chaque homme ait sa femme et chaque femme son mari. Que le mari s'acquitte de son devoir envers sa femme, et pareillement la femme envers son mari. La femme ne dispose pas de son corps, mais le mari. Pareillement, le mari ne dispose pas de son corps, mais la femme. Ne vous refusez pas l'un à l'autre, si ce n'est d'un commun accord,

pour un temps, afin de vaquer à la prière ; et de nouveau soyez ensemble, de peur que Satan ne profite, pour vous tenter, de votre incapacité à vous maîtriser. Ce que je dis là est une concession, non un ordre. Je voudrais que tous les hommes fussent comme moi ; mais chacun reçoit de Dieu son don particulier, celui-ci d'une manière, celui-là de l'autre.
(1 Cor 7, 1-7).

Femme tu te souviens ? on n'avait rien pour commencer, tout était à faire. Et on s'y est mis, mais c'est dur. Il faut du courage, de la persévérance. Il faut de l'amour, et l'amour n'est pas ce qu'on croit quand on commence. Ce n'est pas seulement ces baisers qu'on échange, ces petits mots qu'on se glisse à

une progéniture autre que spirituelle ». Cependant, pour lui, le désir actuel d'une progéniture charnelle rend licite l'acte sexuel. Quant aux deux autres « biens du mariage » — la fidélité et l'indissolubilité — il ne les met jamais en relation avec l'acte charnel. L'acte charnel accompli « en remède à la concupiscence », est un péché véniel au moins de la part du demandeur.

Il faudra attendre le XVe siècle pour qu'une minorité de théologiens (saint Antonin, Cajetan...) trouvent que ce péché véniel « réduit et limite trop étroitement le lit conjugal » (Dominique Soto).

● **Peupler le Royaume.** Et voici qu'au Moyen Age, le mot « progéniture », dans les commentaires des « trois biens » du mariage selon saint Augustin, prend un sens différent : « le bien de la progéniture » *(bonum prolis)*, qui justifie les rapports conjugaux, n'est atteint que si l'on donne à l'enfant une éducation chrétienne. A lui seul, l'être physique ne justifie pas les rapports sexuels, il faut « assurer le service de Dieu » et « peupler le Ciel », sinon où est « le bien du sacrement » ? C'est cette pensée, généralisée aux XIIe-XIIIe siècles, qui entraîna la fondation et le développement des universités de Bologne, Paris, Oxford et Cambridge...

L'idée importante, c'est qu'il n'est plus question de faire des enfants comme une chaîne de montage sort des voitures, mais que seule la qualité de la vie justifie la multiplication de la vie, et encore, sa qualité religieuse et éternelle. Perspective nouvelle et riche.

● **Aide mutuelle.** On n'a pas attendu le concile de Trente pour s'aviser qu'Ève avait été donnée à Adam pour être « une aide semblable à lui », mais cette aide s'entendait traditionnellement au sens biologique précis de la procréation. Le *Catéchisme* du Concile de Trente, appelé *Catéchisme romain*, « exposant les motifs qui doivent déterminer l'homme et la femme à se marier », s'exprime autrement :

« Le premier, c'est l'instinct naturel qui porte les deux sexes à s'unir dans l'espoir de s'aider mutuellement et de trouver dans cette réciprocité de secours plus de force pour supporter les incommodités de la vie et les infirmités de la vieillesse ».

Les deux autres « motifs » sont ceux de la théologie patristique : « le désir de procréer » et « le remède pour éviter les péchés de luxure ».

Il faut remarquer que le premier motif ci-dessus donné par le *Catéchisme romain* n'est pas rattaché aux rapports conjugaux et sent davantage les rhumatismes que la jeunesse. Mais — et c'est à son actif — il ne fait pas état de l'insistance augustinienne sur l'intention procréatrice.

Seulement, le jansénisme — l'*Augustinus* — ramènera saint Augustin au pas de charge, et nous l'aurons jusqu'au xxe siècle.

● **L'amour conjugal.** En 1925, à Innsbruck, un laïc marié, Dietrich von Hildebrand (1889-1977), fut le premier à souligner le contenu amoureux, personnaliste, global, du mariage et de l'acte conjugal. « Il n'a pas pour seule fonction d'engendrer des enfants, déclara-t-il ; il a également un sens pour l'homme en tant qu'être humain : celui d'être l'expression et l'accomplissement de l'amour conjugal et de la communauté de vie ». Il retrouvait à la fois une intuition non explicitée de saint Albert le Grand et les accents lyriques du Cantique des cantiques.

Sans lui faire sa place, *Casti connubii* de Pie XI ne l'attaqua pas. Dix ans plus tard un prêtre, biologiste et théologien, Herbert Doms, lui fournissait l'appareil d'une démonstration scientifique magistrale dans *Du sens et de la fin du mariage*. Il frisa la condamnation...

Peut-être, en effet, allait-on risquer de renverser la vapeur et d'oublier l'enfant, pour sombrer avec bonne conscience dans un égoïsme à deux ?... Bernard Haering, dans *La loi du Christ*, établit la synthèse : « La structure sexuelle apparaît ordonnée à l'amour... (Aussi) l'enfant n'est pas étranger aux valeurs personnelles du mariage... Loin de repousser dans l'ombre les valeurs de la personne, il leur donne leur vraie mesure et leur véritable éclat, en faisant des relations personnelles dans le mariage une image des relations trinitaires ».

Ce sera la synthèse Vatican II, pour qui « la communauté conjugale et familiale est... une communauté d'amour..., une communauté profonde de vie et d'amour ».

l'oreille, ou bien de se tenir serrés l'un contre l'autre ; le temps de la vie est long, le jour des noces n'est qu'un jour — c'est ensuite, tu te rappelles, c'est seulement ensuite qu'a commencé la vie. Il faut faire, c'est défait ; il faut refaire et c'est défait encore. Les enfants viennent ; il faut les nourrir, les habiller, les élever : ça n'en finit plus ; il arrive aussi qu'ils soient malades, tu étais debout toute la nuit, moi je travaillais du matin au soir. Il y a des fois qu'on désespère ; et les années se suivent et on n'avance pas, et il semble souvent qu'on revient en arrière. Tu te souviens, femme, ou quoi ? Tous ces soucis, tous ces tracas ; seulement tu as été là. On est restés fidèles l'un à l'autre. Et ainsi j'ai pu m'appuyer sur toi, et toi tu t'appuyais sur moi. On a eu la chance d'être ensemble.
(C.-F. Ramuz).

LE MYSTÈRE DU MARIAGE

Mon bien-aimé a parlé : il m'a dit : « Lève-toi mon amie, viens ma toute belle. Ma colombe, blottie dans le rocher, cachée dans la falaise, montre-moi ton visage, fais-moi entendre ta voix ; car ta voix est douce, et ton visage est beau. » Mon bien-aimé est à moi et je suis à lui. (Il m'a dit :) Que mon nom soit gravé dans ton cœur, qu'il soit marqué sur ton bras. Car l'amour est fort comme la mort, la passion est implacable comme l'abîme. Ses flammes sont des flammes brûlantes, c'est un feu divin ! Les torrents ne peuvent éteindre l'amour, les fleuves ne l'emporteront pas. (Cantique des Cantiques 2, 10. 14-16 ; 8, 6-7).

« L'Église est experte en humanité » a déclaré Paul VI à l'ONU. Et je me dis : au niveau des connaissances expérimentales ou livresques, l'Église n'est pas plus experte que les autres en humanité ; elle est « cherchante » et « tâtonnante » comme tout le monde et avec tout le monde. Mais dans la mesure où elle écoute et transmet la Parole de Dieu, là oui, elle est merveilleusement « experte en humanité ». Car alors elle accueille et fait passer la Révélation, sur l'homme, de Celui qui a fait l'homme.

Lisez le Lectionnaire du Mariage, ou encore le Cantique des Cantiques. Il ne s'est rien écrit, rien dit, de plus respectueux, de plus grand, de plus tendre, de plus optimiste, de plus enthousiaste, de plus réaliste aussi, sur le mariage dans toutes ses harmoniques, spirituelles et charnelles. Toute l'Écriture présente le mariage comme un état d'épanouissement pour le couple et pour ses enfants. La vierge consacrée qui n'y verrait pas une vocation heureuse et sainte ne serait plus, elle-même, le geste de Marie de Béthanie déversant sur les pieds de Jésus son parfum somptueux.

Malgré les caricatures ou les maladresses laissant parfois croire le contraire, avec son sacrement de mariage, l'Église se présente donc aux fiancés, aux époux et aux familles comme leur meilleure alliée.

Et ils en ont plus que jamais besoin ! Les « Je t'aime ! Je t'aime ! » de nos chanteurs, les illusions de jeunes amoureux qui croient tenir à pleines mains l'éternité, n'y changent rien : l'unité du couple, sa fidélité, sa pérennité, son bonheur n'en sont pas davantage les fruits naturels et faciles de notre culture. Dans une « radioscopie » de Jacques Chancel sur *France-Inter*, un de nos plus célèbres cinéastes évoquait tout naturellement ses cinq mariages et s'appelait lui-même, en souriant, un Barbe-Bleue. « J'épouse, j'épouse », disait-il. Tout comme une de nos grandes vedettes, sur les mêmes ondes, déclarait : « J'adore me marier ! » Notre climat est dur pour l'amour. « Consommation » égale « éphémère ». Or le bonheur est dans la durée.

L'homme a donc grand besoin de reconnaître ses racines. Le couple, la famille viennent de Dieu. Le mariage chrétien est, comme l'homme même, une extension, une communication du Mystère même de Dieu.

Il n'y a qu'une souffrance : c'est d'être seul. Un Dieu qui ne serait, depuis toujours, qu'une seule Personne, serait, depuis toujours aussi, le Malheur même. Une espèce d'Harpagon immortel enchaîné à une cassette inépuisable. Un égoïsme « puissant et solitaire » comme celui du Riche de la parabole, « écrasé » sous ses récoltes. Une telle personne ne pourrait être Dieu, puisque Dieu est le Bonheur même.

Il n'y a de bonheur que d'aimer et d'être aimé. Donc, « Dieu est Amour ». Il l'est, nécessairement, depuis toujours. Depuis toujours il est donc « plusieurs », il est « foyer », Foyer d'amour. « Au commencement, dit saint Jean, était le Fils, et le Fils était auprès du Père, et le Fils était Dieu avec le Père », dans l'Unité du Saint Esprit, leur commun Amour... « C'était ainsi au commencement chez le Bon Dieu. » Dieu est famille.

Or, « tout a été fait par lui »... Et comment voulez-vous qu'il fasse tout sinon à sa propre ressemblance ? Concluez que tout a été fait Amour. Tout a été fait Famille.

C'est Jésus qui parle :

« N'avez-vous pas lu que le Créateur, au commencement de ce monde, fit un homme et une femme et qu'il a dit : L'homme s'attachera à sa femme et les deux ne seront plus qu'un seul être incarné, une seule chair, non plus deux, mais une seule chair ? » (Mat 19, 4-6).

Nous avons lu en effet les deux premiers chapitres de la Genèse.

Et dans ces deux récits de la création, c'est l'Homme et la Femme qui, ensemble, constituent le germe et le modèle de l'Humanité telle que Dieu la veut communément. Au soir de chaque tâche créatrice, Dieu dit : « C'est bon ». Sauf le sixième jour : une fois l'Homme tiré de la glaise, il dit : « Ce n'est pas bon... Ce n'est pas bon que l'Homme soit seul ; il faut que je lui fasse une Aide qui lui soit assortie ». Car s'il est seul, s'il est unique, il ne peut pas accomplir sa vocation d'image de Dieu : pour être amour, il faut qu'il soit, lui aussi,

Le Mystère de Dieu

En ce temps-là, des Pharisiens s'approchèrent de Jésus pour le mettre à l'épreuve, et ils lui dirent : « Y a-t-il des motifs pour lesquels on ait le droit de renvoyer sa femme ? » Jésus répondit : « N'avez-vous pas lu l'Écriture ? Au commencement, (quand Dieu créa l'homme), il le créa homme et femme. Et encore : A cause de cela, l'homme quittera son père et sa mère, il s'attachera à sa femme, et tous deux ne feront plus qu'un. Ainsi, ils ne sont plus deux, mais ils ne font qu'un. Donc, ce que Dieu a uni, que l'homme ne le sépare pas ! » (Mt 19, 3-6).

« plusieurs ». Il faut qu'il ait un « vis-à-vis », dit le texte original.
Pour ressembler au Dieu Amour, au Dieu Un en trois Personnes, il faut que l'Homme fondamental soit constitué de
deux personnes, à la fois semblables et différentes (« vis-à-
vis »), égales, portées corps et âme l'une vers l'autre par le
dynamisme d'un amour tel qu'elles ne soient plus qu'un et
que, de leur union, puisse exister et grandir la « troisième
personne », l'enfant. Cette troisième personne est, au-delà
d'eux-mêmes, leur unité concrète, leur amour vivant : « C'est
tout toi, c'est tout moi, c'est tout nous deux en une seule
chair ! »

C'est ainsi que le couple est un mystère de Dieu que seule
la foi peut révéler pleinement, que seule l'Église de Jésus
Christ peut célébrer pour ce qu'il est.

On parle du « Mystère de la sexualité ». Avec raison. La
nutrition est une fonction ; la respiration, la circulation sont
des fonctions. La sexualité est un mystère...

Le Mystère du mariage

La complémen-
tarité de l'homme
et de la femme
unis de façon sta-
ble dans le ma-
riage pour l'œu-
vre de vie dans et
par l'amour, est
une figure et une
imitation, loin-
taines mais signi-
ficatives, de l'es-
sentielle complé-
mentarité du
Christ sanctifiant
et de l'Église
sanctifiée unis
dans un indisso-
luble amour pour
l'œuvre de divi-
nisation du mon-
de...

« Finalement, écrivait Paul Ricœur, dans *Esprit*, quand
deux êtres s'étreignent, ils ne savent pas ce qu'ils font ; ils
savent pas ce qu'ils veulent ; ils ne savent pas ce qu'ils cherchent ; ils ne savent pas ce qu'ils trouvent. Que signifie ce
désir qui les pousse l'un vers l'autre ? Est-ce le désir du
plaisir ? Oui, bien sûr. Mais pauvre réponse ; car en même
temps nous pressentons que le plaisir lui-même n'a pas son
sens en lui-même, qu'il est figuratif. Mais de quoi ? Nous avons
la conscience vive et obscure que le sexe participe à un réseau
de puissances dont les harmoniques sont oubliées mais non
abolies ; que la vie est bien plus que la vie... que l'homme ne se
personnalise que s'il replonge ainsi dans le fleuve de la Vie. »

Ce fleuve de la Vie, l'évangile de Jean en indique la Source :
le Père ; il nous en nomme le cours : le Fils. « En lui était
la vie. Cette Vie qui était la lumière des hommes », c'est-à-dire
par laquelle les hommes sont venus à la lumière, à l'existence,
à l'amour... Essayons d'entrevoir ce beau Mystère.

Parce qu'il est Amour, le Dieu-Trinité a fait alliance avec
l'Humanité... « Alliance », cela vous dit quelque chose, à vous
qui en portez une au doigt ?...

« Je te fiancerai à moi pour toujours, dit le Seigneur,
Je te fiancerai à moi dans la grâce et la tendresse.
Je te fiancerai à moi dans la fidélité,
Et tu connaîtras ton Dieu » (Osée, 2, 21-22).

Or, comprenons ceci : c'est en s'incarnant que le Fils épouse l'Humanité. Il quitte son Père, prend la nature humaine, et voilà Dieu le Fils et l'homme Jésus de Nazareth « en une seule chair », cette chair née de la Vierge Marie. En Jésus, il y a « tout Dieu », puisqu'il ne forme qu'un seul Dieu avec le Père et l'Esprit ; en lui, homme, il y a « tout l'homme », puisqu'il a pouvoir de nous rassembler tous en lui en un seul Corps.

Ainsi, toute la Vie de Dieu passe en nous par Jésus Christ. Toute notre vie, purifiée, transformée, passe à Dieu par Jésus Christ. Entre époux, tout est commun. Or Dieu a épousé l'Humanité.

Les noces par excellence, les voilà : ce sont celles de Dieu avec les hommes, par l'Incarnation de son Fils. Le Mariage avec un grand M, le voilà. Et définitif. Et infiniment riche d'amour. Pour son Épouse, le Fils s'est livré à la mort. Pour elle, il se donne en communion...

Eh bien, le Seigneur demande, par l'Église, que des hommes et des femmes, se donnant l'un à l'autre dans l'amour à vie, acceptent l'honneur et la grâce de signifier et de vivre cette Alliance du Christ et de son Église, d'en être le support, le « sacrement », le signe sensible, visible à tous.

— Quelle charge ! protestera quelqu'un.

— Quel don ! faut-il s'empresser d'ajouter.

Ce que l'homme attend de la femme, ce que la femme attend de l'homme, c'est, au fond, le bonheur infini, la vie éternelle, c'est Dieu. Rien de moins. C'est ce rêve fou qui rend le don total possible au jour du mariage...

Or ce don est impossible... A moins que les époux ne rencontrent dans la vie l'un de l'autre toutes les richesses de Dieu et, dans leur propre cœur, tout l'amour tendre et miséricordieux du Christ.

Le sacrement de mariage est cette Rencontre divine.

Mais il y a plus. Si le mariage n'était que l'image d'un type plus parfait d'union, il ne serait pas un sacrement, et saint Paul ne dirait pas qu'il est un grand mystère... La grandeur du mystère lui vient de ce que son symbolisme est efficace. Cela signifie que, non seulement l'union de l'homme et de la femme **imite** l'union du Christ et de l'Église, mais y **participe** réellement. Comme tous les hommes existent à l'intérieur du Christ qui contient en lui toute l'humanité (il est, dit saint Paul, le « nouvel Adam »), le couple homme-femme existe, du fait du sacrement, à l'intérieur de l'union transcendante qui fait du Christ et de l'Église un seul être surnaturel. (L'Église est la « nouvelle Eve »). (Fr. Varillon).

S'ENGAGER A VIE

« Lorsqu'un homme fait un serment, il prend sa vie dans ses mains comme de l'eau ». C'est un mari qui parle, un mari fidèle, un martyr de la foi, sinon du mariage, saint Thomas More. Il évoque l'engagement comme un défi et la fidélité comme un miracle.

Alexandre Dumas, qui n'était pas un saint, reste très en deçà de la vérité quand il écrit, sur un tout autre registre d'images : « La chaîne du mariage est si lourde, qu'il faut être deux pour la porter, parfois trois ».

Plus noir, le mot atroce de Taine est archi connu : « On s'étudie trois semaines, on s'aime trois mois, on se dispute trois ans, on se tolère trente ans, et les enfants recommencent. »

Et l'aventure recom- mence... Laquelle ?

Frères, puisque vous avez été choisis par Dieu, que vous êtes ses fidèles et ses bien-aimés, fai- tes-vous un cœur plein de ten- dresse et de bonté, d'humi- lité, de douceur, de patience. Sup- portez-vous mu- tuellement et pardonnez, si vous avez des griefs entre vous.

Si les enfants recommencent, ce n'est pas faute d'avoir été avertis :

« Sur cent ménages, combien sont heureux ? Deux, trois... et encore ? La rengaine de mon adolescence chante toujours devant moi sa petite phrase ironique... Le « et encore ? » me révoltait plus que tout...

« Entracte de quelques années. J'entre en mariage à mon tour. En mariage comme d'autres entrent en religion, comme les soldats entrent dans la guerre, sans le savoir. Je sens confu- sément que notre amour d'homme et de femme est, sur cette terre, la part de responsabilité qui me revient, pleine et entière. Je soupçonne que lui, homme, s'en remet à moi pour le destin de cet amour, qu'il me fait confiance. Je suis décidée à bien me battre. Notre défaite sera ma défaite. Je ne conçois pas comment vivre au-delà. Au-delà, ce n'est plus l'ordre. Le désordre du monde, sa blessure, c'est que l'amour puisse être défait, que je puisse le défaire de mes mains, de mon corps, de mon esprit.

« Sur cent ménages, combien sont heureux ? Deux, trois ?

« Quinze ans de pratique, quinze ans de vie, d'amitié,

m'ont appris que la proportion correspond sans doute à la réalité... »

C'est le témoignage de Marie-Paule Défossez, dans son très bel ouvrage *Vivre au féminin*. Parlant de son propre foyer, elle ajoute : « Bien qu'aujourd'hui les racines de l'amour aient poussé si profondément en nous que nous ne voyions pas comment nous pourrions, de nous-mêmes, les arracher, nous savons que chaque jour l'aventure recommence ».

Les faits sont là. En France, un gros 12 % de couples divorcent, un petit 10 % atteignent au bonheur durable, les 78 % restants oscillent entre la déception et la haine à vie. C'est le constat d'Aragon, repris par les chanteurs : « Il n'y a pas d'amour heureux »... Ou si peu... Les jeunes l'entendent dire, en confidence, par les adultes. Ils croient qu'ils vont changer cela comme tout le reste. Ils se marient. « Sans savoir »... Et l'aventure recommence.

Mais le petit 10 % d'amours heureux n'est-il pas là pour crier qu'il n'est pas fatal que « l'aventure recommence ». Il ouvre l'espace, étroit peut-être, mais réel, de la liberté et de la responsabilité de l'homme et de la femme. « De toute façon, écrit Mme Défossez, comme il y a quinze ans, je refuse de prendre mon parti de l'engourdissement de l'amour ».

C'est ce parti pris d'aimer qui, aux heures cruciales, fait pencher la balance vers le bonheur : « Mon mari et moi avons touché de près, à plusieurs reprises, des drames aussi absurdes, aussi irrationnels, ou aussi raisonnés que tant de drames. »

C'est ce parti pris d'aimer qui donne raison et assurance à un engagement matrimonial à vie.

Le Christ ne fait rien d'autre que nous renvoyer au mariage originel du début de la Genèse : un mariage monogame à vie. « A eux deux ils deviendront une seule chair », c'est-à-dire, comme il est explicité dans Malachie, 2, 14-15 : « ils ne seront plus deux, mais un seul être vivant qui a chair et souffle de vie ».

Certes, ce ne sont pas là des normes naturelles. Ce mariage monogame, égalitaire, unifiant, fidèle à vie, n'a pas été vécu « au commencement » : le « récit » de la création n'est pas une histoire, mais un « projet » ; il est une visée eschatologique de

Agissez comme le Seigneur : il vous a pardonné, faites de même. Par-dessus tout cela, qu'il y ait l'amour : c'est lui qui fait l'unité dans la perfection. Et que, dans vos cœurs, règne la paix du Christ à laquelle vous avez été appelés pour former en lui un seul corps. Vivez dans l'action de grâces. Que la Parole du Christ habite en vous dans toute sa richesse : instruisez-vous et reprenez-vous les uns les autres avec une vraie sagesse ; par des psaumes, des hymnes et de libres louanges, chantez à Dieu, dans vos cœurs, votre reconnaissance. (Col 3, 12-16).

Le plan de Dieu : un mariage à vie

Voici ce que vous faites : vous couvrez de larmes l'autel de Yahvé, de pleurs et de gémissements, parce qu'Il ne se tourne plus vers l'oblation et qu'Il n'accepte plus d'offrande de votre main. Et vous dites : « Pourquoi? » Parce que Yahvé a été témoin entre toi et la femme de ta jeunesse, que toi, tu as trahie, alors qu'elle était ta compagne et la femme de ton alliance. N'a-t-Il pas fait un seul être qui a chair et esprit? Et cet être unique, que cherche-t-il? Une descendance de Dieu.

Dieu vers laquelle le couple devra progressivement grandir.

Si nous pouvions avoir la moindre illusion sur ce point, la cassure de ce premier couple nous ramènerait vite à la réalité : après le coup de foudre de Genèse 2, 23 — « Ah! voici l'os de mes os et la chair de ma chair! » —, on tourne une page... et c'est la tragique scène de ménage où l'homme traite sa femme comme elle-même traitera le serpent, dans un reproche quasi-blasphématoire à Dieu : « La femme que tu m'as donnée... »

Et cependant, la Bible magnifie l'amour des époux comme une « image et ressemblance » de l'Amour trinitaire. Faut-il s'étonner qu'il soit difficile?...

Difficile, mais pas impossible, puisque le leit motiv de la Parole de Dieu se ramène au « Que l'homme ne sépare pas ce que Dieu a uni ». Aux crises inévitables, la seule « issue de secours » lumineuse est une issue divine, « chrétienne » : celle du pardon et de la réconciliation, « comme le Christ a aimé l'Église » (Éph 5, 25).

De ce dépassement des conflits par le haut, la grâce est offerte dans le sacrement. Un sacrement qui n'est pas une chaîne mais une force. Encore faut-il garder l'habitude d'y prendre appui...

L'engagement à vie, phénomène humain

Prenez donc garde à votre esprit, et qu'on ne trahisse pas la femme de sa jeunesse. Car je hais la répudiation, dit Yahvé, le Dieu d'Israël. (Mal 2, 13-16).

On a trop fait, d'ailleurs, de cette fidélité à vie, une contrainte « chrétienne », ou du moins une grâce « chrétienne ». En réalité, en son élan naturel et fort, tout mariage est en harmonie « humaine » avec l'Écriture : l'engagement à vie de « deux en une seule chair ». C'est là déjà, et hors de toute Révélation, un idéal humain.

« Idéal », donc difficile à tous ; idéal « humain », donc possible à beaucoup.

Il n'existe pas de société « humaine » sans famille, sans projet d'union à vie de l'homme et de la femme, sans structures de fidélité des ménages. La cohérence sociale humaine, telle que l'on voit que les êtres humains l'ont toujours et partout établie, est d'abord basée sur la famille. Oui, tandis que nos « évolués » occidentaux et... chrétiens (?) discutent sur la possibilité même de s'engager à vie, des milliers d'années d'histoire et d'ethnographie répondent que des gens incapables de s'engager et de se faire mutuellement confiance seraient, au sens précis du terme, « inhumains » : ils appartiendraient à une autre espèce « animale ».

Bien sûr, et depuis toujours, nombre d'hommes et de femmes sont infidèles, comme le furent David et Bethsabée ; beaucoup d' « attelages » cassent en route et font hésiter des jeunes à se lier. Il reste qu'en général le couple humain tient, en partie par le ciment du cœur, en partie par intérêt, en partie par les enfants, en partie par la carapace de la pression sociale. C'est pourquoi chez tous les peuples, sous des formes diverses, l'engagement mutuel des époux est institutionnalisé en mariage. Le mariage, qui est essentiellement engagement, est un phénomène humain général.

Il n'est donc ni vrai, ni bienfaisant de présenter cet engagement et la fidélité qu'il postule comme des phénomènes chrétiens ; encore moins comme des contraintes chrétiennes. Dans la promotion et la défense de l'amour à vie, l'Église a des alliés : la nature humaine, la société humaine.

Faites-moi rencontrer des jeunes qui croient à l'engagement définitif, ce sont les germes de l'avenir. Il n'y a que ça qui distingue l'homme de la bête : la possibilité de s'engager... C'est tout à fait fondamental que les chrétiens donnent, dans le monde actuel, le témoignage du définitif. (Jean Cardonnel, o.p., rencontré courant 1977).

Les apparences — en particulier l'institutionnalisation de plus en plus répandue du divorce légal — semblent dire le contraire.

Ce ne sont que des apparences. La réalité, c'est que les foyers affrontent, dans notre civilisation, des climats de loin plus durs qu'autrefois.

Autrefois le mariage était affaire de toute une famille. Le divorce était quasi impossible à des époux qu'enserrait le ferraillage d'un solide réseau patriarcal. Mais aujourd'hui le mariage est devenu affaire seulement à deux. Si la relation personnelle se déchire, il n'y a plus, autour des conjoints, de tissu familial plus large d'où tirer consistance.

D'autant que l'environnement où trouver prise, lui aussi, s'est évanoui. Le couple est seul dans son appartement, dans sa tour, dans sa ville. Perdus en mer à deux !... Chance pour l'intimité. Risque pour la fragilité. Fatalité s'il survient un vertige : on marche seul sur sa haute corde, sans filet.

Non seulement le couple est seul, mais la plupart du temps chacun des conjoints est arraché à l'autre huit à dix heures par jour dans sa vie professionnelle. Le travail rural unissait les quatre bras des époux sur la même terre ou autour des mêmes

Un engagement plus menacé que jamais

bêtes, du lever au coucher du soleil. La vie moderne fait travailler le mari avec d'autres femmes, la femme avec d'autres hommes à journée faite...

Ce travail de la femme, précisément, représente aussi pour elle une liberté, l'indépendance financière. Sa survie alimentaire ne tient plus forcément à son mari. Une chaîne est tombée... Heureusement... Dangereusement...

Enfin et surtout, l'espérance de vie ensemble, pour un jeune couple, était naguère de quinze ans. Elle est aujourd'hui de cinquante ans. Le « parcours des combattants » a plus que triplé, à travers un terrain plus accidenté, et si mouvant qu'il « change de siècle » tous les dix ans...

Les craquements d'aujourd'hui

Dans cet ordre d'idées précisément, s'ajoutant aux grandes et lentes mutations que nous venons d'évoquer, soulignons quatre nouveautés de taille, accélérées ou déclenchées par la secousse sismique de mai 1968 :

1) Le rejet de l'institution, qu'elle soit civile ou religieuse. Dans un monde de plus en plus socialisé, la liberté individuelle tente de se rattraper et de s'affirmer en maints domaines. En particulier, le mariage, après avoir été, dans un autre contexte culturel, un mode de socialisation, est maintenant souvent perçu et vécu comme relevant uniquement de la sphère du privé. Ses dimensions sociales sont difficilement mesurées par les jeunes. D'où amours libres, mariages à l'essai, etc.

2) Les jeunes sont aussi plus critiques devant le monde des adultes et l'univers qu'ils leur lèguent... Des vies « métro-boulot-dodo », des infarctus du myocarde, des femmes « de somme » ravagées avant l'âge, pour faire le monde comme il est ?... « Cherchons le bonheur autrement !... Plutôt s'aimer à ne rien faire... Et ces parents qui nous reprochent... sont-ils à ce point assurés de la qualité de ce qu'ils vivent en amour pour qu'ils puissent se permettre de refuser aux autres une quête de bonheur différente de la leur ? »

3) Depuis une décennie aussi, la liberté devant la foi, devant la morale de l'Église, devant la pratique religieuse, s'est affirmée durement. La liberté religieuse, la liberté de conscience osent enfin se vivre au grand jour dans un monde

qui n'est plus majoritairement croyant, et de loin : la montée de la non-croyance est générale et rapide.

4) Enfin, remplaçant une Église qui naguère encore avait le dernier mot sur tout, ce sont les responsables politiques qui prennent des décisions importantes dans le domaine des mœurs. Récemment, en France, ont été votées au Parlement les lois sur l'autorité parentale (1970), sur la famille légitime sans mariage (1972), sur la contraception pour les mineures et sur l'avortement (1974), sur le divorce (1975). L'État gère les mœurs dominantes. Et, en les accompagnant, il en accélère le processus de décomposition...

Cependant, le pessimisme nous est interdit. Il faut comprendre la nouveauté du monde. Mais cette nouveauté du monde ne fait qu'exiger un engagement à vie — qu'il s'agisse de sacerdoce ou de mariage — plus sacré, plus lucide, plus personnel, plus actuel. Plus actuel surtout, en ce sens que l'engagement doit être repris chaque jour comme à neuf, dans un élan créateur. « Aujourd'hui je commence » se redisait chaque matin S. Alphonse de Liguori. N'est-ce pas un des grands secrets de la fidélité ? C'est vrai des époux, c'est vrai des prêtres.

Et puis, boire tous les jours à cette source jamais tarie : le sacrement jaillissant dans le cœur du prêtre, dans le cœur des époux :

« La parole qu'un homme donne à une femme, la parole qu'une femme donne à un homme est sacrée. Elle est forte parce que parole d'amour. Elle est faible aussi, parce qu'elle participe à tout ce qu'il y a de fragile dans l'homme. C'est pourquoi, alors qu'ils vont se dire leur amour et se donner leur parole, les époux veulent enraciner leur promesse de fidélité en Celui qui seul est parfaitement fidèle : Jésus Christ, Parole de Dieu. » (Centre Jean-Bart).

CE QUE DIEU A UNI

« Est-il permis à un mari de répudier sa femme ? » Jésus répond :
« A l'origine de la création, Dieu les fit homme et femme.

« Ceux qui me disent : Seigneur, Seigneur ! n'entreront pas tous dans le Royaume des cieux ; celui qui fait la volonté de mon Père qui est aux cieux, celui-là entrera dans le Royaume des cieux. Tout homme qui écoute ce que je vous dis là, et qui le fait, est comparable à un homme sage qui a bâti sa maison sur le roc. La pluie est tombée et les torrents ont dévalé, la tempête s'est abattue sur cette maison ; elle ne s'est pas écroulée, car elle était fondée sur le roc. » (Mt 7, 21.24-25).

Aux personnes mariées, je prescris, — non pas moi, mais le Seigneur : Que la femme ne se sépare pas de son mari — au cas où elle s'en séparerait, qu'elle ne se remarie pas, ou qu'elle se réconcilie avec son mari — et que le mari ne répudie pas sa femme. (1 Cor 7, 10-11).

C'est pourquoi l'homme quittera son père et sa mère, et les deux ne feront qu'une seule chair. Ainsi ils ne sont plus deux, mais une seule chair. Eh bien! ce que Dieu a uni, l'homme ne doit point le séparer.

« Quiconque répudie sa femme et en épouse une autre, commet un adultère à l'égard de la première ; et si une femme répudie son mari et en épouse un autre, elle commet un adultère » (Marc, 10, 6-12).

Des raisons, en veux-tu ? en voilà !

Le « Je t'aime », étant absolu, implique nécessairement une promesse d'éternité. L'amour authentique est un engagement inconditionné qui s'élève « hors du temps », et qui, vécu « dans le temps », remplit nécessairement « tout le temps ». (Fr. Varillon).

● Entrouvrez la porte du divorce? Les cas tragiques y passeront... et puis les autres. Bilan? D'innombrables jeunes femmes rejetées sans protection, beaucoup d'hommes indignement abandonnés, quantité d'enfants dispersés ou, en tout cas, déchirés.

● Les enfants? On ne peut déserter son foyer sans passer sur le corps et l'âme de ses enfants... Et ils en resteront « détruits »...

Mais il y a des foyers inféconds?... D'autre part la mésentente chronique des parents n'est-elle pas plus nocive encore aux enfants que leur séparation?

● Il est vrai aussi que l'amour est, de soi, éternel. « Aimer quelqu'un, c'est lui dire : Toi, tu ne mourras pas! » (Gabriel Marcel). Aimer « à condition que », ou « jusqu'à un certain point », ou « pendant un certain temps », ce n'est pas aimer. L'amour veut remplir tout le temps et déborder le temps, pour remplir encore l'éternel. Si le fondement du mariage est l'amour, le mariage est indissoluble...

Mais combien n'ont bâti leur union que sur une apparence d'amour : attrait, fantaisie, passion!

Sont-ils liés par les lois de l'amour, l'époux et l'épouse qui en sont arrivés à se haïr et dont le foyer est un enfer?

Aussi, ce n'est pas sur ces raisons que le Christ et l'Église fondent leur irréductible opposition à toute rupture du lien conjugal. Sur quoi alors?

Quand les baptisés se marient dans la foi, leur mariage est sacrement. Par le « oui » qui les accorde, les époux chrétiens reçoivent une mission et une grâce matrimoniales : être l'Amour même de Dieu, l'Amour du Christ pour son épouse, l'Église.

Durant l'Ancien Testament, Dieu aime de cœur l'Humanité comme sa fiancée. Par l'Incarnation, le Fils de Dieu épouse l'Humanité sanctifiée, rachetée, c'est-à-dire son Église, qu'il unit à son Corps ; tout entière elle devient son Épouse, son corps ; Lui et Elle ne forment qu'un seul corps, le Corps Mystique ; « les deux ne feront qu'une seule chair », dit saint Paul. Et il ajoute : « Ce mystère est de grande portée ; je veux dire qu'il s'applique au Christ et à l'Église » (Éph 5, 31-32).

C'est la Nouvelle Alliance où le Christ a épousé l'Église dans son sang ; depuis deux mille ans le banquet des noces s'en célèbre dans l'Eucharistie.

Chrétiens, par votre baptême vous êtes l'Église. Mariés, vous devenez sur terre, par le sacrement de mariage, l'image vivante de l'Union du Christ et de son Église...

Pardon ! plus que l'image, vous êtes la réalité même de l'union du Christ et de son Église.

En effet, par la grâce d'Amour du sacrement, le mari devient le Christ en tant qu'Époux de l'Église, la femme devient l'Église en tant qu'Épouse du Christ. Dès lors, par le cœur du mari chrétien, le Christ exprime son amour à cette partie de l'Église qu'est l'épouse, à qui s'ajouteront bientôt les enfants. Par le cœur de l'épouse chrétienne, l'Église dont elle est membre exprime sa tendresse au Christ en la personne de son époux.

Voilà pourquoi le mariage-sacrement est indissoluble : il est, dans les époux chrétiens, l'union même du Christ et de son Église.

Il n'est pas plus permis à l'homme de se séparer de sa femme qu'il n'est possible au Christ de défaire son Incarnation pour se séparer de l'Humanité et briser l'Alliance d'amour avec son Église. Or, jamais le Christ ne quittera son Église :

« Ce mystère est de grande portée »

L'époux et l'épouse ne s'aiment pas seulement de la même manière que s'aiment le Christ et l'Église, mais **du même amour.** L'Esprit Saint, qui est le Lien personnel d'amour du Christ et de l'Église, est aussi, du fait du sacrement, le Lien personnel d'amour de l'époux et de l'épouse. Par l'intermédiaire du Christ et de l'Église, la vie conjugale humaine est finalement insérée dans la vie d'amour des Trois Personnes divines.
(Fr. Varillon).

« Rien ne pourra nous séparer ! »

Seigneur, tu nous as appelés à fonder ensemble ce foyer, donne-nous la force de l'animer de ton amour : qu'il soit réconfortant pour tous ceux qui y vivront : que notre maison soit accueillante à ceux qui voudront s'y réchauffer. Apprends-nous à progresser l'un par l'autre sous ton regard, à faire ta volonté tous les jours de notre vie, à te faire part de nos projets, à t'offrir nos joies et nos peines, à conduire jusqu'à toi les enfants que tu nous confieras. Seigneur, toi qui es l'Amour, nous te remercions de notre amour. Amen. (Prière des époux dans la liturgie du mariage).

« Qui nous arrachera à l'amour du Christ ? demande saint Paul. J'en ai l'assurance : ni mort, ni vie... ni présent, ni avenir, ni puissances... ni rien de créé ne pourra nous arracher à l'amour que Dieu nous témoigne dans le Christ notre Seigneur » (Rom 8, 35-39).

Chaque ménage chrétien est greffé sur cet amour infrangible du Christ et de son Église. C'est au Christ ou à son Église que chaque époux baptisé se trouve divinement soudé à travers son conjoint. « Rien de créé », non, pas même la stupidité du conjoint le plus décevant, ni l'infidélité du plus indigne, « rien de créé » ne peut dissoudre ce lien d'amour qui est celui même du Christ et de son Église.

La fidélité du Christ se marque jusque dans le conjoint infidèle, par l'impossibilité où se trouve celui-ci de contracter validement une autre union.

L'indissolubilité vécue douloureusement par le conjoint trahi affirme la grandeur fondamentale du mariage chrétien, supérieur à tout intérêt, à toute joie d'ordre humain : c'est la taille même la Croix sur laquelle Jésus a épousé l'Humanité dans sa mort et sa Résurrection.

« Maris, dit saint Paul, aimez vos femmes comme le Christ a aimé l'Église : il s'est livré pour elle » (Éph 5, 25). Il ne fallait rien de moins que cet amour de « Passion » jusqu'au sang de la Croix pour nous rendre à nous-mêmes possible une fidélité inflexible. « Quel époux chrétien, pécheur pardonné, oserait, face à la Croix, renier le conjoint indigne ou décevant auprès duquel il s'est chargé de représenter l'amour fidèle et pardonnant du Christ ? » (J. de Baciocchi).

« *Dieu reste fidèle* »

Mais tout homme est pécheur... Et le mariage met ensemble deux pécheurs... Alors, si l'échec irrémédiable — le divorce — détruit le foyer...

— A tout péché miséricorde... Et à celui-ci, plus de tendresse et de compassion qu'à tout autre, car il n'en est point de plus douloureux, et pour la vie...

— Mais si, comme Jean devant les ruines de son chalet arraché par la neige et les rochers, on a tenté de rebâtir plus beau qu'avant ?...

— Si l'on est divorcé remarié ?... Un ouvrage comme

celui-ci, sur l'ensemble de la catéchèse des sacrements, ne peut développer les questions canoniques, morales et pastorales qu'ils soulèvent. Pour le mariage, nous renvoyons nos lecteurs à notre étude pastorale *Ce que Dieu a uni... Le mariage chrétien hier et aujourd'hui* [1]. Il y est traité longuement, par l'histoire et avec les perspectives pastorales d'aujourd'hui, de l'accueil de nos frères et sœurs les divorcés remariés.

Nous nous bornons ici à vous livrer ce jugement d'un moraliste de grande classe, notre confrère, le Père Bernard Haering :

« La pastorale relative aux époux divorcés et remariés n'a pas nécessairement le sens étroit d'un retour aux sacrements. Ils peuvent donner le bon exemple en éduquant convenablement leurs enfants. Ils peuvent s'insérer activement dans les œuvres caritatives de l'Église et dans son apostolat. Pourtant, si nous croyons que l'Église est, dans sa totalité, le sacrement de la réconciliation de tous les hommes de bonne volonté, et que l'eucharistie en est le centre, on ne peut éviter la question de l'accès de ces personnes aux sacrements.

« A mon avis, les chrétiens de bonne volonté qui regrettent sérieusement leurs péchés et font ce qu'ils peuvent ne doivent pas seulement être relevés de l'excommunication éventuelle, mais encore être réadmis aux sacrements. L'absolution sacramentelle doit manifester que « Dieu ne demande pas l'impossible, mais il t'exhorte par son commandement à faire ce que tu peux et à demander dans la prière ce que tu ne peux pas encore. » (Saint Augustin). »

Elle est sûre cette parole : Si nous sommes morts avec lui, avec lui aussi nous vivrons ; si nous tenons, avec lui aussi nous régnerons ; si nous le renions, lui aussi nous reniera ; si nous sommes infidèles, lui reste fidèle ; car il ne peut se renier lui-même. (2 Tim 2, 11-13).

---

(1) Éditions du Centurion, Paris, deuxième édition 1977.

17

CÉLIBAT
ET CONSÉCRATION

MARIAGE ET CÉLIBAT

Partons de questions simplettes : Est-ce naturel de se marier?... de rester célibataire?... La virginité à vie est-elle un bien?... Les religieux et religieuses, consacrés à Dieu, sont-ils des gens normaux?...
On se mettra facilement d'accord sur le fait que le mariage est ce qu'il y a de plus naturel, que c'est l'état normal.
Mais alors, j'insiste : Qu'entendre par mariage naturel?...
Le mariage monogame? Alors, comment expliquer la polygamie d'Abraham et de tels pays africains?...
Le mariage fidèle? Ne croyez-vous pas que l'aventure de David avec la femme d'Uri fut passablement naturelle et que David et Bethsabée ont pas mal d'imitateurs?...
Le mariage à perpétuité? Même les condamnés à perpétuité sont relâchés au bout de douze à quinze ans! En notre temps d'accélération du développement technique et du changement humain, ce qui est naturel, c'est de ne pas s'engager et, si l'on est engagé, de se désengager prestement quand l'attelage va au précipice! Ne vous surprenez-vous pas à penser : « C'est naturel de divorcer quand les époux ne s'entendent pas »?...
Naturel, le mariage fécond? Mais la sexualité n'est-elle pas d'abord une relation, un langage, un « nous » plénier que la technique permet aujourd'hui de vivre sans engager l'enfant?...
Vous le voyez, le mariage chrétien — un, fidèle, fécond, indissoluble — n'est pas de l'ordre de la nature seule. Et d'abord, qu'est-ce que la nature, si diverse et contradictoire selon les âges et les lieux? Ne vaudrait-il pas mieux parler de culture?... De toute façon, dans notre contexte culturel actuel, unité, fidélité, indissolubilité, générosité à la vie ne sont pas naturelles... L'ont-elles jamais été?... Pour comprendre le sacrement de mariage, nous avons dû partir, non de la nature, mais du Mystère de Dieu.

Dieu est Amour. Dieu crée l'Humanité pour nouer Alliance avec elle. En cette Alliance, Dieu est fidèle malgré nos infidélités, Dieu aime à en mourir sous les coups de nos fautes. C'est dans cette Alliance que prend racine l'unité, la

Le mariage chrétien, Mystère de Dieu

En ce temps-là, Jésus dit à ses disciples : « Vous êtes le sel de la terre. Si le sel devient fade, avec quoi va-t-on le saler ? Il n'est plus bon à rien : on le jette dehors et les gens le piétinent. Vous êtes la lumière du monde. Il est impossible qu'une ville soit cachée quand elle est située sur une montagne. Et lorsqu'on allume une lampe, on ne la cache pas non plus sous le boisseau, on la met sur le lampadaire, et elle rayonne pour tous ceux qui sont dans la maison. De même, que votre lumière rayonne devant les hommes : alors, en voyant ce que vous faites de bien, ils rendront gloire à votre Père qui est dans les cieux. » (Mt 5, 13-16).

fidélité, la fécondité, l'indissolubilité du mariage chrétien. L'homme est créé à l'image de Dieu pour vivre en Dieu ; il est baptisé en Jésus Christ pour laisser vivre en lui le Fils. Le sacrement de mariage, c'est Dieu qui aime dans deux cœurs humains ; ce sont deux baptisés qui, dans la foi, s'engagent dans l'amour mutuel total et irréversible pour être signes du Mystère de Dieu, du Mystère de l'Alliance.

« C'est alors la foi qui nous dit quel type d'amour doit être réalisé dans le mariage, et non pas nos interrogations sur la psychologie ou la nature. C'est parce que Dieu est fidèle que l'amour humain doit se vivre dans la fidélité. C'est parce que l'Alliance est unique que le mariage est unique. C'est parce que l'Alliance est définitive que le mariage est indissoluble. C'est parce que cette Alliance est créatrice de l'homme que le mariage est fécond (créateur des enfants et des époux eux-mêmes). Des chrétiens s'engagent dans ce type d'amour pour annoncer aux hommes que le Royaume de Dieu est déjà là. Il ne s'ensuit pas que les chrétiens s'aiment mieux que les autres ; il s'ensuit qu'ils s'aiment avec la conscience qu'ils engagent le Mystère de Dieu et avec le souci de la significa-tion de ce Mystère. Les époux chrétiens s'aiment avec la conviction que leur amour engage un Autre Amour » (Mgr Robert Coffy).

C'est dans cette lumière, c'est à cette hauteur que nous pouvons maintenant parler du célibat volontaire et de la consécration virginale, réalités toutes proches du mariage chrétien malgré qu'elles en paraissent le contraire. Le célibat consacré n'est pas naturel. Mais le mariage un, fidèle, géné-reux, indissoluble, non plus. L'un et l'autre sont des dons de l'Esprit, des charismes pour la même Alliance, des signes complémentaires du même Mystère d'Amour.

Le célibat, cette Alliance

Entendons-nous bien sur ce que nous mettons sous le mot de célibat.

Nous ne pensons pas aux jeunes — ou moins jeunes — qui attendent l'âge ou l'occasion de se marier. Encore moins aux célibataires de l'état civil mais qui vivent en concubinage ou courent les aventures galantes. Ni du ou de la célibataire malgré soi qui, hélas! n'assume pas sa disgrâce et va, comme une épave, d'amertume en déprime.

Mais il y a les célibataires involontaires qui font face avec le courage de la foi et peuplent de service et de prière leur solitude indésirée. Vies fécondes et — tout autant — vies heureuses...

Et voici les célibataires par choix, qui ne veulent vivre que pour le Christ. Ou pour une tâche qu'ils estiment digne de cette consécration. Tel ce médecin de campagne, donné jour et nuit à ses malades, et qui déclarait : « Je n'ai pas le droit d'imposer à une femme une vie qui ne connaît point d'heures ». Telles encore ces tantes, sacrements de la tendresse de Dieu, qui ne vivent que pour des neveux et nièces orphelins ; c'est d'elles et de celles qui leur ressemblent que l'on a pu dire : « La famille ne pourra être sauvée que par les célibataires ».

Et enfin, le célibat des consacrés, hommes et femmes : dans le monde, dans les instituts séculiers, dans la vie religieuse, dans le sacerdoce. Célibat choisi « pour le Royaume », à l'imitation de saint Paul. Et d'abord du Seigneur Jésus.

Or le célibat, accepté chrétiennement ou choisi amoureusement, tout en étant le contraire du mariage, signifie et partage la même réalité que le mariage chrétien : le Mystère de Dieu Amour, l'Alliance. Mais l'Alliance dans un monde qui vit son dernier temps, parce qu'il est définitivement touché en profondeur par la mort et la Résurrection du Seigneur.

> Je vous le dis, frères : le temps se fait court. Reste donc que ceux qui ont femme vivent comme s'ils n'en avaient pas ; ceux qui pleurent, comme s'ils ne pleuraient pas ; ceux qui sont dans la joie, comme s'ils n'étaient pas dans la joie ; ceux qui achètent, comme s'ils ne possédaient pas ; ceux qui usent de ce monde, comme s'ils n'en usaient pas vraiment. Car elle passe, la figure de ce monde.
> (1 Cor 7, 29-31).

Que signifie en effet, et que réalise le célibat évangélique ?

● D'abord, que l'Église appartient à Jésus Christ personnellement comme Jésus Christ appartient à l'Église. Dans le mariage, cette appartenance se vit à travers un conjoint : « Jésus Christ t'aime par moi, Jésus Christ m'aime par toi ». **Il serait triste que personne dans l'Église n'aille directement à Jésus Christ, que son amour exclusif n'enivre personne.** « L'amour est fait pour l'aimable » dit Bossuet... Qui est plus aimable que Jésus ? Qui a plus aimé que Jésus ?...

● Et puis, **le Christ vierge est tout entier l'Époux de l'Église** : rien de ses pensées, de son cœur, de sa vie, de son travail, de son sang qui ne soit pour elle. Eh bien, il souhaite

Le « sacrement » du célibat par amour

Je voudrais vous voir exempts de soucis. L'homme qui n'est pas marié a souci des affaires du Seigneur, des moyens de plaire au Seigneur. Celui qui s'est marié a souci des affaires du monde, des moyens de plaire à sa femme ; et le voilà partagé. La femme sans mari, comme la jeune fille, a souci des affaires du Seigneur ; elle cherche a être sainte de corps et d'esprit. Celle qui s'est mariée a souci des affaires du monde, des moyens de plaire à son mari. (1 Cor 7, 32-34).

continuer à vivre ce don total à travers des femmes, des hommes qui investissent toute leur existence au service de l'Humanité, dans la mission de l'Église.

● Enfin, le Christ vierge n'a réservé son cœur et son être à personne en particulier — non, pas même à sa mère — pour que chacun absolument l'ait tout entier. Pour être l'Époux universel, **l'Époux amoureux de l'Humanité tout entière**, sans aucune exception. Aussi donne-t-il à d'autres lui-même d'être son cœur, ses yeux, son sourire, ses mains à l'égard de tous, disponibles à tous, frères et sœurs universels, parce qu'ils acceptent le sacrifice de n'appartenir en exclusivité à personne en particulier.

Ainsi, ce que vivent les célibataires pour l'Évangile, avec ou sans vœux, c'est bien le Mystère de l'amour du Christ et de son Église. Exactement comme l'époux et l'épouse baptisés et conscients de leur foi vivent ce même Mystère dans leur « communauté profonde de vie et d'amour ». Célibataires et mariés ont mission et grâce, dans la foi, d'être les « signes », les « sacrements » de l'Alliance de Dieu avec les hommes en Jésus Christ. Comme une broderie qui présenterait le même visage à l'endroit et à l'envers.

Mariés et célibataires ont besoin les uns des autres

Ils ont d'ailleurs besoin les uns des autres pour vivre pleinement, dans leurs situations complémentaires, l'Incarnation de Dieu : sans les vierges pour le Royaume, les époux risquent de se « déchristianiser » en se laissant couler dans le naturel et le charnel ; — sans les époux et leur amour, les célibataires risquent de se « déshumaniser » dans un spiritualisme desséché et désincarné.

Imaginez, en effet, une Église où tout le monde est marié ou en recherche de l'être. Que va-t-il se passer au point de vue chrétien ?... Il se trouve une telle plénitude humaine dans un mariage réussi qu'il risque de s'enfermer sur lui-même, dans l'oubli pratique du Christ et de l'Église. Heureusement, ce foyer réussi tiendra par lui-même, cimenté par les valeurs de l'amour humain et de la famille. Mais ce bonheur est toujours précaire... Et cette réussite est exceptionnelle... De toute façon, à l'intérieur de cette enivrante richesse humaine, les baptisés ont à vivre ensemble et à manifester au monde quelque chose d'encore plus riche et d'encore plus beau : le Mystère même de l'union du Christ et de l'Église, de Dieu et de l'Humanité.

Proche de ces ménages heureux, il faut que soit campée la vie consacrée dans le célibat, heureuse elle aussi, pour leur dire : « Ce que vous vivez entre vous est merveilleux ; mais donnez-lui son nom : ce n'est autre que le Dieu Amour. Votre mariage vous dépasse à l'infini : il est quelque chose de l'union du Christ et de l'Église. Je la vis comme vous. Croyez-moi : c'est un amour assez comblant pour que des existences humaines puissent s'équilibrer et s'épanouir sans le mariage. »

Pour que ce message soit lisible, il faut évidemment des célibataires réussis. Pas éteints ni déprimés. Pas épineux ni branches mortes. Et qui portent leur mystère joyeux sur un visage plus aimable qu'une porte de prison...

Car renoncer à une femme, à un mari, à la vie à deux, à la vie sexuelle, ce n'est pas renoncer à Satan ou aux « raisins verts ». Quand Dieu eut créé l'homme masculin-féminin, « il vit que cela était bon,... très bon ». On ne peut en offrir à Dieu le « sacrifice » que parce que c'est beau et grand... Mais on ne peut non plus y renoncer pour une vie de cloporte. On ne peut légitimement choisir le célibat que si on le vit comme un plus grand amour, comme une consécration plus totale à ce Mystère de l'amour du Christ et de son Église que vivent d'une manière qui peut être si riche les époux vraiment chrétiens.

Huit jours après la prise de voile de Thérèse de l'Enfant Jésus eut lieu le mariage de sa cousine Jeanne Guérin avec le Dr Francis Le Néele. La petite fiancée de Jésus est tout yeux et tout oreilles pour apprendre à vivre l'amour d'une jeune épousée. Elle écrit à la Mère Agnès de Jésus : « Vous dire combien son exemple m'instruisit sur les délicatesses qu'une épouse doit prodiguer à son époux, cela me serait impossible ; j'écoutais avidement tout ce que je pouvais en apprendre, car je ne voulais pas faire moins pour mon Jésus bien-aimé que Jeanne pour Francis, une créature sans doute bien parfaite, mais enfin, une créature !... » (Manuscrits autobiographiques).

Ainsi, les époux amoureux appellent les célibataires à vivre un amour délicat et brûlant, tandis que les consacrés invitent les mariés à ne pas plafonner au niveau des richesses humaines de leur union.

Deux états de perfection

C'est par la folie du message qu'il a plu à Dieu de sauver les croyants. Oui, tandis que les Juifs demandent des signes et que les Grecs sont en quête de sagesse, nous prêchons, nous, un Christ crucifié, scandale pour les Juifs et folie pour les païens, mais pour ceux qui sont appelés, Juifs comme Grecs, c'est le Christ, puissance de Dieu et sagesse de Dieu. Car ce qui est folie de Dieu est plus sage que les hommes, et ce qui est faiblesse de Dieu est plus fort que les hommes. (1 Cor 1, 21-25).

Alors pourquoi affirme-t-on souvent la supériorité du célibat consacré ? Pourquoi serait-il, seul, un « état de perfection », comme l'enseignait la doctrine classique de l'Église ?...

Il lui fallait, pour l'affirmer sans rire, se « défoncer » d'une énorme dose d'humour !...

Non, les célibataires pour le Seigneur ne constituent pas des cénacles de parfaits. Ils n'en ont d'ailleurs pas la prétention !... Il n'est pas facile aux prêtres, aux religieuses et aux religieux d'être des saints, pas plus facile qu'aux personnes mariées. **Toute vie vraiment chrétienne est « folie » évangélique, soit dans le mariage, soit hors mariage.** On a trop dit que le mariage était sagesse humaine tandis que le célibat pour le Royaume serait folie aux regards des hommes... Faux !

« L'amour du Christ nous étreint à cette pensée qu'un seul est mort pour tous et donc que tous sont morts. Et il est mort pour tous afin que les vivants ne vivent plus pour eux-mêmes, mais pour celui qui est mort et ressuscité pour eux... Le monde ancien est passé, voici qu'une réalité nouvelle est là » (2 Cor 5, 14-17).

Paul n'écrit pas à des religieuses, mais aux baptisés de Corinthe et, à travers eux, à tous les baptisés, mariés ou pas. De par la mort et la Résurrection de Jésus Christ, leur situation dans un monde neuf est la réalité de tous ; la vocation à la perfection est un appel pour tous... « Se renoncer soi-même pour suivre le Christ, prendre sa croix, perdre sa vie à cause du Christ et de l'Évangile », telle est la mise en demeure tranchante devant laquelle le baptême — vous entendez : le baptême — met tous les « disciples » (Marc 8, 34-35).

Il faut le reconnaître avec douleur : les braises évangéliques qui leur brûlaient les mains, la plupart des laïcs les ont prestement rejetées sur les prêtres et les consacrés, leur donnant délégation, leur faisant obligation d'être, en exclusivité, chastes, pauvres, partageux, renoncés, pieux... C'est une démission de leur baptême, une abjuration pratique de leur foi!... Même le « si tu veux être parfait » adressé au jeune homme riche les frappe de plein fouet. Car, en langage du Nouveau Testament, « être parfait » ne signifie rien d'autre que « être du Christ ». Ce jeune homme pratiquait la Loi Ancienne depuis son enfance ; Jésus lui dit : « Tu veux passer à la Loi Nouvelle, va, vends tes biens, donne-les aux pauvres... » (Mt 19 ; Marc 10 ; Luc 18).

C'est le baptême — et non la profession religieuse ou le sacrement de l'ordre — c'est le baptême qui nous consacre à Jésus Christ, pour nous transformer en Jésus Christ. « Je vis... Pardon! ce n'est plus moi qui vis. C'est Jésus Christ qui vit en moi » (Gal 2, 20).

C'est le baptême et la confirmation qui nous consacrent du Saint Esprit pour nous livrer au feu de l'Amour. « Le plus grand jour d'un pape, disait Pie XI, ce n'est pas celui de son couronnement, c'est le jour de son baptême! »

Certes, les baptisés-confirmés ont des vocations différentes, vivent des situations diverses. Mais ils ont tous à prendre l'Évangile tout entier : il ne s'y trouve pas des « préceptes » pour tous et des « conseils » pour quelques-uns. « Il n'y a qu'un Peuple de Dieu, choisi par le Christ :

« Un seul Seigneur, une seule foi, un seul baptême » (Éph 4, 5). Commune est la dignité des membres du corps du Christ ; commune la grâce d'être fils et filles de Dieu ; commune la vocation à la perfection » (Vatican II).

Tous, nous sommes conviés à l'absolu de l'amour — « de tout ton cœur, de toute ton âme, de toute ta force, de toute ta pensée » (Luc 10, 27) — envers Dieu et envers notre prochain.

Mais tandis que le mariage, quand il baigne dans l'euphorie, est tenté de se suffire, de s'emmitoufler dans sa plénitude humaine, le célibat, lui, ne peut être assumé et heureux que dans une constante union au Christ.

De plus, un célibat lisiblement vécu fait davantage question que le mariage chrétien. Il est plus significatif du Christ, du Royaume et du monde à venir. Mais ceci laisse intacte la question de savoir si l'on est personnellement plus saint dans le célibat ou dans le mariage... Affaire de vocation et de fidélité.

QUE DIT L'HISTOIRE ?

Quand Jésus vit toute la foule qui le suivait, il gravit la montagne. Il s'assit, et ses disciples s'approchèrent. Alors, ouvrant la bouche, il se mit à les instruire. Il disait :
« Heureux les pauvres de cœur : le Royaume des cieux est à eux! Heureux les doux : ils obtiendront la terre promise! Heureux ceux qui pleurent : Ils seront consolés! Heureux ceux qui ont faim et soif de la justice : ils seront rassasiés. Heureux les miséricordieux : ils obtiendront miséricorde! Heureux les cœurs purs : ils verront Dieu! Heureux les artisans de paix : ils seront appelés fils de Dieu! Heureux ceux qui sont persécutés pour la justice : le Royaume des cieux est à eux! »
(Mt 5, 1-11).

Dans le sillage du Christ vierge, et pour l'Évangile, les célibataires étaient nombreux aux premiers siècles. Dans sa *Supplique au sujet des chrétiens* adressée en 177 à l'empereur Marc-Aurèle, Athénagore, apologiste, écrit : « Chacun de nous garde l'unique femme qu'il a épousée... Mais on trouverait beaucoup des nôtres, hommes et femmes, qui jusqu'à l'extrême vieillesse vivent sans se marier dans l'espoir de s'unir à Dieu davantage ».

La catégorie des vierges consacrés (*parthénoï*, au masculin pluriel) comprenait donc des hommes aussi bien que des femmes. L'appel de saint Paul « pour ce qui est des vierges » s'adresse évidemment aux deux sexes (1 Cor 7, 25 ss).

On ne sait si les femmes étaient plus nombreuses que les hommes. Ceux-ci ont été très vite dirigés vers la prêtrise. Quant aux laïcs des deux sexes, on les trouve d'abord mêlés à la communauté humaine, au sein de leur famille ou par petits groupes fraternels... Mêlés, mais reconnus par leurs frères chrétiens, témoin les salutations spéciales de saint Ignace d'Antioche († 107) pour les « vierges » de l'Église de Smyrne.

Ainsi, dès le début, le même et unique Mariage Christ-Église est présent dans sa totalité à travers deux signes complémentaires : le sacrement de mariage et la virginité consacrée. Le signe est plus parlant dans l'amour mutuel de l'homme et de la femme. Dans le célibat « pour le Royaume », l'élan immédiat, qui va droit au Christ sans passer par le détour d'un conjoint terrestre, désigne mieux Celui qui est le seul Époux du monde. Au VIIᵉ siècle, le Sacramentaire (missel) léonin exprimera admirablement la chose dans sa Consécration des Vierges en disant que, « par-delà l'union conjugale de l'homme et de la femme, elles ont désiré en vivre le mystère *(sacramentum)* en dépassant les figures nuptiales pour aller directement aux réalités qu'elles annoncent ». C'est le mouvement baptismal dans sa trajectoire directe.

Par quel oubli de la Tradition, par quelle méconnaissance du Partenaire divin qui est le Réel, le Vivant, le Présent par excellence — « Voici que vous êtes Quelqu'un tout à coup ! » — a-t-on pu oublier que le célibat pour le Christ est un vrai mariage, aussi indissoluble que l'autre, — plus indissoluble même, puisque la mort l'accomplit au lieu de le dissoudre ?

La virginité consacrée est un vrai mariage

Dans la primitive Église, « la consécration des Vierges est considérée comme un vrai mariage avec le Christ, comme une alliance spirituelle qu'il n'est pas possible de rompre sans adultère » (Marcel Viller).

« Celles qui abandonnent l'état virginal, dit saint Cyprien, l'Église les appelle adultères, non d'un mari terrestre, mais du Christ. »

Et saint Athanase :

« Les Vierges, l'Église catholique a pris l'habitude de les appeler les épouses du Christ. »

« De même qu'il n'est jamais permis à la vierge consacrée de se marier, parce que son Époux vit éternellement et est immortel, de même, c'est permis seulement à la mariée lorsque son mari est mort » (saint Jean Chrysostome). Force de ce texte donnant même réalité aux deux épousailles : celles de la mariée et celles de la vierge...

Aussi voyons-nous l'Église se battre pour le « lien » des consacrés plus âprement qu'elle ne le fera pour celui des mariés.

L'Église défend le mariage des consacrés

Le concile d'Elvire (305) fulmine en son canon 13 : « Les vierges qui se sont consacrées à Dieu, si elles ont manqué à leur pacte de virginité, seront excommuniées à vie. Mais si elles font pénitence toute leur vie, on les admettra à la communion à l'heure de la mort. »

Un siècle après, Innocent Ier, pape de 402 à 417, interdit de recevoir à la pénitence une vierge consacrée qui, infidèle à ses vœux, s'est mariée. C'est-à-dire que cette pécheresse ne peut même venir à l'assemblée dominicale, tant qu'elle n'a pas rompu avec cet homme. Quand elle aura rompu, « la recevoir à la pénitence », ce sera simplement l'admettre au nombre des excommuniés qui viennent prier, gémir et écouter la Parole durant la première partie de la messe...

La raison de cette sévérité mérite attention :

« Si en effet, dit Innocent Ier, on observe à propos de toutes les femmes la loi qui suit : que celle qui, du vivant de son mari, en épouse un autre doit être considérée comme adultère, et qu'on ne doit pas lui accorder la permission de faire pénitence tant que l'un des deux maris n'est pas mort, — à plus forte raison cette loi doit-elle être observée pour la vierge qui s'est jointe à l'Époux immortel et ensuite est passée à des noces humaines. »

Dans le même fil légifère le premier concile de Valence (374), canon 2, mais il laisse un espoir de réadmission à la table sainte. Le concile général de Chalcédoine (451), canon 16, fixera la discipline pour de longs siècles : « Une vierge qui s'est consacrée à Dieu le Seigneur, et de même un moine, ne doivent plus se marier. S'ils le font, ils seront excommuniés (à vie). Toutefois, nous statuons que l'évêque du lieu sera juge de raccourcir miséricordieusement cette peine ».

Basile d'Ancyre († 363) exprime on ne peut plus clairement la théologie biblique qui inspire cette discipline de l'Église :

« Nous lisons en 1 Cor 7, 39 : La femme est liée à son mari tant qu'il est en vie ; que s'il vient à mourir, la voilà libre d'épouser qui elle veut... Or précisément, la vierge consacrée n'est pas libre : son Mari n'est pas mort ; elle ne peut donc épouser qui elle veut. Elle sera appelée adultère celle qui, du vivant de son Époux immortel, l'aura remplacé par un mari mortel... Elle L'avait pourtant épousé devant témoins, dans un « transfert » solennel de son père à son Époux et dans une célébration aussi publique que possible... »

La consécration publique — la prise de voile — de la vierge, sur laquelle insiste Basile, va nous « dévoiler » de façon surprenante la parenté du mariage et du célibat consacré.

Le voile de la mariée

A Rome et en Afrique, voici deux mille ans, « prendre le voile » voulait dire se fiancer ou se marier. La jeune beauté qui avait trouvé preneur se voilait pour n'être plus « à l'étalage », si l'on peut dire. Puis, au matin de son « transfert », elle se tamisait visage et cheveux d'une résille rouge, le *flammeum*, et c'est ainsi voilée qu'elle venait à son époux. Elle serait désormais voilée en public, parce que « casée ». A la différence de la jeune fille, encore offerte aux prétendants.

Dans la nouveauté chrétienne de la virginité à vie, la situation était donc délicate pour la jeune femme consacrée : faute de voile, elle semblait toujours disponible aux « amateurs » en attendant qu'elle « flétrisse à l'étalage ».

La solution ?... « Je t'en prie, prends le voile de la mariée, lui conseille, vers l'an 200, Tertullien : tu protégeras ainsi la virginité que tu as embrassée par état... Accepte de dissimuler ton mystère intérieur pour ne montrer ta vérité qu'à Dieu seul. D'ailleurs, tu ne mens pas en te faisant passer pour une femme mariée : tu es l'épouse du Christ ; c'est à Lui que tu as consacré ton corps, à Lui que tu as voué la fleur de ton âge ».

Ce voile de la mariée, porté officieusement par les vierges consacrées au temps des persécutions, fut officialisé au IVe siècle. Sa remise solennelle, liturgique, au cours de l'Eucharistie, marqua donc désormais le sommet de l'engagement nuptial de la nouvelle épouse du Christ.

Or à cette époque, ne l'oublions pas, la bénédiction par le prêtre des époux chrétiens n'était encore ni liturgiquement fixée, ni même obligatoire. Quand elle le deviendra progressivement et que certaines Églises en proposeront un canevas liturgique, on copiera la liturgie du voilement des vierges, universellement en usage dès la deuxième moitié du IVe siècle... Merveilleux chassé-croisé mené par le Saint Esprit : les mariées avaient donné leur voile aux vierges, les vierges donnent aux mariées leur liturgie de prise de voile...

Il y a là toute une théologie vécue — et oubliée — qu'expose Schillebeeckx :

« Le même geste liturgique, l'imposition du voile unie à la prière, s'emploie pour l'épouse du Christ et pour l'épouse de l'homme. C'est l'intention de symboliser le mystère de l'union du Christ et de l'Église qui rapproche les deux cérémonies...

« Dans la cérémonie de la consécration des vierges, cette idée va s'exprimer liturgiquement dans le geste de l'imposition du voile. On emploie pour cela une étoffe rouge, l'ancien *flammeum nuptiale* des Romains... La vierge est, d'une façon

Ce que l'Esprit soufflait dans les voiles

toute particulière, la manifestation historique immédiate du fait que l'Église est Épouse du Christ. Le voile nuptial, que le monde profane employait et dont il connaissait le sens, devint le symbole liturgique propre à exprimer ce mystère. Dans la vierge consacrée, l'Église reconnaît concrètement sa qualité d'épouse du Christ.

« ... On en vint à penser que la vie conjugale, tout autant que la virginité, exprimaient, chacune à sa façon, le mystère de l'union du Christ et de l'Église... La vierge voilée, consacrée dans sa virginité même à Dieu, et l'épouse, consacrée dans la pureté à un homme qui est pour elle l'image du Christ, servent le Seigneur chacune à sa manière : la première directement, la seconde par un intermédiaire. C'est pour cela justement que **l'imposition du voile à l'épouse a reçu une forme liturgique : on voulait la rattacher à la consécration des vierges parce que, de part et d'autre, on voyait une représentation du même mystère de l'Église...**

« A proprement parler, on affirme déjà ici la sacramentalité du mariage, même si la chose ne s'exprime pas encore dans les termes techniques d'une théologie des sacrements. La formule employée autrefois par saint Paul, « se marier dans le Seigneur », « être consacrée à son mari dans le Seigneur », dévoile ici son sens ultime, son sens le plus profond... **A la lumière du rite de la consécration des vierges, l'Église a pu se rendre compte expressément de la valeur religieuse toute spéciale et, en fin de compte, du caractère proprement sacramentel du mariage. Ainsi l'Église a pu découvrir que le mariage est un sacrement grâce à la virginité « acceptée pour le royaume de Dieu »...**

« Il est symptomatique d'ailleurs que partout où, dans l'Église, on a refusé à la virginité le droit d'exister, là également, par contrecoup, on n'a plus reconnu la sacramentalité du mariage » (Edouard Schillebeeckx).

Une Église cohérente avec sa théologie

Pendant des siècles, l'Église, cohérente avec sa théologie et consciente que Dieu est moins aléatoire qu'un conjoint terrestre, s'est montrée plus sévère pour les consacrés qui abandonnaient leur état que pour les époux divorcés et remariés.

Dans une décrétale de 754, le pape Étienne II renvoie aux règles établies par Innocent Ier et le concile de Chalcédoine. Pendant quinze siècles — quinze siècles ! — on s'en tiendra à la pastorale de saint Augustin : chacun est libre de s'engager ou non ; mais pas de regarder en arrière. « Quiconque a mis la main à la charrue et regarde en arrière est impropre au règne de Dieu » (Luc 9, 62). Un de ces absolus du Seigneur qu'une conspiration générale passe aujourd'hui pudiquement sous silence...

A la question : Peut-on dispenser d'un « vœu solennel » de continence ? saint Thomas, faisant écho à une déclaration du pape Innocent III († 1216) reprise par les Décrétales de Grégoire IX, répond : « Le pape lui-même ne peut faire que celui qui a fait profession religieuse ne soit plus religieux, bien que certains juristes, par ignorance, disent le contraire ». Par « vœu solennel », il entend, selon les catégories de son temps, tout état officiel de célibat consacré, soit dans les ordres sacrés, soit dans la vie religieuse.

Jusqu'au XVIe siècle, l'Église ne se permettra pas de donner dispense ou commutation du vœu public de chasteté...

Mais des juristes, brocardés par saint Thomas, continuèrent à penser que ce n'était pas le dernier mot de l'Église... Elle commencera, en effet, à en revenir. A prendre conscience qu'elle est l'Épouse, une Épouse de plein droit... qu'elle et son divin Époux sont un seul Corps... qu'elle est vraiment le Christ, avec tout pouvoir divin, c'est-à-dire tout pouvoir pour aimer, puisque Dieu est amour... Tout pouvoir d'accueillir le don fait à Dieu, mais aussi de le rendre ; tout pouvoir « de lier et de délier ».

Pierre dit à Jésus : « Eh bien ! nous, nous avons tout laissé et nous t'avons suivi.

— C'est vrai, je vous le dis, répond Jésus, ceux qui, à cause de moi, et à cause de la Bonne Nouvelle, auront laissé maison, frères, sœurs, mère, père, enfants ou champs, recevront cent fois plus de maisons, de frères, de sœurs, de mères, d'enfants et de champs ; en même temps des hommes leur feront du mal. Mais dans le monde à venir, ils vivront toujours. (Mc 10, 28-30).

De fait, nous constatons aujourd'hui que l'Église est bien revenue de ses timidités de jeune Épouse : elle dispense des deux bras prêtres, religieux et religieuses de leur mariage à vie avec le Seigneur.

Un dimanche matin, le prédicateur de la messe télévisée eut le courage de se faire la voix du peuple scandalisé : « Je comprends mal, dit-il, la facilité avec laquelle les dispenses

Je comprends mal...

sont demandées, et accordées aussi, actuellement. Qu'elles soient accordées dans des cas d'insuffisances graves ou d'erreurs d'orientation évidentes, c'est souhaitable et normal pour le bien des intéressés comme pour celui de la communauté chrétienne. Mais qu'il suffise de tomber amoureux pour la demander et l'obtenir, cela m'étonne et me trouble. C'est déconsidérer la valeur de tout engagement pris pour la vie. C'est faire fi des paroles les plus graves de l'Évangile. Il arrive aussi qu'un père de famille tombe amoureux d'une femme et qu'il abandonne ses enfants. Un tel abandon est toujours un drame qui peut avoir ses raisons profondes. Pour autant, pouvons-nous l'entériner, l'accepter et, sinon l'approuver, du moins le tolérer ? Pourquoi serions-nous moins exigeants à l'égard d'un prêtre qui abandonne ceux qui pouvaient compter sur lui en tant que prêtre ?... » Ou à l'égard de religieuses et de religieux qui abandonnent leur service d'amour, de prière et de louange ?...

Comment se défendre de l'impression que les « gens d'Église » se dispensent facilement entre eux, parce que l'Époux de sang de l'Église est devenu pour beaucoup une simple idée platonicienne...

On a seulement oublié que les conjoints terrestres finissent souvent par avoir, eux aussi, pour leur partenaire, l'inconsistance d'une idée, quand ce n'est pas le poids obsessionnel d'un cauchemar... Un lecteur de *La Croix* écrivait (30 janvier 1970) :

« Des jeunes de 18 ou 20 ans, moins parfois, avant d'avoir terminé leurs études, sans aucune préparation au mariage, donnent leur engagement à un conjoint qui se révèle, tout de suite ou un peu plus tard, menteur ou voleur, adultère ou fou... Dans ce cas, aucune porte de sortie...

« Alors, nous aimerions comprendre : la parole donnée à un Dieu qui ne peut décevoir peut être reniée, oubliée, annulée ; la parole donnée à un être pécheur ou pervers engage pour l'éternité. Le sacrifice et l'abandon à la volonté de Dieu vont-ils devenir valables pour les seuls laïcs ? »

La Croix répondait — que « le célibat sacerdotal résulte d'une loi de l'Église dont l'Église peut dispenser ».

Il est facile de rétorquer que l'Église peut appeler au sacerdoce des gens mariés, mais que prêtres, religieux et religieuses qui ont voué leur célibat au Seigneur l'ont fait dans une alliance d'amour à Celui qui est l'Époux de l'Église. On touche là, comme pour le mariage, au cœur de la foi.

En février 1970, dans un exposé sur l'évolution de l'Église, fait à Bruxelles pour le dixième anniversaire des conférences « Foi vivante », le cardinal Suenens disait : « La fidélité à l'engagement pris par le prêtre rejoint la fidélité à l'engagement pris par les époux. Bien que différente, la fidélité à l'engagement sacerdotal touche au problème de l'indissolubilité du mariage ».

LA VIE CONSACRÉE

Avant le Christ, le célibat était un malheur, une fatalité pour anormaux. A part l'Orient mystique, les civilisations païenne ou juive n'éprouvaient guère que pitié pour ces laissés-pour-compte.

Mais le Christ est venu. Dans une société où tous, à part quelques Esséniens, étaient mariés très jeunes, où la virginité n'était qu'opprobre, il est mort sans épouse ni enfants... De la part du plus normal des hommes, et du plus sage, c'est un exemple révolutionnaire... Mais qui déboucherait sur quoi sans la Résurrection ?...

Seulement voilà, ce célibataire de l'état civil, cet homme-vierge qui, apparemment, est mort sans rendre à la société la vie qu'il en avait reçue, **ce Jésus fils de la Vierge Marie, il est, dans la réalité mystérieuse du mariage, le seul Époux en plénitude.** C'est de lui que parle la Genèse 2, 24 : « L'homme quittera son père et sa mère pour s'attacher à son épouse, et les deux ne seront qu'un seul corps ». Car il est le Vivant ; la présence de son corps ressuscité est donnée à l'Humanité dans l'Église et dans l'Eucharistie ; et en lui s'enracine la seule fécondité que la mort ne touchera pas. Il est la Résurrection et la Vie!

Le célibat consacré est donc l'état par lequel l'homme

ou la femme se trouve directement conjoint au mystère de la présence, à son Église-Épouse, du corps ressuscité de Jésus. Il est donc vivable, ce célibat, il est bienheureux, dans la mesure où la foi et la contemplation rendent cette Présence spirituellement proche et comme tangible.

Le célibat consacré

● On le voit, le célibat pour le Royaume n'est pas une solitude. Et il ne voue pas à la stérilité. Sinon, il ne serait que repli sur soi, castration, suicide.

Il n'est pas un non à l'amour humain, mais un oui à l'Amour infini. Il ne nie pas la grandeur, la sainteté, le bonheur de l'amour humain : il boit à la Source même de l'amour humain.

Car « le Royaume de Dieu est au milieu de nous » (Luc 17, 21). Or ce ne peut être un Royaume sans Roi : le Christ est Vivant parmi nous.

Non, l'Église-Épouse n'est pas veuve : son divin Époux est « avec elle jusqu'à la fin des temps » et au-delà. Et il continue « à appeler à lui ceux qu'il veut... Et ils viennent à lui » (Marc 3, 13).

● Le mariage chrétien est un « charisme », et doublement : il accueille le don de Dieu et le don de l'autre. Le célibat, de même, est don reçu, il est vocation : « Ce n'est pas vous qui m'avez choisi, c'est moi qui vous ai choisis » (Jean 15, 16). « Chacun reçoit de Dieu son charisme particulier, dit saint Paul : à l'un celui-ci (le mariage), à l'autre celui-là (le célibat) » (1 Cor 7, 7).

Ce n'est pas à nous de déterminer notre manière de présence aimante auprès du Christ. On ne s'impose pas à quelqu'un pour une vie conjugale ; on ne s'impose pas à Jésus Christ pour une vie religieuse ou sacerdotale... C'est le Seigneur qui, le premier, s'approche et fait signe : les signes discrets de la présence, de l'amour, de l'appel... Si discrets que beaucoup, appelés, ne l'entendent pas et courent à d'autres voix plus tapageuses... Que de gens mariés sans vocation !

« Écoute, ma fille ! regarde et tends l'oreille » (Ps 45, 11).

● Celle, celui qui voue ainsi à Dieu sa virginité témoigne,

dit-on, des temps à venir, de ce monde de « la Résurrection où l'on ne prend ni femme ni mari » (Mt 22, 30).

Certes, mais le monde de la Résurrection est déjà présent au creux du temps qui passe. Aujourd'hui déjà l'Époux ressuscité est en relation de vie et d'amour avec chacun. La grâce du baptême est mort et Résurrection ; elle est Vie éternelle tout de suite ; elle nous fait rejoindre le Christ dans son existence nouvelle. Elle s'épanouit, soit dans le mariage chrétien, soit dans la vie consacrée : ils sont, l'un et l'autre, relation personnelle au Ressuscité, mais dans des choix différents, consécutifs à des appels différents.

Une jeune fille ou un garçon consacrent à Dieu toute leur puissance d'aimer parce que Jésus s'est fait présence à leur cheminement : ce Jésus est devenu si proche, il a manifesté un tel amour, demandé un tel don de soi, que tout autre rêve d'amour a été balayé, non sans déchirement peut-être... « Quand j'ai su qu'il y avait un Dieu, j'ai compris que je ne pouvais rien faire d'autre que de lui consacrer toute ma vie » (Charles de Foucauld).

● Cette rencontre, dans la gratuité de l'appel et la liberté de la réponse — c'est cela, un mariage — cette rencontre se vit à un niveau d'intensité spirituelle qui ne peut s'exprimer que dans l'offrande de la vie.

Cette offrande du tout pour le tout va normalement chercher à se traduire au plan des structures fondamentales de l'existence : amour, pauvreté, disponibilité. Elle rejoint ainsi les principaux conseils évangéliques : chasteté, pauvreté, obéissance.

Le mariage est stable, pour la vie ; c'est donc un vœu l'un à l'autre. Le célibat choisi pour Jésus Christ s'exprime aussi tout naturellement, dans l'Église, par des vœux : vœux, d'abord temporaires — ce sont les fiançailles —, puis perpétuels — c'est le mariage — de chasteté, pauvreté et obéissance. Besoin de se lier, oui, pour les jours de passage à vide... Besoin surtout de se crier : on s'aime, il faut que cela se sache ! Nos vies sont l'un à l'autre et on en est heureux, qu'on se le dise !

Mais, comme tout amour conjugal, cet amour peut souhaiter, pour se vivre en plénitude, des conditions de soutien

Etre pauvre, ce n'est pas intéressant : tous les pauvres sont bien de cet avis. Ce qui est intéressant, c'est de posséder le Royaume des Cieux, mais seuls les pauvres le possèdent. Aussi ne pensez pas que notre joie soit de passer nos jours à vider nos mains, nos têtes, nos cœurs. Notre joie est de passer nos jours à creuser la place dans nos mains, nos têtes, nos cœurs, pour le Royaume des Cieux qui passe. Car il est inouï de le savoir si proche, de savoir Dieu si près de nous, il est prodigieux de savoir son amour possible tellement en nous et sur nous, et de ne pas lui ouvrir cette porte, unique et simple, de la pauvreté d'esprit... (Madeleine Delbrêl).

et d'environnement que l'Esprit et l'Église ne cessent de susciter, et que l'on appelle, d'un terme général, « la vie religieuse ». Il peut aussi se vivre « au cœur du monde », à la manière des Apôtres : « dans le monde, mais pas du monde » (Jean 17, 14-16).

RITUEL DE LA CONSÉCRATION DES VIERGES

En usage dès l'Église Ancienne, le Rituel de la Consécration des Vierges a été mis à jour, puis approuvé par la Congrégation du Culte divin le 31 mai 1970 et, pour son adaptation française, le 17 janvier 1974. Il est destiné aux moniales n'ayant pas de rite propre, et aux laïques admises par les évêques à recevoir cette consécration. Goûtons ces textes inépuisables.

Après la liturgie de la Parole, l'évêque interroge les candidates :

— **Voulez-vous persévérer toute votre vie dans votre résolution de virginité consacrée au service du Seigneur et de son Église? — R. Oui, je le veux.**

— **Voulez-vous suivre le Christ selon l'Évangile de telle sorte que votre vie apparaisse comme un témoignage d'amour et le signe du Royaume à venir? — R.**

— **Voulez-vous être consacrée à notre Seigneur Jésus Christ, le Fils du Dieu Très-Haut, et le reconnaître comme votre époux? — R.**

Suivent les litanies des Saints, la profession de virginité perpétuelle. Puis l'évêque, les mains étendues, dit la Prière solennelle de Consécration (celle-là même que nous a léguée saint Léon le Grand, pape de 440 à 461) :

Seigneur notre Dieu, toi qui veux demeurer en l'homme, tu habites ceux qui te sont consacrés, tu aimes les cœurs libres et purs.

Par Jésus Christ, ton Fils, lui par qui tout a été fait, tu renouvelles en tes enfants ton image déformée par le péché. Tu veux non seulement les rendre à leur innocence première, mais encore les conduire jusqu'à l'expérience des biens du monde à venir ; et dès maintenant tu les appelles à se tenir en ta présence comme les anges devant ta face.

Regarde, Seigneur, nos sœurs N. et N. : en réponse à ton appel, elles se donnent tout entières à toi ; elles ont remis entre tes mains leur décision de garder la chasteté et de se consacrer à toi pour toujours.

Comment un être de chair pourrait-il, en effet, maîtriser les appels de la nature, renoncer librement au mariage et s'affranchir des contraintes de toutes sortes, si tu n'allumes ce désir, Seigneur, si tu n'alimentes cette flamme, et si ta puissance ne l'entretient ?

Sur tous les peuples tu répands ta grâce ; et de toutes les nations du monde tu te donnes des fils et des filles, plus nombreux que les étoiles dans le ciel, héritiers de la Nouvelle Alliance, enfants nés de l'Esprit, et non pas de la chair et du sang.

Et parmi tous les dons ainsi répandus, il y a la grâce de la virginité : tu la réserves à qui tu veux.

C'est en effet ton Esprit Saint qui suscite au milieu de ton peuple des hommes et des femmes conscients de la grandeur et de la sainteté du mariage et capables pourtant de renoncer à cet état afin de s'attacher dès maintenant à la réalité qu'il préfigure : l'union du Christ et de l'Église.

Heureux ceux qui consacrent leur vie au Christ et le reconnaissent comme source et raison d'être de la virginité. Ils ont choisi d'aimer celui qui est l'Époux de l'Église et le Fils de la Vierge Marie !

L'évêque impose alors les mains sur les futures consacrées et poursuit :

Accorde, Seigneur, ton soutien et ta protection à celles qui se tiennent devant toi, et qui attendent de leur consécration un surcroît d'espérance et de force :
Que jamais l'esprit du mal, acharné à faire échec aux desseins les plus beaux, ne parvienne à ternir l'éclat de leur chasteté, ni à les priver de cette réserve qui doit être aussi la richesse de toute femme.
Par la grâce de ton Esprit Saint, qu'il y ait toujours en elles prudence et simplicité, douceur et sagesse, gravité et délicatesse, réserve et liberté ;
qu'elles brûlent de charité et n'aiment rien en dehors de toi ;
qu'elles méritent toute louange sans jamais s'y complaire ;
qu'elles cherchent à te rendre gloire, d'un cœur purifié, dans un corps sanctifié ;
qu'elles te craignent avec amour, et par amour qu'elles te servent.

Et toi, Dieu toujours fidèle, sois leur fierté, leur joie et leur amour ;
sois pour elles consolation dans la peine, lumière dans le doute, recours dans l'injustice ;
dans l'épreuve, sois leur patience, dans la pauvreté, leur richesse, dans la privation, leur nourriture, dans la maladie, leur guérison.
En toi, qu'elles possèdent tout, puisque c'est toi qu'elles préfèrent à tout.
Par Jésus Christ, ton Fils, etc. — R. Amen.

Les nouvelles consacrées s'avancent vers l'évêque, qui leur remet les insignes : l'anneau, éventuellement le voile, le livre de la prière et, s'il y a lieu, le cierge allumé, en disant :

— N. et N., recevez cet anneau, signe de votre union avec le Christ. Gardez une fidélité sans partage au Seigneur Jésus ; il vous introduira un jour dans la joie de l'Alliance éternelle. — R. Amen.

— Recevez ce voile, signe de votre consécration ;

n'oubliez jamais que vous êtes vouées au service du Christ et de son corps qui est l'Église. — R. Amen.

— Recevez le livre de la prière de l'Église. Ne cessez jamais de louer votre Dieu ni d'intercéder pour le salut du monde. — R. Amen.

— Veillez, car vous ne savez ni le jour ni l'heure. Conservez avec soin la lumière de l'Évangile, et soyez toujours prêtes à aller à la rencontre de l'Époux qui vient. — R. Amen.

Les nouvelles consacrées apportent à l'autel le pain, le vin et l'eau du sacrifice eucharistique et la messe continue.

Après la communion, l'évêque bénit ainsi les nouvelles consacrées :

— Que Dieu notre Père vous garde toujours dans l'amour de la virginité qu'il a mis dans vos cœurs. — R. Amen.

— Que Jésus, notre Seigneur, fidèle époux de celles qui lui sont consacrées, vous donne, par sa parole, une vie heureuse et féconde. — R. Amen.

— Que l'Esprit Saint, qui fut donné à la Vierge Marie et qui a consacré aujourd'hui vos cœurs, vous anime de sa force pour le service de Dieu et de l'Église. — R. Amen.

18

LES DERNIERS
SACREMENTS

VIVRE SA MORT

Ma mort est au bout de mon chemin. La mort des autres est tout le long de mon chemin...

Autrefois on mourait à tout âge, comme aujourd'hui, et plutôt jeune que vieux, mais on mourait peu d'accident. On voyait donc venir sa mort et, en chrétienté, on tenait à la célébrer. Le chevalier blessé à mort entrait en liturgie de pénitence et d'Eucharistie. « Sentant sa fin prochaine », le laboureur de La Fontaine rassemble ses enfants. Le médecin devait à son malade de l'avertir.

« Le mourant, écrit Philippe Ariès, ne devait pas être privé de sa mort. Il fallait aussi qu'il la présidât. Comme on naissait en public, on mourait en public, et pas seulement le Roi, comme c'est bien connu d'après les pages célèbres de Saint-Simon sur la mort de Louis XIV, mais n'importe qui. Que de gravures et de peintures nous représentent la scène! Dès que quelqu'un « gisait au lit, malade », sa chambre se remplissait de monde, parents, enfants, amis, voisins, membres des confréries. Les fenêtres, les volets étaient fermés. On allumait les cierges. Quand, dans la rue, les passants rencontraient le prêtre qui portait le viatique, l'usage et la dévotion voulaient qu'ils le suivissent dans la chambre du mourant, même s'il leur était inconnu. L'approche de la mort transformait la chambre du moribond en une sorte de lieu public... La coutume voulait que la mort fût le lieu d'une cérémonie rituelle où le prêtre avait sa place, mais parmi les autres participants. Le premier rôle revenait au mourant lui-même. Il présidait et il ne trébuchait guère, car il savait comment se tenir, tant il avait été de fois témoin de scènes semblables ».

De nos jours, la libre pensée, le sentimentalisme, ont escamoté la mort. Un « devoir » de mentir a remplacé celui d'avertir le mourant. On joue donc à cache-cache avec un grand malade qui, souvent, en devine plus qu'on ne pense ; mais,

La mort absente

« Et comme il advint aux jours de Noé, ainsi en sera-t-il encore aux jours du Fils de l'homme : on mangeait, on buvait, on prenait femme ou mari, jusqu'au jour où Noé entra dans l'arche ; et le déluge vint, qui les fit tous périr. Il en sera tout comme aux jours de Lot : on mangeait, on buvait, on achetait, on vendait, on plantait, on bâtissait ; mais le jour où Lot sortit de Sodome, Dieu fit tomber du ciel une pluie de feu et de soufre qui les fit tous périr. De même en sera-t-il, le jour où le Fils de l'homme doit se révéler. » (Lc 17, 26-29).

pour ne pas faire de peine, il joue lui aussi à mourir en cachette.

D'ailleurs, la mort a changé d'approche. Ou elle vient brutalement, par l'accident ; ou on va l'attendre à l'hôpital. On meurt de moins en moins à la maison, où seulement pouvait se vivre une liturgie familiale et chrétienne.

Aussi, l'enfant ne rencontre-t-il plus la mort. « Il ne faut pas le traumatiser ! »... « Aujourd'hui, dit encore Ph. Ariès, les enfants sont initiés, dès le plus jeune âge, à la physiologie de l'amour et de la naissance mais, quand ils ne voient plus leur grand-père et demandent pourquoi, on leur répond en France qu'il est parti en voyage très loin, et en Angleterre qu'il se repose dans un beau jardin où pousse le chèvrefeuille. Ce ne sont plus les enfants qui naissent dans les choux, mais les morts qui disparaissent parmi les fleurs ». « Autrefois, notait encore Robert Solé dans Le Monde, une petite fille ne savait pas comment naissaient les enfants, mais elle savait que sa grand-mère était au Ciel ; aujourd'hui la petite fille sait comment on fait un enfant, mais elle ne sait plus où est la grand-mère »!

Voilà bien nos civilisations du tape-à-l'œil et de la consommation! Nier le vieillissement, cacher la mort, l'habiller, la maquiller, pour la rendre inaperçue ou méconnaissable...

Alors que pour vaincre la mort, il faut l'affronter lucidement, la vivre activement. Comme le Christ et avec lui.

« Ma vie, c'est moi qui la donne »

Après la Cène, Jésus dit aux Apôtres : « Quand je vous ai envoyés sans bourse, ni besace, ni chaussures,

Hérode a fait décapiter Jean-Baptiste : ce prophète dérangeait... Que Jésus se le tienne pour dit. « Quelques Pharisiens l'avertissent : « Pars d'ici, car Hérode veut te faire mourir ». Réponse : « Allez dire à ce renard : Patience ! Je soulage quelques misères et je m'en vais dans un bref délai... Car il n'est pas possible qu'un prophète périsse hors de Jérusalem » (Luc 13, 31-33).

Et Jésus monte lucidement vers sa mort : « Alors il commença à enseigner à ses disciples qu'il fallait que le Fils de l'homme souffre beaucoup, qu'il soit rejeté par les anciens, les grands prêtres et les scribes, qu'ils soit mis à mort et que, trois jours après, il ressuscite » (Marc 8, 31).

C'est donc une mort dévisagée en face et acceptée lucidement.

Beaucoup plus : c'est une mort offerte. « Le Bon Pasteur donne sa vie pour ses brebis » (Jean 10, 11). « Le Fils de l'homme est venu pour donner sa vie en rançon pour la multitude » (Marc 10, 45).

Dans cette mort d'amour, Dieu le Père reconnaît son Fils. « Si le Père m'aime, dit encore Jésus, c'est que je donne ma vie. Pour la reprendre. Personne ne me l'enlève, mais je la donne de moi-même » (Jean 10, 17-18).

Il est trahi, mais il le sait ; pisté, mais il n'esquive pas ; arrêté, mais il ne tente ni défense, ni fuite. « Vous cherchez Jésus de Nazareth ? C'est moi. »

Non que la mort lui soit moins désagréable qu'à vous ou à moi ! La perspective lui en est insoutenable... « Maintenant mon âme est troublée, et que vais-je dire ? Père, sauve-moi de cette heure ?... Mais c'est précisément pour cette heure que je suis venu » (Jean 12, 27).

Donc, « Père, non pas ma volonté, mais la tienne » (Marc 14, 36). Et il meurt de mort atroce...

Mais de mort divine... Divine par son être : il est Dieu. Divine par son amour : il est l'Amour. Divine par son aboutissement : elle ouvre les Cieux où il est accueilli en Fils, et c'est le « sacri-fice » manifesté par sa Résurrection.

Il en sait, il en prédit la portée : « C'est maintenant le jugement du monde ; maintenant le Prince de ce monde va être jeté dehors. Pour moi, quand j'aurai été élevé de terre, j'attirerai à moi tous les hommes » (Jean 12, 31-32)...

Nous aurons à développer ce point. Pour le moment, qu'il nous suffise de constater ceci : **le Christ marche lucidement, amoureusement, vers sa propre mort ; c'est lui qui lui donne sens ; il la préside souverainement ; l'offrande en est totalement volontaire : « Père, je remets ma vie entre tes mains » (Luc 23, 46).**

avez-vous manqué de quelque chose ? » — « De rien », répondirent-ils. Et il leur dit : « Mais maintenant, que celui qui a une bourse la prenne, de même celui qui a une besace, et que celui qui n'en a pas vende son manteau pour acheter un glaive. Car, je vous le dis, il faut que s'accomplisse en moi cette parole de l'Écriture : Il a été mis au rang des scélérats. Aussi bien, ce qui me concerne touche à sa fin. » (Lc 22, 35-37).

L'animal exécute des actes, dans le sens où l'entraîne son poids instinctif le plus lourd. L'homme, lui, peut les choisir, ou du moins les accepter, parce qu'il lui appartient de leur donner un sens. Et ce sont alors des « actes d'homme ». Mais

Chacun sa propre mort

Qu'a fait le Seigneur lorsqu'il célébra la Cène avec ses Apôtres ? La meilleure façon de nous représenter la plénitude et la densité incommensurables d'un pareil événement est peut-être encore de nous dire : cette heure solennelle a été celle où Jésus a accepté sa mort, cette remise totale de lui-même à Dieu ; l'heure où, sous la figure d'un repas, il s'est donné à ses disciples dans cette attitude même d'abandon à la mort qui marquait de sa part une totale confiance en Dieu... Lorsqu'il prit place ainsi avec les siens au soir de ce repas, c'était pour la dernière fois : il savait en effet qu'il allait devoir les quitter, s'enfoncer, seul et abandonné de tous, dans l'abime effroyablement ténébreux et solitaire de sa mort. Et sa mort était là devant lui. Oui, sa propre mort. Quel mystère! Car c'é-

il peut aussi hélas! comme l'animal, se contenter, bon gré mal gré, de subir.

Ainsi, celui-ci se marie « pour faire une fin » ; cet autre, par amour. Ce soldat peut n'affronter le feu que pour ne pas être fusillé comme déserteur ; tandis que son camarade expose volontairement sa vie pour une cause « qui en vaut la peine » à ses yeux. C'est toute la différence entre le non-sens animal et le sens humain ; entre la vie à vau-l'eau et la vie construite ; entre la mort subie comme à l'abattoir, et la mort offerte comme sur la Croix, la mort chrétienne.

Dans ses *Cahiers de Malte Laurids Brigge*, Rainer Maria Rilke décrit les dernières heures du chambellan Christoph Detlev Brigge : « Ce n'était pas la mort du premier hydropique venu, c'était une mort terrible et impériale, que le chambellan avait portée en lui, et nourrie en lui, toute sa vie durant ». Et le poète allemand gémit sur les morts standard où échouent tant de vies standard :

« Qui attache encore du prix à une mort bien exécutée? Personne. Même les riches, qui pourraient cependant s'offrir ce luxe, ont cessé de s'en soucier. Le désir d'avoir sa mort à soi devient de plus en plus rare. Quelque temps encore et il deviendra aussi rare qu'une vie personnelle.

« C'est que, mon Dieu, tout est là. On arrive, on trouve une existence toute prête, on n'a plus qu'à la revêtir. On veut repartir, ou bien l'on est forcé de s'en aller : surtout pas d'effort. Voilà votre mort, monsieur.

« On meurt tant bien que mal, on meurt de la mort qui fait partie de la maladie dont on souffre... »

Non, non, il n'est pas chrétien, il n'est même pas humain de recevoir, de l'extérieur, sa mort, comme un uniforme militaire. Comme il n'est ni chrétien, ni même humain, de subir simplement sa vie et ses péripéties.

D'où l'invocation poétique de Rilke dans *Le Livre d'Heures* :

« Seigneur, donne à chacun sa propre mort,
« La mort issue de cette vie
« Où il trouva l'amour, un sens et la détresse...
« La grande mort que tout homme porte en soi,
« Tel est le fruit autour duquel gravite tout. »

Mais comment l'homme peut-il se préparer une mort qui lui ressemble ? Quelle mort le baptisé porte-t-il en soi ? Quelle mort ressemble au chrétien ?

tait la mort de Celui qui est le Vivant...
(Karl Rahner).

Telle vie, telle mort... Pour donner sa mort au Père et aux autres, comme Jésus, il faut d'abord leur donner sa vie. « Qui garde sa vie la perdra », a dit Jésus.

Pour donner sa mort, donner sa vie

« Pourquoi la lampe s'est-elle éteinte ? demande Tagore.
« Je l'entourai de mon manteau pour la mettre à l'abri du vent ;
« C'est pour cela que la lampe s'est éteinte.

« Pourquoi la fleur s'est-elle fanée ?
« Je la pressai contre mon cœur avec inquiétude et amour ;
« Voilà pourquoi la fleur s'est fanée.

« Pourquoi la rivière s'est-elle tarie ?
« Je l'ai barrée d'une digue afin qu'elle ne servît qu'à moi seul ;
« Voilà pourquoi la rivière s'est tarie.

« Pourquoi la corde de la harpe s'est-elle cassée ?
« J'essayai de donner une note trop haute pour son clavier ;
« Voilà pourquoi la corde de la harpe s'est cassée ».

C'est le « mourir pour vivre et pour faire vivre » du grain de blé de l'Évangile : le grain meurt pour devenir pain ; le pain meurt pour devenir chair... Mourir à soi pour vivre aux autres... Mourir à ma vie pour moi et vivre pour l'autre, voilà le mariage. Mourir à notre égoïsme à deux pour donner la vie à des enfants, voilà la paternité-maternité. Mourir à ma paresse, à ma tranquillité, à mes pantoufles, et me voilà présent au monde, utile aux autres. Mourir à ma cupidité, et voilà la terre moins injuste. Mourir à l'exploitation, et je deviens service, comme le Christ, « qui n'est pas venu pour être servi, mais pour servir ». En quelque domaine que ce soit, accepter de partir, et voilà que s'ouvre un chemin nouveau...

Le mystère de la mort, il est chaque jour au tournant

Nous portons partout et toujours en notre corps les souffrances de mort de Jésus, afin que la vie de Jésus soit, elle aussi, manifestée dans notre corps. Quoique vivants en effet, nous sommes sans cesse livrés à la mort à cause de Jésus, afin que la vie de Jésus soit, elle aussi, manifestée dans notre chair mortelle. Ainsi, la mort fait son œuvre en nous, et la vie en vous. (2 Cor 4, 10-12).

de ma vie. Le secret de la bonne mort, il est au creux du quotidien : le reconnaître, lui sourire et lui tendre les mains, lui donner un sens éternel, c'est apprendre à bien mourir ma mort.

« Car si nous vivons, nous vivons pour le Seigneur ; si nous mourons, nous mourons pour le Seigneur : soit que nous vivions, soit que nous mourions, nous sommes au Seigneur » (Rom 14, 8).

« Je meurs chaque jour »

D'ailleurs, c'est bien par aberration que nous passerions notre vie à nous cacher la mort : « Quelle différence si grande y a-t-il entre vivre et mourir ? On meurt tout le temps puisque mourir c'est perdre la vie et que nous la perdons heure par heure. La mort s'exerce à tout instant. Elle détruit à mesure que la vie construit, à l'égard des mêmes éléments et dans un même acte. Il n'en sera ni plus ni moins de l'acte dernier, et notre dernier soupir sera une respiration comme une autre. On penserait tout autrement de la mort terminale, si l'on avait le sentiment de la mort permanente. On meurt une fois dans son lit et tout le temps en soi-même » (A.-D. Sertillanges).

En aimant lucidement la vie, j'aimerai donc la mort, ma sœur la mort. J'aimerai la mort pour le visage d'amour qu'elle a pris sur la croix du Christ et qu'elle peut donner à chaque heure de ma vie. « Vivre aujourd'hui comme si je devais mourir martyr ce soir », disait Charles de Foucauld...

DU BAPTÊME AU VIATIQUE

« Vous avez été ensevelis avec le Christ dans le baptême, avec lui encore vous avez été ressuscités, puisque vous avez cru en la force de Dieu qui l'a ressuscité des morts » (Col 2, 12). Cf. Éph 2, 4-6.

C'est saint Paul qui écrit. Qui nous écrit. Qui écrit à tous les baptisés. Nous avons une lettre de saint Paul pour nous dire — là, mais, sérieusement, de la part du Saint Esprit, rien de moins — pour nous dire comme une vérité de foi et de réalité : Votre mort, elle est derrière vous, pas devant!... C'est le premier jour de votre vie chrétienne que vous avez traversé la mort, réellement...

Revenons à la Bible. N'est-ce pas au premier jour de sa libération d'Égypte que le Peuple de Dieu a été arraché à la mort? Et non pas après le cheminement du désert, lors de l'entrée en Terre promise. C'est la traversée de la Mer Rouge qui lui ouvre passage vers la vie et la liberté, tandis que ses ennemis y sont submergés dans la mort. C'est là que Dieu s'est manifesté, là qu'il s'est compromis, là qu'il a sauvé, là que tout a été gagné. Les quarante ans de miracles et de patience dans les sables du Sinaï, le franchissement du Jourdain pour entrer en Chanaan ne sont que les échos de ce salut initial. « Que penserait-on de toi si tu laissais en route le peuple pour lequel tu t'es compromis? » répète Moïse au Seigneur. Cf. Deut 9, 26-29; Nomb 14, 13-17.

Il en est ainsi du chrétien. Ce n'est pas au terme de sa vie qu'il rencontre la mort et la Résurrection. Pour lui, le « décès » — le « départ » — n'est que le dernier acte d'un long cheminement de mort et de vie dont le coup décisif a été porté à son baptême.

C'est une des affirmations centrales de saint Paul, et donc de notre foi : dans notre baptême, nous sommes morts avec le Christ, ensevelis dans sa mort. Depuis lors, de quoi s'agit-il pour nous?

« Il s'agit de le connaître, lui, et la puissance de sa Résurrection, et la communion à ses souffrances, de devenir semblable à lui dans sa mort afin de parvenir, s'il est possible, à la (pleine) Résurrection d'entre les morts » (Phil 3, 10-11).

Le « s'il est possible » ne marque pas le doute — l'espérance chrétienne est certitude — mais l'effort. Il s'agit de « passer », avec le Christ et par sa force qui est en nous, du péché à l'amour, de la mort à la vie, de ce monde au Père. D'Égypte à la Terre promise. Le mystère pascal, toujours.

Le baptême a porté le grand coup : la porte de notre prison a sauté, notre décret de damnation a été déchiré,

La mort est derrière nous

Les conditions de l'existence manifestent cette loi universelle de la nature : tout est passage. Nous passons du jour à la nuit, de la nuit au jour, de l'été à l'hiver, de l'hiver à l'été, du soleil à la pluie. Nous passons d'un âge à l'autre. Les cheveux passent du noir au blanc. Les actes élémentaires de la vie quotidienne, le manger et le boire, le repos comme le travail, le réveil comme le sommeil, la création et la transformation du monde, les allées et venues, tout dans nos journées est passage. Cette loi de la nature est loi de la nature humaine. En effet, on retrouve à l'intérieur de soi-même cette dynamique : nous aspirons à passer du fini à l'infini, du relatif à l'absolu, de l'imparfait au parfait. (Centre Jean-Bart).

notre mort a été frappée à mort, la Vie éternelle a été allumée en nous que plus rien ne doit éteindre... Chaque sacrement n'est là — rencontre du Christ pascal — que pour m'ajuster de plus près à sa croix, à sa mort, à sa Vie. Par eux tous, je rencontre le Christ, mort voici deux mille ans, pour ne plus faire qu'un avec lui dans sa mort et sa Résurrection.

Voyons en détail cette marche sacramentelle de notre Voyage, de notre long Passage.

Le baptême

● Le Christ parle de sa mort comme de son baptême : « C'est un baptême que j'ai à recevoir et il me tarde qu'il soit accompli » (Luc 12, 50). « Et vous, pouvez-vous être baptisés du baptême dont je vais être baptisé ? » (Marc 10, 38).

Jésus parle de sa mort volontaire. De ce ruissellement, sur ses membres, de son propre sang. De sa « plongée » (« baptiser » = « plonger ») dans la mort et le tombeau, « bienheureux » chemin vers le Père où il est accueilli. La preuve ? Sa Résurrection.

● Eh bien, il n'y a pas d'autre baptême.

Qu'engage un baptême, le baptême de notre enfant ? Qu'a engagé notre baptême ?... Bien autre chose que la joyeuse célébration d'un berceau ! C'est, tout au contraire, une mort à ce monde, déjà, mais pour **une vie de fils ou de fille de Dieu que notre décès transplantera telle quelle en Paradis.**

Reprenant le symbolisme liturgique du baptême par immersion, saint Paul en parle en ces termes :

« Ignorez-vous que nous tous, baptisés en Jésus Christ, c'est dans sa mort que nous avons été baptisés ? Par le baptême, en sa mort, nous avons donc été ensevelis avec lui, afin que, comme le Christ est ressuscité des morts par la toute-puissance du Père, nous menions nous aussi une vie nouvelle. Car si nous avons été totalement unis, assimilés à sa mort, nous le serons aussi à sa Résurrection.

« Comprenons bien ceci : notre vieil homme a été crucifié avec lui pour que soit détruit ce corps de péché et qu'ainsi nous ne soyons plus esclaves du péché. Car celui qui est mort est libéré du péché. Mais si nous sommes morts (par le baptême) avec le Christ, nous croyons que nous vivrons aussi avec lui. Nous le savons en effet : ressuscité des morts, le Christ ne meurt plus, la mort n'a plus d'empire sur lui. Car, en mourant, il est mort au péché une fois pour toutes ; vivant, c'est pour Dieu qu'il vit. De même vous aussi : considérez que vous êtes morts au péché et vivants pour Dieu en Jésus Christ » (Rom 6, 3-11).

Le baptême, en nous plongeant dans le baptême du Christ, c'est-à-dire dans sa mort, a produit en nous deux réalités :

— La première : « notre vieil homme », c'est-à-dire tout ce qui en nous relève du péché, « a été crucifié avec le Christ pour que soit détruit ce corps de péché ». L'homme pécheur en nous a été supplicié. Nous avons été « plongés dans la mort » du Sauveur, « ensevelis » dans sa mort. C'est **une mort effective à toute vie qui n'est pas la vie de Jésus en nous.** Et c'est là le premier point.

— Et voici le second : **nous sommes ressuscités avec Jésus à la vie nouvelle qui est la sienne. A une vie de fils ou de fille de Dieu. Donc à une vie sans péché, bien sûr!... La vie du Ciel dès ce monde.**

● C'est là tout autre chose que des mots ou des idées! C'est une réalité. **Une réalité faite et une réalité à faire. Comme l'enfant qui vient de naître est fait et à faire, tout ensemble.**

Ce qui est fait ? « Un être nouveau est là », « libéré du péché », enfant réel de Dieu, saisi d'une vie réelle qui est divine, membre du Christ mort et ressuscité. **« Nous sommes totalement unis, assimilés à sa mort »,** équipés spirituellement, mais réellement, pour vivre tout autrement qu'un « prince de ce monde ».

Ce qui est à faire ? Libérer cette vie divine en nous. Vivre ce que nous sommes selon la grâce baptismale qui nous est donnée... Parce qu'ils sont des actions d'amour de la part de Dieu, tous les sacrements engagent notre liberté : ils ne sont pas simplement à recevoir ; ils sont à vivre. C'est vrai d'abord du baptême. Libres, nous pouvons nous refuser à mourir à ce monde, nous détacher de la croix, cracher en quelque

Aucun de nous en effet ne vit pour soi-même ; aucun ne meurt pour soi-même. Si nous vivons, c'est pour le Seigneur que nous vivons ; si nous mourons, c'est pour le Seigneur que nous mourons. Dans la vie comme dans la mort, nous sommes donc au Seigneur. Car si le Christ est mort et a repris vie, c'est pour devenir le Seigneur des morts et des vivants.
(Rom 13, 7-9).

sorte sur notre appartenance au Christ. Mais « ceux qui sont au Christ ont crucifié la chair avec ses passions et ses désirs » (Gal 5, 24). « La chair », ce n'est pas spécialement le corps, c'est le péché quel qu'il soit : orgueil, discorde, haine, convoitise d'argent, libertinage...

Le baptême, c'est la mort à tout un monde, à tout un genre de vie, à tout un niveau d'espérances. Le baptême, c'est le premier sacrement de la mort chrétienne.

La confirmation du baptême

Ayant amenés les Apôtres, les Juifs les firent comparaître devant le Sanhédrin. Le grand prêtre les interrogea : « Vous voulez ainsi faire retomber sur nous le sang de cet homme-là ! » Pierre répondit alors, avec les apôtres : « Il faut obéir à Dieu plutôt qu'aux hommes. Le Dieu de nos pères a ressuscité ce Jésus que vous, vous aviez fait mourir en le suspendant au gibet. C'est lui que Dieu a exalté par sa droite, le faisant Chef et Sauveur, afin d'accorder par lui à Israël la

Le baptême engage une mort à la chair, c'est-à-dire à l'égoïsme, pour vivre par l'Esprit, c'est-à-dire dans l'amour, le don de soi. « Ceux qui sont au Christ ont crucifié la chair avec ses passions et ses désirs. Si nous vivons par l'Esprit, marchons aussi sous l'impulsion de l'Esprit » (Gal 5, 24-25).

C'est pourquoi le Christ et l'Église nous offrent une « confirmation du baptême » par une effusion plénière de l'Esprit.

Or le don de l'Esprit est attaché à la mort de Jésus Christ. Durant sa vie terrestre, il était personnellement possédé par l'Esprit, mais il ne pouvait le communiquer. Il a fallu sa mort. Il a fallu qu' « il rendît l'Esprit » pour qu'il pût nous faire ce Don magnifique et que nous vivions, non plus par la chair, mais par l'Esprit.

Tentons un effort pour comprendre un peu... Notre être comporte une marionnette extérieure, et une loi intérieure qui la fait fonctionner. Cette loi intérieure est notre être vrai, notre « moi » personnel. De par notre libre décision, cette loi intérieure qui nous définit chacun, c'est, soit « la loi de la chair » : le péché, l'égoïsme sous toutes ses formes, et c'est une fausse vie, une vie de mort — soit « la loi de l'Esprit », qui est une mort à soi pour vivre le don de soi, comme Dieu, comme Jésus, et c'est la Vie éternelle.

Le baptême engage cette mort à la chair pour vivre par l'Esprit. Mais c'est rude et longue bataille ; comme fut la passion de Jésus Christ.

Ah ! que nous avons besoin de la confirmation du baptême, de ce feu sur nous qui nous détachera de ce monde d'avant la mort, pour nous jeter dans cette « folie » qui fut celle de la

Pentecôte. Les Apôtres craignent-ils le fouet et la mort ? Ils sont morts déjà à ce monde où l'on a quelque chose à perdre. Ils peuvent tendre leur dos aux coups, leur tête au sabre, leurs mains aux clous... Ils ne peuvent pas ne pas parler de Jésus Christ et de Jésus Christ crucifié et ressuscité.

Et nous ? Quelle loi commande en nous ? La loi de la chair, d'avant la mort ? ou la loi de l'Esprit, d'après la Résurrection ?...

Saint Paul écrit :

« La loi de l'Esprit qui donne la vie en Jésus Christ m'a libéré de la loi du péché et de la mort... En envoyant son propre Fils dans la condition de notre chair de péché, en sacrifice pour le péché, Dieu a mis fin à l'empire du péché dans la chair du croyant. Il a instauré la sainteté en nous, qui ne marchons pas sous l'empire de la chair, mais de l'Esprit. En effet, sous l'empire de la chair, on tend à ce qui est charnel ; mais sous l'empire de l'Esprit, on tend à ce qui est spirituel : la chair tend à la mort, mais l'Esprit tend à la vie et à la paix... Or vous, vous n'êtes pas sous l'empire de la chair, mais de l'Esprit, puisque l'Esprit de Dieu habite en vous... Si le Christ est en vous, votre corps, il est vrai, est voué à la mort à cause du péché, mais l'Esprit est votre vie à cause de la sainteté (de Dieu qui vous est donnée). Et si l'Esprit de Celui qui a ressuscité Jésus d'entre les morts habite en vous, Celui qui a ressuscité Jésus d'entre les morts donnera aussi la vie à vos corps mortels, par son Esprit qui habite en vous » (Rom 8, 2-11).

repentance et la rémission des péchés. Nous sommes témoins de ces choses, nous et l'Esprit Saint que Dieu a donné à ceux qui lui obéissent. ... »

... Après les avoir fait battre de verges, ils leur interdirent de parler au nom de Jésus, puis les relâchèrent. Pour eux, ils s'en allèrent du Sanhédrin tout joyeux d'avoir été jugés dignes de subir des outrages pour le Nom. Et chaque jour, au Temple et dans les maisons, ils ne cessaient d'enseigner et d'annoncer la Bonne Nouvelle du Christ Jésus. (Act 5, 27-42).

L'Eucharistie

Si la Loterie nationale ou la mort de l'oncle millionnaire vous remet, clefs en main, la villa de vos rêves, vous ne vous attardez pas dans votre bidonville! Alors, pourquoi tant tenir à ce monde, ô vous qui communiez au Pain qui fait vivre Ailleurs et à jamais ?

Pour nous donner ce Pain de Vie, le Christ est mort à ce monde-ci, corps broyé, sang vendangé... Alors, à quoi bon vivre ici-bas si ce n'est pas pour y être impatient de vivre éternellement avec lui et de lui ? A quoi bon aller à table tous les jours, si ce n'est pas pour recevoir aussi et d'abord le Corps du Christ ?

Il est grand le mystère de la foi : Nous proclamons ta mort. Seigneur Jésus ; nous célébrons ta Résurrection ; nous attendons ta venue dans la gloire !

C'est de vivre éternellement qu'il s'agit, et tout de suite, mais en communiant aux souffrances et à la mort de Jésus Christ, et tout de suite. « **Chaque fois que vous mangerez de ce Pain et boirez à cette Coupe, vous proclamerez la mort du Seigneur ». Nous proclamons sa mort dans un « mémorial » qui n'a d'autre sens que de la réaliser en nous... « En attendant qu'il vienne »** (1 Cor 11, 26).

Car le Seigneur n'est parti que pour venir mieux, en ressuscité : pour venir en nous d'abord dans cette victoire de la vie où notre mort a été engloutie avec la sienne. « Celui qui mange ma chair et boit mon sang a la vie éternelle ; et moi, je le ressusciterai au dernier jour » (Jean 6, 54). Et ce sera la Gloire.

Mais en attendant, laissons-nous assimiler à lui, à sa Pâque, à sa mort, par la manducation sacramentelle, dans la foi et la faim, de son corps livré et de son sang versé. Il vient à moi pour prendre forme en moi. Quelle forme, sinon la sienne, la forme du Crucifié ? « Avec le Christ, je suis crucifié. Je vis... Non, ce n'est pas moi, c'est Jésus Christ qui vit en moi » (Gal 2, 19-20).

La réconciliation

Lors de notre baptême, « notre vieil homme a été crucifié avec le Christ ». Mais, comme le mauvais larron, il n'est pas mort sur l'heure. « Le bien que je décide, je ne le fais pas ; et je me trouve à faire le mal que je hais » (Rom 7, 15). Nous sommes, auprès du Crucifié, le mauvais et le bon larron tout à la fois... Sa mort est proche ; le Pardon l'est encore plus.

L'Église des pécheurs est le Calvaire où la vie ne cesse de jaillir au cœur du larron qui s'avoue et se repent :

— Notre croix, c'est la seule chose que nous n'ayons pas volée ! Mais lui, Jésus...

— Jésus, souviens-toi de moi dans ton Royaume.

— Aujourd'hui, tu seras avec moi dans le Paradis (Luc 39-43).

Le mariage

Apprentissage de la mort, le mariage ?... Tout amour est mort à soi. Et toute mort à soi est vie : « Qui veut se garder sa vie, la perd ; et qui cesse de s'y attacher en ce monde la gardera pour la vie éternelle » (Jean 12, 25).

« Maris, aimez vos femmes comme le Christ a aimé l'Église et s'est livré pour elle... » (Éph 5, 25).

Et les enfants viendront, qui forceront à mourir. « On ne travaille jamais que pour les enfants » (Péguy). On y passe tout entier... Et le Seigneur dira : « J'avais faim, j'avais soif, j'étais nu... C'était moi ! »

Aimer, qu'est-ce d'autre que de « donner sa vie pour ceux qu'on aime ». Jour après jour. Un peu tout de suite...

Pour vivre éternellement. La grâce du sacrement de mariage est là, toujours offerte. C'est-à-dire : Jésus est là, toujours présent, pour mûrir un amour qui soit digne du Ciel : « la charité, qui demeure ; et qui est la plus grande » (1 Cor 13, 13).

Le Roi dira : « J'ai eu faim et vous m'avez donné à manger, j'ai eu soif et vous m'avez donné à boire, j'étais nu... malade... En vérité je vous le dis, dans la mesure où vous l'avez fait à l'un de ces plus petits de mes frères, c'est à moi que vous l'avez fait. » (Mt 25, 34-40).

L'onction des malades est le sacrement de la vitalité et de la santé corporelle. Tout le contraire d'une préparation à mourir ?

Mais il est aussi rémission des péchés. Et s'il restaure, normalement, la santé, c'est précisément pour aider l'infirme à réactiver sa grâce baptismale de mort et de Résurrection. Par la joie, la reprise de ses relations, le décentrement de soi et la conversion aux autres, le don de soi dans les services rendus.

A Dieu ne plaise que l'onction guérisse à jamais et empêche de mourir ! Tous les malades s'empresseraient de la demander pour échapper à la mort. Mais pour vivre quelle vie ? Comment ressusciter avec le Christ si l'on refuse de mourir avec lui ? Le but pascal des sacrements — ne faire qu'un avec le Christ mort et ressuscité — se trouverait nié et refusé.

La rémission temporelle obtenue par l'onction, c'est une nouvelle chance en vue d'une mort meilleure, comme pour Lazare. Reculer pour mieux sauter.

Tout sacrement est donc mystère pascal, mystère de « passage » au Père. Or le moment où nous communions le plus intimement au « passage » du Christ, c'est celui de notre mort. Il doit donc y avoir un sacrement pour mourir, un « dernier » sacrement ?... La

L'onction des malades

tendresse de Dieu y a pourvu par le sacrement du Saint Viatique.

LE SAINT VIATIQUE

Frères, si Dieu est pour nous, qui sera contre nous ? Il n'a pas refusé son propre Fils, il l'a livré pour nous tous : comment pourrait-il avec lui ne pas nous donner tout ? Qui accusera ceux que Dieu a choisis ? puisque c'est Dieu qui justifie. Qui pourra condamner ? puisque Jésus Christ est mort ; plus encore : il est ressuscité, il est à la droite de Dieu, et il intercède pour nous. Qui pourra nous séparer de l'amour du Christ ? la détresse ? l'angoisse ? la persécution ? la faim ? le dénuement ? le danger ? le supplice ?...
Non, car en tout cela nous sommes les grands vainqueurs grâce

Nous l'avons dit : les sacrements sont les signes de la présence et de l'action salvifique du Christ ressuscité, dans l'histoire de l'Église et des chrétiens. Ils saisissent, pour les diviniser, les principales situations et les grands moments de l'existence chrétienne...

Voici l'heure de la mort. C'est le moment des moments. « C'est pour cette Heure que je suis venu », disait Jésus. Dès lors, « s'il y avait des sacrements pour tous les grands moments de la vie, sauf pour celui de la mort, l'ordre sacramentel serait insignifiant » (Philippe Béguerie).

Ce sacrement existe : c'est le Saint Viatique.

Le grand sacrifié de la foi et de la pastorale !... Familles, médecins, infirmières, malades n'appellent plus le prêtre à temps. On le fait venir en catastrophe quand « l'intéressé » (?) est inconscient ou mort. Il lui reste la ressource de prier, et peut-être, par habitude — mais est-ce une ressource ? — de donner une absolution sous condition (?) et de faire une onction sur ce qui n'est peut-être qu'un cadavre. Et l'on imprimera sur les faire-part ce menteur « Muni des sacrements de l'Église », tandis qu'on aura volé sa mort à un baptisé...

Par lâcheté souvent... Par timidité... Manque d'amour vrai... Ignorance...

« La mort fait peur quand elle est loin, dit le Professeur Dr Paul Milliez. Mais quand elle est là, on accepte son arrivée. Sans trop de trouble ni d'inquiétude. Je parle en mon nom personnel : j'ai failli mourir quatre fois. La première, dans l'enfance... Puis, pendant la guerre. Secrétaire général du Comité médical de la Résistance, j'ai été, deux fois, arrêté par les Allemands, porteur de documents compromettants. Par deux fois j'ai été mis en joue. Et pour des raisons qui m'échappent, ils ne tirèrent ni l'une, ni l'autre fois. La quatrième fois où j'ai été proche de la mort, c'était il y a deux ans : j'ai subi une intervention que j'avais prévue mortelle et qui, hélas! s'est bien terminée... Je dis « hélas » parce que j'étais parfaitement prêt à partir rejoindre Dieu... »

De son côté, le Dr Elisabeth Kubler-Ross, qui s'est consacrée, en tant que psychiatre, aux problèmes des malades arrivés au seuil de la mort, et dont l'ouvrage *On Death and Lying* (La mort et les mourants) a connu un gros succès de librairie (1969) et a été traduit en au moins six langues, donne ce témoignage :

« Quand on écoute les moribonds, on est toujours frappé par deux choses : les agonisants savent qu'ils vont mourir... et ils ont besoin d'en parler à un autre être humain. Quant à nous, les bien-portants, membres de la profession médicale ou membres de la famille, par le fait que nous ne pouvons pas regarder cette situation en face, nous tergiversons avec eux. Nous commençons une conspiration du silence. Nous les isolons. Et les mourants se sentent affreusement seuls... Nous pénétrons dans leur chambre et parlons du beau temps qu'il fait dehors, des belles fleurs sur la table. Mais ce n'est pas de cette manière que nous pouvons venir en aide aux mourants... Ils désirent nous faire part de certains de leurs besoins, de certaines de leurs craintes, de leurs caprices ; mais parce que nous ne pouvons pas supporter cela et qu'ils nous rappellent notre propre précarité, nous trichons, nous mentons, nous les évitons... Et ainsi, le moribond souffre, et même très souvent il meurt seul, triste, et séparé de tout. Si nous pouvions regarder en face notre propre condition d'êtres mortels et ne pas envisager la mort comme un horrible cauchemar — en d'autres termes : si nous pouvions faire face à notre propre mort — alors je crois que nous serions vraiment à même d'aider nos moribonds. »

Le Christ, lui, a fait face à sa propre mort. Et il envoie l'Église maternelle proposer au moribond le Saint Viatique.

à celui qui nous a aimés. J'en ai la certitude : ni la mort ni la vie, ni les esprits ni les puissances, ni le présent, ni l'avenir, ni les astres, ni les cieux, ni les abîmes, ni aucune autre créature, rien ne pourra nous séparer de l'amour de Dieu qui est en Jésus Christ notre Seigneur. (Rom 8, 31-39).

C'est par honnêteté théologique et dans une visée pastorale que nous avons séparé par plusieurs autres chapitres ces deux sacrements : l'onction des malades et le Saint Viatique. Vati-

Non pas l'onction des malades

Beaucoup de Juifs étaient venus auprès de Marthe et de Marie, pour les consoler de la mort de leur frère. Lors donc que Marthe eut appris que Jésus arrivait, elle partit à sa rencontre, tandis que Marie restait assise à la maison. Marthe dit à Jésus : « Seigneur, si tu avait été ici, mon frère ne serait pas mort! Mais maintenant même, je sais que tout ce que tu demanderas à Dieu, Il te l'accordera. » — « Ton frère ressuscitera », lui dit Jésus. — « Je sais, reprit Marthe, qu'il ressuscitera lors de la résurrection, au dernier Jour. » Jésus lui dit : « Je suis la Résurrection et la Vie ; celui qui croit en moi, fût-il mort, vivra,

can II nous a rappelé que l'onction est destinée aux chrétiens atteints « de maladie ou de vieillesse », tandis que le Saint Viatique est pour les mourants. Dans le même esprit, la liturgie — qui est « loi de la foi » — dit que l'effet de l'onction est que le malade « retrouve la santé, reprenne sa vie normale et puisse, avec un cœur renouvelé, aller rendre grâces à Dieu en reprenant sa place dans l'assemblée des fidèles » (Oraison du Rituel) ; tandis que la grâce du Saint Viatique est de « fortifier pour le dernier combat » et de fournir « un aliment de vie éternelle » pour toute la personne, spirituelle et corporelle.

Le Saint Viatique n'est donc pas une communion comme les autres ; c'est le sacrement du Grand Voyage. Le « dernier sacrement ».

Son nom veut dire « provision de route » ; mais il s'agit ici, non plus du Pain quotidien pour le voyage de la vie, mais du Grand Départ de cette vie. Cette Extrême-Communion n'est pas pour soutenir nos forces sur la piste terrestre, mais pour notre heureux arrachement à la terre en bout de piste et notre passage vers le Père. **C'est bien toujours l'Eucharistie, mais comme grâce des derniers moments : quitter ce monde avec le Ressuscité dans le cœur, dans le corps et, pour ainsi dire, « entre les dents ».**

Aussi l'injonction en est-elle très grave, inscrite comme une « ancienne règle » au canon 17 du premier concile de Nicée (325), pour toute personne en danger de mort, même si elle n'est pas malade : condamné à la peine capitale, soldat partant à l'assaut... Même si l'on a déjà communié le jour même, avant que le danger surgisse... C'est pour assurer le Viatique en péril de mort imprévu que l'Église, traditionnellement, conserve la Sainte Réserve au tabernacle. On l'adore, on la visite, on la fréquente fervemment, parce qu'on la conserve ; mais on ne la conserve pas pour l'adorer ; ni pour communier entre les messes ; on la conserve pour l'éventualité imprévisible d'un brusque Départ d'une sœur ou d'un frère. Faute de quoi un prêtre devrait immédiatement célébrer la messe ou même une consécration hâtive. Telle est la Tradition deux fois millénaire de l'Église d'Orient et d'Occident... Et non pas de cette onction dérisoire sur le front d'un demi-cadavre.

Mais on ne communie pas un inconscient!...

Justement. Le Pontifical (Rituel des évêques) du Xe siècle faisait dire le Credo à celui qui allait mourir, puis on lui donnait l'Eucharistie en viatique. Il réaffirmait donc lui-même, en pleine conscience, ce sur quoi il avait basé sa vie. Comme un moine renouvelle sa profession. « En cette foi je veux vivre et mourir »... On l'avait faite, sa profession de foi, pour passer la Mer Rouge du baptême ; maintenant, le désert traversé, on touchait à la Terre promise : on renouvelait sa profession de foi pour franchir le Jourdain du trépas. Puis on ouvrait sa bouche et son cœur au Corps ressuscité, Force, Chemin, Vie et Gloire du mourant.

et quiconque vit et croit en moi ne mourra jamais. Le crois-tu ? » — « Oui, Seigneur, répondit-elle, j'ai toujours cru que tu es le Christ, le Fils de Dieu, qui doit venir dans le monde. » (Jn 11, 19-27).

Viatique, Force du dernier combat

La vie chrétienne est une lutte. L'huile des catéchumènes, au baptême, est l'huile des athlètes. Nul ne peut cheminer longtemps en vie chrétienne sans recevoir coups et blessures. Les ennemis ? Le chapitre 3 de la Genèse les met en scène : la convoitise au cœur du « vieil homme » que je suis, le milieu humain (« L'homme... la femme... que Tu m'as donné »), le Tentateur...

Le Grand Passage de l'homme, au bout de sa vie, est, de cette longue guerre, le moment décisif. « Satan, emporté de fureur, sait qu'il lui reste peu de temps (Apoc 12, 12). « L'agonie » ! La tradition chrétienne applique ce mot aux phases critiques du combat spirituel : la persécution, le martyre, la mort.

L'agonie de Jésus est un grand moment de sa Passion. Il est en agonie pour l'Humanité entière. Il est en agonie pour moi. Pascal lui fait dire justement : « J'ai pensé à toi dans mon agonie ; j'ai versé telles gouttes de sang pour toi ». Par le Viatique, c'est lui en personne qui vient affronter l'agonie et le Tentateur avec le moribond :

« Voici le temps du Salut, de la puissance et du règne de notre Dieu, et de l'autorité de son Christ ; car il a été précipité, (Satan), l'accusateur de nos frères, celui qui les accusait devant notre Dieu jour et nuit. Mais eux, ils l'ont vaincu par le sang de l'Agneau, et par la Parole dont ils ont rendu témoignage : ils n'ont pas aimé leur vie jusqu'à craindre la mort » (Apoc 12, 10-11).

Jésus prend avec lui Pierre, Jacques et Jean ; et il commença à ressentir effroi et angoisse. Et il leur dit : « Mon âme est triste à en mourir ; demeurez ici et veillez. » Étant allé un peu plus loin, il se prosterna contre terre et il priait pour que, s'il était possible, cette heure passât loin de lui. Et il disait : « Père ! tout t'est possible : éloigne de moi cette coupe ; cependant, pas ce que je veux, mais ce que tu veux ! » (Mc 14, 33-36).

Viatique, Chemin vers le Père

Thomas dit à Jésus : « Seigneur, nous ne savons où tu vas ; comment saurions-nous le chemin ! » Jésus lui répond : « Je suis le Chemin, la Vérité et la Vie ; nul ne va au Père que par moi. »
(Jn 14, 5-6).

« Nul n'est monté au Ciel sinon celui qui est descendu du Ciel, le Fils de l'homme. » C'est Jésus qui parle ainsi à Nicodème et qui semble lui dire : au Ciel, nul n'est monté et ne montera sinon moi... Et comment Jésus montera-t-il ? « Comme Moïse a élevé le serpent d'airain dans le désert (cf. Nomb 21, 8-9), ainsi faut-il que le Fils de l'homme soit élevé ». Et pourquoi cette élévation en Croix ? « Afin que quiconque croit, ait en lui la vie éternelle » (Jean 3, 13-15).

Son « passage » à lui vers le Père, il s'est fait à travers son corps lacéré, son sang versé — le sang de l'Alliance —, par sa mort de pendu au bois... Il est le Chemin... Quiconque croit en lui ne fait qu'un avec lui dans ce passage qu'il est seul à franchir.

Croire au pain, c'est en manger. Croire au Crucifié, c'est vouloir jouer sur lui sa vie et sa mort, c'est manger son corps et boire son sang pour ne faire qu'un avec lui « les yeux fermés », n'être qu'un corps livré avec le sien, un sang sacrifié dans le sien, sûr de ne faire qu'un avec lui dans sa trouée vers le Père et la Résurrection.

Viatique, Vie éternelle

« Moi, je suis le pain de vie. Vos pères ont mangé la manne au désert, et ils sont morts. Tel est le pain qui descend du ciel, que celui

Par la communion, on ne fait qu'un avec le corps du Christ. Or il a traversé la mort et il est ressuscité.

Chaque communion, à travers la vie, a déposé jusque dans le corps du chrétien un germe d'immortalité. Mais voici l'heure de la mort : tous ces germes donnent leur Fruit dans le dernier sacrement de la Vie éternelle.

« Le Christ est ressuscité des morts, prémices de ceux qui sont morts. En effet, puisque la mort est venue par un homme, c'est par un homme aussi que vient la Résurrection des morts : comme tous meurent en Adam, en Christ tous recevront la vie » (1 Cor 15, 21-22). « Alors se réalisera la parole de l'Écriture : la mort a été engloutie dans la victoire. Mort, où est ta victoire ? » (54-55).

Bien amarré à ta bouée de sauvetage, tu ne peux pas sombrer. Les grands croyants du Moyen Age tenaient de même que, avec la Résurrection « entre les dents », un mort ne pouvait que passer à la Vie. « Celui qui en mange ne mourra pas ! » (Jean 6, 50), parole du Seigneur !

C'est cette foi qui éclate en ce « Viatique » de Marie Noël :

O vous qui me donnez à boire,
Il est trop tard. Je ne bois plus.
Pain et vin sont, en la mémoire
De ma chair, à jamais perdus.

Allez dans le Pain qu'Il habite
Me chercher Jésus Christ. Allez !
Dans mon flanc qui s'épuise, vite,
Jetez-Le comme un grain de blé.

Jetez, engloutie en ma perte,
Dans la béante obscurité
De ma dernière bouche ouverte,
La semence d'Éternité.

qui en mange ne meurt pas. Moi, je suis le pain, le [pain] vivant descendu du ciel ; si quelqu'un mange de ce pain, il vivra à jamais ; et le pain que moi je donnerai, c'est ma chair, pour la vie du monde. »
(Jn 6, 48-51).

Le Saint Viatique, c'est sur celui, sur celle qui va mourir, la grande Prière eucharistique de Jésus à l'heure de sa propre mort :

Viatique, initiation à la Gloire

« Père, l'heure est venue, glorifie ton fils (ta fille), afin que ton fils te glorifie ; afin que, selon le pouvoir que tu m'as donné sur toute chair, je donne la Vie éternelle à celui que tu m'as donné...

« Je prie pour celui que tu m'as donné : il est à toi, et tout ce qui est à moi est à toi, comme tout ce qui est à toi est à moi, et c'est ainsi que j'ai été glorifié en lui... Maintenant, il va à toi...

« Je lui ai donné la gloire que tu m'as donnée... pour que le monde puisse savoir que tu l'as aimé comme tu m'as aimé. Père, je veux que là où je suis, celui que tu m'as donné soit aussi avec moi, et qu'il contemple la gloire que tu m'as donnée, car tu m'as aimé dès avant la fondation du monde.

« Père juste, tandis que le monde ne t'a pas connu, celui-ci a reconnu que tu m'as envoyé. Je lui ai fait connaître ton nom, afin que l'amour dont tu m'as aimé soit en lui, et moi en lui » (Cf. Jean 17).

Réjouissons-nous, buvons le vin de la grande joie... Voici le fiancé et la fiancée... Voici notre Soleil...
Par amour, il s'est fait semblable à nous et se réjouit avec nous ; il change l'eau en vin pour ne pas interrompre la

Défunts bien-aimés, « vous êtes morts, et votre vie est cachée, avec le Christ, en Dieu. Quand le Christ, votre Vie,

joie des invités ;
il en attend
d'autres ; il les
appelle conti-
nuellement et
aux siècles des
siècles. Et voici
qu'on apporte le
vin nouveau.
(Dostoïevski).

paraîtra, alors vous aussi, vous paraîtrez avec lui en pleine Gloire » (Col 3, 3-4).

« Car pour tous ceux qui croient en toi, Seigneur,
   la vie n'est pas détruite, elle est transformée ;
et lorsque prend fin leur séjour sur terre,
   ils ont déjà une demeure éternelle dans les cieux »
                        (Première préface des défunts.).

LA MORT, COMME SACREMENT

Trois textes des Pères de l'Église. Leur enchaînement exprime avec force toute la Révélation de la mort et du Salut :

● « **Le péché posait son pied sur toute vie et consacrait tout à la mort.** Il fallait que les hommes meurent. Toute chair tombait sous le péché : tout corps tombait donc sous la mort et toute âme était chassée de sa maison corporelle. Ce qui avait été pris de la terre se dissolvait dans la terre et l'esprit qui avait été donné par Dieu était enfermé dans le Séjour des Morts. Il y avait brisure de la belle harmonie et le corps était décomposé. Dans la mort, en effet, l'homme était en état de désagrégation » (S. Méliton de Sardes, † vers 195).

● « **Il fallait ramener de la mort à la vie notre nature tout entière.** Dieu s'est penché sur notre cadavre, afin de tendre, pour ainsi dire, la main à l'être qui gisait. Il s'est approché de la mort de façon à prendre contact avec l'état de cadavre, et à fournir à la nature, au moyen de son propre corps, le point de départ de la Résurrection, en ressuscitant l'homme entier par sa puissance » (S. Grégoire de Nysse, 335-395).

● « **Étant Vie par nature, le Verbe de Dieu s'approprie**

un corps sujet à la corruption, afin de détruire en celui-ci la puissance de la mortalité et de le transformer en un être immortel. Comme le fer, mis en contact avec le feu, en prend aussitôt la couleur, de même la nature charnelle, après avoir reçu en elle le Verbe divin, incorruptible et vivifiant, devient immunisée contre la corruption. » (S. Cyrille d'Alexandrie, 380-444).

Donc : 1) La mort frappe la nature humaine ; 2) Dieu prend la nature humaine, tue la mort et fait, de la mort humaine, le point d'explosion de la Résurrection ; 3) Tout homme, en mourant, rencontre donc dans sa mort le Christ Ressuscité qui a tué la mort pour toute la nature humaine.

Tout est dit magnifiquement. Essayons d'approfondir, dans la foi...

● **Jésus est pleinement Dieu. Il est aussi pleinement homme. Mais pas un simple numéro de l'immense série...**

Il en est, d'une part, **le prototype** : dans le plan de Dieu, « premier-né de toute créature ». Il en est, d'autre part, **la Tête**, le Chef, l'Adam, c'est-à-dire : celui qui rassemble toute l'Humanité en son Corps, et dont tout homme est membre, — et celui qui mène, qui entraîne, et fera passer tout le Corps là où il passera lui-même.

● **Il n'en est que plus homme. Donc il est mortel, il doit mourir.** Il est venu pour mourir : « C'est pour cette Heure que je suis venu », dit-il. **Et il meurt...** Il meurt en homme : les yeux ouverts, mais avec horreur de la mort, une horreur qu'il crie devant ses frères et devant son Père.

● **Il faut dire qu'il meurt plus durement qu'aucun autre homme.**

Sa mort est un abîme de cruauté : il est torturé, crucifié.

Sa mort est un mystère d'iniquité : « il a été livré aux mains des pécheurs » (Mt 26, 45), les pouvoirs religieux et civil de son pays. Et pourquoi ? Parce qu'il a pris le parti des

Dieu est entré dans la mort des hommes

Qui a cru ce qu'on nous a fait entendre, et le bras de Yahvé, sur qui s'est-il manifesté ? Il a grandi comme un surgeon devant Lui, comme une racine sortie d'une terre aride, sans forme, sans éclat pour attirer les regards, sans apparence pour le faire chérir, méprisé, délaissé par les hommes, homme de douleurs et familier de la maladie, comme quelqu'un devant qui on se voile la face, méprisé, nous n'en faisions nul cas... On le maltraite, et lui s'humilie et n'ouvre pas la bouche. Comme un mouton qu'on mène à l'abattoir, comme une brebis muette devant ceux qui la tondent... Car il a été exclu de la terre des vivants, à cause du forfait de mon peuple il a été frappé. (Is 53, 1-2. 7-8).

« Il est arrivé quelque chose à la mort »

pécheurs : s'il garde, en sa Passion, le silence du coupable, c'est qu'il est venu se charger des péchés de tous, comme le répète Isaïe 53. Ainsi Jésus endure-t-il la mort du plus coupable des coupables : la condamnation des criminels, la flagellation des déshonorés, la croix des maudits (Gal 3, 13), la déréliction de Dieu (Ps 22).

● Mais s'il veut ne faire qu'un avec les mortels, avec les pécheurs, prendre jusqu'au fond leur condition de perdus — leur exécution, leur destruction jusqu'à l'épreuve du dedans —, c'est **« pour réduire à l'impuissance, par sa mort, le pouvoir de la mort »** (Hébr 2, 14). Lui, le Fils, l'Immortel, l'Innocent, il prend sur lui la mort des hommes pour en inverser le sens et la retourner en Salut. « Celui qui n'avait pas connu le péché, Dieu l'a, pour nous, identifié au péché, afin que, par lui, nous devenions justice (sainteté) de Dieu » (2 Cor 5, 21).

« Ainsi, par la grâce de Dieu, c'est pour tout homme que le Fils a goûté la mort » (Hébr 2, 9).

● **« Par la mort du Christ et sa Résurrection, il est donc arrivé quelque chose à la mort :** elle a cessé d'être la mort tout court, l'accomplissement de la justice de Dieu, la mort brutale, derrière laquelle ne demeure plus qu'une « indestructibilité de l'âme ». La mort du Christ a donné un autre caractère à la mort, lui restituant, non la forme, mais le sens de cette fin qu'aurait dû être celle du premier homme : la transition à une vie nouvelle, à la fois éternelle et humaine.

« La mort du Christ fut subie pour nous ; et elle existe désormais comme un événement ne faisant plus qu'un avec l'Incarnation et la Résurrection, comme « le Fait » par excellence de ce monde, que ce monde le veuille ou non. A ce fait, qui polarise tout, l'homme peut croire, c'est-à-dire y prendre part. Cette mort est sa Rédemption » (Romano Guardini).

● Ce Fait a saisi et transformé toute la création : le monde, l'homme, sa naissance, sa vie, sa mort. En naissant, tout homme devient de droit — et, tôt ou tard, de fait, à moins de refus éclairé et obstiné — frère ou sœur du Fils éternel, membre de son Corps, fils ou fille de Dieu même, rien de moins. De même **en mourant, qu'il le sache ou qu'il l'ignore, il entre dans la mort du Christ,** « qui est mort pour tous » : non seulement au bénéfice de tous, mais avec tous, en tous, et tous en lui, car ils sont tous son propre Corps ; donc, sa propre Mort.

● « **La mort de Jésus sur la croix signifie donc la transformation existentielle de la mort des hommes pécheurs en la mort pascale, sacrement du Salut ;** c'est le retournement radical de l'événement de notre mort. C'est la libération des hommes pécheurs que nous sommes d'une captivité si profonde qu'aucune puissance humaine n'aurait jamais pu y atteindre, et d'une captivité si tragique qu'elle aurait rendu absurde toute notre existence humaine. C'est parce que Jésus est mort sur la croix que les hommes retrouvent le sens de leur existence, et en particulier le sens de leur mort et la possibilité concrète de l'accomplir.

« Et ceci par une solidarité d'amour littéralement inouïe : Dans son amour pour nous, le Christ est descendu jusqu'à partager la perdition extrême de ses frères déchus, pour porter la charité et la lumière divines là où, sans cette descente au nom de tous dans la nuit de la mort, auraient régné la nuit, la solitude, la rupture et le désespoir éternels. **Pour chercher et sauver la brebis perdue, le Bon Pasteur est « descendu lui-même dans l'enfer » de la mort-rupture des hommes pécheurs, et l'a transformée, pour tous les hommes qui meurent, en « la porte du Ciel »** (Paul Hitz).

Ce serait ici le lieu de relire le chapitre 11 du tome Ier : « Est descendu aux enfers ».

Lorsqu'on fut arrivé au Calvaire, on mit Jésus en croix, avec deux malfaiteurs, l'un à sa droite et l'autre à sa gauche... L'un d'eux l'injuriait ; « N'es-tu pas le Messie ? Sauve-toi toi-même, et nous avec ! » Mais l'autre lui fit des reproches : « Tu n'as donc aucune crainte de Dieu, tu es pourtant un condamné, toi aussi ! Et puis, pour nous, c'est juste : après ce que nous avons fait, nous avons ce que nous méritons. Mais lui, il n'a rien fait de mal. » Et il disait : « Jésus, souviens-toi de moi, quand tu viendras comme Roi. » Jésus lui répondit : « Vraiment, je te le dis, aujourd'hui, avec moi, tu seras dans le Paradis. » (Lc 23, 33. 39-43)

Ainsi, la mort des hommes n'est plus la mort. La mort des pécheurs est niée : de mort-rupture elle est devenue mort-communion, mort pascale, mort passage vers la Vie et la Résurrection.
Comprenons bien : le Christ mort et ressuscité a pénétré toute la **nature** des êtres comme le laser de l'Amour absolu. En prenant la **nature** humaine, il l'a enflammée jusqu'en

Tout homme entre dans la mort de Jésus

« Avant de passer de ce monde à son Père, Jésus disait à ses disciples : « Ne soyez donc pas bouleversés : Vous croyez en Dieu, croyez aussi en moi. La maison de mon Père peut être la demeure de beaucoup de monde, sinon, est-ce que je vous aurais dit : ' Je pars vous préparer une place ' ? Quand je serai allé vous la préparer, je reviendrai vous prendre avec moi ; et là où je suis, vous y serez aussi. » (Jn 14, 1-4).

son fond et rendue incandescente de divinité. Relisons les textes patristiques qui ouvrent ce chapitre...

Parce que le Fils de Dieu s'est enseveli dans notre mort humaine, tout homme qui meurt est plongé réellement dans la mort de Jésus Christ. « Si nous vivons, nous vivons pour le Seigneur ; si nous mourons, nous mourons pour le Seigneur : soit que nous vivions, soit que nous mourions, nous sommes au Seigneur » (Rom 14, 8).

Puisque l'amour suprême du Sauveur a rejoint tout homme dans sa mort, tout homme qui meurt rejoint le Sauveur dans cette mort humaine qu'il a subie pour tous et où il l'attend.

Même si le mourant ne l'a pas encore rencontré dans la foi et les sacrements. Il le rencontre dans le « déluge » universel de la mort, le baptême de la mort... Cette rencontre, redisons-le, peut être accueillie ou refusée — il n'y a pas d'amour forcé —, mais qui la refusera si sa vie n'a pas été longuement pétrifiée dans le refus de la vérité, du bien, de l'amour ? « Dieu a laissé tous les hommes s'enfermer dans la désobéissance **pour faire à tous miséricorde** » (Rom 11, 32).

Certes, la mort garde, pour tous, son caractère ténébreux. Elle reste, comme celle du Christ, un saut dans le noir. La nuit du Golgotha entoure aussi notre trépas. Sinon, nous ne mourions plus de la mort du Ressuscité... Mais,

« C'est la nuit qu'il est beau de croire à la Lumière ! »

« Tenez donc vos reins ceints et vos lampes allumées. Soyez semblables à des gens qui attendent leur maître à son retour de noces, afin de lui ouvrir dès qu'il viendra et frappera. Heureux ces serviteurs que le maître, à son arrivée, trouvera fidèles à veiller ! En vérité je vous le dis : il se ceindra, les fera mettre à table, et, passant de l'un à l'autre, il les servira. Qu'il vienne à la deuxième ou à la troisième veille, s'il trouve les choses ainsi, heureux seront-ils ! » (Luc 12, 35-38).

19

LA PRIÈRE
DES CHRÉTIENS

SACREMENTS ET PRIÈRE

Dieu aime au point que son amour le met « hors de lui » — cela s'appelle « extase » —, et il « explose » magnifiquement dans la Création.

La Création, c'est l'irruption de Dieu dans le monde qu'il fait, dans les « espaces infinis » qu'il étale, dans les jardins de l'homme qu'il aime. Et que cet homme l'accueille ou le fuie, Il cherche et poursuit la rencontre : « Adam, où es-tu ? — J'ai entendu ta voix dans le jardin... »

C'est ainsi que commence la prière des siècles...

La prière ? « C'est quand on parle à Dieu comme à un homme », disait le saint Curé d'Ars. Prier, c'est croire que Dieu est quelqu'un, quelqu'un qui écoute, quelqu'un qui répond. Parce qu'il aime.

« Prier, c'est accepter d'être aimé » (Gabriel Marcel), d'être aimé par Dieu : « accepter », donc écouter soi-même, et répondre ; vivre un dialogue qui doit normalement mûrir en amour.

Vient en effet l'Alliance : l'Alliance de Chanaan avec Abraham et sa famille, l'Alliance du Sinaï avec Moïse et son peuple. Un grand pas, puis un autre, dans la rencontre du Dieu personnel avec l'Humanité sa créature... Et ils se lient. Et ils cheminent ensemble. **Et Dieu parle ; et l'homme répond. Et l'homme parle ; et Dieu répond... C'est cela, la prière.** Abraham, Moïse, parlaient à Dieu comme un ami avec son ami... Des fiançailles dans la prière : « Ils seront mon peuple et je serai leur Dieu ».

De longues fiançailles. Merveilleuses : « Quand Israël sortit d'Égypte, le peuple juif devint la chose sainte de Dieu et son domaine » (Ps 114). Orageuses aussi : c'est souvent l'empoignade de Jacob et de Dieu (Gen 32, 24 ss). Mais le dialogue n'est jamais rompu. On ne s'en va pas chacun de son côté. Les psaumes, ces lettres d'amour et de détresse du

Alliance et prière

Lorsque Moïse entrait dans la Tente de la Rencontre, la colonne de nuée descendait et se tenait à l'entrée de la Tente, et Yahvé parlait avec Moïse. A la vue de la colonne de nuée qui se tenait à la porte de la Tente, tout le peuple se levait et chacun se prosternait à l'entrée de sa

tente. Yahvé par-
lait à Moïse face
à face, comme un
homme parle à
son ami. Puis
Moïse retournait
au camp.
(Ex 33, 9-11).

Peuple de Dieu, sont le trésor de la prière d'alors et d'aujour-
d'hui.

Relisez, voulez-vous, notre chapitre premier, pages 20 ss :
nous le reprenons ici en quelques touches rapides où est
soulignée la prière. Sacrements et prière se rejoignent toujours, se confondent souvent, car ils sont rencontre de Dieu,
« quand Dieu fait signe ».

*Christ
et prière*

**Et voici la grande irruption de Dieu, le Grand Signe,
le Grand Sacrement, Jésus. « Le Verbe s'est fait chair
et il a fixé sa tente parmi nous ». Le Christ est le sacrement de la rencontre de Dieu.**

Étant Dieu, il est la grande Parole de Dieu — le « Verbe »
— adressée aux hommes. Étant homme, il est la grande
réponse des hommes adressée à Dieu, le grand Oui, la grande
Prière, dans toute sa vie, sur la Croix, sur l'Autel...

**Le sacrement de l'Alliance — l'Eucharistie — est,
depuis, la grande Présence, au milieu de nous, du Fils
de Dieu, incarné pour nous, mort pour nous, ressuscité
pour nous, toujours en supplication pour nous...**

« Qui condamnera ? Jésus Christ, qui est mort, — bien
plus ! — qui est ressuscité, qui est à la droite de Dieu et qui
intercède pour nous ? Qui nous séparera de l'amour du
Christ ?... Rien ne nous séparera de l'amour de Dieu manifesté en Jésus notre Seigneur ! » (Rom 8, 34-39).

Notre grande prière, personnelle et communautaire, c'est
donc la messe. La messe où le Christ nous convoque et nous
attend pour prier au milieu de nous. « Il est en mesure de
sauver d'une manière définitive ceux qui, par lui, s'approchent
de Dieu, puisqu'**il est toujours vivant pour intercéder
en leur faveur.** Tel est bien le grand prêtre qui nous convenait, saint, innocent, immaculé, sans complicité avec les
pécheurs et élevé au-dessus des cieux » (Hébr 7, 25-26).

*Sacrements
et prière*

**Chacun des autres sacrements est aussi rencontre
et prière : rencontre avec le Christ dont c'est la propre
main qui nous touche à travers le rite de l'Église, —
rencontre avec le Père dans une prière particulière-**

ment efficace « **par Jésus Christ, son Fils, notre Seigneur** », **pour être adoptés, réconciliés, confirmés, guéris, unis en son amour, comblés de l'Esprit Saint.**

L'Esprit Saint, c'est le Don premier du baptême et de la confirmation, c'est le Don de tout sacrement reçu avec foi : la « grâce » d'un sacrement, ce n'est pas quelque chose, c'est quelqu'un. C'est l'Esprit Saint qui intensifie sa présence, son activité, sa lumière, sa tendresse, sa prière...

Insistons sur la prière, car la présence, la lumière, la tendresse de l'Esprit éclate d'abord et surtout en prière, en « adoration » : l'adoration, ce cri filial qui jaillit vers Dieu : « Père! Papa le Bon Dieu! ». C'est alors « l'adoration dans l'Esprit », et donc, « l'adoration en vérité, comme le Père la veut » (Jean 4, 23-24).

Nous y reviendrons... Contentons-nous pour l'instant de dire deux choses :

— que Jésus est le vrai Temple dans le cœur duquel l'Esprit Saint ne cesse de pousser le cri filial de l'adoration au Père,

— qu'un baptisé, un sacramentalisé, est un autre Christ, habité lui aussi par l'Esprit filial « qui nous fait crier : Abba! Père! »

La prière ne peut donc être cantonnée dans ces temps forts que sont la célébration des sacrements. Une fois les cierges éteints, allons-nous étouffer l'Esprit... jusqu'à la prochaine fois?... D'autant que le baptême, la confirmation, l'ordination, le mariage nous constituent en un état nouveau permanent de vie filiale; ils ouvrent en nous une source neuve et intarissable de grâce. Vivre ces états, boire à ces sources, c'est cela même, la prière. « Soyez toujours dans la joie, priez sans cesse, rendez grâces en toute circonstance, car c'est la volonté de Dieu à votre égard dans le Christ Jésus. N'éteignez pas l'Esprit » (1 Thess 5, 16-19).

A partir du baptême qui nous fait fils ou fille du Père, la vie sacramentaire, c'est la vie filiale vingt-quatre heures sur vingt-quatre. La prière, c'est l'irruption de Dieu dans l'espace et le temps des hommes, — et l'irruption de l'homme dans l'espace et le temps de Dieu (si l'on peut dire). Comme papa qui survient dans la chambre de l'enfant; comme l'enfant qui surgit sans frapper dans la pièce où papa travaille, et vient se jeter dans ses bras.

La prière « chrétienne » couronne l'initiation sacramentaire

Je vous salue, Marie, pleine de grâce. Le Seigneur est avec vous, vous êtes bénie entre toutes les femmes et Jésus, le fruit de vos entrailles, est béni.
Sainte Marie, Mère de Dieu, priez pour nous pauvres pécheurs, maintenant, et à l'heure de notre mort. Amen.

Les sacrements introduisent donc normalement le chrétien à la prière « chrétienne ».

Non pas seulement à la prière païenne, ou musulmane, au Dieu Très-Haut, Tout-Puissant, Créateur et Souverain Maître de toutes choses. Mais à **la prière « chrétienne »**, **la prière du « Christ »**, du Fils : la prière à « papa le Bon Dieu » pratiquée par Jésus et à laquelle les frères et sœurs de Jésus sont conviés.

Et aussi la prière au Christ, « mon frère pour de vrai »,
— la prière à Marie sa mère, à Marie ma mère et mère de l'Église,
— la prière à mes frères les saints.

La prière personnelle « au nom de Jésus » parce que c'est son Esprit qui prie en moi, — la prière communautaire ou familiale « au nom de Jésus » parce qu'il a dit : « Là où deux ou trois seront réunis en mon nom, je serai au milieu d'eux ».

Cette prière « chrétienne » est évidemment réservée aux chrétiens. Les baptisés seuls peuvent dire « Papa le Bon Dieu », eux seuls peuvent se rassembler et prier « au nom de Jésus ». A eux seuls le « Notre Père ».

Les anciens parmi nous se rappellent le temps où le célébrant, à l'absoute des funérailles, chantait les deux premiers mots du *Pater noster*, et laissait les chrétiens le continuer à voix basse. Cette habitude remonte à la chrétienté des Pères de l'Église : dans une assemblée où se trouvaient des non-baptisés, fussent-ils catéchumènes depuis trois ou quatre ans, on ne prononçait pas le Notre Père. C'est la prière théologale par excellence : seul un enfant du Père, un frère, une sœur de Jésus Christ, un « temple » de l'Esprit peut dire en vérité le Notre Père. Les nouveaux baptisés-confirmés, à la messe de leur première communion, l'entendaient donc pour la première fois, dans l'émerveillement. L'évêque commençait par le commenter longuement ; il le livrait en quelque sorte aux néophytes : ce serait désormais « leur » prière, la Prière des « fidèles », la prière de « ceux qui ont la foi ».

Une catéchèse de la prière « chrétienne », spécialement du Notre Père, couronnait donc celle des sacrements d'initiation. Nous n'allons pas manquer à cette tradition vénérable et, plus que jamais, d'actualité.

CARICATURES DE LA PRIÈRE

Commençons par déblayer le terrain en éliminant les sous-produits de la prière.

Don Camillo cherche de l'argent pour remplacer la grosse Gertrude. C'est le nom de sa cloche, emportée par les Allemands. Un jour Mme Giuseppina lui apporte cet argent :

— J'avais fait le vœu d'offrir une cloche à l'église, lui dit-elle, si Dieu m'aidait dans une certaine affaire.

Don Camillo court remercier le Christ et lui promettre un cierge de dix kilos.

Or le Christ ne veut pas de son cierge :

— Je ne suis pour rien dans cette affaire, proteste-t-il. Je n'ai pas aidé Mme Giuseppina. Je ne m'occupe pas de ces sortes de choses. Si je m'intéressais au commerce, alors, bien sûr, celui qui gagne aurait des raisons de me bénir ; mais celui qui perd aurait des raisons de me maudire... Si tu trouves un porte-monnaie pansu, ce n'est pas Moi qui te l'ai fait trouver, parce que ce n'est pas Moi qui l'ai fait perdre à ton voisin.

« Allume ton cierge devant l'agent d'affaires qui a aidé Mme Giuseppina à gagner neuf millions ; je ne suis pas un agent d'affaires. »

Tête de don Camillo... puis de Mme Giuseppina... Une belle illusion, leur prière, leurs vœux et leur cierge !...

Bien des prières sont des caricatures de prière pour une caricature de Dieu. Des fausses prières pour un faux dieu.

Illusion, la prière magique

Des guérisseurs font des affaires d'or sur la crédulité des superstitieux. A les croire, il suffit de répéter dix, cinquante ou cent fois une prière-miracle et le cancer fondra comme beurre sur le feu.

Beaucoup de chrétiens vont ainsi à Dieu ou à la Vierge comme à un distributeur automatique au service de leurs besoins, voire de leurs caprices. On dit une prière, on fait une neuvaine, et hop! le miracle doit être servi tout chaud, sinon on fait une grosse colère et une longue bouderie... jusqu'à la prochaine fois.

Non, le vrai Dieu n'est pas un domestique au doigt et à
l'œil ni un esclave technique au presse-bouton.
Il n'existe pas de « formules efficaces ».

Illusion,
les chaînes
de prières

Vous recevez un billet qui vous enjoint de dire tant de fois
une prière « tombée du Ciel », de la recopier tant de fois et
de la donner à tant de personnes, moyennant quoi les miracles
vont pleuvoir dans votre cheminée. Que si vous ne priez pas,
ou si vous avez l'audace de couper la chaîne bénéfique, vous
serez copieusement arrosé de malheurs!...
Faut-il insister sur ces crétineries? Coupez ces chaînes!
Au feu ces fausses prières!

Illusion,
les prières-
lampions

Les lampes, même électriques et électriquement minutées,
les cierges, même de gros calibre ou par brassées, ne seront
jamais une prière par eux-mêmes. Seuls les hommes prient.
Certes une âme priante, à la foi sainement équilibrée,
peut exprimer sa supplique par un cierge. La Vierge et son
Fils y sourient. Et pas seulement le marchand de cire.
Mais tant de cierges... et où sont les âmes priantes? Tant
de lampes... et où sont les lumières vivantes à la foi rayonnante?... Vous tenez à prier en jetant feu et flammes? Chauffez
plutôt les corps et les cœurs des vieux, des pauvres et des
abandonnés. « La religion expurgée de toutes impuretés devant
Dieu consiste à assister les malheureux dans leur tribulation »
(Jac 1, 27).

Illusion,
la prière-
rebâchage

L'accumulation des formules, le « volume » des mots, le
nombre des pages récitées et tournées, la gymnastique des
lèvres où les textes s'engouffrent, se bousculent, se déforment
souvent, évoquent cette réprobation du Seigneur : « Ce peuple
m'honore des lèvres, mais son cœur est loin de Moi » (Is 29, 13).
« Dans vos prières, dit Jésus, ne rabâchez pas, comme les
païens : ils s'imaginent qu'en parlant beaucoup ils se feront
mieux écouter. N'allez pas faire comme eux » (Mt 6, 7-8).
« Ce n'est pas en disant : Seigneur, Seigneur! qu'on entrera
dans le Royaume des cieux; mais c'est en faisant la volonté
de mon Père qui est dans les cieux » (Mt 7, 21).

L'éclair déchire la nuit, le tonnerre éclate sèchement : vite on fait un vœu.

Un examen approche : vite confession et communion... pour sa réussite.

Une bête est malade : on court faire « dire » une messe... Comme si Dieu était un Jupiter-Tonnant aux commandes du monde, prêt à déverser ou à retenir la pluie et le beau temps, la vie ou la mort, la santé ou la maladie, le diplôme ou la « veste », suivant les caprices de ses colères ou de ses amours.

Comme si le Christ était mort et ressuscité pour la santé de ma vache ou de mon toutou.

Comme si la seule garantie d'un examen n'était pas le travail.

Illusion, la prière à Jupiter

C'est la religion de Mme Giuseppina : « Si telle affaire réussit, Seigneur, Mme Giuseppina vous promet une cloche ». Sous-entendu : « Mais gare si l'affaire ne réussit pas ! »

« J'avais pourtant donné une messe pour qu'il fasse beau temps au mariage de ma fille... »

« J'ai tant prié pour que Jean-Paul m'aime, moi. Mais c'est Jacqueline qu'il aime... Alors... fini, je ne prie plus... »

Le faux dieu de ces gens-là est un dieu commerçant assis derrière son comptoir. « Alors, puisque j'achète, il n'a qu'à livrer la marchandise. Donnant donnant... C'est la loi de l'offre et de la demande et du juste prix. Et j'y ai mis le prix, non ? »

Dieu n'est pas un prisunic.

Illusion, la prière-commerce

« Ça me fait tant de bien de prier ; ça me remplit le cœur de douceur et de consolation... »

Ou au contraire :

« Je ne ressens plus cette tendresse, cette ferveur des premiers temps ; je n'ai plus goût à prier... Dieu m'abandonne et je perds la foi... »

C'est la prière romantique pour sentimentaux. Elle varie avec le temps qu'il fait, le sommeil, la digestion, les circonstances, les humeurs. Affaire de piété ? Non. Affaire de baromètre et de thermomètre ; affaire d'âge aussi ; ou de siècle :

Illusion, la prière-bonbon

mettez la main sur tel recueil de cantiques d'il y a cinquante ans et... amusez-vous bien.

Ou plutôt relisez la prière du Christ au Jardin de l'agonie... Et cherchez-y la douceur, la consolation, la ferveur sensible !...

Illusion, la prière égoïste

Au fond, toutes les déviations et déceptions de la prière reviennent à ceci : on en fait une recette de son petit bonheur à soi. Alors que le vrai Dieu est amour... des autres, et nous veut son grand Bonheur éternel à Lui.

Le cardinal Saliège écrivait :

« Nous sommes portés à faire de la prière un truc, une recette pour éviter les conséquences de nos fautes, pour alléger une souffrance, pour prévenir un malheur. Nous demandons les guérisons et non pas la patience. Nous demandons la fortune et non pas le courage. Nous demandons la paix et non pas la charité. Nous demandons à Dieu des miracles pour favoriser notre paresse, notre insouciance, nos fautes. Dieu ne fait pas de ces miracles.

« On a beau multiplier les pèlerinages, les cérémonies, on n'obtiendra rien si d'abord on ne commence pas par demander sa conversion...

« Avez-vous prié pour dominer les passions et en particulier la haine et le mépris ? Avez-vous prié pour ne pas commettre les calomnies, les médisances ? Avez-vous prié, d'un mot, pour être plus chrétien, plus chrétienne ? »

Prier pour être plus chrétiens

Voilà la clef de l'énigme, le mot de la fin.

Le Christ de don Camillo est sans doute trop catégorique : « Je ne m'occupe pas de ces choses ».

Dieu est Père, notre Père. « Quand vous prierez, dit Jésus, vous direz : notre Père... » Et la Providence de ce Père habille les lys des champs, nourrit les oiseaux du ciel. A plus forte raison s'occupe-t-elle de l'homme, son enfant, à un cheveu près.

Mais cette Providence-là poursuit un seul but : la glorification finale du Fils et de tout son Corps mystique : les chrétiens.

Son but n'est donc pas, comme semblent le croire trop de priants, de nous aplanir le chemin, d'écarter de notre vie les épreuves, d'empêcher les armes d'être meurtrières, les microbes de ruiner notre santé, les avions de capoter, les volcans de cracher, les porte-monnaie de glisser hors des poches trouées, le soleil de luire ou la pluie de tomber. Son but est notre bonheur éternel à tous, au lieu de la petite existence ouatée que l'on convoite chacun pour soi.

Le but de la prière n'est donc pas d'obtenir que Dieu fasse notre volonté, mais que nous fassions la sienne. « Quand vous prierez, vous direz : Notre Père, que ton règne arrive, que ta volonté soit faite... »

Dans une oraison l'Église nous fait dire : « Seigneur, dans ta miséricorde, prête l'oreille à nos prières et pour que tu puisses exaucer nos demandes, fais-nous demander ce qui t'est agréable ».

Hors de là, toute prière est illusion, précisément parce que Dieu nous aime.

PRIÈRE CHRÉTIENNE, PRIÈRE DU CHRIST

Le terrain déblayé de la religiosité de pacotille, entrons maintenant par la grande porte dans le mystère de la prière « chrétienne ».

Depuis toujours, Dieu existe en lui-même comme un Amour. Il existe comme dialogue d'amour du Père et du Fils dans l'Unité du Saint Esprit.

Par le baptême, nous sommes introduits dans ce Mystère, personnellement appelés à être fils et filles dans la Famille trinitaire, rien de moins! A être en communion avec le Père dans l'unité du Saint Esprit. Être baptisé, c'est participer à la relation de Jésus avec Dieu.

Mais cette relation filiale de Jésus à son Père, quelle est-elle? Comment Jésus la vit-il concrètement?

Jésus est Fils

Les évangiles nous répondent en nous mettant sous les yeux la prière de Jésus... Jésus est Fils. Cela veut dire, avant tout, qu'il prie ; qu'au cœur de sa vie, même quand il est en action au milieu des hommes, il reste ouvert sur le Dieu vivant ; qu'il est toujours à son écoute ; qu'il est constamment en état de louange ou de supplication ; qu'il ne peut se passer de longues et fréquentes heures d'intimité gratuite avec lui ; que son Père est toute sa source et sa constante référence : « Non pas ma volonté, mais la tienne ». Le Fils reçoit sa propre existence de la profondeur de son dialogue ininterrompu avec Dieu.

Il est Fils, et tout est dit. Être en communion constante et réciproque avec son Père, c'est son existence même :

« De moi-même je ne fais rien. Je dis ce que le Père m'a enseigné. Celui qui m'a envoyé est avec moi : il ne m'a pas laissé seul, parce que je fais toujours ce qui lui plaît » (Jean 8, 28-29). Jésus, c'est l'union à Dieu, c'est l'adoration même, « l'adoration dans l'Esprit et en vérité ».

« L'Adoration dans l'Esprit et en vérité »

Vous vous rappelez le différend majeur qui opposait Juifs et Samaritains. Pour les uns et les autres, comme pour les païens, le Temple était le lieu sacré où il fallait se rendre pour adorer Dieu. Mais quel Temple ?... « Le seul vrai Temple est à Jérusalem », disaient les Juifs. « C'est celui du mont Garizim », rétorquaient les Samaritains. Et l'on s'excommuniait mutuellement.

Au puits de Jacob, la Samaritaine, qui a flairé un prophète dans son interlocuteur assoiffé, questionne Jésus sur ce grand débat :

— Monsieur, lui dit-elle, je vois que tu es un prophète. Nos pères ont adoré sur cette montagne, et vous, vous affirmez que c'est au Temple de Jérusalem qu'il faut adorer ?

— Crois-moi, femme, répond Jésus : l'heure vient où ce n'est ni sur cette montagne, ni à Jérusalem que vous adorerez le Père... L'heure vient, — et maintenant elle est là (puisque je suis là) — où les vrais adorateurs adoreront le Père dans l'Esprit et en vérité ; tels sont, en effet, les adorateurs que cherche le Père. Dieu est esprit, et c'est pourquoi ceux qui l'adorent doivent adorer dans l'Esprit et en vérité » (Jean 4, 19-24).

● Réponse solennelle, et qui marque le grand tournant dans l'histoire de la prière, pour l'humanité tout entière. Avant, aucun homme n'était le Fils de Dieu au sens fort du terme. Dieu était donc le Très-Haut, et il convenait de lui rendre le culte d'adoration sur des hauts lieux où l'on bâtissait des sanctuaires. **Mais maintenant, le Fils éternel s'est incarné ; Jésus est là, homme parmi les hommes. Alors, tous les temples sont périmés, parce que le seul lieu d'où monte la seule adoration digne de Dieu, ce n'est pas un édifice de pierres consacrées, c'est quelqu'un, c'est le Christ. C'est lui, le vrai Temple, puisque c'est lui, le vrai adorateur. Désormais, l'adoration en vérité, elle ne monte ni ne montera jamais plus d'un monument de pierre, mais d'un cœur d'homme, de la vie d'un homme, l'Homme-Dieu, Jésus.**

Et le Verbe s'est fait chair, et il a planté sa tente parmi nous. Et nous avons contemplé sa gloire, gloire qu'un Père donne à son Fils unique, plein de grâce et de vérité. (Jn 1, 14).

● Et puisque Jésus est le Fils éternel, l'adoration change de nature. Elle ne s'adresse plus au Dieu Très-Haut ; elle s'adresse au Père : « Vous adorerez le Père », et le maître-mot de cette adoration en vérité, c'est : Abba ! Papa !

Mais qui est-ce qui, depuis toujours, dans le cœur du Fils, fait monter ce cri filial vers le Père ? Le Saint Esprit, qui est l'Amour mutuel du Père et du Fils.

Alors, désormais, la seule adoration « en vérité », c'est l'adoration « dans l'Esprit ». Et le Temple d'où elle monte, ce n'est plus un lieu sacré, c'est un cœur d'homme. « Détruisez ce Temple et en trois jours je le relèverai » a dit Jésus aux Juifs. « Il parlait, explique saint Jean, du temple de son corps » (2, 19-21)...

C'est là une Révélation très dure à admettre pratiquement, mais d'une importance bouleversante : qu'il n'y a plus de lieu sacré autre que Jésus, parce que de lui seul monte et peut monter la seule adoration en vérité : ce sentiment filial exprimé au Père « dans l'Esprit » qui habite en lui.

*« Il
priait... »*

Et maintenant, éclairés par cette Révélation qu'il n'y a plus d'autre Temple que sa personne, regardons vivre ce Fils si uni à son Père dans l'unité du Saint Esprit...

Au début de sa vie publique, « comme tout le monde était baptisé, **Jésus, baptisé lui aussi, priait.** Alors le ciel s'ouvrit, l'Esprit Saint descendit sur Jésus sous une apparence corporelle, comme une colombe, et une voix vint du ciel : « Tu es mon Fils ; moi, aujourd'hui, je t'ai engendré » (Luc 3, 21-22)... Le Fils priait, saisi par l'Esprit, et le Père comblé : « Tu es bien mon Fils ! »...

« Aussitôt après, l'Esprit pousse Jésus au désert. » Quarante jours de jeûne, d'affrontement de Satan, de **prière.** Puis il vient débuter à Capharnaüm ; il enseigne avec autorité tout le jour du sabbat ; la nuit tombée, il guérit de nombreux malades. Or, au premier matin, aux étoiles, « Jésus se leva, sortit et s'en alla dans un lieu désert ; **et là, il priait... »** (Marc 1, 12-36).

« On parlait de lui de plus en plus et de grandes foules s'assemblaient pour l'entendre et se faire guérir. Et lui se retirait dans les lieux déserts, **et il priait... »** (Luc 5, 15-16).

Il est temps de fonder l'Église. Comment le Fils va-t-il procéder ?... « Jésus s'en alla dans la montagne **pour prier, et il passa la nuit à prier Dieu.** Puis, le jour levé, il appela ses disciples et en choisit douze, auxquels il donna le nom d'Apôtres » (Luc 6, 12-13).

Puis c'est la première multiplication des pains. « Après avoir congédié la foule, Jésus partit dans la montagne **pour prier »** (Marc 6, 46). Cf. Luc 9, 18.

« Environ huit jours après, Jésus prit avec lui Pierre, Jean et Jacques et monta sur la montagne **pour prier.** Pendant qu'il priait », ce fut la Transfiguration (Luc 9, 28-29).

Les trois témoins de la Transfiguration seront bientôt ceux de son agonie. Là, « s'étant mis à genoux, **il priait** disant : « Père, si tu veux écarter de moi cette coupe !... Pourtant, que ce ne soit pas ma volonté, mais la tienne, qui se réalise ! »... Pris d'angoisse, **il priait plus instamment... »** (Luc 22, 40-44).

Mises bout à bout, ces notations nous surprennent. Elles forcent notre attention, pour la première fois peut-être, sur la vie intérieure de Jésus : ces « il priait », répétés, à l'imparfait, marquent une habitude, une vie d'oraison fréquente et longue. Ces larges temps gratuits, ces nuits en prière, déconcertent les gens « qui n'ont jamais le temps », les activistes pour qui « travailler c'est prier »... Le Fils ne pense pas ainsi. Le Fils n'agit pas ainsi. Il ne le pourrait, parce que, d'abord, il est Fils.

Et de quoi est fait ce dialogue Père-Fils dans l'Esprit ?

Pour quoi Jésus priait

● D'abord Jésus prie pour éclairer et orienter son chemin « missionnaire » : où son Père l'envoie-t-il ? Après sa première journée d'enseignement et de guérisons à Capharnaüm, il a pris un bref repos et s'en est allé, « à la nuit noire, prier dans un lieu désert ». Le lendemain matin, Simon et ses compagnons s'affairent à le trouver : « Tout le monde te cherche ! » Et lui : « Allons ailleurs dans les bourgs voisins, pour que j'y proclame l'Évangile » (Marc 1, 35-38).

● Jésus prie pour ses Apôtres, pour la jeune Église : « Simon, Simon... j'ai prié pour toi afin que ta foi ne disparaisse pas » (Luc 22, 31-32) — « Père... je prie pour ceux que tu m'as donnés... Ils vont rester dans le monde, tandis que moi je vais vers toi. Père saint, garde-les en ton nom, pour qu'ils soient un comme nous sommes un... Je ne te demande pas de les ôter du monde, mais de les garder du Mauvais... Consacre-les par la vérité... Je prie aussi pour ceux qui, grâce à leur parole, croiront en moi : que tous soient un... » (Jean 17).

● Jésus prie pour donner libre cours à son action de grâces : « Il exulte sous l'action de l'Esprit Saint et dit : ' Je te loue, Père, Seigneur du ciel et de la terre, d'avoir caché ton Mystère aux sages et aux intelligents, et de l'avoir révélé aux tout petits. Oui, Père, c'est ainsi que tu en as disposé dans ta bienveillance ' » (Luc 10, 21).

● Jésus prie pour avoir le courage de s'ajuster, au niveau de la croix, à la volonté de Dieu : « Tombé la face contre terre, il priait : ' Mon Père... non pas comme je veux, mais comme

Faites en tout temps par l'Esprit toutes sortes de prières et de supplications. Occupez-y vos veilles avec une persévérance infatigable et priez pour tous les saints, pour moi aussi, afin qu'ouvrant la bouche, il me soit donné de parler pour annoncer avec assurance le mystère de l'Évangile, dont je suis l'ambassadeur dans mes chaînes. Puissé-je en parler avec assurance comme je dois !
(Eph 6, 18-20).

tu veux! ' Il vient vers les disciples : ' Ainsi, vous n'avez pas eu la force de veiller une heure avec moi! Veillez et priez afin de ne pas tomber au pouvoir de la tentation... ' Puis, de nouveau, il s'éloigna et pria... » (Mt 26, 39-42).

● Jésus prie pour obtenir son salut, c'est-à-dire sa Résurrection, notre Résurrection. Au soir du Jeudi Saint, « Jésus leva les yeux au ciel et dit : ' Père, l'Heure est venue, glorifie ton Fils, afin que ton Fils te glorifie et que, selon le pouvoir sur toute chair que tu lui as donné, il donne la vie éternelle à tous ceux que tu lui as donnés ' » (Jean 17, 1-2)... « C'est le Christ qui, aux jours de sa vie terrestre, offrit prières et supplications, avec grand cri et larmes, à Celui qui pouvait le sauver de la mort, et il fut exaucé en raison de sa soumission. Tout Fils qu'il était, il apprit par ses souffrances ce que c'est que d'obéir, et, conduit ainsi à sa perfection, il devint, pour tous ceux qui lui obéissent, cause de Salut éternel » (Hébr 5, 7-9).

Personne n'est fils comme lui

Prenant avec lui Pierre, Jean et Jacques, Jésus gravit la montagne pour y prier. Et pendant qu'il priait, l'aspect de son visage changea, et ses vêtements devinrent d'une blancheur fulgurante. Et voici que deux hommes s'entretenaient avec lui : c'étaient Moïse et Élie qui, apparus dans la gloire, parlaient de son

Enfin et surtout, Jésus prie... pour rien ; parce qu'il est fils, tout simplement. Tertullien a écrit : « Personne n'est aussi Père que Dieu, personne n'est tendre comme lui ». Réciproquement, personne n'est aussi Fils que Jésus, personne n'est tendre comme lui. Lors de son baptême, cette tendresse mutuelle sous le signe de l'Esprit! « Jésus, baptisé lui aussi, priait ; alors, le ciel s'ouvrit... et une voix » — pas besoin de demander de Qui — « vint du ciel : ' Que tu es donc bien mon Fils! Je t'engendre dans un éternel aujourd'hui! ' » (Luc 3, 21-22). Même prière filiale, même réponse de tendresse lors de la Transfiguration (Luc 9, 28-29 et 35).

Jésus est le Fils. Yahvé est son « Père » — pardon — son « Papa ». C'est le mot qui lui sort de la bouche et du cœur. Un des premiers mots du babil de l'enfant araméen : abba, papa. Un mot tout autre que celui dont usait le Peuple de Dieu quand il répétait : « Yahvé, tu es notre Père » (Is 63, 15 ss ; 64, 7 ss ; Jér 3, 19 ss, etc.).

« Nous sommes ici en face de quelque chose de totalement nouveau : le mot « Abba »... Une exploration d'ensemble de la grande et riche littérature juive de la prière amène à conclure que nulle part l'invocation de Dieu avec le mot « Abba » ne s'y trouve attestée. Comment expliquer cela ? Les Pères de l'Église, Chrysostome, Théodore de Mopsueste et Théodoret de Cyr, originaires d'Antioche, et dont les nourrices, par conséquent, parlaient le dialecte syrien-occidental de l'araméen, témoignent unanimement que « Abba » était le nom donné par le petit enfant à son père. Et le Talmud confirme : « Lorsqu'un enfant est sevré, il apprend à dire ' abba ' et ' imma ' (papa, maman) ». « Abba », « imma » sont les premiers mots de l'enfant qui babille. « Abba » était puéril et quotidien : personne n'eût osé dire « Abba » à Dieu! Jésus le fait toujours, dans toutes les prières qui nous sont parvenues de lui... Jésus a donc parlé à Dieu comme un petit enfant à son père, avec la même simplicité intime, le même confiant abandon » (Joachim Jérémias).

Comprenons toute la théologie dont ce mot est porteur : un fils ne peut dire « Abba », « Papa » à quelqu'un qui n'est pas son propre père au sens le plus fort du terme. L'homme Jésus est donc Dieu, « de même nature que le Père ». C'est pourquoi, sa vie c'est de prier, parce que sa vie, c'est d'être Fils.

Et sa prière, c'est « Abba », parce que Dieu, c'est son « Papa ».

Jamais le monde n'avait dit cette prière, jamais il ne l'avait entendue... Et ce sera pourtant la prière du monde. Parce que le Fils ne s'est fait homme que « pour être l'aîné d'une multitude de frères » à qui il dira : « Quand vous prierez, vous direz : Notre Père, notre Papa ». Parce que tous les chrétiens sont « participants de la nature divine », la prière « chrétienne » va passer du cœur et des lèvres de Jésus au cœur et aux lèvres des chrétiens.

départ, qu'il allait accomplir à Jérusalem. Survint une nuée qui les prenait sous son ombre et, quand ceux-ci entrèrent dans la nuée, les disciples furent saisis de frayeur. Et de la nuée sortit une voix, qui disait : « Celui-ci est mon Fils, mon Élu ; écoutez-le. » Et quand la voix eut retenti, Jésus se trouva seul. Les disciples gardèrent le silence et ne racontèrent rien à personne, en ces jours-là, de ce qu'ils avaient vu. (Lc 9, 28-31. 34-36).

PRIÈRE CHRÉTIENNE, PRIÈRE DES CHRÉTIENS

Comme nos ancêtres partaient à la Croisade, des passéistes prenaient récemment d'assaut une église de Paris. Ils voulaient, déclarèrent-ils à la télévision, prier et célébrer « la messe de toujours » dans « des murs sacrés »... Jésus n'intervint pas, quoiqu'il eût expliqué, voici deux mille ans, à la Samaritaine, combien ce point de vue est dépassé : depuis son Incarnation, il n'y a plus de murs sacrés ; le Temple, c'est lui, parce que, dans son corps, il est le Fils, le seul adorateur « dans l'Esprit et en vérité ».

Des temples par milliers

Mais il est mort, comme le grain de blé, pour ressusciter, répandre l'Esprit, et se multiplier dans les chrétiens.

« A ceux qui l'ont reçu, à ceux qui croient en son nom, il a donné le pouvoir de devenir enfants de Dieu. Ceux-là ne sont pas nés du sang, ni d'un vouloir de chair, ni d'un vouloir d'hommes, mais de Dieu » (Jean 1, 12-13).

Il faut croire au réalisme de cette naissance divine : baptisés au nom du Dieu trinitaire, nous entrons réellement dans le partage de l'existence filiale de Jésus. Non par nature et de toute éternité, bien sûr ; mais par grâce et en réalité. Sur les fonts de notre baptême comme sur les eaux du Jourdain, le même Esprit de vie et d'amour a plané et le Père nous a dit vraiment : « Tu es mon enfant, mon bien-aimé ; aujourd'hui je t'ai engendré ».

Par sa naissance en humanité, Jésus abolissait tous les temples en les surclassant infiniment. Par notre naissance baptismale, nous sommes devenus, chacun, Temple comme lui, avec lui et en lui.

Ne savez-vous pas que vous êtes un temple de Dieu, et que l'Esprit de Dieu habite en vous ? Si quelqu'un détruit le temple de Dieu, celui-là, Dieu le détruira. Car le temple de Dieu est sacré, et ce temple, c'est vous. (1 Cor 3, 16-17).

De par le monde, le temple de Dieu est là où un chrétien, une chrétienne, est habité par l'Esprit et s'efforce de vivre en fils, en fille de Dieu. Il y a temple de Dieu partout où une communauté est réunie par l'Esprit, au nom de Jésus, et vit ensemble l'écoute, la supplication, la louange et surtout l'Eucharistie.

Aussi, « un jour que Jésus était en prière quelque part » — c'est-à-dire peu importe où, n'importe où, dans des murs ou hors de murs « sacrés » — « un disciple lui dit : ' Seigneur, apprends-nous à prier... ' Et Jésus leur dit : ' Quand vous priez, dites (comme moi) : Père... ' » (Luc 11, 1-2).

Que les chrétiens aménagent des lieux de prière et de rassemblement — des églises avec un e minuscule — rien de mieux. Il en faut ; et le génie des architectes peut merveilleusement favoriser le silence, la contemplation, la célébration. Mais ces lieux ne sont rien sans des cœurs priants et des assemblées célébrantes « dans l'Esprit et en vérité ». L'Église, ce n'est jamais un bâtiment ; c'est l'assemblée qui le fait vibrer de sa foi et de sa ferveur.

Église et église

Dans sa jeunesse, Jésus avait fréquenté, chaque sabbat, la synagogue de son village (Luc 4, 16) pour y écouter en communauté la lecture et le commentaire de la Loi et des Prophètes. Une fois sa mission inaugurée par son baptême et l'effusion plénière de l'Esprit, nous le voyons entrer dans le Temple de Jérusalem pour y enseigner (Mt 26, 55 ; Luc 19, 47 ; 20, 1 ; Marc 12, 35), affronter ses adversaires (Jean 7, 37 ; 8, 2 ss), en expulser les mercantis (Mt 21, 12)... jamais pour y prier son Père... La raison ? « Il y a ici plus que le Temple », dit-il en parlant de lui-même (Mt 12, 6). Ce n'est pas de ces murailles séculaires, c'est de son cœur habité par l'Esprit, habité par l'Amour filial, que monte la vraie prière, la seule adoration ; c'est dans son corps que s'offre le seul Sacrifice :

« De sacrifice et d'offrande, ô Père, tu n'as pas voulu,
mais tu m'as façonné un corps...
Holocaustes et sacrifices ne t'ont pas plu,
alors j'ai dit : Me voici...
Je suis venu, ô Dieu, pour faire ta volonté » (Hébr 10, 5 ss).

Chacun de nous, en signant son corps au nom du Père et du Fils et du Saint Esprit, peut dire comme le Christ : « Il y a ici plus que le Temple, plus que l'église de ma paroisse » :
« Ne savez-vous pas, dit saint Paul, que votre corps est le temple du Saint Esprit, qui est en vous, et qui vous vient de Dieu ? et que vous ne vous appartenez pas ? Quelqu'un a payé le prix de votre rachat. Glorifiez donc Dieu par votre corps » (1 Cor 6, 19-20).

*Soyons
ce que nous
sommes*

Notre prière ne peut donc être comme un habit de cérémonie que nous revêtirons de temps en temps pour faire un
petit tour dans la Vie trinitaire. Notre condition de baptisés
suppose une existence qui ait son centre dans la communion
avec le Père par le dialogue. Pour un chrétien, prier ne peut
vouloir dire seulement faire sa prière matin et soir, réciter
des formules de loin en loin ; mais que le baptisé soit dans
une telle écoute de Dieu, dans une telle ouverture au Père,
qu'il prenne toutes ses décisions dans un « amen » filial à ses
divines volontés. Tel est le sens de la seule formule de prière
que le Seigneur nous ait apprise — le « Notre Père » — que
nous commenterons dans notre prochain chapitre.

Réalisons ce que nous sommes !... Nous sommes, constitu-
tionnellement, frères ou sœurs de Jésus, enfants du Père. Or,
l'enfant, le frère qui n'aime pas, c'est un monstre : il renie
son sang, son corps et son espèce. Au contraire, celui qui
aime éprouve le besoin de le vivre, de le dire : il est de ce
sang-là, de cette famille-là, de cet amour-là. Eh bien, c'est
cela, prier. Prier, c'est aimer...

Être fils avec Jésus, c'est notre nature même. Donc,
écouter le Père et lui parler, c'est notre vie même. Laisser
souffler en nous l'Esprit d'adoration et d'amour, c'est notre
respiration même.

Répondez-moi : est-ce un devoir ou un besoin, pour un
enfant, d'exister avec ses parents, de les écouter, de leur
parler, de leur demander, de les aimer, de se laisser aimer
par eux ?... Quelle question ! Il est ce qu'il est, c'est tout :

« Voici que je me
tiens à la porte et
frappe. Si quel-
qu'un entend ma
voix et ouvre la
porte, j'entrerai
chez lui pour
souper, moi près
de lui et lui près
de moi. »
(Ap 3, 20).

l'enfant de la maison. C'est son être même qui éclate dans
ses relations d'enfant, dans ses larmes, dans sa joie, dans sa
prière. Il existe pour ce qu'il est : né de ses parents ! Il existe
donc en relation privilégiée d'adoration (« papa », « maman »),
de contemplation, d'admiration, d'obéissance, de réconciliation, de confiance, de supplication, de dialogue avec eux.
Sinon, il se renierait lui-même... De même pour moi : **prier,
c'est exister pour ce que je suis : enfant de Dieu, frère
de Jésus, fils de Marie.**

J'entends pleuvoir les objections : Pas le temps de prier!
Je ne sais pas! Je n'arrive pas! Je suis distrait!... et le reste...

● Baptisé de l'Amour, avez-vous parfois consacré un peu
de temps à vous demander qui vous êtes ? Avez-vous parfois
décidé de passer un moment à prier ?...

● Saint Paul nous affirme ceci : « L'Esprit vient en aide à
notre faiblesse, à nous qui ne savons pas prier comme il faut :
l'Esprit lui-même intercède pour nous en gémissements
inexprimables, et Celui qui scrute les cœurs sait quelle est
l'intention de l'Esprit » (Rom 8, 26-27). Cela veut dire :
croyons que nous sommes fils et filles de Dieu et mettons-
nous décidément à la prière : notre prière vaudra infiniment
plus que nous ne pouvons le percevoir.

D'ailleurs, nous en ferons parfois l'expérience. Car, dit
toujours Paul, « nous avons reçu un Esprit qui fait de nous
des fils adoptifs et par lequel nous crions : Abba, Père. Cet
Esprit lui-même atteste au-dedans de nous que nous sommes
enfants de Dieu » (Rom 8, 15-16).

● Et puis, étant fils avec le Fils, prions « au nom de Jésus
Christ » comme il nous le dit si souvent (Jean 14, 13-14 ; 16,
23-28, etc.). C'est-à-dire : ne demandons pas n'importe
quoi ; demandons ce qu'il a lui-même demandé « à grands
cris et avec larmes », ce pour quoi il a vécu et il est mort...
Prière « chrétienne », prière du Christ! Et c'est encore et
toujours le Notre Père...

Croyons...
et nous
prierons

Du fond de
l'abîme, je crie
vers toi, Sei-
gneur, écoute
mon appel ; Prête
une oreille atten-
tive au cri de ma
prière!
Si tu regardes
nos fautes, Sei-
gneur, qui tien-
dra devant toi?
Mais près de toi
se trouve le par-
don, et j'ai con-
fiance.
J'espère, Sei-
gneur, j'espère en
toi, je suis sûr de
ta parole. Mon
cœur attend le
Seigneur plus
qu'un veilleur
n'attend l'aurore.
Oui! Auprès du
Seigneur est
l'amour, près de
lui le pardon!
C'est lui qui dé-
livre son peuple
de toutes ses fau-
tes. (Ps 130).

LA PRIÈRE DE DEMANDE

« Quand j'étais enfant, je priais à tout bout de champ pour
demander n'importe quoi : de réussir un examen, que ma
grand-mère ne meure pas, que ça aille mieux entre mon père
et ma mère à la maison, et puis pour demander pardon.

« Mais maintenant je me dis : ces prières, qu'est-ce que ça

« Et moi, je vous
dis : demandez et
l'on vous donne-
ra ; cherchez, et
vous trouverez ;
frappez, et l'on
vous ouvrira. Car

quiconque demande reçoit, qui cherche trouve, et à qui frappe on ouvrira. Et quel est parmi vous le père auquel son fils demandera du pain et qui lui remettra une pierre? S'il demande un poisson, à la place du poisson lui remettra-t-il un serpent? S'il demande un œuf, lui remettra-t-il un scorpion? Si donc vous, qui êtes mauvais, vous savez donner de bonnes choses à vos enfants, combien plus le Père du ciel donnera-t-il l'Esprit Saint à ceux qui l'en prient! » (Lc 11, 9-13).

Dieu peut-il être influencé de l'extérieur ?

Il leur dit encore : « Si l'un de vous, ayant un ami s'en va le trouver au milieu de la nuit, pour lui dire : ' Mon ami, prête-moi trois pains, parce qu'un de

peut bien changer? Je crois que Dieu existe, mais qu'est-ce que vous voulez qu'il y fasse? Me tuyauter à mon examen? Régénérer les artères de ma grand-mère? Donner à mon père un autre caractère que celui qu'il a? Ridicule!

« Quant à demander pardon, bien sûr, ça peut se comprendre ; mais il me semble qu'essayer par soi-même de faire mieux la prochaine fois, c'est bien plus honnête.

« Résultat : je ne prie plus. Pour quoi faire? »

C'est un garçon de dix-huit ans qui a déballé ce témoignage à Jean Le Du.

Étant par nature quotidienne et familière, la prière filiale est faite de ce qui remplit nos conversations : « Père, voilà ce qui se passe... Merci pour ceci... Aidez-moi pour cela... Ah! encore un péché! Pardonnez... Mon Dieu, je vous aime!... N'allez pas oublier un tel et un tel... »

Tant qu'elle est adoration, action de grâces, louange, repentir, cette vie de prière ne fait pas problème. Mais, la demande?... Dieu peut-il être influencé de l'extérieur?... Et sa Providence tire-t-elle les ficelles des événements?... Et enfin, ne sait-il pas mieux que nous ce dont nous avons besoin?...

Voyons brièvement ces trois objections à la prière de demande.

« C'est le destin », « Tout est écrit » : ainsi s'exprime cette idée trop répandue que Dieu est immuable dans son éternité, qu'il n'en bouge pas, qu'il n'intervient pas, tandis qu'il voit tout : le passé, le présent et l'avenir...

Alors, la prière de demande? Un confort psychologique pour l'homme qui n'est pas capable des formes supérieures de la prière! Mais en réalité, rien ne se produit, rien n'est changé en réponse à la supplication du priant. Car le monde éternel est éternel, et le monde temporel est temporel, et il n'y a pas de passage de l'un à l'autre...

Il faut d'abord répondre a priori que celui qui nous a appris la prière, Jésus, ne nous parle jamais que de la prière de demande, et avec quelle insistance!

Et puis, on se fait une idée erronée de l'éternité. On la voit enfermée dans son immutabilité ; et Dieu dedans, prisonnier de son dessein fixé « avant tous les temps ». On la voit haut et loin, comme sous cloche en milieu stérile, ne touchant en rien au temps, pour n'être pas contaminée par le temps, sinon elle cesserait d'être immuable et deviendrait elle-même temporelle.

Cette vue philosophique nie la foi chrétienne en la Création, en l'Incarnation.

Elle est d'ailleurs incohérente, interdisant à Dieu de changer « après » ce qu'il a prévu « avant » : on imagine ainsi l'éternité selon le schéma de l' « avant » et de l' « après », le schéma du temps que l'on prétend refuser !

Or, l'éternité n'était pas « avant » le temps. Elle est « l'aujourd'hui » de Dieu qui est « présent » à chaque moment du temps qui passe. Elle est le Dieu-Amour « présent » à tous les temps. **Dieu sait tout ; mais l'avenir libre n'est encore « rien du tout ».**

« L'éternité n'est pas à côté du temps, sans rapport avec lui, elle est la Force créatrice qui porte tous les temps, qui englobe le temps qui passe en son unique présent, et lui permet d'être. Elle n'est pas absence de temps, mais maîtrise du temps. Et parce qu'elle est l'aujourd'hui « contemporain » à tous les temps, elle peut aussi agir dans le temps, à chaque moment » (Joseph Ratzinger).

Qu'on veuille bien se reporter sur ce point au chapitre 3 du tome premier, pages 85-86.

Nous l'avons dit à propos de la Création (même chapitre) : Dieu a créé un univers matériel doté de lois fiables, où en principe il n'intervient pas...

Comprenons-nous bien : sa pluie, son soleil, la fidélité des saisons, la résistance des métaux, etc... sont don de sa tendresse. Mais il ne tripote pas la météo — et comment ferait-il quand les paysans de la station lui demandent la pluie tandis que les touristes implorent du soleil ? —, il ne répare pas les pneus lisses, ni les réacteurs d'avion mal révisés ; il ne se charge pas de fermer la porte de la Caravelle, ni de redresser le volant de l'ivrogne, ni de régénérer les artères de grand-mère...

mes amis m'est arrivé de voyage et je n'ai rien à lui offrir ', et que de l'intérieur l'autre lui réponde : ' Ne m'ennuie pas ; la porte est fermée maintenant et mes enfants et moi sommes au lit ; je ne puis me lever pour te les donner ' ; je vous le dis, même s'il ne se lève pas pour les lui donner en qualité d'ami, il se lèvera du moins à cause de son impudence et lui donnera tout ce dont il a besoin. (Lc 11, 5-8).

La Providence tire-t-elle les ficelles ?

Étant allé dans la maison de Pierre, Jésus vit sa belle-mère au lit, malade de la fièvre. Il lui prit la main, et la fièvre la quitta ; elle se leva, et elle le servait. Le soir venu, on lui présenta beaucoup de possédés, et d'un mot il expulsa les esprits. Il guérit aussi tous les malades, pour que s'accomplît ce qui avait été dit par le prophète Isaïe : Il a enlevé nos infirmités, il a emporté nos maladies. (Mt 8, 14-17).

Si Dieu intervenait à tout moment pour modifier, dans la nature, le déterminisme des causes et des effets, il rendrait l'univers incohérent et traiterait l'homme comme un bébé irresponsable. Même prié, il s'y refuse, Dieu merci !

— Mais, les miracles ?... Ceux de l'Évangile ? Ceux de Lourdes ?...

C'est vrai, Jésus a multiplié les miracles. Dire le contraire est un *a priori* paradoxalement réservé aux scientistes ! Parce que Dieu ne veut pas qu'il y ait des aveugles, des sourds, des paralysés, des morts... Dieu a faim personnellement dans tous les ventres creux. **Venu comme Sauveur, Jésus donne donc de façon éclatante le « signe » que la maladie et la mort sont touchées à mort, que « l'homme est le point sensible de Dieu »** (J. Le Du). Et il le rappelle par-ci par-là à travers l'histoire, comme à Lourdes...

C'est pour annoncer la Résurrection...

Et pour nous dire : Mettez-vous à l'œuvre avec moi. Les autres déguenillés, affamés, malades, à vous de les vêtir, nourrir, soigner, aimer... L'amour vous manque ? Priez. **Le silence de Dieu devant toutes les autres misères ne signifie pas qu'il soit absent du monde. Il y est présent pour changer nos cœurs, afin que nos cœurs et nos bras changent le monde.**

Voilà l'impact normal de la prière : changer les cœurs, changer nos cœurs, mobiliser nos bras... Et l'on revient au Notre Père, cette prière qui nous met au niveau du plan de Dieu : « Que ta volonté soit faite ».

Comment nous imaginer la prière de la jeune Marie de Nazareth ? Sans doute implorait-elle la venue prochaine du Messie, et d'être elle-même une épouse heureuse et sainte, et une mère comblée d'enfants fidèles pour perpétuer et agrandir le Peuple de Dieu. Elle demandait mieux que toutes les filles d'Israël... Et l'ange lui fut envoyé pour lui proposer précisément cela, mais tout autrement qu'elle ne l'imaginait, et tellement mieux...

C'est en pensant à elle que son Fils dira : « Heureux ceux qui écoutent la parole de Dieu et la mettent en pratique ! » (Luc 11, 28). Écouter, pour savoir que demander ; demander, pour avoir l'amour de vivre ce que l'on a écouté. Là est le sommet de la prière de demande.

« Votre Père, nous dit Jésus, sait ce dont vous avez besoin avant que vous le lui demandiez » (Mt 6, 8). Pour sûr. Et mieux que nous...

Aussi, nos demandes ne sont pas faites pour instruire Dieu, mais pour lui dire notre cœur.

Dieu sait déjà tout ce qu'il nous faut ?

Non que le Père, ou Jésus, ou l'Esprit ne sache pas notre cœur ; mais notre cœur s'éclaire à se dire comme une chambre dont on ouvre les volets ; et du même coup il se change ; surtout quand il se dit à Dieu. Cette prise de conscience du désir devient cri, elle devient liberté ; et quand une liberté se réveille, Dieu est toujours là pour lui tendre la main.

« Demandez, et vous recevrez. Cherchez, et vous trouverez. Frappez, et l'on vous ouvrira... Car, quiconque cherche, trouve ; quiconque demande, reçoit ; et l'on ouvre à celui qui frappe » (Mt 7, 7-8 ; Luc 11, 9-10). Par ces injonctions de tendre vigueur, c'est Dieu qui frappe à ma porte. Respectant pleinement ma liberté, il attend mon appel, il épie mon cri pour entrer à mon aide.

« Si Dieu ne cesse de nous commander et de nous recommander la prière, c'est qu'il en a besoin pour être soulagé de cette miséricorde qui monte la garde à la porte de notre cœur en attendant qu'elle s'ouvre » (Paul Claudel).

20

PRIEZ AINSI :
NOTRE PÈRE

LA PRIÈRE DES FIDÈLES

« Priez comme le Seigneur l'a demandé dans son Évangile.
Priez ainsi :

« Notre Père qui es au ciel,
« que ton Nom soit sanctifié,
« que ton Règne vienne,
« que ta volonté soit faite
« sur la terre comme au ciel.
« Donne-nous aujourd'hui notre pain de ce jour.
« Remets-nous notre dette envers toi,
« comme nous avons remis aussi la leur à nos débiteurs.
« Et ne nous expose pas à la tentation,
« mais délivre-nous du mal.
« Car c'est à toi qu'appartiennent
« la puissance et la gloire dans les siècles! »

« Priez ainsi trois fois le jour. »

La prière des Chrétiens

Ce texte est de la *Didachè*, ou *Doctrine des Apôtres*, écrite peu après l'évangile de Jean, vers la fin du premier siècle chrétien. A part deux termes mis au singulier (« ciel » et « dette »), c'est, mot à mot, le « Notre Père » du texte grec de l'évangile de Matthieu, avec la louange « Car c'est à toi... » que la messe d'aujourd'hui nous a restituée.

Le postulant chrétien recevait deux trésors dans sa mémoire et dans son cœur : avant son baptême, le Symbole ; après son baptême, le Pater.

« C'était un privilège que de pouvoir dire « la Prière du Seigneur ». Quelle crainte, quel respect entouraient le Notre Père, rien ne le montre mieux que les antiques formules d'introduction conservées dans toutes les liturgies, d'Orient comme d'Occident. En Orient, la liturgie eucharistique dite de Chrysostome, encore en usage aujourd'hui dans les Églises orthodoxes grecque et russe, fait dire au prêtre avant le Notre Père : « Daigne nous accorder, Seigneur, d'oser avec joie et sans témérité t'invoquer comme Père, toi le Dieu du ciel, et

dire : Notre Père... » En Occident, la messe romaine s'exprime
semblablement : « Nous osons dire : Notre Père... » (Joachim
Jérémias).

Ce sera, dès le IVe siècle, la prière indispensable, la seule
prière fixée de toute Eucharistie. C'est, dès le premier siècle,
la prière personnelle — matin, midi et soir — du baptisé et
de sa famille.

**Tel un mot de passe, le Credo, appris et « rendu »
par cœur, était le signe de reconnaissance — le « symbole » — des frères chrétiens, même s'ils ne s'étaient
encore jamais vus. Le Pater eut un peu le même sens
de test du baptême entre « initiés ».**

Au temps de Jésus en effet, chaque groupe religieux —
Pharisiens, Esséniens, Baptistes — se distinguait par une
formule, une règle particulière de prière. Non pour s'opposer
aux autres : ils étaient complémentaires. Mais pour marquer
l'originalité de leur « Église », en souder l'unité, et exprimer
son lien particulier avec Dieu... Or les disciples du Nazaréen
commencent à prendre conscience de constituer une communauté. Cette conscience s'affirme dans la requête de l'un
d'eux : « Seigneur, apprends-nous à prier, comme Jean l'a
appris à ses disciples » (Luc 11, 1). Au nom des autres, il
demande au Maître une prière qui sera leur lien et leur signe
d'appartenance à la « famille » de Jésus, parce qu'elle exprimera ce qui fait le cœur de la pensée et de la prière de Jésus.

Et Jésus leur dit — nous dit — : « Vous donc, priez ainsi :
Notre Père... »

● Sa prière, il nous la donne, bien sûr, comme **prière personnelle** : « Pour toi, quand tu veux prier, entre dans ta
chambre la plus retirée, verrouille ta porte et adresse ta
prière à ton Père qui est là, dans le secret. Et ton Père, qui
voit dans le secret, te le rendra » (Mt 6, 6). Mais même derrière ma porte, je ne suis pas seul dans ma prière : mon cœur
contient mes frères et le monde, et je dis, au pluriel : « Notre
Père... Donne-nous... »

● D'ailleurs, cette deuxième personne du pluriel où Jésus
nous fait prier souligne son vœu de nous voir souvent rassemblés en **communauté de prière**. Si le Pater est aussi

un « symbole », c'est pour que souvent nous le priions ensemble.
Les chrétiens sont un peuple, et ce peuple a sa prière. Son
pluriel marque sa destination « liturgique », qui en fera un
« acte public », une « action du peuple ».

Luc nous transmet « l'oraison dominicale », « la Prière du
Seigneur », dans une rédaction plus brève que Matthieu. « Il
est impossible de dire avec certitude quelle est la forme la
plus ancienne » (TOB). Et peu importe. Le Seigneur a dû
l'enseigner plusieurs fois, et plus souvent peut-être la prier
avec les siens avec des variations de détail sur les thèmes
essentiels. De toute façon, en nous donnant le Notre Père,
Jésus n'a pas, en quelque sorte, plaqué notre prière au sol
en la fixant à la teneur matérielle d'une formule figée. Il
donne un axe, dégage un esprit... et prends ton vol !

Qu'on la formule selon la tradition recueillie par Luc ou
selon celle, plus développée, de Matthieu, qu'une liturgie
deux fois millénaire a préférée, la Prière de Jésus est profonde
et simple comme Dieu même. Comme l'Évangile qu'elle
ramasse en dix lignes. Dire le Pater en vérité, c'est entrer à
fond dans la tendresse et l'immensité de l'amour divin, dans
le retournement radical vers le Père, dans le mouvement
filial de l'obéissance spontanée et amoureuse ; c'est trouver
l'abondance de la paix dans l'abandon confiant du « au jour
le jour », s'embrasser dans le pardon inconditionnel de tous
en faveur de tous et renaître dans la force et l'innocence du
Saint Esprit. Lumière radicale dans la conscience, acte d'amour
parfait, le Pater ne peut être dit que dans la conversion ou le
mensonge. **Dans le cœur où s'affirme le Notre Père, le
péché est mort.**

C'est pourquoi, dès les temps anciens, il a sa place obligatoire dans les sacrements de baptême et d'Eucharistie et,
désormais, de réconciliation, même « privée ».

« Celui qui a dit le soir son « Notre Père » peut dormir
tranquille.
« Quand un de ces malheureux meurt dans son sommeil,
« Ayant fait sa prière du soir,
« Son « Notre Père » et son « Je vous salue Marie »,

*L'acte
parfait
d'amour*

Or, comme Jésus
était quelque part
à prier, quand il
eut cessé, un de
ses disciples lui
dit : « Seigneur,
enseigne-nous à
prier, tout com-
me Jean l'a ensei-
gné à ses disci-
ples. » Il leur dit :
« Lorsque vous
priez, dites :
Père,
Sanctifié soit ton
Nom !
Vienne ton règne !
Notre pain quoti-
dien, donne-le-
nous   chaque
jour, et remets-
nous nos péchés,
car nous-mêmes
remettons à qui-
conque   nous
doit,
et ne nous fais
pas entrer en ten-
tation ! »
(Lc 11, 1-4).

« C'est bon signe ; son affaire est bonne.

« C'est signe qu'il était mûr pour paraître devant mon tribunal.

« Mûr dans le bon sens.

« Voilà les surprises que je fais. Je le jugerai comme un père. »

(Charles Péguy).

« Vous donc, priez ainsi : Notre Père qui es aux cieux... »

La prière dans l'Esprit

Marie, assise aux pieds du Seigneur, écoutait sa parole. Marthe, elle, était absorbée par les multiples soins du service. Intervenant, elle dit : « Seigneur, cela ne te fait rien que ma sœur me laisse ainsi servir toute seule ? Dis-lui donc de m'aider. » Mais le Seigneur lui répondit : « Marthe, Marthe, tu t'inquiètes et t'agites pour beaucoup de choses... C'est Marie qui a choisi la bonne part ; elle ne lui sera pas enlevée. » (Lc 10, 38-42).

Le gamin demande des caprices. Parce qu'il pleure pour l'avoir, va-t-on lui donner le rasoir de son père ?... Mais l'enfant qui a « mis de la raison » prie comme un grand. Pour un chrétien, le grand, c'est le Christ.

Hélas ! tout croyant majeur, fût-il barbu, n'est pas adulte. La prière, comme la foi, comme la morale, est une réalité spirituelle en croissance. Puisse-t-elle se laisser éduquer par Jésus !

Or Jésus, si empressé à exaucer la foi des pécheurs et des malades, oppose un refus catégorique à Marthe l'agitée : « Seigneur, dis donc à Marie de me donner un coup de main ! — Marthe, tu t'inquiètes et te trémousses pour un tas d'inutilités !... Ta sœur a choisi d'écouter la Parole. Elle a fait le bon choix. Je ne vais pas l'en détourner ! ». Les « fils du tonnerre », Jacques et Jean, veulent faire tomber le feu du ciel pour consumer un village réfractaire de Samaritains. « Vous ne savez pas de quel esprit vous êtes », réprimande le Maître (Luc 9, 53-56). Les mêmes frères Zébédée postulent de siéger à sa droite et à sa gauche dans son royaume ; réponse : « Vous ne savez pas ce que vous demandez ! » (Mc 10, 35-38).

« Nous ne savons pas prier comme il faut », dit saint Paul. Et il ajoute : « Mais l'Esprit vient en aide à notre faiblesse..., l'Esprit lui-même intercède pour nous... » (Rom 8, 26). Et la prière dans l'Esprit, c'est celle qu'il fait monter du cœur de Jésus de Nazareth, et que Jésus nous apprend : Notre Père qui es aux cieux...

NOTRE PÈRE QUI ES AUX CIEUX

« Vous êtes tous frères. N'appelez personne sur la terre   *« Notre »*
votre père : car vous n'en avez qu'un seul : le Père céleste »   *Père*
(Mt 23, 8-9). C'est Jésus qui parle ainsi.

Un seul et même Père de tous, notre Père commun.

Il est donc un peu monstrueux de le prier pour moi tout
seul, en oubliant frères et sœurs : « Mon » Père, donne-moi...,
pardonne-moi... » Non, non, il est impossible de dire le Pater
en dehors de la fraternité ; impossible de rencontrer chez
Dieu bon visage quand on a le cœur vide de ceux qui sont
ses autres enfants au même titre que moi. « Que celui qui
aime Dieu, aime aussi son frère » (1 Jean 4, 21).

Impossible... et malheureux : car avec mes frères et sœurs,
c'est le Frère aîné que je mettrais ainsi de côté, Jésus... Je ne
pourrais plus me présenter « en son nom ». Avec Jésus, et
pas sans les autres, dès son premier mot, le Pater est communautaire :

**« Je vous le déclare encore, dit le Seigneur, si deux
d'entre vous, sur la Terre, se mettent d'accord pour
demander quoi que ce soit, cela leur sera accordé par
mon Père qui est aux cieux. Car là où deux ou trois se
trouvent réunis en mon nom, je suis au milieu d'eux »**
(Mt 18, 19-20).

Corps du Christ tous ensemble, ne nous amputons pas des
autres membres. Nous sommes frères les uns des autres —
voilà la vraie chaîne de prière — et Lui est le Père de tous :
il est « notre » Père.

Voici la question bête... Et cependant j'ose la poser, per-   *Père*
suadé qu'elle n'est pas inutile pour tous : tous les pratiquants
ont-ils vraiment remarqué que l'Église, dans sa liturgie,
spécialement à la messe, traite toujours Dieu comme des
personnes ?... et que sa prière s'adresse presque toujours,
non pas à Jésus, ni à l'Esprit, mais au Père ?... Au Père, par
Jésus Christ notre Seigneur, dans l'Esprit Saint.

Non que l'on ne puisse prier Jésus, ou l'Esprit ! Tant s'en
faut !

Mais notre grâce chrétienne nous « incorpore » à Jésus pour que nous partagions normalement sa prière. Or Jésus prie continuellement son Père. Son Père qui est aussi notre Père, nous dit-il.
Notre Père à quel titre ?

● Dieu est le Créateur du monde et de l'homme, la Source de notre vie à tous.

L'Ancien Testament révèle donc l' « autorité » (l' « auteur » de nos jours) et la tendresse paternelles de Dieu sur toute créature. Très spécialement sur l'homme qui, seul, est fait « à son image et ressemblance », comme seuls un père et une mère font leur enfant. Nous avons évoqué en son temps l'expérience vécue qui a conduit Israël à prendre conscience de la « paternité maternelle » de Yahvé. Cette apostrophe de Moïse s'adresse à ce peuple, à tout peuple, à tout homme, à moi personnellement :
« N'est-ce pas le Seigneur ton père qui t'a donné la vie ? C'est lui qui t'a fait et qui t'a établi » (Deut 32, 6).
Cette paternité de l'Amour créateur, c'est déjà une révélation bouleversante qui fait luire sur notre berceau, sur notre vie, le sourire d'un Dieu qui n'est pas celui des philosophes et des savants.

● **Et cependant, « aux tout petits », c'est-à-dire aux disciples (Mt 11, 25), Jésus et son Père dévoilent un mystère tellement plus profond, comme d'un Dieu que son amour a pris de folie...**
Nous le connaissons, mais il est si incroyable qu'il ne faut pas se lasser de le redire :

Voyez quel grand amour le Père nous a donné pour que nous soyons appelés enfants de Dieu — car nous le sommes. Si le monde ne nous connaît pas, c'est qu'il ne L'a pas connu.

Jésus est, lui, éternellement, le Fils, l'Unique, le Bien-aimé, celui qui, avant Abraham, avant la Création, vivait déjà « dans le sein du Père » (Jean 1, 18), celui qui est « de même nature que le Père ». Il est donc celui qui peut dire, qui doit dire « Abba », « Papa » au Père éternel.
Or il s'est fait homme, « il s'est fait chair », pour « donner à ses frères les hommes de « naître de nouveau » (3, 3-5). Oui, « à ceux qui croient en lui, il donne le pouvoir de devenir enfants de Dieu » (1, 12) dans une véritable « participation à la nature divine » (2 Pier 1, 4). Dès lors, « fils, vous l'êtes

bien : Dieu a envoyé dans nos cœurs l'Esprit de son Fils qui crie « Abba — Père » !

« Tu n'es donc plus serviteur, mais fils ; et, comme fils, tu es aussi héritier, de par Dieu » (Gal 4, 6-7).

Ainsi ce mot « Abba », ce mot réservé au Fils unique dans la Famille divine, ce mot passe, de droit, dans votre cœur et sur vos lèvres, « car tous, vous êtes, par la foi, fils de Dieu, en Jésus Christ » (Gal 3, 26).

Et la Famille, étendue à l'Humanité, est devenue Royaume ! L'Homme-Dieu, « venu pour les pécheurs », nous fait entrer dans le Royaume simplement en nous invitant à dire ce mot : « Abba! — Père chéri » !

> Bien-aimés, dès maintenant, nous sommes enfants de Dieu, et ce que nous serons n'a pas encore été manifesté. Nous savons que lors de cette manifestation nous Lui serons semblables, parce que nous Le verrons tel qu'Il est.
> (1 Jn 3, 1-2).

Qui es aux cieux

Cette expression ne veut pas localiser au ciel plutôt que sur terre Celui qui est partout. Le Royaume des cieux n'est-il pas, comme le Christ nous le dit, au milieu de nous (Luc 17, 21)? Dans la symbolique biblique, le terme « cieux » évoque la transcendance divine : l'homme est petit, à ras de terre ; Dieu est grand, et remplit les cieux. Mais loin d'être absent d'ici-bas, « sa gloire remplit toute la terre » (Is 6, 3). S'il se plaît à « habiter sur la terre, avec les hommes, (il n'empêche que) les cieux eux-mêmes et les cieux des cieux ne peuvent le contenir » (1 Rois 8, 27).

C'est pourtant à lui que « nous osons dire » : Notre Père chéri, « comme nous l'avons appris du Seigneur et selon son commandement ».

Il faut ajouter que Matthieu destinait son évangile à une chrétienté venue du judaïsme, les « judéo-chrétiens ». Or, ceux-ci, traditionnellement, ne prononçaient jamais le mot « Dieu », par respect. Pour ménager leur sensibilité, Matthieu remplace donc « Dieu » par « ciel » ou « cieux », avec le même sens. Ainsi, il dit « Royaume ces cieux » pour « Royaume de Dieu ». « Père des cieux » veut donc dire, dans Matthieu, « Père qui est Dieu, Père céleste, Papa le Bon Dieu ».

> Ainsi parle Yahvé : Le ciel est mon trône et la terre, mon marchepied. Quelle Maison pourriez-vous me bâtir et quel sera le lieu de mon repos ? Tout cela, c'est ma main qui l'a fait, et tout cela est à moi — oracle de Yahvé.
> (Is 66, 1-2).

QUE TON NOM SOIT SANCTIFIÉ

En voilà une formule! Une des plus étrangères à notre façon de parler et de penser!... Mais elle est entrée dès l'enfance dans notre « dévidoir à prières » et elle se déroule sans problème dans le tourniquet du par cœur... Et pourtant...

Que ton nom

Le nom, c'est la personne même : la personne en tant qu'elle est connue, amie, amicale ; la personne devenue affectueusement « utilisable ». « Appelle-moi Daniel(e)... », « Tu n'auras qu'à m'appeler... »

C'est au point que l'on change de nom quand on entre dans une personnalité renouvelée : le Verbe prend le nom de Jésus, Abram devient Abraham, Jacob est appelé Israël, Jean-Baptiste Montini signe Paul VI, et moi, une fois « né de Dieu », j'ai un nom de baptême.

Le nom, c'est la personne même.

Le « Nom » de Dieu est ainsi la façon biblique traditionnelle de désigner respectueusement son Être même. Jésus nous fait donc dire au Père : « Que ta Personne soit sanctifiée », « Que Tu sois sanctifié ».

Mais, puisque Dieu est le Saint par excellence, « la source de toute sainteté », il est bien évident que l'on ne peut ajouter un atome à sa Sainteté. Alors, que peut signifier cette « sanctification de l'Être de Dieu » ?

Et d'abord « saint », « sanctifié », qu'est-ce que cela veut dire ?

soit sanctifié

Maintenant qu'il nous a été révélé que Dieu est Amour, nous savons que la sainteté, c'est de s'oublier soi-même et... d'aimer pour de vrai. L'expression « Que ton nom soit sanctifié » ne peut donc se comprendre qu'ainsi : « Que tu sois respecté, prêché, manifesté, reconnu pour ce que tu es : l'Amour même. Révèle ta Sainteté, c'est-à-dire ton amour ; fais-toi connaître ; fais-toi aimer ! Que jusqu'au bout du monde et jusqu'au bout des siècles ton Amour tout-puissant éclate et qu'on lui rende gloire ! »

C'est en ce sens qu'Ézéchiel annonçait :
« Je sanctifierai mon grand Nom qui a été profané parmi
les nations, que vous avez profané parmi elles. Et les nations
sauront que je suis Yahvé — oracle du Seigneur Yahvé —
quand je ferai éclater ma sainteté, à votre sujet, sous leurs
yeux. Alors je vous prendrai parmi les nations et je vous
rassemblerai de tous les pays étrangers, et je vous ramènerai
vers votre pays. Je répandrai sur vous une eau pure, et vous
serez purifiés ; de toutes vos souillures et de toutes vos idoles
je vous purifierai. Et je vous donnerai un cœur nouveau, je
mettrai en vous un esprit nouveau ; j'ôterai de votre chair le
cœur de pierre et je vous donnerai un cœur de chair. Je mettrai
mon Esprit en vous et je ferai que vous marchiez selon mes
lois et que vous observiez et suiviez mes coutumes... Vous
serez mon peuple et moi je serai votre Dieu » (Ez 36, 23-28).
   Que nous voilà loin d'un vague souhait pieux ! Cette
demande trace deux axes précis et engage à fond Dieu et
nous :

D'abord nous demandons que Dieu lui-même fasse rayonner sa gloire, qu'il multiplie à travers le monde les merveilles
de son Amour et de sa miséricorde, qu'il parle plus fort et
plus tendrement aux hommes à travers la création, les personnes, les événements, les poètes, les saints... Qu'il veuille
bien multiplier la grâce et la vocation missionnaire dans son
Église. En sorte qu' « une foule immense, innombrable, de
toutes nations, tribus, peuples et langues... proclame à
haute voix : Amen! Louange, gloire, sagesse, action de grâces,
honneur, puissance et force à notre Dieu pour les siècles des
siècles! Amen! » (Apoc 7, 9-12).

*Père,
manifeste
ton
amour*

Mais cette manifestation du Père ne va pas sans engager
concrètement l'Église de ses fils et de ses filles. « Je ferai
éclater ma Sainteté, **à votre sujet,** parmi les nations », dit
le Seigneur. Car la gloire du père, ce sont les enfants.

Aussi, la première demande du Pater ne nous laisse pas à
notre tranquillité : nous implorons la grâce de contribuer
nous-mêmes le plus possible à la gloire de Dieu. Parce que

*Rends-nous
rayonnants
de toi*

Ce que Dieu veut, c'est votre sanctification : c'est que vous évitiez l'impudicité, que chacun de vous sache garder son corps dans la sainteté et le respect, sans s'abandonner aux emportements de la passion comme les païens qui ne connaissent pas Dieu... Dieu en effet ne nous a pas appelés à l'impureté, mais à la sainteté. Celui-là donc qui méprise ces préceptes, ce n'est pas un homme qu'il méprise, mais Dieu lui-même, Lui qui vous donne son Esprit saint. (1 Thes 4, 3-8).

nous sommes ses fils et ses filles attitrés, notre comportement le fera blasphémer ou reconnaître :

« Vous êtes la lumière du monde, nous dit Jésus. Une ville située sur une hauteur ne peut être cachée. Quand on allume une lampe, ce n'est pas pour la mettre sous le boisseau, mais sur un candélabre, et elle brille pour tous ceux qui sont dans la maison », — et même au-dehors. « De même, que votre lumière brille aux yeux des hommes, pour qu'en voyant vos bonnes actions, ils rendent gloire à votre Père qui est aux cieux » (Mt 5, 14-16).

Nos pensées, nos paroles, nos œuvres sont donc le miroir de la Sainteté divine, de l'Amour du Père.

● Notre première tâche est peut-être de dégager, en nous et autour de nous, l'image du Père, des masques qui la caricaturent : le Dieu gendarme, le Dieu inquisiteur, le Dieu tortionnaire, — ou, à l'opposé, le Dieu « bon papa », le Dieu dépanneur pour bébés, le Dieu parachute pour cascadeurs... et autres puérilités dégradantes pour l'homme et pour Dieu.

● Notre deuxième tâche — plus difficile — sera de donner, personnellement et ensemble, à notre Église, le visage que Dieu lui a voulu. « La gloire de mon Père est que vous portiez beaucoup de fruits », nous dit notre Frère aîné (Jean 15, 3). En effet, ce qui glorifie le nom de Dieu, c'est un peuple chrétien honnête, détaché et généreux, purifié de ses péchés ; un peuple uni et pacifique ; un peuple travailleur et franc ; un peuple joyeux et qui chante ; un peuple qui prie, habité par l'Esprit de Dieu ; un peuple où l'amour est roi et dont les mains sont de lumière.

QUE TON RÈGNE VIENNE

Éliminons de nos esprits, dès le départ, toute idée de conflit dynastique : le Règne du Père, le Règne du Fils, c'est tout un. « Le Père et moi, nous sommes un », dit Jésus ; et, s'adressant au Père : « Tout ce qui est à toi est à moi, tout ce qui est à moi est à toi » (Jean 17, 10).

« Le Christ, lors de sa venue, quand viendra la fin, remettra la royauté à Dieu le Père, après avoir détruit toute domination, toute autorité, toute puissance (ennemie de Dieu)... Et quand toutes choses lui auront été soumises, alors le Fils lui-même sera soumis à Celui qui lui a tout soumis, pour que Dieu soit tout en tous » (1 Cor 15, 23-28).

Règne et Royaume

Toute l'Écriture est née à travers des millénaires à sociétés monarchiques. L'expérience et la foi bibliques s'expriment donc dans une imagerie de roi, de règne, de royaume. Le Peuple de Dieu est historique et le langage que Dieu lui tient est daté. C'est bien ainsi. Il l'a aussi créé intelligent!

Donc, Dieu « règne » sur Israël : « Le Seigneur tout puissant, c'est lui le Roi de gloire » (Ps 24, 10). Il « règne » aussi sur toutes les nations, « car leurs idoles ne sont qu'argent laminé » (Jér 10, 7-10).

Arrive le Christ, et la réalité du Royaume est transposée à une autre octave. « Le Règne (messianique) de Dieu est proche » annonce Jésus (Mt 3, 1 ; 4, 17). Mais il refuse la royauté terrestre. Il ne se prête à une manifestation publique que lorsqu'il entre à Jérusalem — et il le sait — pour y mourir, dans la semaine, de mort infâme. « Son Royaume n'est pas de ce monde » (Jean 18, 36).

Car il ne faut pas confondre règne et royaume. Louis XV et Louis XVI ont eu le même royaume, pas le même règne! « La notion de « règne de Dieu » exprime bien son action spirituelle dans les âmes, tandis que la notion de « royaume de Dieu » connote davantage une réalisation concrète dans les structures humaines, en allant parfois jusqu'au plan politique » (Jean Carmignac).

Le Royaume est donc eschatologique : c'est l'état définitif du monde quand le grain de sénevé qu'est l'Église aura atteint sa stature et sa maturité pleines (Mt 13, 31-12); quand le Père sera reconnu par tous, quand le Fils sera le Seigneur de tous et que l'Esprit sera la Vie de la totalité des élus; en un mot, quand le

Dites parmi les nations : « Yahvé règne! » Il a établi le monde, qui est inébranlable. Il va juger les peuples avec droiture. Que soit en joie le ciel, que jubile la terre! Que gronde la mer et ce qui la remplit, qu'exulte la campagne et tout ce qui s'y trouve, et que crient de joie tous les arbres de la forêt, devant Yahvé, car il vient, car il vient pour juger la terre ; il jugera le monde avec justice, les peuples avec sa sincérité.
(Ps 96, 10-13).

Salut sera complètement réalisé, la Moisson faite, la salle du Festin remplie (Luc 14, 23).

L'Église n'est donc pas le Royaume. Pas encore. Trop de places vides encore, et trop de péchés ! Mais le Règne en elle est en marche, car le Royaume commence dans ce monde-ci, dans le cœur, la vie, les groupes de ceux que la foi et le baptême ont « illuminés ». Aussi Paul leur écrit :

« Avec joie, rendez grâce au Père qui vous a permis d'avoir part à l'héritage des saints dans la lumière ! Il nous a arrachés au pouvoir des ténèbres et nous a transférés dans le royaume du Fils de son amour ; en qui nous avons la délivrance, le pardon des péchés » (Col 1, 11-13).

Que ton Règne vienne

La plus grande part de nos prières nous désimpliquent de l'action collective et responsable, elles sont liées à des besoins qui ne dépassent pas le cadre domestique. Aussi voyons-nous s'acharner à la prière, grands mangeurs de neuvaines et de pèlerinages, dévoreurs jamais rassasiés de nouvelles formules, ceux qui ne s'occupent de rien. Ce n'est pas l'avènement du Royaume dans les catégories de l'humain qui les passionne, ils souffrent d'une

Ce Règne de l'amour n' « arrive » pas, comme une saison ou un événement gratuit ; il « vient », comme une personne. Son avancée est toujours une initiative de Dieu, il ne peut être qu'une prévenance du Père et du Fils, dans l'Esprit.

Mais Jésus nous dit : Demandez-la !... Demandez que le Règne, annoncé et inauguré par Jésus, s'étende à plus d'hommes, entre plus profond dans les cœurs, éclate davantage dans le comportement des chrétiens. Sous d'autres termes, c'est donc une instance du « Que ton nom soit sanctifié ».

« Les Pharisiens demandaient à Jésus : « Quand donc vient le Règne de Dieu ? » Il leur répondit : « Le Règne de Dieu ne vient pas comme un fait observable. On ne dit pas « Le voici » ou « Le voilà ». En effet, le Règne de Dieu est parmi vous » (Luc 17, 20-21).

Il n'est donc pas un mouvement politique. Et il ne peut être accaparé par aucun d'eux. Au contraire : l'Évangile est le miroir où tous les mouvements chrétiens devraient se confronter à Jésus Christ pour se maintenir en instance de conversion continuelle... Mais que ceci ne justifie pas un absentéisme pieusard : ne font pas partie du Royaume commençant « ceux qui n'ont pas de mains ». Qui ne se mouille pas dans le politique ne se mouille pas non plus au Règne de Dieu. Car Jésus a combattu le malheur et l'oppression sous toutes leurs formes :

« Si c'est par le doigt de Dieu que je chasse les démons,

alors le Règne de Dieu vient de vous atteindre » (Luc 11, 20).
« Jean Baptiste envoie demander à Jésus : « Es-tu Celui-
qui-doit-venir? ou devons-nous en attendre un autre? »
Jésus leur répond : « Allez rapporter à Jean ce que vous
entendez et voyez : les aveugles retrouvent la vue et les
boiteux marchent droit, les lépreux sont purifiés et les sourds
entendent, les morts ressuscitent et la Bonne Nouvelle est
annoncée aux pauvres » (Mt 11, 2-5).

boulimie de « sa-
cré » qui les en-
chaîne. Ils ont
oublié que le
Christ avait
recommandé :
« Dans vos priè-
res, ne rabâchez
pas comme les
païens »
(Ch. Duquoc).

On le voit, la prière chrétienne ne peut être « une élévation
de l'âme » loin du bruit des malheureux et au-dessus des
luttes des hommes. Elle est, au contraire, une prière « pascale »... C'est-à-dire?

*Le Pater,
prière
pascale*

C'est-à-dire d'abord qu'elle « fait passer » Dieu à travers
les hommes et les événements. Que le Père soit en tout lieu
par ma présence priante, mon adoration, mon action de grâces,
ma supplication. Que je sois, comme Abraham (Gen 18, 16-
33), l'intercesseur du pauvre monde, de tout le monde, juste
et pécheur, la voix de la prière universelle. Le journal, la
télé, les rencontres, et d'abord le quotidien de mon milieu de
vie : j'ai mission et grâce de tout marquer de Dieu.

« Pascale », c'est-à-dire encore que ma prière, comme celle
de Jésus, veut « faire passer » à Dieu les hommes et les événements : des ténèbres à la lumière, de l'esclavage à la liberté,
du péché au pardon, de la division à la paix, de la peine à la
joie, de ce monde au Père. Être prière vivante au cœur de
tout, comme le levain dans la pâte, « jusqu'à ce que tout soit
fermenté », c'est-à-dire pénétré du Christ (Mt 13, 33).

QUE TA VOLONTÉ SOIT FAITE

Le *fiat* latin s'est mué, en français, en un petit mot bâtard
qui veut dire « soit », « passons-en par là puisqu'il n'y a pas
moyen de faire autrement ». Il exprime une résignation
impuissante et fataliste, au goût amer.

Les *fiat* de l'Écriture sont, au contraire, tout de liberté, d'amour et de force : le *fiat* de la Création : « Que la lumière soit, etc... », — celui de l'Incarnation sur les lèvres de Marie : « Qu'il me soit fait selon ta parole », — celui de la Rédemption à Gethsémani : « Que ta volonté soit faite ».

Ta volonté soit faite

Le *fiat* du Pater est de la même veine : il est un choix réfléchi, une préférence donnée à la volonté de Celui que l'on aime plus que tout : Dieu. « Pas plus que la prière de Jésus à Gethsémani, cette demande n'est une prière de résignation, mais un appel à Dieu pour qu'il **fasse** en sorte que sa volonté s'accomplisse » (TOB).

Parce qu'on l'aime, bien sûr. Mais aussi parce que l'on sait que **c'est sa volonté qui est la meilleure : il connaît tout, et il nous aime !**

« Qui d'entre vous, demande Jésus, si son fils lui demande du pain, lui donnera une pierre ? Ou s'il demande un poisson, lui donnera-t-il un serpent ? Si donc vous, qui êtes mauvais, savez donner de bonnes choses à vos enfants, combien plus votre Père qui est aux cieux donnera-t-il de bonnes choses à ceux qui le lui demandent » (Mt 7, 9-11).

Le Père n'est qu'Amour, il ne peut vouloir que nous aimer. Il ne commande rien qui ne soit amour, pour le triomphe final de l'Amour.

Mais nous, égoïstes, bornés, impatients, « nous ne savons pas quoi demander pour prier comme il faut » (Rom 8, 26). Nous l'avons lu et relu dans l'Écriture. En sommes-nous persuadés ?... L'Adam pécheur, l'Ève pécheresse que je suis a ses vues, ses choix, ses chemins, ses prières... Les yeux finissent par s'ouvrir et, au bout de nos sentiers capricieux, on constate que l'on est tout nu (Gen 3).

L'Esprit, lui, met sur les lèvres de son Église des prières de ce genre :

« Fais-nous toujours vouloir ce que tu veux » (29e dimanche).

Jésus Christ commença de montrer à ses disciples qu'il devait se rendre à Jérusalem, souffrir beaucoup des

« Pour que nous puissions obtenir ce que tu promets, fais-nous aimer ce que tu commandes » (30e dim.).

« Que ta volonté soit faite, et non la mienne », n'est-ce pas le cri d'amour et de foi du Christ en Agonie ? (Mt 26, 42). Toute sa vie, tout son Sacrifice se ramène à ce oui inconditionnel. « Car je suis descendu du ciel, dit-il, pour faire, non pas ma propre volonté, mais la volonté de Celui qui m'a envoyé » (Jean 6, 38). Cf. Jean 5, 30 ; 4, 34 ; 17, 4, etc...

C'est aussi la prière et la vie de notre Dame. « Qu'il me soit fait selon ta parole » dit-elle à l'Annonciation. Avait-elle jamais demandé autre chose que le Règne de Dieu ? Elle sera prodigieusement exaucée — « Le Seigneur fit pour moi des merveilles !... » — mais, elle aussi, à travers l'agonie et la croix.

La prière est un acte fort. Prier n'est pas jouer ! Cf. Mt 16, 21-23. Nous voudrions, comme saint Pierre, abattre la croix, alors que tout notre intérêt est d'y monter avec le Christ.

L'alpiniste agrippé à une prise de rocher tire-t-il dessus pour qu'elle vienne à lui ? Il s'abîmerait dans le gouffre !... La prise ne bouge pas — heureusement ! — ; il compte absolument sur sa fermeté pour « s'assurer » et se hisser jusqu'à elle. Le chrétien qui prie ne tente pas de plier Dieu à sa volonté ; il soulève vers Dieu son âme lourde ; il hale vers le port la barque de l'Église et du monde. Par le Notre Père, ce sont nos cœurs qui changent et rejoignent leur Sommet, leur Rivage.

anciens, grands prêtres et scribes, être mis à mort et le troisième jour ressusciter. Pierre, le prenant à part, se mit à le réprimander, en disant : « A Dieu ne plaise, Seigneur ! non, cela ne t'arrivera pas ! » Mais lui, se retournant, dit à Pierre : « Arrière de moi, Satan ! Tu m'es un obstacle ; car tes vues ne sont pas celles de Dieu, mais celles des hommes. » (Mt 16, 21-23).

SUR LA TERRE COMME AU CIEL

Ainsi se termine la première strophe du Pater. Le rythme de ses quatre courts versets, l'art poétique de l'époque (connu par Qumrân) justifient l'intuition d'Origène (185-254) reprise par le Catéchisme du concile de Trente (1566) : ce dernier verset — « sur la terre comme au ciel » — se rattache à tout le groupe des trois demandes, et le mot « ciel » y répond à celui du premier verset :

> « Notre Père qui es au ciel,
> que ton Nom soit sanctifié
>> sur la terre comme au ciel ;
> que ton Règne vienne
>> sur la terre comme au ciel ;
> que ta volonté soit faite
>> sur la terre comme au ciel. »

« Bien entendu, les cieux qui sont présentés ici comme point de comparaison ne sont pas seulement les cieux visibles, la voûte astrale, ce sont surtout les cieux invisibles, la cour céleste où les anges et les saints chantent sans cesse la gloire de Dieu (Apoc 1, 4-7 ; 4, 2-11 ; 5, 6-14).

« Tout comme Dieu est glorifié par l'évolution merveilleuse du soleil, de la lune et des étoiles, tout comme il est glorifié bien plus encore par l'hommage mystérieux que lui offrent les liturgies angéliques, nous désirons et nous demandons qu'il soit glorifié par la libre adoration de ses fils de la terre.

« Tout comme Dieu règne souverainement sur le cours des astres et tout comme il règne en plénitude sur les êtres qu'il a choisis comme associés de sa vie éternelle, nous désirons et nous demandons qu'il exerce une influence aussi totale et aussi bienfaisante sur les êtres plus charnels qui n'ont pas encore terminé leur pèlerinage terrestre.

« Tout comme « les astres qui brillent en leurs veilles et qui sont dans la joie, qui répondent à l'appel de Dieu « Nous voici » et qui brillent avec joie pour leur créateur » (Baruch 3, 34-35), tout comme les anges qui sont les serviteurs de Dieu et qui s'empressent « d'exécuter ses ordres dès qu'ils entendent la voix de sa parole » (Ps. 103, 20), nous désirons et nous demandons que les hommes deviennent tellement « dociles à Dieu » (Jean 6, 45) que sa volonté se réalise parfaitement dans l'adhésion respectueuse de leurs volontés » (Jean Carmignac).

Yahvé a établi son trône dans les cieux, et sa royauté domine sur tout. Bénissez Yahvé, vous, ses anges, héros puissants qui exécutez sa parole. Bénissez Yahvé, toutes ses armées, qui le servez, qui faites ses volontés. Bénissez Yahvé, toutes ses œuvres, en tous les lieux de sa domination. Bénis Yahvé, mon âme! (Ps 103, 19-22).

DONNE-NOUS AUJOURD'HUI NOTRE PAIN DE CE JOUR

La première strophe du Pater fusait toute vers le Père. Elle était vœu et louange plus que demande. « Recherche du Règne de Dieu et de sa justice » (Mt 6, 33). N'est-ce pas d'ailleurs notre plus grand besoin?...

La seconde, toute de supplication, garde en vérité le même niveau quand elle dit la pauvreté et l'angoisse de l'enfant qui porte le souci de ses frères et voudrait ne pas être trop indigne.

Quand un ouvrier est renvoyé de son travail, on dit en Occident qu' « il perd son gagne-pain », — en Orient, que « son pain est interrompu ». Le pain, c'est donc plus que le pain : c'est la nourriture ; c'est plus que la nourriture : c'est tout ce qu'il faut pour qu'il vaille encore la peine de manger : le toit, le feu, la lumière, le vêtement.

Donne-nous notre pain

Mais la vie d'un fils de Dieu, c'est plus que le corps. « L'homme ne vit pas seulement de pain (matériel) » (Deut 8, 3). Et le Pater rejoint ici la hauteur des trois premières demandes. C'est Jésus qui dit : « Mon Père vous donne le véritable pain du ciel. Car le pain de Dieu, c'est celui qui descend du ciel et qui donne la vie au monde. — Seigneur, donne-nous toujours ce pain-là ! — C'est moi qui suis le pain de vie ; celui qui vient à moi n'aura pas faim ; celui qui croit en moi n'aura jamais soif » (Jean 6, 32-35). Le pain, c'est donc aussi le pain de la Parole qui fait « venir à Jésus », sans lequel le Pain eucharistique ne serait pas Pain de Vie.

Mais ces hautes réalités ne mettent pas de côté, dans notre prière, l'humble quignon du coin de la table. Loin de là ! Le pain de chaque jour, demandé par l'enfant pour « aller jusqu'à demain », fait déjà partie du Nouvel Univers, et annonce, et prépare le Banquet du Royaume où le Fils aîné « les fera mettre à table et passera pour les servir » (Luc 12, 37). L'amour du Père est d'une seule coulée...

« De ce jour » ? L'adjectif grec original n'est employé nulle part ailleurs, ni dans le Nouveau Testament, ni dans la littérature profane. Pour tenter de le traduire, on n'a donc pas d'autre ressource que les conjectures de l'étymologie. Cela pourrait donner « substantiel » ; « notre pain substantiel » ; mais les érudits penchent fortement pour « qui vient » *(épiousios* serait composé de *épi-énaï)*. Mais ce « qui vient » a quelle portée ?

Aujourd'hui notre pain de ce jour

Portée longue ? Ce serait alors « le pain du jour qui vient », c'est-à-dire du lendemain ?... C'est peu vraisemblable, car la manne ne se conservait pas pour le lendemain (Ex 16, 4) et le Christ nous dit : « Ne vous inquiétez pas pour le lendemain : le lendemain s'inquiétera de lui-même. A chaque jour sa peine » (Mt 6, 34). Il s'agirait donc alors de « notre pain (pour aller) jusqu'à demain » (Carmignac), et non du pain pour demain.

Portée courte ? C'est « le pain du jour qui vient » au sens de « jour qui commence », donc, « le pain du prochain repas », « le pain de ce jour », « le pain quotidien » comme on disait naguère, par opposition au lendemain.

« Si la traduction exacte du mot reste incertaine, il est clair que cette demande n'est en tout cas pas une exigence d'assurance pour l'avenir. Jésus invite ses disciples à demander au jour le jour la nourriture dont ils ont besoin, avec la certitude que Dieu y pourvoira chaque jour, comme il avait nourri Israël au désert par la manne recueillie jour après jour » (TOB). « Le Père s'occupe de toi. Si tu l'appelles Père, fais-lui confiance. Si tu te défies, cesse de l'appeler Père » (François Varillon).

Quant à celui dont le frigidaire et le compte en banque sont bien approvisionnés, que cette demande l'amène à remercier, à penser aux autres — « Donne-nous » — et... à prendre conscience de sa fragilité : « Ne fais pas le fier pour demain : tu ne sais pas ce qu'aujourd'hui peut produire » (Prov 27, 1).

Terrible Évangile

Le Notre Père, c'est donc la prière du pauvre de fait, qui refuse de s'inquiéter et lève son regard assuré vers les mains du Père.

C'est la prière du pauvre volontaire, qui n'accumule pas parce qu'il fait confiance : sa richesse, son lendemain, c'est le Père.

C'est la prière du travailleur qui n'oublie pas qu'il tient ses bras du Père et gagne son pain à la sueur de son front.

C'est la prière du frère qui a peur d'accaparer deux parts tandis que des frères n'en ont point.

C'est la prière du membre d'un corps vivant : il ne peut dire « Donne-moi » car il sait que, séparé des autres membres, il ne serait plus du corps, séparé des frères, il ne serait plus fils et ne pourrait même plus dire « Donne ».

C'est la prière honnête de celui qui ne peut demander en vérité que les autres aient du pain s'il ne fait pas lui-même son possible pour le leur procurer.

Terrible Évangile qui ne nous laissera jamais dormir !...

PARDONNE-NOUS NOS OFFENSES COMME NOUS PARDONNONS AUSSI...

Nos offenses

Le latin rendait mieux l'original : « Remets-nous nos dettes *(debita)* comme nous aussi remettons à nos débiteurs *(debitoribus)* ».

La « dette », c'est plus que l' « offense », car elle inclut les péchés d'omission, la stérilité de l'arbre qui « devait » porter du fruit (Mt 21, 19). La « dette », c'est plus que les « torts » (TOB) et les péchés : c'est toute l'incommensurable distance au-dessus de moi qui sépare ma pauvre vie réelle de la sainteté à laquelle je suis appelé comme fils ou fille de Dieu : étant participant de la nature de Dieu, je « dois » vivre comme Jésus Christ !... C'est là ma « dette »... Et je suis plus insolvable que le débiteur de la parabole qui devait à son roi dix mille talents, quelque soixante millions de francs-or (Mt 18, 23-35). Ma dette est infinie...

Pardonne-nous nos offenses

Si je prends sérieusement conscience de moi-même, je me tourne vers mon Dieu, l'avant-bras en bouclier au travers de mon visage, et je gémis : « N'entre pas en jugement avec ton serviteur !... Pas tout de suite !... Accorde-moi un délai et je rembourserai tout... » De la folie !...

Non ! Le délai est refusé : Dieu sait mieux que moi que je suis insolvable, inguérissable en ce monde... Le règlement de comptes ? Refusé ! Les règlements de comptes, c'est entre truands... Il n'y aura même pas de comptes, parce qu'un père ne fait pas de comptes. Parce que, chez Dieu, il n'y a pas de justice... humaine. « Notre Dieu est tendresse et pitié ».

« Pris de pitié, le maître du débiteur lui remit sa dette »...

« Dieu a tant aimé le monde qu'il a donné son Fils unique. Et ce Fils n'est pas venu pour juger le monde, mais pour que le monde soit sauvé par lui » (Jean 3, 16-17).

Donc, le niveau de la justice humaine est refusé par le Père. Elle n'a pas cours à son étage. A moins que...

Comme nous pardonnons aussi...

«Aimez vos ennemis, priez pour vos persécuteurs ; ainsi serez-vous fils de votre Père qui est aux cieux, car il fait lever son soleil sur les méchants et sur les bons, et tomber la pluie sur les justes et sur les injustes. Car si vous aimez ceux qui vous aiment, quelle récompense méritez-vous ? Les publicains eux-mêmes n'en font-ils pas autant ? Et si vous réservez vos saluts à vos frères, que faites-vous d'extra-ordinaire ? Les païens eux-mêmes n'en font-

A moins que nous-mêmes refusions de vivre à l'étage et selon les lois de la Famille divine !... « Mon frère m'a offensé... Et gravement... Et c'est lui qui a commencé... Donc, je lui tiens rigueur... »

— C'est justice. Tu as raison au plan de la justice... humaine. Et puisque tel est ton choix pour celui qui devrait être ton frère, Celui dont tu ne veux pas comme Père viendra te rejoindre à ton étage et te traiter... selon ta loi. « En effet, si vous pardonnez aux autres leurs fautes, votre Père céleste vous pardonnera aussi, mais si vous ne pardonnez pas aux hommes, votre Père non plus ne vous pardonnera pas vos fautes » (Mt 6, 14-15).

Tel est le seul commentaire que Jésus ajoute au Pater. Car il sait que nous avons la dent dure, le cœur dur, et l'oreille encore plus dure... L'incapacité des Églises à intéresser les jeunes ? où donne-t-elle une face visible à la paix du Christ qu'elle ne cesse de ronronner ? On vient célébrer la réconciliation fraternelle dans le repas eucharistique... et chacun s'en retourne avec ses inimitiés recuites...

Et pourtant, « quand tu viens présenter ton offrande à l'autel, si là tu te souviens que ton frère a quelque chose contre toi, laisse là ton offrande, devant l'autel, et va d'abord te réconcilier avec ton frère » (Mt 5, 23-24).

Comprenons bien... Dieu, le premier, a tout pardonné. Il a donné son Fils ; « le Christ est mort pour nous alors que nous étions pécheurs » (Rom 5, 8) ; Bon Pasteur, il m'a cherché dans mes égarements « jusqu'à ce qu'il me trouve » (Luc 15) ; et je continue d'ajouter dette à dette... Et néanmoins, il me fait son fils. Si je ne l'imite pas, sa Vie n'est pas en moi.

Et c'est Lui qui va m'imiter : Je pardonne... un peu... pas du tout : Il me pardonne... un peu... pas du tout... Car « c'est la mesure dont vous vous servez qui servira de mesure pour vous » (Mt 7, 2).

ils pas autant ? Vous donc, vous serez parfaits comme votre Père céleste est parfait. » (Mt 5, 43-48).

NE NOUS SOUMETS PAS A LA TENTATION, MAIS DÉLIVRE-NOUS DU MAL

En abordant cette dernière demande de la Prière du Seigneur, l'erreur serait d'atterrir dans la petite tentation anecdotique et individuelle du « juste qui pèche sept fois par jour » (Prov 24, 16). Chaque demande du Pater engage le Dessein de Dieu, vise le Royaume final et saisit toute l'Église, rien de moins.

Ce n'est pas par hasard que la Bible s'ouvre sur la mise en scène typique de la tentation : l'humanité, libre, jouant son sort vital sur un choix déchirant entre le bien et le mal, entre la fidélité et la convoitise, entre Dieu et Satan (Gen 3). Et elle se clôt, la Bible, sur « l'heure de l'épreuve qui va venir sur l'humanité entière » (Apoc 3, 10) : l'affrontement de la Femme aux douze étoiles et du Dragon finalement terrassé par l'enfant (ch. 12).

La tentation

Cet Enfant, Jésus, au Centre des temps, est personnellement marqué par la tentation. A peine baptisé, « Jésus fut conduit par l'Esprit au désert pour être tenté par le Diable » (Mt 4, 1)... « Ayant épuisé toutes les formes de l'épreuve, le Diable s'éloigna de lui pour revenir au temps marqué » (Luc 4, 13). Ce temps, c'est l'Agonie — « Priez pour ne pas tomber au pouvoir de la tentation » (Luc 22, 40 ss) — ; ce temps, c'est la Passion — « C'est maintenant le pouvoir des ténèbres »

(53)... Pour un temps... Car la Résurrection du Christ inaugure la défaite de Satan, « le séducteur du monde entier » (Apoc 12, 5-12).

Il n'empêche que Satan, telle une bête frappée à mort, râle encore des soubresauts redoutables : « Malheur à vous, la terre et la mer, car le Diable est descendu vers vous, emporté de fureur, sachant que peu de temps lui reste » (Apoc 12, 12).

Même si c'est l'Esprit qui nous conduit à la lutte, comme Jésus au désert, la tentation elle-même ne vient donc jamais de Dieu : « Que nul, quand il est tenté, ne dise : Ma tentation vient de Dieu. Car Dieu ne peut être tenté de faire le mal, et il ne tente personne. Chacun est tenté par sa propre convoitise, qui l'entraîne et le séduit » (Jac 1, 13-14).

« Car la chair, en ses désirs, s'oppose à l'Esprit, et l'Esprit à la chair ; entre eux, c'est l'antagonisme » (Gal 5, 17).

Et Satan, le Malin, le Tentateur, le Pouvoir des ténèbres, attise et mène le jeu obscur de la convoitise.

Ainsi, la tentation concrétise, à travers toute la Bible, à travers toute l'Histoire, à travers mon histoire, le grand combat entre l'Amour et le Mal, dont l'enjeu est l'Homme.

Ne nous soumets pas à la tentation

Bien sûr, la victoire restera à Jésus. Et Jésus est avec nous : « Je vous ai donné le pouvoir de fouler aux pieds toute la puissance de l'ennemi, et rien ne pourra vous nuire » (Luc 10, 19)...

« Simon, Simon, Satan vous a réclamés (toi et tes frères) pour vous secouer dans un crible comme on fait pour le blé. Mais moi j'ai prié pour toi, afin que ta foi ne disparaisse pas. Et toi, quand tu seras revenu (de ton reniement), affermis tes frères » (22, 31-32).

Mais cette présence même du Christ à son Église est une présence militante. La paix n'est pas encore acquise. Jésus n'est pas là pour nous démobiliser, mais pour nous apprendre à nous battre. Et soutenir notre combat.

● **Sa première arme à lui a été la Parole de Dieu.** A chacune de ses trois grandes tentations, nous le voyons répondre par l'Écriture : « Il est écrit... »

« Prenons donc avant tout le bouclier de la foi... Recevons le casque du salut et le glaive de l'Esprit, c'est-à-dire la Parole de Dieu » (Éph 6, 16-17). L'Évangile écouté, lu assidûment, médité journellement.

● **Sa seconde arme est la prière.** A Gethsémani, « s'étant mis à genoux, il priait, disant : Père... Puis, venant vers les disciples : Pourquoi dormez-vous?... Levez-vous et priez, afin de ne pas entrer dans la tentation (Luc 22, 41-46).

Oui, pourquoi dormez-vous?...

Aussi est-ce par cette prière que le Seigneur nous fait terminer le Pater : « Ne nous soumets pas à la tentation ». Traduction à bien comprendre. « Ne nous soumets pas » veut dire : « interviens pour que la tentation nous soit épargnée », et : « ne nous laisse pas entrer dans le jeu de la tentation », et encore : « ne permets pas que nous ayons le dessous dans la tentation »; mais, au contraire, « délivre-nous du mal », ou « du Mauvais »!

Ainsi donc, que celui qui se flatte d'être debout prenne garde de tomber. Aucune tentation ne vous est survenue, qui passât la mesure humaine. Dieu est fidèle, il ne permettra pas que vous soyez tentés au-delà de vos forces. Avec la tentation, il vous donnera le moyen d'en sortir et la force de la supporter. (1 Cor 10, 12-13).

La *Traduction œcuménique de la Bible* (TOB) met : « Délivre-nous du Tentateur. » Elle s'en explique dans cette note : « Littéralement : « mais délivre-nous du mal », ou « du Malin », c'est-à-dire de Satan... Les deux sens du mot sont possibles... De toute façon, le mal est ici compris en relation avec une puissance malveillante. Faute d'un mot satisfaisant pour désigner Satan comme « le Malin », notre traduction recourt à la notion de « tentateur » (cf. Mt 4, 3 ; 1 Thes 3, 5), qui permet de rendre à celle de tentation la nuance dramatique qu'elle a perdue dans notre vocabulaire actuel. Les deux dernières demandes en effet n'en font qu'une » (TOB).

Mais délivre-nous du mal

On voit à quelle profondeur explose la tentation contre laquelle le Pater nous fait supplier... Aux Colossiens, issus du paganisme, saint Paul écrit : « Le Père nous a arrachés au Pouvoir des ténèbres, et nous a transférés dans le Royaume du Fils de son amour » (1, 13). La tentation visée dans le Notre Père n'est rien d'autre que celle qui nous exposerait à retomber dans les ténèbres : l'apostasie, perdre foi en Jésus Christ...

Tout le monde rencontre son Gethsémani. « Celui qui prie se sauve », répétait saint Alphonse.

Les disciples, au lieu de prier avec lui, « n'ont pu veiller une heure avec Jésus Christ ». Faut-il s'étonner de leur comportement dans l'épreuve : « Les disciples l'abandonnèrent tous et prirent la fuite » (Mt 26, 56)...

Nous te prions, Père, pour ton Église et pour nous ! Et tu nous délivreras du Mal, car — selon la louange qui concluait déjà Ta prière dans les communautés du premier siècle — « c'est à toi qu'appartiennent le règne, la puissance et la gloire pour les siècles des siècles ». Amen !

INDEX ALPHABÉTIQUE

Abraham 23-24, 152-160.
Action de grâces 131-134, 145, 172-173.
Agneau pascal 162-163, 165-167, 188-190.
Alliance 11, 20-26, 41-43, 77, 149, 152-160, 168-169, 177-179, 307, 397, 405-406, 411-413, 461-462.
Amour 15, 20, 387 ; Dieu est — 20, 25-26, 41, 149, 177-179, 190, 307-310, 389, 395-396, 411, etc.
Apostolat 91-92, 96-99, 101-103, 106, 290, 296. Voir **Mission.**
Apôtres 31-32, 81-82, 97, 101-102, 111, 289-291 ; le Christ-Apôtre 259-263. Voir **Douze.**

Baptême : — païen 78-80 ; — de Jean 80-81 ; de Jésus au Jourdain 83-84, 86, 313 ; sur la Croix 67-70, 84, 442-443 ; — de sang 66-68, 288 ; de désir 64-70, 318, 416-417 ; sacrement de — 30, 45-46, 49, 54, 57, 59-86, 117, 189-190, 266, 267-268, 311-312, 318, 427, 440-444, 475-478, 492 ; — des enfants 117-124 ; — et communauté 70-76, 120, 238, 266 ; — et confirmation 93, 103-106, 111-112.

Caractère sacramentel 73, 294, 300.
Catéchèse 8, 89, 90-91, 290-291.
Catéchuménat 118, 122.
Célibat 411-431.
Charismes 103, 267, 277-278, 279, 300, 390-392, 426 — mouvement dit « charismatique » 112-113.
Charité fraternelle 49, 141, 143-146, 157, 183-188, 270-271.
Chrétien : voir **Baptême, Homme, Jésus-Christ,** etc.
Communauté 49-50, 70-76, 81, 97, 120, 141-143, 234-239, 266, 316-317, 321-322, 329-330, 380, 491.
Communion : au cosmos 129-130 ; ensemble 141-144, 179-182, 225, 234-239 ; à Dieu 162, 179, 194-195, 263.
Confirmation 30, 57, 87-103, 117, 444-445 ; — et baptême 93, 103-106, 111.
Collégialité 286, 289-291, 292, 294-295, 297.
Conscience 69, 71, 315.
Consécration : du Christ 191, 288, 298, 361 ; du chrétien 73, 107-109, 360-361 ; d'une église 56 ; — religieuse 56, 280, 409-431 ; — eucharistique 151-152, 196-198 ; — presbytérale 288-289, 298, 299-300.

Corps : de nos frères 50 ; — physique du Christ 47-50, 190, 194-199, 471 ; — de l'Église 72-76, 186, 262, 265, 276-278, 280-284. Voir **Incarnation, Onction des malades.**
Cosmos 128-134, 149-152.
Coupe 137-138, 193.
Création 19, 20-23, 61-63, 64, 67, 83, 86, 100, 149-152, 173-174, 492. Voir **Cosmos.**
Croix 84-86, 133, 136-137, 159, 161, 263, 441-447.
Croyance : — et foi 50-53.

Déluge 22, 83, 84, 86.
Diacre 291, 301-304, 370.
Dieu : Voir **Amour, Miséricorde, Jésus-Christ, Père, Esprit.**
Dimanche 133-134, 227-251, 290.
Douze 56 ; les — 179-183, 280, 285-289.

Eau 19, 54, 64-65, 66-67, 77-86.
Efficacité (des sacrements) 16, 17-18, 28-29, 54-55, 57. Voir **Grâce.**
Église : est une assemblée 50, 234-239, 242-245, 277-278 ; de pécheurs 50, 53, 118-119, 313, 317-318, 321-322 ; Épouse du Christ 41-42, 177-178, 383, 387, 405-406 ; sacrement du Christ 35, 38, 40, 48-50, 63-64, 237-239 ; pour le monde 37, 40, 52, 99 ; donc signifiante 90, 98-103, 119 ; universelle 35-37, 40, 65-70, 81, 96-103, 123-124, 179, 181-182, 285, 310, 318, 414 ; — et sacrements 11, 56, 291 ; — et baptême 70-76, 111 ; — et confirmation 90, 100-103, 112 ; — et eucharistie 183-188, 290-291 ; — et mariage 383-387. Voir **Communauté, Esprit Saint, Corps.**
Enfants (Baptême des) 117-124. Voir **Initiation.**
Esprit Saint 62, 64-65, 66-67, 73, 74-76, 109, 110-111, 317, 361, 372, 471, 479, 490.
Eucharistie 31-32, 45, 49, 53, 67, 78, 84, 117, 125-226, 236-237, 295-296, 312, 445-446.
Évêque : l'Ordre des évêques 292-296, 297 ; ministères de l' — 113, 291, 294-296, 297, 303, 370-380 ; — et confirmation 91, 104-109, 111 ; — et eucharistie 182-183. Voir **Collégialité, Hiérarchie.**
Exode 24-25, 66-67, 83, 86, 163-169.

Fête 16-17, 55, 134-135.
Foi : chrétienne 47-49, 52, 120-121 ; — consciente 71-72 ; — et sacrements 46-53, 112, 120-122, 221-226, 368 ; — d'Abraham 154-155, 159-160 ; — de Marie 155.
Forme (des sacrements) 53-54. Voir **Parole.**
Fraction du pain 141-143, 145-146, 184-186, 209.
Frère : sacrement du — 49. Voir **Charité, Communion.**

Grâce : — de Dieu 23, 70-71 ; — divinisante 21, 63, 70-71, 75-76, 101, 476, 492 ; — sacramentelle 37, 43, 76, 103, 293, 297, 361, 362-366, 376, 400, 427, 450, 463.

Hiérarchie 277-278.
Histoire : Dieu dans l' — 62 ; 100-101.
Homme : consommateur 128-134 ; 163 ; créateur 138 ; — nouveau 68, 442-444 ; fils de Dieu 20, 61-64 ; 111, 129-131, 150, 156, 442-444, 456-457, 475-479, 492.

Imposition des mains 54, 105-106, 107-108, 284, 290, 293, 297, 299, 302-304, 368.
Initiation chrétienne 7, 61, 71-74, 105, 115-124, 379, 464, 488.

Jésus Christ 191, 288, 298, 361, 363 ; Fils de Dieu 110, 150-151, 265, 469-475, 496-497 ; incarné 27-28, 41, 48, 62, 130, 150, 155, 190-191, 259-260, 455 ; — et les pécheurs 322-324 ; — sacrement premier 27-30, 40, 62, 462 ; — et les sacrements 30-32, 100, 363, 383, 463 ; le Serviteur 26-30, 186-188 ; son baptême de sang 67-68 ; — crucifié 133, 136-137, 159, 161, 166-167, 189-190, 263, 455 ; ressuscité 43-46, 160, 190, 311, 317-318, 456, etc. ; nouvel Adam 67-68, 311 ; Seigneur 67-70, 100, 150-152, 156, 265, 317-318 ; Grand Prêtre 156-158, 190-191 ; Médiateur 258-264, 264-265, 281, 283 ; — et son Père 190-191, 469-475, 477, 500 ; — et l'Esprit 95, 97, 361, 363. Voir **Croix, Église, Miséricorde, Sacrifice, Présences.**

Laïcs 90, 97, 112, 206-208, 277-279, 280-282, 316-317, 325, 370-376, 416-417. Voir **Sacerdoce.**
Langue 97-98, 211.
Liturgie 206-208, 209. Voir chaque sacrement.
Loi 169, 240-242.
Lumière 18, 36-37, 75-76.

Mariage 31, 57, 177-178, 381-407, 411-417, 420-425, 446-447.
Marie 26, 27-28, 94-95, 96-97, 101, 130, 153-154, 155, 157, 180, 280, 290, 414, 429, 431, 464, 478, 482, 489, 501.
Matière (des sacrements) 53-54, 78, 84, 359-361.
Médiateur : voir **Jésus Christ, Sacerdoce.**
Melchisédek 156-160.
Mémorial 43-44, 100-101, 136, 171-172.
Ministères 49, 53, 79, 105, 266-267, 275, 279, 281-284, 310. Voir **Évêques, Prêtres, Diacres.**
Miséricorde 25, 27-28, 31, 44, 144, 169, 308-310, 313-316, 336-339, 363-366. Voir **Jésus Christ.**
Mission 90-91, 99-103, 109, 110, 111, 229-230, 259-260, 269-270, 284, 286-288, 295-296, 317-318. Voir **Jésus Christ, Apôtres, Apostolat, Église.**
Moïse 24-25, 31, 44, 169, 308-310, 313-316, 337-339.
Monde : Église sacramentelle pour le — 37, 40, 98, 99-101, 103, 482. Voir **Cosmos, Église.**
Mort 435-436, 448-449, 452-458 ; — du Christ 136-137, 262, 437, 446, 455-458 ; — baptismale 84-85, 272, 441-444 ; — chrétienne 437-440, 454-458.
Mystère pascal 35, 40-46, 68, 73-74, 161-169, 262-263, 317-318, 365, 441-442, 447, 454-458.

Nom (de baptême) 61, 72, 494.
Nourriture 128-130, 134-137, 163.
Nuit 170-174.

Onction : — du Christ 109, voir **Jésus Christ** ; — du baptême 107, — de la confirmation 104-105, 108-109 ; — presbytérale 300 ; — des malades 31, 53-54, 359-380, 447.
Ordre (Sacrement de l') : voir **Sacerdoce, Jésus Christ, Évêque, Prêtre, Diacre.**

Païens 35, 67-70, 71, 81, 290-291, 298. Voir **Église, Monde.**
Pain 18, 50, 53, 54, 127-140, 236-237.
Pâques 160, 161-174, 317-318. Voir **Jésus Christ, Eucharistie, Mystère pascal.**
Parole 15, 144-146 ; dans les sacrements 18-19, 53-57, 77, 249, voir **Forme ;** — de
Dieu 49-50, 57, 141, 364, 508-509 ; ministère de la — 295, 298, 303-304 ; liturgie de
la — 212, 218-219, 229-230, 245-251, 336-339, 346-347 ; le sacrement de la — 56,
245-251, 315.
Pasteur 28, 259, 260-263, 285-286, 297-298, 303-304.
Pauvreté 416-417, 427.
Péché 74, 76, 132-133, 136, 307-308, 362-366 ; — originel 72-74.
Pentecôte 81-82, 90, 95-103. Voir **Confirmation, Esprit Saint, Église.**
Père (Dieu le) 20-23, 110, 463, 468, 469-471, 487-488, 491-493. Voir **Trinité,
Jésus Christ, Esprit, Miséricorde.**
Présences du Christ 49, 141-142, 164-165, 169, 194-201, 223, 256, 283-284, 392-293.
Prêtre 255-258, 263, 275-291, 297-300, 303 ; — et eucharistie 182-183, 275 ; — et
confirmation 105, 107 ; — et réconciliation 310, etc. ; — et onction des malades 370-
380. Voir **Sacerdoce, Ordre.**
Prière 7, 267, 340-342, 368, 461-483, 488-489, 509 ; le Pater 464, 484-510.
Promesse : — de l'Alliance 153-156 ; — de l'Esprit 95-96.
Prophète 111, 267-268, 290-291.

Réconciliation 30-31, 49-50, 53-54, 305-355, 446.
Rédemption 26-32, 67-68, 160, 164, 165-167, 223. Voir **Salut.**
Repas (eucharistique) 127-146, 157, 209-211, 229-230.
Responsabilité (dans l'Église) 90, 97, 98-99, 112, 119.
Résurrection : les — faites par Jésus 32 ; la — de Jésus 28-29, 41-42, 63, 68, 191,
223, 317 ; — des morts 159-160, 192, 224 ; le Jour de la — : voir **Dimanche.**
Rite 15-19, 55 ; — et foi 46-53, 221-226, 368 ; parole et — 53-57, voir **Forme.** Église
et — 108, 211-221, 370-380, 384-386.
Royaume 39, 64, 493, 497-499.

Sacerdoce : — de Jésus Christ 156-158, 190-191, 205, 255-263 ; — du baptisé 73,
102-103, 119, 205-208, 264-272 ; — des Apôtres 182-183, 205, 265-266, 273-304, 310.
Voir **Ordre, Évêque, Prêtre.**
Sacrements : ce qu'ils sont 7-11, 37 ; combien 11, 36-37, 53-54, 56, 106 ; Signifiants
9-10, 92, 98 ; gestes du Christ 30-32, 141, 361 ; rencontre du Ressuscité 43-46, 48, 73 ;
dons de l'Esprit 102, 361, 463 ; — de la foi 8-9, 368 ; — et Mystère pascal 40-46, 100,
361, 365 ; — et prière 462-464 ; — et Vatican II 9-10, 19, 107-109, 127, 216-221, 292-
300, 302-303, 333-355, 359. Voir la Table des matières.
Sacrifice 133-134, 136 ; — d'Abel 162-163, — d'Abraham 159-160 ; — de Marie
160 ; — du Christ 190-191, 205, 256-257, 262-263 ; — de la messe 191-192 ; — de
l'Église 193-194, 271-272.
Salut 62, 64, 70-71 ; accompli 65, 70, 497-498 ; en Jésus Christ 47-48, 63-64, 66-68 ;
pour tous 35-36, 40, 65-67, 81, 98-103, 123-124, 179 ; histoire du — 170-174. Voir
Rédemption.
Sang 135-138, 166-167, 312.
Satan 451, 507-510.
Sept 11, 56, 302.

Serviteur : Jésus le — 26-30, 186-188, 279, 301-302 ; Église servante 157, 186-188, 279, 301.
Signe 15-16, 90-91.
Symbole 16-19, 55, 127-128 ; — des Apôtres 7, 488.

Témoignage : voir **Mission, Signe, Église, Confirmation.**
Tentation 451, 507-510.
Terre 135, 140.
Testament (Ancien) 152-153, 174, 177-178.
Travail 138-140.
Trinité 110-111, 469 ; — et sacrements 93 ; — et baptême 72-76 ; — et confirmation 101, — et eucharistie 150-152 ; — et mariage 388-389, 393, 395-397 ; — et prière 469-475.

Vent 64-65, 69, 93-95 .
Viatique 448-454.
Vie divine 29, 62, 70-75, 85-86, 111, 127-129, 133, 442-445. Voir **Père, Grâce.**
Vierges 413-431.
Vin 18, 50, 53, 54, 127-140, 236-237.
Vocation 301, 417, 426-427, 429.

TABLE DES CITATIONS

Pages

8	PAUL VI	Exhortation apostolique sur l'Évangélisation, 47
9	Cardinal Maurice FELTIN	« Panorama aujourd'hui » de février 1968
9	PAUL VI	Audience générale du 14 juin 1967. D.C. 1947, colonne 1162
18	Henri DENIS	Des sacrements pour notre temps, Lyon 1974, p. 14
30	E.-H. SCHILLEBEECKX	Le Christ, sacrement de la rencontre de Dieu, Cerf 1960, p. 39
36	VATICAN II	Décret sur l'activité missionnaire de l'Église, n? 5
37	VATICAN II	Constitution dogmatique sur l'Église, « Lumen Gentium », n° 1
38	BOSSUET	Lettres, Éd. Lachat XXVI, p. 310-313
38	Mgr Robert COFFY	Église, signe de salut au milieu des peuples, Centurion 1972, p. 49
40	VATICAN II	Constitution sur l'Église, 9
49	VATICAN II	Constitution sur la Sainte Liturgie, n° 7
52	Henri DENIS	Des sacrements et des hommes, Chalet 1975, p. 75
68	VATICAN II	L'Église dans le monde de ce temps, « Gaudium et Spes », 22, § 5
71	VATICAN II	Constitution sur l'Église, 14
72	Joseph RATZINGER	Dans « Communio » de mai 1976, p. 12
73	VATICAN II	Constitution sur la Sainte Liturgie, 6
75	Joseph RATZINGER	Dans « Communio » de mai 1976, p. 13
84	Joseph RATZINGER	Dans « Communio » de mai 1976, p. 17
85	Joseph RATZINGER	Dans « Communio » de mai 1976, p. 18
86		« Didachè » ou Doctrine des Douze Apôtres, VII
90	VATICAN II	Constitution sur l'Église, 37
94	Jacques GUILLET	Dans le Vocabulaire de Théologie Biblique, Cerf 1972, art. « Esprit de Dieu », col. 391
97	Élisabeth CHANTERELLE	Dans les Cahiers universitaires catholiques, sept.-oct. 1976, p. 17

97	VATICAN II	Constitution sur l'Église, 59
99	Gérard DELOZE	Bloc-notes de Panorama aujourd'hui, avril 1976
103	Karl RAHNER et Herbert VORGRIMLER	Petit dictionnaire de théologie catholique, « Livre de vie » Seuil 1970, p. 90
104	VATICAN II	Constitution sur la Sainte Liturgie, 71
119	Serge BONNET, o.p.	A hue et à dia, Cerf 1973, p. 158
121	Claude KIEJMAN	Moi, j'ai dix ans (interview), Buchet-Chastel 1977
124	Adalbert HAMMAN, o.f.m.	Je crois en un seul baptême, Beauchesne 1970, p. 130-131
129	Le Patriarche ATHÉNAGORAS	Dans Carême 75, CNPL et Chalet 1975, p. 41
138	Pierre TEILHARD de CHARDIN	Écrits du temps de la guerre, Grasset 1965, p. 370-374
140		« Didachè » ou Doctrine des Douze Apôtres, IX
140	Anselme SANON, évêque de Bobo-Dioulasso	Préface aux Psaumes de la Savane, de Louis Lemarié, c.s.s.r., Ouagadougou 1972, p. 3
145	François VARILLON, s.j.	Conférence sur le Sens de la Mort, 6 décembre 1975. Notes d'après magnétophone
151	Conseil œcuménique des Églises	Dans Episkepsis, no 156, § 7
151	Lucien DEISS, c.ss.s.	La Cène du Seigneur, Centurion 1975, p. 63
152	Gustave MARTELET, s.j.	Résurrection, eucharistie et genèse de l'homme, Desclée 1972, p. 192
152	Louis BOUYER	L'eucharistie, Desclée 1966, p. 22
153	Jacques LOEW	Ce Jésus qu'on appelle Christ, Fayard 1970, p. 70
157	Jean GIBLET/ Pierre GRELOT	Vocabulaire de Théologie Biblique, col. 35
162	Pierre-Émile BONNARD	Vocabulaire de Théologie Biblique, col. 885
165	Louis BOUYER	La Bible et l'Évangile, « Livre de vie », Seuil 1962, p. 65
169	FRANCON d'AFFLIGHEM	De gratia Dei, 10.-P.L. 176, 776
170	Roger LE DEAUT	La nuit pascale, Institut biblique 1963, p. 64-65
171	Stanislas LYONNET, s.j.	Eucharistie et vie chrétienne, Supplément à « Vie chrétienne » de juillet 1969, p. 27-28
172	Conseil œcuménique des Églises	Dans Episkepsis no 156, § 6

174	Jacques LOEW	Ce Jésus qu'on appelle Christ, Fayard 1970, p. 54
178	PAUL VI	Discours final à la Retraite au Vatican 1970 — « Ce Jésus qu'on appelle Christ » du P. Loew — p. 309
180	Raymond DIDIER	Essais de théologie sacramentaire, Lyon, Profac, 1971
183	VATICAN II	Décret sur le ministère et la vie des prêtres, « Presbyterorum ordinis », 5
183	Groupe des Dombes	Vers une même foi eucharistique, Taizé 1972, 32
183-184	François VARILLON, s.j.	Un abrégé de la foi catholique, dans Études 1967, p. 27
185		Quelle espérance ? — Action de Carême des Catholiques suisses 1971
187	Des ouvriers chrétiens	Expression libre. Synode (suisse) 72, p. 105
191	PAUL VI	Encyclique « Mysterium fidei » 1965, no 27
192	François-Xavier DURRWELL	L'eucharistie présence du Christ, Éd. Ouvrières 1971, p. 20
195		Instruction sur le culte du Mystère eucharistique
196-197	Concile de Trente	Décret sur l'eucharistie, chapitre IV et canon 2
199	François-Xavier DURRWELL	L'eucharistie présence du Christ, p. 67
199-201	Jacques LOEW	Ce Jésus qu'on appelle Christ, Fayard 1970, p. 115-117
199	PAUL VI	Encyclique « Mysterium fidei » 1965, no 55
200	PAUL VI	Encyclique « Mysterium fidei » 1965, no 67
205	Saint AMBROISE	In Psalmum 38, nos 25-26; P.L. 14, 1051-1052
206	Louis VEREECKE, c.ss.r.	Histoire de la messe et du bréviaire, Dreux 1960, polycopié, p. 2
207		La Clarté-Dieu V, 1943, p. 64
207	Olivier CLÉMENT	Dans Panorama aujourd'hui, avril 1976, p. 43
208	VATICAN II	Constitution sur la Sainte Liturgie, 48
209	Joseph-A. JUNGMANN, s.j.	La liturgie des premiers siècles, « Lex orandi » 33, Cerf 1962, p. 55
210-211	J.-A. JUNGMANN	Ibid. p. 58-59
211-213	Saint JUSTIN	Première apologie, chapitres 65, 66, 67

212	St CYRILLE de JÉRUSALEM	Catéchèses mystagogiques, « Sources chrétiennes » 126, Cerf 1966 ; P.G. 33, 1123-1126
213	Saint HIPPOLYTE de ROME	La Tradition apostolique, « Sources chrétiennes » 11, Cerf 1946
216	PIE X	Dans « Acta Apostolicae Sedis », 1911, p. 633
217	PIE XII	Dans « Acta Apostolicae Sedis », 1955, p. 838
217	PAUL VI	Documentation catholique 1969, col. 1102
218-219	VATICAN II	Constitution sur la Sainte Liturgie, 50
220	VATICAN II	Constitution sur la Sainte Liturgie, 37
221-226	Un témoin d'Amérique latine	Dans « Mensuel » du Conseil Œcuménique des Églises, n° 9, avril 1976
230	Pierre JOUNEL, o.p.	Dans L'Église en prière, par A.-G. MARTIMORT etc., Desclée et Cie, 3ᵉ éd. 1965, p. 692
230	Traduction Œcuménique de la Bible	Nouveau Testament, Cerf/Bergers et, Mages 1972, p. 779
231	VATICAN II	Constitution dogmatique sur l'Église, 1
232	Yves CONGAR, o.p.	Dans Le Jour du Seigneur, Laffont 1948 p. 149
233	Robert COFFY	Une Église qui célèbre et qui prie, Lourdes 1973, Centurion 1974, p. 37-38
235	VATICAN II	Constitution dogmatique sur l'Église
236	Saint IGNACE d'ANTIOCHE	Lettre aux Éphésiens, V
236	Saint IGNACE d'ANTIOCHE	Lettre aux Magnésiens, VII
237	Saint JUSTIN	Première Apologie ch. 46
238	PAUL VI	Exhortation sur la joie chrétienne, 9 mai 1975, Docum. cath. 1975, p. 510
247	Saint Jean-Marie VIANNEY	Esprit du Curé d'Ars, par l'abbé A. Monnin, Paris 1877, Iʳᵉ partie, chapitre VII, p. 103-104
247	Saint THOMAS d'AQUIN	Somme théologique, IIIa, q. 82, a. 4
248	VATICAN II	Constitution sur la Sainte Liturgie, 56
250	VATICAN II	Constitution sur la Sainte Liturgie, 7
250	VATICAN II	Constitution sur la Révélation divine, 21
250	ORIGÈNE	Homélies sur l'Exode, « Sources chrétiennes » 16, Cerf 1947, p. 263
257	Augustin GEORGE, s.m.	Dans le Vocabulaire de Théologie Biblique, col. 1159
260-261	François BOURDEAU, c.ss.r.	Dans Prêtres pour ce temps, Éd. Ouvrières 1964, p. 95 et 96-97
263	Centre JEAN-BART	Le livre des sacrements, Paris 1974, p. 75

266	Saint AUGUSTIN	Enarrationes in psalmum 36, 2, 2 ; P.L. 36, 139
266	François VARILLON, s.j.	Éléments de doctrine spirituelle, 1955, fiche 79
267-268	VATICAN II	Constitution sur l'Église, 12 et 11
270	Centre JEAN-BART	Le Livre des sacrements, Paris 1974, p. 77
275	Groupe des Dombes	Vers une même foi eucharistique ? Accord entre catholiques et protestants, Taizé 1972, p. 33
276	Fernand BOILLAT, c.r.	Dans Expression libre. Synode (suisse) 72, p. 47
277	Concile de Trente	Dans Enchiridion Symbolorum et definitionum, par H. DENZINGER, Herder, 966
278	VATICAN II	Constitution sur l'Église, 10
281-282	Jean-Luc PIVETEAU	Dans Expression libre, Synode 72, p. 45
282	Pierre-André LIÉGÉ, etc.	Dans Tous responsables dans l'Église, Lourdes 1973, Centurion 1973, p. 40
283	François VARILLON, s.j.	Éléments de doctrine chrétienne, « Livre de vie » Seuil 1966, II, p. 58
283	Saint IGNACE d'ANTIOCHE	Lettre aux Magnésiens, VI-VII
285	Philippe BÉGUERIE	Les sacrements, Cerf 1974, p. 41
286	Augustin GEORGE, s.m.	Dans Le ministère sacerdotal, Lyon Profac 1970, p. 34
290	Xavier LEON-DUFOUR, s.j.	Dans le Vocabulaire de Théologie Biblique, col. 73-74
296	Saint IGNACE d'ANTIOCHE	Lettre aux Smyrniotes, I-II
297	Groupe des Dombes	Le ministère épiscopal, Taizé 1976, nos 21, 25 et 33
299	Madeleine DELBRÊL	Nous autres gens des rues, Seuil 1966, p. 253-254
301	VATICAN II	Constitution sur l'Église, 29
302	Pierre GRELOT	Dans le Vocabulaire de Théologie Biblique, col. 755
302	André LEMAIRE	Les ministères dans l'Église, Centurion 1974, p. 55-56
303	VATICAN II	Constitution sur l'Église, 29
303	PAUL VI	Exhortation apostolique sur l'évangélisation, décembre 1975, 68
319	Bernard HAERING, c.ss.r.	La loi du Christ, Desclée et Cie, 6e éd. 1964, tome I, p. 542
320	Jacques MARITAIN	De l'Église du Christ, Desclée de Brouwer 1970, p. 32

320	Yves CONGAR	Dans La Maison-Dieu, 104, 1970, p. 84
320	Évêques suisses	Instruction sur la pénitence et la confession, 5 novembre 1970. Documentation catholique n° 1579, p. 110
321	VATICAN II	Constitution sur la Sainte Liturgie, 27
323	CARRA de VAUX (présentation)	La confession en contestation, Éd. T.C. 1970
325	Cyrille VOGEL	Le pécheur et la pénitence dans l'Église ancienne, Cerf 1966, p. 15
329	Bernhard POSCHMANN	Pénitence et onction des malades, Cerf 1966, p. 180-181
330	Saint AUGUSTIN	Évangile selon saint Jean, traité 124, chapitre VII, — et Sermon 99, chapitres IX et X
334	Robert COFFY	Pourquoi une réforme du sacrement de pénitence? Docum. cath. 1975, p. 169
335	Robert COFFY	Ibid., p. 170
355	Paul CLAUDEL	Feuilles de saints
359	C.N.P.L.	Rencontrer le Seigneur Jésus, Éd. du Chalet 1971
360	Pierre VALLIN, s.j.	Dans « Christus » 42, p. 155
361	Saint ISIDORE de SÉVILLE	De ecclesiasticis officiis, L. I, c. 26. P.L. 83, 823
368		Vocabulaire de Théologie biblique
369	Bernard SESBOUÉ, s.j.	L'onction des malades, Lyon Profac 1972, p. 34
369	Bernard SESBOUÉ	L'onction des malades, p. 38 et 39
374	Bernard HAERING, c.ss.r.	La loi du Christ, Desclée et Cie, 6e éd. 1964, tome III, p. 324
375	Saint THOMAS d'AQUIN	Contra Gentiles, IV, 73
379	Bernard SESBOUÉ	L'onction des malades, p. 49
380	VATICAN II	Constitution sur la Sainte Liturgie, 11
387	Saint THOMAS d'AQUIN	In IV Sententiarum, dist. 27, qu. 1, art. 1, sol. 1
387	VATICAN II	L'Église dans le monde de ce temps, « Gaudium et Spes », 48, § 1
391	Saint JEAN CHRYSOSTOME	Homélie sur 1 Cor 7, 2. P.G. 51, col. 203
391	Saint AUGUSTIN	De bono conjugali, P.L. 40, spécialement XXIV, 32, col. 394; III, 3, col. 375; V, 5, col. 377
392	Charles-F. RAMUZ	Livret de Famille
392	Dominique SOTO	Sentences, 4, 31, 1, 4
392	Le Catéchisme romain	Appelé aussi : Catéchisme du Concile de Trente. Préparé durant trois ans, sur

393 Herbert DOMS — ordre du Concile, par une Commission de trois évêques et de quelques théologiens de renom. Destiné aux curés. Publié en 1566 en latin, par l'autorité du pape Pie V. Document important du magistère ordinaire de l'Église, mais pas document du Concile / Du sens et de la fin du mariage, Desclée de Brouwer 1937

393 Bernard HAERING, c.ss.r. — La loi du Christ, III, p. 435-436

393 VATICAN II — L'Église dans le monde de ce temps, 47, § 1 et 48, § 1

396 Paul RICŒUR — Dans Esprit, 1960, n° 11

397 François VARILLON, s.j. — Éléments de doctrine spirituelle, ACJF 1953, fiche 80, p. 1

398 Marie-Paule DÉFOSSEZ — Vivre au féminin, Centurion 1971, p. 41-43, 45

403 Centre JEAN-BART — Le livre des sacrements, Paris, 1974, p. 187

404 François VARILLON, s.j. — Éléments de doctrine spirituelle, ACJF 1953, fiche 80, p. 3

405 François VARILLON, s.j. — Éléments de doctrine spirituelle, ACJF 1953, fiche 80, p. 2

407 Bernard HAERING, c.ss.r. — Dans Concilium 1970, n° 55, p. 113-114

415 Sainte Thérèse de LISIEUX — Manuscrits autobiographiques, « Livre de vie », Seuil 1961, p. 192-193

417 VATICAN II — Constitution sur l'Église, 32

419 Marcel VILLER — La spiritualité des premiers chrétiens, Bloud et Gay 1930, p. 34

419 Saint CYPRIEN DE CARTHAGE — Le comportement des vierges, 20. P.L. 4, col. 459

419 Saint ATHANASE — Apologie à Constance, 33. P.G. 25, col. 640

419 Saint JEAN CHRYSOSTOME — Traité de la Virginité, 40. P.G. 48, col. 563

420 Le pape INNOCENT Ier — Lettre 2 à Victrice de Rouen, § 13. P.L. 20, col. 478-479

420 BASILE d'ANCYRE — Livre de la virginité, 38-39. P.G. 30, col. 747-748

421 TERTULLIEN — Du voile des vierges, XVI. P.L. 2, col. 911

421 Édouard SCHILLEBEECKX, o.p. — Le mariage, Cerf 1966, p. 270-274

423 Saint Thomas d'AQUIN — Somme théologique, 2-2, qu. 88. art. 11 et 7

435	Philippe ARIÈS	Dans La Maison-Dieu n° 101, p. 61-62, 77
438	Karl RAHNER, s.j.	Sur l'eucharistie, L'Épi 1965, p. 14-17
438	Rainer-Maria RILKE	Œuvres, Prose, Seuil 1966, p. 541-536 537 et Poésie, Seuil 1972, p. 115
439	Rabindranath TAGORE	Le Jardinier d'Amour
440	A.-D. SERTILLANGES, o.p.	De la mort, Morel éditeur
441	Centre JEAN-BART	Le livre des sacrements, Paris 1974, p. 177
448	Philippe BÉGUERIE	Les sacrements, Cerf 1974, p. 58
448	Dr Paul MILLIEZ	Interview par Claude GOURE dans « Panorama aujourd'hui », mars 1977
449	Dr Élisabeth KUBLER-ROSS	Interview par David SUTOR, du « National Catholic Reporter », traduit de l'américain par J. CHAMBERT pour « Catéchistes » de juillet 1974
453	Marie NOEL	Chants d'arrière-saison, Stock 1961, p. 26-27
453	Fédor DOSTOIEVSKY	Les frères Karamazov
454	Saint MÉLITON de SARDES	Homélie sur la Pâque, 55, « Sources chrétiennes » 123, Cerf 1966, cf. p. 91
454	Saint GRÉGOIRE de NYSSE	Discours catéchétique, 32, 3
455	Saint CYRILLE d'ALEXANDRIE	Homélies pascales, XVII
456	Romano GUARDINI	Les fins dernières. 10/18 1963, p. 24
457	Paul HITZ († 1974), c.ss.r.	Christologie II, chapitre XII, manuscrit
474	TERTULLIEN	Traité de la pénitence, 8, P.L. 1, col. 1243
475	Joachim JÉRÉMIAS	Paroles de Jésus, « Foi vivante » 7, Cerf 1967, p. 85-86
479	Jean LE DU	Qui est ton Dieu ? Sofec, Saint-Brieuc 1972
481	Joseph RATZINGER	Foi chrétienne hier et aujourd'hui, Mame, 1969, p. 226
483	Paul CLAUDEL	Histoire de Tobie et de Sara, Pleiade, Théâtre II, p. 1381
489	Charles PÉGUY	Le mystère des Saints Innocents
497	Jean CARMIGNAC	Dans Foi et langage n° 1, 1976, p. 39-40
498	Christian DUQUOC, o.p.	Dans « Catéchèse » 32, p. 276
502	Jean CARMIGNAC	Recherches sur le Notre Père, Letouzey et Ané 1969, p. 115-116
504	François VARILLON, s.j.	Éléments de doctrine spirituelle, ACJF 1949, fiche 37-38

TABLE DES MATIÈRES

Prologue : AUJOURD'HUI, LES SACREMENTS? 7

1 - LES SOURCES DES SACREMENTS 13
Signes, rites et symboles 15
Quand Dieu fait signe 20
Le Christ, sacrement de la rencontre de Dieu 26

2 - L'ÉGLISE ET SES SACREMENTS 33
L'Église, sacrement de la rencontre du Christ.............. 35
Le mystère pascal dans les sacrements 40
La foi a-t-elle besoin de rites? 46
Les rites ont-ils besoin de foi?........................... 50
Parole et rites 53

3 - LE SACREMENT DE BAPTÊME 59
« Nés de l'eau et de l'Esprit » 61
« Tous furent baptisés » 66
L'entrée dans l'Église 70
Le bain d'eau 77

4 - LA CONFIRMATION DU BAPTÊME 87
Actualité de la confirmation 89
« L'Esprit sur toute chair » 93
La confirmation dans l'Église 98
La confirmation du baptême 103
Les rites actuels 107
La confirmation dans le chrétien 110

5 - LES ÉTAPES DE L'INITIATION.................... 115
Baptême — Confirmation — Eucharistie 117
Si l'enfant meurt sans baptême? 123

6 - L'EUCHARISTIE : LES SYMBOLES................. 125
Une nourriture 127
Vivre en eucharistie 131
Du pain et du vin 134
Le repas eucharistique 141

7 - L'EUCHARISTIE : LES PRÉPARATIONS 147
Sacrement de la création 149
Sacrement de l'Alliance 152
Sacrement de la Pâque 161
Les quatre nuits 170

8 - L'EUCHARISTIE : L'ACCOMPLISSEMENT 175
Alliance nouvelle et éternelle 177
A table avec les Douze 179
« Aimez-vous les uns les autres comme je vous ai aimés » 183
« Alors, j'ai dit : me voici » 188
« Jusqu'à ce que vienne le Royaume » 194
« La certitude bimillénaire » 199

9 - LA CÉLÉBRATION DE L'EUCHARISTIE 203
Les concélébrants de l'Eucharistie................................. 205
« La messe de toujours » 208
La réforme conciliaire 216
Cette foi des pauvres qui nous fait honte 221

10 - LE SACREMENT DE LA RÉSURRECTION 227
« Le premier jour de la semaine » 229
L'Église est une communion 234
Obligation, oui ou non ? 239
Le sacrement de la Parole.. 245

11 - LE SACERDOCE CHRÉTIEN 253
Jésus Christ, le seul prêtre 255
Le médiateur des rencontres 259
Le peuple sacerdotal 264
... sacerdotal et médiateur 268

12 - LE SACREMENT DE L'ORDRE 273
Sous les mots 275
Des prêtres, pourquoi ? 280
Remontons à la source 285
L'ordre des évêques... 292
L'ordre des prêtres 297
L'ordre des diacres 301

13 - LE SACREMENT DE LA RÉCONCILIATION 305
Laissez-vous réconcilier 307
Ce que le Christ a institué 312
Ce que l'Église doit continuer 319
Éclairage par l'histoire.. 324

14 - CÉLÉBRER LA RÉCONCILIATION 331
Un nouveau rituel de la pénitence................................ 333
La réconciliation individuelle 335
La célébration communautaire 344
Confession et absolution collectives.............................. 351

15 - LE SACREMENT DES MALADES 357
L'huile sainte 359
« Il s'est chargé de nos maladies » 362

« L'un de vous est-il malade ? » 366
A travers les temps 370
« L'onction des malades » 377

16 - LE SACREMENT DE MARIAGE 381
Survol historique 383
Le mariage, pour quoi ? 388
Le mystère du mariage 394
S'engager à vie 398
Ce que Dieu a uni 403

17 - CÉLIBAT ET CONSÉCRATION 409
Mariage et célibat 411
Que dit l'histoire ? 418
La vie consacrée 425
Rituel de la consécration des vierges 428

18 - LES DERNIERS SACREMENTS 433
Vivre sa mort 435
Du baptême au Viatique 440
Le saint Viatique 448
La mort, comme sacrement 454

19 - LA PRIÈRE DES CHRÉTIENS 459
Sacrements et prière 461
Caricatures de la prière 465
Prière chrétienne, prière du Christ 469
Prière chrétienne, prière des chrétiens 475
La prière de demande 479

20 - PRIEZ AINSI : NOTRE PÈRE 485
La prière des fidèles 487
Notre Père qui es aux cieux 491
Que ton nom soit sanctifié 494
Que ton règne vienne 496
Que ta volonté soit faite 499
Sur la terre comme au ciel 501
Donne-nous aujourd'hui notre pain de ce jour 502
Pardonne-nous nos offenses comme nous pardonnons aussi 505
Ne nous soumets pas à la tentation, mais délivre-nous du mal 507

INDEX ALPHABÉTIQUE 511

TABLE DES CITATIONS 516

Imprimerie A. BONTEMPS, Limoges (France)
N° éditeur : 809 - N° imprimeur : 22014-90
N° ISBN : 2-7041-0541-3
Dépôt légal : Juin 1990